에듀윌과 함께 시작하면,
당신도 합격할 수 있습니다!

자소서와 면접, NCS와 직무적성검사의 차이점이 궁금한
취준을 처음 접하는 취린이

대학 졸업을 앞두고 취업을 위해 바쁜 시간을 쪼개며
채용시험을 준비하는 취준생

내가 하고 싶은 일을 다시 찾기 위해
회사생활과 병행하며 재취업을 준비하는 이직러

누구나 합격할 수 있습니다.
이루겠다는 '목표' 하나면 충분합니다.

마지막 페이지를 덮으면,

에듀윌과 함께
취업 합격이 시작됩니다.

누적 판매량 217만 부 돌파
베스트셀러 1위 2,420회 달성

공기업 NCS | 100% 찐기출 수록!

NCS 통합 기본서/실전모의고사
피듈형 | 행과연령 | 휴노형 봉투모의고사
PSAT형 NCS 수문끝

매1N
매1N Ver.2

한국철도공사 | 부산교통공사
서울교통공사 | 국민건강보험공단
한국전력공사 | 한국가스공사

한국수력원자력+5대 발전회사
한국수자원공사 | 한국수력원자력
한국토지주택공사 | 한국도로공사

NCS 6대 출제사
공기업 NCS 기출 600제

대기업 인적성 | 온라인 시험도 완벽 대비!

20대기업 인적성 통합 기본서

GSAT 삼성직무적성검사
통합 기본서 | 실전모의고사 | 봉투모의고사

LG그룹 온라인 인적성검사

SKCT SK그룹 종합역량검사
포스코 | 현대자동차/기아

농협은행
지역농협

영역별 & 전공

취업상식 1위!

이해황 독해력 강화의 기술
석치수/박준범/이나우 기본서

공기업 사무직 통합전공 800제
전기끝장 시리즈 ❶, ❷

다통하는 일반상식

공기업기출 일반상식

기출 금융경제 상식

취업 대세 에듀윌!
Why 에듀윌 취업 교재

기출맛집 에듀윌!
100% 찐기출복원 수록

주요 공·대기업 기출복원 문제 수록
과목별 최신 기출부터 기출변형 문제 연습으로 단기 취업 성공!

공·대기업 온라인모의고사
+ 성적분석 서비스

실제 온라인 시험과 동일한 환경 구성
대기업 교재 기준 전 회차 온라인 시험 제공으로 실전 완벽 대비

무료 강의 ➕ 부가 자료

합격을 위한
부가 자료

교재 연계 무료 특강
+ 교재 맞춤형 부가학습자료 특별 제공!

eduwill

취업 교육 1위
에듀윌 취업 무료 혜택

교재 연계 부가학습자료

다운로드 방법

STEP 1
에듀윌 도서몰
(book.eduwill.
net) 로그인

▶

STEP 2
도서자료실 →
부가학습자료
클릭

▶

STEP 3
[PSAT형 NCS
기출예상
문제집]
검색

• 고난도 NCS 파이널 모의고사(PDF)

취업 교재 무료강의

※ 무료 특강 이벤트는 예고 없이 변동 또는
종료될 수 있습니다.

무료강의
바로가기

1:1 학습관리
교재 연계 온라인스터디

참여 방법

STEP 1
신청서 작성

▶

STEP 2
스터디 교재
구매 후 인증
(선택)

▶

STEP 3
오픈채팅방
입장 및 스터디
학습 시작

※ 온라인스터디 진행 혜택은 교재 및 시기에
따라 다를 수 있습니다.
※ 오른쪽 QR 코드를 통해 신청하면 스터디 모
집 시기에 안내 메시지를 받을 수 있습니다.

온라인스터디
신청

모바일 OMR
자동채점 & 성적분석 서비스

실시간 성적분석 방법

STEP 1
QR 코드 스캔

▶

STEP 2
모바일 OMR
입력

▶

STEP 3
자동채점 &
성적분석표
확인

※ 혜택 대상 교재는 본문 내 QR 코드를 제공하고 있으며, 교재별 서비스 유무
는 다를 수 있습니다.
※ 응시내역 통합조회
에듀윌 문풀훈련소 → 상단 '교재풀이' 클릭 → 메뉴에서 응시확인

처음에는 당신이 원하는 곳으로
갈 수는 없겠지만,
당신이 지금 있는 곳에서
출발할 수는 있을 것이다.

– 작자 미상

에듀윌 공기업
PSAT형 NCS
기출예상문제집

문제해결·자원관리능력

공기업 채용의 모든 것!

합격을 위한! 알짜!
정보만 모았다

NCS, PSAT 로 학습하는 이유는?

NCS와 유사한 PSAT   ◢ P. 6

실질적으로 PSAT와 PSAT형 NCS 문항이 유사한 형태로 출제되고 있어 PSAT를 통해 NCS를 대비하면 실전에서 고난도 문제도 넘기지 않고 풀 수 있습니다.

장점과 유의점   ◢ P. 6

난도가 높은 문제로 꾸준하게 학습하는 것은 긍정적인 부분이 분명 있습니다. 다만 NCS 학습을 위해 PSAT 문제를 활용하고자 한다면 올바른 방향설정이 필요합니다.

PSAT와 NCS, 출제유형의 차이 는?

NCS 출제/미출제 유형의 이해
↪ P. 7

NCS에는 PSAT 언어논리와 자료해석, 상황판단을 기준으로, 출제되지 않는 유형이 있습니다. 그렇기 때문에 문항에 대한 분석 없이 무분별하게 PSAT로 학습할 경우 NCS에 도움이 되지 않는 경우가 있어 출제 및 미출제 유형에 대한 이해가 필요합니다.

NCS 맞춤용 PSAT 난도별 학습법은?

PSAT별 난이도 및 단계적 학습
↪ P. 8

5급 공채>7급 공채>민경채 순의 난도를 보입니다. 7급 공채가 가장 NCS와 유사한 난도와 유형의 문항들로 구성되어 있다고 알려져 있으나 지원자의 학습 정도에 따라 추가 학습용 PSAT 종류를 선택할 수 있습니다.

PSAT 기출 변형 문항 학습의 이유는?

유사성 & 세팅된 시간의 차이
↪ P. 9

가장 큰 차이점은 1문항을 푸는 데 주어진 시간이 다르다는 점입니다. 예를 들어 5급 PSAT로 학습할 경우 1문항을 푸는 데 2분 내외의 시간이 소요되는데, NCS에는 적합하지 않으므로 NCS에 맞게 변형된 문항으로 대비해야 합니다.

NCS, PSAT로 학습하는 이유는?

01 수험생들은 왜 PSAT로 NCS의 추가 학습을 시작했을까?

NCS 시험을 앞두고 대부분의 수험생들은 특정 기업의 기본서, 봉투 또는 실전모의고사를 풀면서 자신의 실력을 점검한다. 그 외의 기간에는 추후에 있을 시험을 대비하기 위해서 다양한 기업을 대비할 수 있는 서적을 학습하거나, 대표 출제(대행)사별 · 주요 공기업별 기출문항을 다루는 기본서 등을 풀면서 감을 잃지 않도록 한다. 더 나아가서는 PSAT 기출문제를 풀어 고난도 문제를 대비한다. 즉 PSAT 기출 문제를 학습하는 이유는 추가 학습을 위해서라고 말할 수 있다. 실질적으로 PSAT와 NCS의 문항 구성이 유사한 측면이 많고, 최신의 PSAT일수록 PSAT형 NCS와 유사한 형태의 문항이 출제되고 있다. 실전에서 고난도 문제를 넘기지 않고 풀겠다는 것이다. 즉 경쟁자들 대비 우위에 서기 위함이다.

02 PSAT 문제 풀이 학습의 장점과 유의점

난도가 높은 문제로의 꾸준한 학습은 실전에서 체감 난도를 확 낮춰 줄 수 있기에 긍정적이다. 또한 PSAT의 경우 국가에서 출제 및 평가 등 일련의 과정을 모두 담당하고 있기 때문에 절대 오류가 있어서는 안 되는 시험 중 하나이다. 즉 문제가 어려울 수는 있지만 정답 논란이 없는 양질의 문제이기 때문에 해당 문제 풀이를 통해 실력 향상을 기대할 수 있다. PSAT 기출문제로만 학습할 경우에는 고난도의 문제를 풀어 정답률을 높이는 연습용으로 문제를 활용하겠다고 방향을 설정해 놓은 다음 학습하는 것이 중요하다.

PSAT와 NCS, 출제유형의 차이는?

PSAT 문항 중 NCS를 기준으로 출제/미출제되는 유형

제시된 표는 PSAT에서 출제되는 문항을 NCS를 기준으로 출제되는 유형인지 미출제되는 유형인지를 구분하여 정리해 둔 표이다. 이 중 영역별로 출제되는 유형은 유형의 명칭만 보아도 NCS를 학습해 본 수험생이라면 이미 익숙한 것들도 많을 것이다. 다만 PSAT 언어논리에서 출제되는 유형은 NCS 의사소통능력에만 국한된 것이 아니라 문제해결능력에도 일부 출제될 수 있으므로 PSAT의 어떤 문제가 NCS에서는 어떤 유형으로 출제되는지 출제되지 않는지에 대한 선행학습이 필요하다.

영역명		PSAT 문항 중 NCS를 기준으로 출제/미출제되는 유형
PSAT 언어논리 NCS 의사소통능력	출제	핵심 내용 파악, 세부 내용 파악, 주어진 내용 추론, 글의 구조 파악, 생략된 내용 추론, 특정 내용 이해
	미출제	진술 추론(약화하는 진술 찾기), 논증(명제/참·거짓), 논리추론(조건추론) 등 ※ 미출제 문항 중 일부 유형은 NCS 문제해결능력에서 유사 출제
PSAT 자료해석 NCS 수리능력	출제	자료이해(기본연산, 일치·불일치), 자료계산, 자료변환(도표작성)
	미출제	자료해석 영역은 상당 부분 일치하여 미출제 유형 없음
PSAT 상황판단 NCS 문제해결능력 · 자원관리능력	출제	지문 이해, 조건추리, 순서/자리배치, 명제, 자원관리 등
	미출제	근거 판단(세부 내용 파악) 등 ※ 미출제 문항 중 일부 유형은 NCS 의사소통능력에서 유사 출제

NCS 맞춤용 PSAT 난도별 학습법은?

01 5급 공채 > 7급 공채 = NCS > 민경채

- **시험 유형에 따라 PSAT의 난이도가 다르다**

  5급 공채>7급 공채>민경채 순이다. 5급 공채 PSAT는 제시되는 자료의 양이 많거나 더 복잡하여 다각도로 사고를 해야지 풀 수 있는 경우가 많다. 민경채 PSAT의 경우에도 해마다 난도가 높아지고 있는 추세이고, 몇몇 문항은 5급 공채 PSAT의 고난도 문항과 유사한 수준으로 출제되기도 한다.

- **문항의 생김새로는 5급, 7급, 민경채 구분이 어렵다**

  민경채 PSAT 문항은 5급 공채 PSAT와 유사한 경우도 있어 외형만 보고는 풀이 시간을 예상하기 어려운 경우도 있다. 하지만 문항을 푸는 데 있어 민경채 PSAT의 경우 난도 자체는 NCS 시험보다 다소 쉽다고 느껴질 수 있다. 문항 자체가 깔끔하게 답을 찾을 수 있도록 설계되었기 때문인데, PSAT로 NCS를 학습하는 데 있어 입문 과정에 속한다.

- **7급 PSAT가 NCS와 난이도 및 유형이 가장 비슷하다**

  7급 PSAT가 학습생들이 가장 기본적으로 풀어야 하는 문항에 속하는 이유가 바로 NCS와의 유사성 때문이다. 이후에는 고난도 문항 학습을 위해 5급의 문항을 풀면서 확실하게 개념을 다지는 작업이 필요하다.

02 5급, 7급, 민경채를 다 풀어야 할까?

- **단계별 NCS 학습에 적합하다**

  - 민경채: PSAT 문항의 특징들은 모든 문항들이 명쾌하고 깔끔하게 답을 찾을 수 있다는 것인데, PSAT형 NCS의 긴 지문과 자료의 형태를 그대로 유지하면서 NCS보다 살짝 난도가 낮은 민경채는 NCS 시험을 처음 준비하면서 기본기를 탄탄하게 하고 싶은 사람들에게 권한다.

  - 7급: NCS 시험과 가장 난도가 유사하기 때문에 7급 PSAT가 시행된다고 할 때부터 많은 NCS 수험생들의 기대가 컸다. 기존 기업의 기출문항과 더미 문제로만 학습하던 사람들에게 추가 학습할 수 있는 자료가 되기 때문이다. 또한 NCS와 유사한 문항들이 많이 출제된다는 것은 결과적으로 추후 NCS 시험에 영향을 줄 가능성도 높다는 뜻이므로 반드시 학습해야 하는 문항에 속한다.

  - 5급: 가장 난도가 높은 시험이기 때문에 대다수의 수험생들이 기존의 NCS 학습을 끝낸 이후에 어려운 문항 대비용으로 학습한다. 실제 시험에서 어려운 문항도 풀어내려는 고득점 전략을 세우기 위해서는 5급 문제 풀이도 반드시 필요하다.

PSAT 기출 변형 문항 학습의 이유는?

01 기출문제 풀이의 필요성

- **7급 PSAT 기출문제 풀이의 필요성**

  가장 NCS와 유사한 유형의 문항들을 접할 수 있기 때문에 권하고 있다. 실제 NCS에서 출제되었던 소재나 형태와 유사한 문제들을 7급 PSAT에서 찾아볼 수 있기 때문이다.

- **5급 / 7급 / 민경채 PSAT 기출문제 풀이의 필요성**

  NCS와 유사한 형태 또는 비슷한 난도로 출제되었던 문항들이 일부 있기 때문에 함께 학습을 권하는 편이다. 다만 5급, 7급, 민경채 PSAT별로 난이도가 달라지기 때문에 본인의 학습 성취도에 따라 접근할 수 있어야 한다. 또한 하지만 NCS에 딱! 맞는 문항으로 학습하기 위해서는 PSAT의 기출변형 문항을 풀어보는 것이 더욱 전략적인 학습 방법이 된다. 본 책에서는 PSAT 기출/기출변형 문항을 접할 수 있다.

02 1문항당 문제풀이에 세팅된 시간이 PSAT와 NCS가 다르다

- **문항을 푸는 데 주어진 시간이 다르다**
  - 5급, 7급, 민경채 PSAT에 따라 다르겠으나 5급 PSAT의 경우 90분 동안 40문항을 풀어야 한다.
  - PSAT는 한 문항을 풀기 위해 2분을 소요하지만, NCS의 경우 1분 내외의 시간만 허락된다.
  - 가장 난이도와 유형이 비슷하다고 알려져 있는 7급 PSAT조차도 영역별 25문항을 1시간(60분) 동안 풀어야 되기 때문에 NCS의 문제 풀이 시간과는 차이가 크다. → 단순히 기출문제로 학습할 경우 시험별 문항에 허용된 시간에 차이가 있기 때문에 시간관리까지 고려한 학습을 하기 어려운 측면이 있다.
  - 고난도 문제로 구성된 5급 PSAT, NCS와 유형과 난이도가 가장 비슷한 7급 PSAT, 기초를 다지기 위해 푸는 민경채 PSAT 기출 문제를 푸는 것과는 별개로 PSAT를 바탕으로 한 NCS를 위한 기출 변형 문항을 함께 풀어야 하는 이유이다.
  - 실제 시험에서의 시간 관리도 중요하고, 실제 PSAT에서 출제되는 유형 중 NCS에 출제되지 않는 문항의 유형도 있기 때문에 불필요한 부분의 학습을 제외하여 효율적으로 학습해야 한다.

이 책의 구성
STRUCTURE

9개의 주요 기출 유형

NCS 기출 유형별 분석

NCS의 주요 과목인 '문제해결·자원관리능력'에서 출제 비중이 높은 기출 유형을 9개로 구분하고 세부 유형별 접근법을 분석하여 주요 기출 유형별 핵심 내용을 한눈에 파악할 수 있도록 하였다.

NCS 대표 공기업 기출

대표문항 첨삭해설＋기출변형 예제 학습

기출 유형별 대표문항 선별 및 첨삭해설을 통해 효율적인 문제 풀이 전략을 익힌 후 기출변형 예제를 통해 문제 풀이 훈련으로 실전을 대비할 수 있도록 하였다.

NCS 출제유형별

5급 · 7급 · 민경채 PSAT 기출 엄선

5급·7급·민경채 PSAT 기출 문항 중 NCS에 적합한 문항만을 주요 기출 유형별로 엄선하여 수록함으로써 PSAT형 NCS 학습을 통해 실력을 향상시키고 실제 시험을 대비할 수 있도록 하였다.

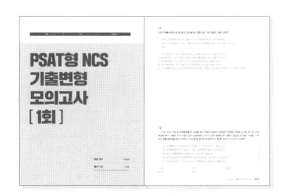

■

NCS에 최적화된 문제로 점검하는

PSAT형 NCS 기출변형
문항 구성의 모의고사 3회 제공

NCS 유형 및 출제 경향에 부합하는 기출문제만을 엄
선하여 변형한 기출변형 문제를 25문항씩 총 3회분
의 모의고사로 구성하여 실력 향상을 위한 충분한 학
습이 가능하도록 하였다.
회차별로 실제 시험과 유사한 난도부터 고난도 문제
까지 철저히 대비 및 연습할 수 있도록 하였다.

■

시간 단축 & 실전 적용 가능한

문제 풀이 전략 제공

문제당 정답과 오답에 대한 풀이를 빠짐없이 자세하
게 제공하여 보다 쉽고 빠르게 내용을 이해할 수 있
도록 하였다.
실전에서 적용하기 좋은 시간 단축용 풀이 전략을
'문제 풀이 TIP'으로 제공함으로써 학습의 효율성을
높였다.

이 책의 차례
CONTENTS

PART 1 | NCS 기출 유형 & 문제 풀이 훈련

기출 유형 1	논리 · 명제형	18
기출 유형 2	참/거짓	40
기출 유형 3	조건추리	46
기출 유형 4	상황판단형_시간자원관리	60
기출 유형 5	상황판단형_예산자원관리	78
기출 유형 6	상황판단형_물적자원관리	98
기출 유형 7	상황판단형_인적자원관리	114
기출 유형 8	독해형_제시문/자료 및 도표	124
기출 유형 9	독해형_법률	140

PART 2 | PSAT 기출을 통한 NCS 출제유형 연습

기출 유형 1	논리 · 명제형	154
기출 유형 2	참/거짓	160
기출 유형 3	조건추리	164
기출 유형 4	상황판단형_시간자원관리	174
기출 유형 5	상황판단형_예산자원관리	180
기출 유형 6	상황판단형_물적자원관리	186
기출 유형 7	상황판단형_인적자원관리	192
기출 유형 8	독해형_제시문/자료 및 도표	196
기출 유형 9	독해형_법률	212

PART 3 | PSAT형 NCS 기출변형 모의고사

01   PSAT형 NCS 기출변형 모의고사 [1회]   225

02   PSAT형 NCS 기출변형 모의고사 [2회]   247

03   PSAT형 NCS 기출변형 모의고사 [3회]   269

현장에서 가장 많이 접하는 질문 중 하나가 'PSAT을 어떻게 공부해야 하는지'입니다. 구체적으로는 5급, 7급, 민경채 중 어느 시험을 몇 개년 준비해야 하는지도 궁금해하십니다. NCS에서 PSAT형이라는 말이 생길 정도로 PSAT이라는 시험이 가진 영향력이 큰 것은 맞지만, 여기서 우리가 주의해야 할 점은 주객전도가 되어서는 절대로 안 된다는 것입니다.

우리가 준비하는 시험은 PSAT이 아니라 NCS입니다. PSAT의 모든 문제를 잘 풀 수 있다면 NCS에서 유리한 고지를 점할 수 있는 것은 맞으나, 100% 대비가 되는 것은 아닙니다. 다시 말해 PSAT '상황판단'의 모든 유형이 NCS '문제해결능력'에서 출제되고 있는 것이 아니라, 'NCS 유형에 맞춘 PSAT 변형'이 출제된다는 것을 잊어서는 안 됩니다. 하여 본 교재는 다년간의 NCS 기출 문제를 분석한 결과를 토대로 '문제해결능력'만이 가진 특성을 정리하고, 최신 경향인 피튤형과 피셋형을 대비하실 수 있도록 기획·구성하였습니다. 그렇기에 문제를 푸시는 것만으로도 유형별 학습은 물론, 약점 보완에도 도움을 받으실 수 있을 겁니다.

아무쪼록 본 교재가 여러분의 실력 향상에 도움이 되어, 합격의 기쁨에 한 자락을 차지할 수 있기를 진심으로 바랍니다.

이 교재 속에는 지금까지 저와 함께했던 수많은 수험생들의 고민과 경험이 고스란히 녹아있습니다. 지금 각자의 자리에서 멋지게 삶을 영위하고 있을 그분들에게 우선 감사의 인사를 전합니다.

한 권의 교재가 완성되기까지는 저자의 노력도 있지만, 그에 못지않은 편집자들의 노고가 숨겨져 있습니다. 그렇기에 좋은 편집자를 만나는 것은 저자에게 크나큰 행운과 같습니다. 이 교재가 완성되기까지 물심양면으로 지원해주셨던 에듀윌 출판 개발실에 감사함을 전합니다.

마지막으로 늘 저를 응원해 주는 가족들과 원고와 씨름하느라 소홀했을 저에게 늘 버팀목이 되어주었던 우리 남편과 천사 아인이에게 고마움과 미안함을 전합니다.

길자은

에듀윌 언어논리, 의사소통능력 대표 강사
에듀윌 NCS 문항개발위원
중앙대, 숙명여대 등 언어논리, 의사소통능력 특강

다년간의 강의를 하며 늘 느낀 점은 '혼자서 학습하는 것은 왜 어려울까?'입니다. 필기시험에 합격하기 위해 난도가 높은 문항을 많이 풀어야 하거나 시험에 나오지 않을 수도 있는 내용까지 모두 준비한다는 것입니다. 그런데 저는 생각이 다릅니다.

대부분 지원자들의 목표는 만점이 아니라 바로 합격이라는 것입니다. 이때, 목표를 달성하기 위해선 필기시험이 전부가 아니라 서류, 면접도 함께 준비해야 합니다. 즉, 주어진 시간은 한정적인 데 반해 얼마나 효과적으로 준비하느냐가 합격의 관건이라는 생각이 듭니다. 유독 필기시험은 어렵게 많이 준비해야 체감 난이도가 낮아지는 것은 사실이지만, 한정적인 시간으로 인해 필기시험만 계속 붙잡고 있을 수 없습니다.

그래서 필기시험 준비 기간이 오래 걸리지 않지만, 효과적으로 준비할 수 있도록 쉬운 난이도부터 어려운 난이도의 문항까지, PSAT를 이용하여 NCS 시험에 꼭 나오는 개념을 위주로 구성하여 이 책을 집필하였습니다. 취업을 목표로 하는 지원자들이 혼자 준비하려는 의지만 있다면, 꼭 이 교재만으로도 충분히 합격할 수 있다는 것을 선례로 보일 것이라 확신합니다.

모든 일은 노력도 중요하지만, 운도 많이 작용한다고 생각합니다. 그 중 저는 대인 운이 좋아 교재를 집필할 수 있었던 것 같습니다. 그중 특히 교재를 완성할 수 있게 제 강의를 들으며 저랑 함께 고민해 주신 학생분들을 포함하여, 이 교재를 집필할 수 있도록 저의 손과 발이 되어주셨던 에듀윌 출판개발실에도 감사라는 표현보다 정말 고맙다는 말을 전합니다.

마지막으로 저를 늘 채찍질해 주는 가족 해피와 짱군이에게도 너무 건강해줘서 고맙다는 말을 전합니다.

석민이(윤석민)

에듀윌 NCS 문항개발위원
서강대, 한양대, 동국대, 부산대, 한동대 포함 80개 대학 NCS · 대기업 특강
2020~2021년 부울경 온라인 취업박람회 초청강사

NCS 기출 유형 & 문제 풀이 훈련

기출 유형 1 논리 · 명제형

기출 유형 2 참/거짓

기출 유형 3 조건추리

기출 유형 4 상황판단형_시간자원관리

기출 유형 5 상황판단형_예산자원관리

기출 유형 6 상황판단형_물적자원관리

기출 유형 7 상황판단형_인적자원관리

기출 유형 8 독해형_제시문/자료 및 도표

기출 유형 9 독해형_법률

PART

1

기출 유형 분석

- **명제논리**

  주어진 명제를 바탕으로 항상 참 혹은 거짓인 것을 고르거나 삼단논법 형태를 제시한 후 반드시 참인 전제 혹은 결론을 묻는 유형이다. 대부분 정언명제의 대우 관계를 활용하여 풀이가 가능하나 난도가 높을 경우 복합명제를 활용하기도 하고 연역 규칙을 적용하여 풀이해야 하는 경우도 있다.

- **논리적 오류**

  논리적 오류는 모듈에서 다루는 이론이지만 모듈형이 아닌 PSAT형에서도 출제되는 유형이다. 형식적 오류와 관련된 유형으로는 주어진 논증 중 논리적으로 타당하지 않은 것을 고르는 유형이 일반적이다. 비형식 오류 유형으로는 주어진 상황과 관련 깊은 논리적 오류를 고르거나 유사하거나 이질적인 것을 고르는 유형으로 출제되고 있다. 최근에는 출제 빈도가 낮은 편이지만, 의사소통능력이나 문제해결능력에서 논증 과정을 파악할 때나 생략된 전제를 고르는 유형에서도 활용할 수 있는 이론으로 한 번쯤은 정리해 두는 것을 권한다.

세부 유형

세부 유형	발문 내용
명제논리	• 다음 명제가 모두 참이라고 할 때, 반드시 참인 명제를 고르면? • 주어진 전제가 모두 참일 때, 반드시 참인 결론을 고르면? • 다음 〈보기〉의 명제가 모두 참일 때, 반드시 참인 명제를 고르면? • 다음 전제와 결론을 보고 반드시 참이 되게 하는 전제2를 고르면? • 다음 명제가 모두 참이라고 할 때, 갑이 반드시 출장 가는 국가의 수를 고르면? • 다음 〈보기〉의 명제 사이의 관계에 대해 타당한 추리를 한 사람을 모두 고르면?
논리적 오류	• 다음 대화에서 나온 논리적 오류의 유형을 고르면? • 다음 중 〈보기〉의 상황에서 나타난 오류와 동일한 오류가 나타난 것을 고르면? • 다음과 같은 유형의 논리적 오류를 고르면? • 다음 (가)~(마) 중 논리적으로 타당한 것만 묶은 것을 고르면?

기출 유형 접근법

1. 명제논리

(1) 기호화(시각화)

주어진 명제를 기호나 축약어로 단순화하거나 시각화하는 것이 풀이에 도움이 된다. 이를 통해 숨겨진 풀이의 단서를 찾기도 용이하다. 복합명제의 기호화는 공식을 따라하거나 자신만의 형태를 사용하면 되고, 내용의 기호화는 다른 정보와 구분할 수 있을 정도로 2~3음절 정도로 축약하면 된다. 예컨대 '정 팀장이 기획을 맡게 되면 보도자료가 대폭 수정된다'는 명제가 있다면 '정, 기획 → 보도 수정'으로 기호화가 가능하다.

☑ TIP

'어떤 A는 B이다'와 같은 I명제는 'A∧B'로도 기호화가 가능하다.

(2) 적용 순서

기호화한 후에는 확정적 정보부터 적용하는 것이 풀이에 도움이 된다. 만약 정언명제와 복합명제가 함께 등장한다면 정언명제부터 살펴보는 것이 정리하기가 수월하다. 정언명제로만 구성된 문제의 경우 정보간의 연결만으로도 풀이가 가능하기도 하다. 복합명제 중에서는 가언명제나 선언명제보다는 연언명제를 우선 적용하는 것이 정리하기가 수월하다. 즉 단정적 정보를 내포하고 있다는 뜻이기도 하다. 그 후에는 많은 정보를 담고 있는 내용부터 적용하는 것이 효율적이다.

(3) 이론 정리

필수 이론은 반드시 한번은 정리하는 것이 좋다. 대우명제는 숨 쉬듯 적용이 가능해야 하며, 고난도 문제 풀이를 위해서는 연역규칙이나 논리적 동치 등도 함께 알아두는 것이 유리하다.

(4) 선택지는 힌트

주어진 명제들의 관계가 복잡하고 연결 짓기가 어려워 풀이가 어렵다면 선택지가 하나의 힌트로서 작용할 수 있다. 선택지는 늘 주요한 힌트가 된다.

(5) 삼단논법형

삼단논법형은 명제에서 가장 흔히 활용되는 기본 문제 형태이다. 이를 풀이하기 위해서는 일단 공통된 정보 매개념을 지우고 나머지 정보들을 잇는다고 생각하면 비교적 쉽게 풀이가 가능하다. 특히 전제를 찾는 경우 후건이 결론의 후건이 된다는 점도 기억해 두도록 한다. 더불어 삼단논법의 형태에서는 부정형을 자유롭게 구사하여 매력적인 오답을 구성하기도 하므로 부정형에 특히 유의해야 한다.

☑ '어떤'

- '어떤'으로만 이루어진 삼단논법은 존재하지 않는다. 전제와 결론이 '어떤'으로 이루어져 있다면 비어져 있는 전제는 '모든'이 들어가야 한다.
- '어떤'은 '존재한다'는 뜻이기도 하다.

(6) 벤다이어그램

벤다이어그램은 부합하지 않는 경우를 소거할 때 활용하기 좋지만, 모든 문제 풀이에 필수 과정은 아니다.

(7) 주어진 명제가 5개 이상

주어진 명제가 5개 미만이라면 모든 관계성을 파악한 후 선택지를 확인하는 것이 좋지만, 그 이상이라면 선택지의 내용을 주어진 조건에 대입하듯 확인하는 것이 더 효율적일 수 있다. 난도가 낮은 문제일수록 주어진 명제의 수가 적고 모두 하나의 관계성으로 정리할 수 있지만, 그렇지 않은 경우 정리하는 데 시간이 오래 걸릴 수 있음에 유의한다.

2. 논리적 오류

(1) 형식적 오류 – 명제 이론과 연계하여 정리

형식적 오류는 논증 과정에서 범하는 오류로, 연관성이 있는 명제 이론과 함께 정리하는 것이 효율적이다.

(2) 비형식적 오류① – 이론 정리

논리적 오류의 모든 종류를 알고 명칭을 암기할 필요는 없지만, 자주 출제되는 오류의 종류를 알고 해당 오류의 다양한 예문을 접하는 것이 문제 풀이에 도움이 된다. 종류나 명칭을 모르더라도 주어진 상황을 파악하여 유사한 상황을 고르는 것은 그리 어렵지 않지만 단순형으로 종류(명칭으로만 선택지를 구성하는 경우)를 고르라는 문제가 출제될 수도 있으므로 대비가 필요하다.

(3) 비형식적 오류② – 핵심 문장(구) 확인

주어진 글이나 대화에서 논리적 오류를 범한 문장이나 구를 찾는 것이 우선되어야 한다. 하나의 문장일 수도 있지만, 여러 문장에 걸쳐서 나올 수도 있다. 더불어 오류 역시 하나가 아닌 여러 개가 복합적으로 등장할 수도 있으므로 이에 유의해야 한다.

(4) 비형식적 오류③ – 유사한 오류들의 구분

논리적 오류 중에는 매우 유사해 보이는 오류들도 있고, 정반대의 관계를 가진 오류들도 있다. 이를 구분하여 정리하는 것이 추후 문제 풀이에 도움이 된다.

유형 핵심 이론

1 명제논리

(1) 명제

어떤 문제에 대한 하나의 논리적 판단과 주장을 언어 또는 기호로 표시한 것으로, 참 또는 거짓을 판단할 수 있는 문장이다.

(2) 정언명제

주어 개념과 술어 개념이 이루는 집합의 포함 관계를 나타내는 명제이다(아무것도 없는 부분을 '빗금'으로, 대상이 존재하는 부분을 '×'로 표시함).

모든 A는 B이다. A명제: 전칭긍정명제	$A \rightarrow B$	$A \subset B$	

A집합(주어 집합) 전체가 B집합(술어 집합)에 포함된다. 예 모든 새는 동물이다.
= A 중에 B가 아닌 것은 없다.
= A는 B이다.
= 모든 B가 아닌 것은 A가 아니다.
= 오직 B만이 A이다.(B가 아니면 A가 아니다.)

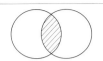

모든 A는 B가 아니다. E명제: 전칭부정명제	A → ~B	A⊂B^C	

A집합(주어 집합) 전체가 B집합(술어 집합)에 포함되어 있지 않다. 즉 A집합과 B집합의 교집합은 공집합이다. 예 어떤 유치원생도 성인이 아니다.
= A 중에 B인 것은 없다.
= 어떤 A도 B가 아니다.
= 모든 B는 A가 아니다.

어떤 A는 B이다. I명제: 특칭긍정명제	A∧B	A∩B	

A집합(주어 집합)의 일부가 B집합(술어 집합)에 포함되어 있다. 즉 B집합에 속하는 A의 원소가 있다. 예 어떤 지구인은 한국인이다.
= A 중에 B인 것이 있다.
= 어떤 B는 A이다.

어떤 A는 B가 아니다. O명제: 특칭부정명제	A∧~B	A∩B^C=A–B	

A집합(주어 집합)의 일부가 B집합(술어 집합)에 포함되어 있지 않다. 즉 B집합에 속하지 않는 A집합의 원소가 있다. 예 어떤 가수는 노래를 하지 않는다.
= A 중에 B가 아닌 것이 있다.
= 모든 A가 B인 것은 아니다.
= 어떤 B가 아닌 것은 A이다.

※ '모든'은 '전체'를 뜻하고, '어떤'은 '전체' 혹은 '부분'을 뜻한다. 즉 '어떤'은 '전체'를 포괄하는 개념이다. 따라서 '모든'에 해당하는 전칭이 참이면, '어떤'에 해당하는 특칭도 참이다.

① 간접추론: 두 개 이상의 전제를 바탕으로 하는 논증을 간접추론이라고 한다. 일반적으로 연역논증이라고 하면 삼단논법을 일컫는 말로, 앞서 설명한 A, E, I, O 형식으로 표현되는 정언명제들로만 이루어진 삼단논법을 정언적 삼단논법이라고 한다.

② 직접추론: 하나의 명제로부터 다른 명제를 바로 도출해 낼 수 있는 추론이다. 대표적으로 '대당관계, 환위, 환질, 이환'이 있다. 이중 NCS에서 활용할 수 있는 것은 대당관계와 환위 정도이다. 우선 대당관계를 도식화하여 정리하면 다음과 같다.

㉠ 대당 사각형(정언명제 간에 가능한 논리적 관계)

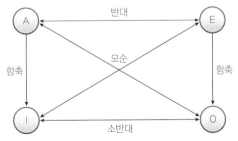

• 함축(대소)

전칭명제의 참이 특칭명제의 참을 함축함을 뜻한다. 예컨대 참인 A명제는 참인 I명제를 함축한다. 하지만 역은 성립하지 않는다. 다시 말해 I명제가 참이더라도 A명제의 참을 도출할 수 없고, 거짓인 A명제가 거짓인 I명제를 함축하지도 않는다.('알 수 없다') 이때 전칭명제인 A명제를 대명제, 대명제에 의해 함축되는 특칭명제인 I명제를 소명제라고 부른다. 그래서 '대소'라고도 한다.

※ 단, I명제의 거짓이 A명제의 거짓임을 알 수 있고, O명제의 거짓이 E명제의 거짓임을 알 수 있다.

（예）모든 아이돌은 가수이다. – 어떤 아이돌은 가수이다.

→ 모든 아이돌은 가수라는 A명제가 참이라면, 어떤 아이돌은 가수라는 I명제도 참이 된다.

（예）모든 고등학생은 성인이 아니다. – 어떤 고등학생은 성인이 아니다.

→ E명제와 O명제의 관계도 같다.

- 반대

양은 같지만 질이 다른 명제 사이의 관계로, A명제와 E명제의 관계를 이른다. 반대 관계인 두 명제는 동시에 참일 수는 없지만 동시에 거짓일 수는 있다.

（예）모든 차는 녹차이다. – 어떤 차도 녹차가 아니다.

→ 녹차인 차도 있고, 녹차가 아닌 차도 있다면 두 명제 모두 거짓이 된다.

- 소반대

반대와 마찬가지로 양은 같지만 질이 다른 명제 사이의 관계로, 반대가 전칭 명제에 대한 것이라면 소반대는 특칭명제에 해당한다. 즉 I명제와 O명제의 관계를 이른다. 이 두 명제는 동시에 참일 수는 있지만 동시에 거짓이 될 수는 없다.

（예）어떤 차는 녹차이다. – 어떤 차는 녹차가 아니다.

→ 어떤 차가 녹차일 때, 어떤 차는 녹차가 아닐 수도 있다. 따라서 두 명제는 모두 참일 수 있다. 그리고 어떤 차는 녹차이거나 아니거나 둘 중 하나만 해당하므로 동시에 거짓일 수는 없다.

- 모순

양과 질이 모두 다른 명제 사이의 관계로, 두 명제는 동시에 참이거나 거짓일 수 없다. 즉 한 명제가 참이라면 다른 명제는 반드시 거짓이다. 다른 측면에서 보자면 모든 명제와 그 부정명제는 모두 모순에 해당한다.

（예）모든 사람은 동물이다. – 어떤 사람은 동물이 아니다.

→ '모든 사람이 동물이다'라는 A명제가 참이라면, '어떤 사람은 동물이 아니다.'라는 O명제는 반드시 거짓이 된다. 모든 사람이 동물이면서 동시에 어떤 사람은 동물이 아닐 수 없기 때문이다.

[정리] 다음 조건일 때, 참/거짓 혹은 알 수 없음을 표시하시오.

① A명제가 참이라면?		② A명제가 거짓이라면?	
• E명제는?		• E명제는?	
• I명제는?		• I명제는?	
• O명제는?		• O명제는?	
③ E명제가 참이라면?		④ E명제가 거짓이라면?	
• A명제는?		• A명제는?	
• I명제는?		• I명제는?	
• O명제는?		• O명제는?	
⑤ I명제가 참이라면?		⑥ I명제가 거짓이라면?	
• A명제는?		• A명제는?	
• E명제는?		• E명제는?	
• O명제는?		• O명제는?	
⑦ O명제가 참이라면?		⑧ O명제가 거짓이라면?	
• A명제는?		• A명제는?	
• E명제는?		• E명제는?	
• I명제는?		• I명제는?	

정답

① 거짓, 참, 거짓   ② 모름, 모름, 참   ③ 거짓, 거짓, 참   ④ 모름, 참, 모름
⑤ 모름, 거짓, 모름   ⑥ 거짓, 참, 참   ⑦ 거짓, 모름, 모름   ⑧ 참, 거짓, 참

ⓒ 환위(주어와 술어의 위치 바꿈)

정언명제의 주어 개념과 술어 개념의 위치를 서로 바꾸는 것을 뜻한다. 환위가 가능하며 원래 명제와 환위명제
가 동치인 경우(진릿값이 같은 경우)는 E명제와 I명제뿐이다. 두 명제가 참이면 환위도 참이고, 거짓이면 환위도
거짓이 된다.

예) E명제

모든 커피는 예술이 아니다.

≡ 모든 예술은 커피가 아니다. (A → ~B ≡ B → ~A: 대우명제)

예) I명제

어떤 남자는 학생이다.

≡ 어떤 학생은 남자이다.

다만 A명제가 동치가 되려면 질뿐만 아니라 양 또한 바꿔야 해서 I명제가 환위가 된다.(제한환위)

예) 모든 커피는 예술이다.

≡ 어떤 예술은 커피이다.

O명제는 기본적으로 환위가 불가능하다.

(3) 연언명제(합접명제)

① 둘 이상의 대상 혹은 명제를 '그리고'로 연결한 명제로, 두 명제가 모두 참일 때만 참이다.

    ⊙ 명제 '그리고 / 그러나 / 그럼에도 불구하고 / 또한 / 더구나' 명제

    ⓒ 기호: ∧(공식 기호) 혹은 &

② 진리표

A	B	A ∧ B
T	T	T
T	F	F
F	T	F
F	F	F

(4) 선언명제(이접명제)

① 둘 이상의 대상 혹은 명제를 '또는'으로 연결한 명제

    ⊙ 명제 '또는/혹은/이거나' 명제

    ⓒ 기호: ∨(공식 기호) 혹은 /

② 진리표: 두 명제 중 하나만 참이면 참이다. 단, 해당 진리표는 주어진 명제가 포괄적 선언문일 때만 가능하다.

A	B	A ∨ B
T	T	T
T	F	T
F	T	T
F	F	F

③ 배타적 선언문과 포괄적 선언문
　　㉠ 배타적 선언: 두 명제가 참일 때 선언명제가 거짓인 경우로, 배타적 선언문일 때는 둘 중 하나만 참일 수 있다. 둘 다 참인 경우는 없다.
　　　　㉮ 철수는 남자이거나 여자이다.
　　㉡ 포괄적 선언문: 두 명제가 참일 때 선언명제가 참인 경우로, 둘 다 참인 경우가 있다.
　　　　㉮ 철수는 학생이거나 남자이다.
　　※ 주의 표현
　　　　• A와 B 중 적어도 한 명은 ∼ → 그리고 (×), 또한 (○)
　　　　• A가 아니라면 B나 C도 아니다. → 그리고 (○), 또한 (×)

☑ 명제의 분리

분리 전	분리 후	참/거짓
A → (p∧q)	A → p	○
	A → q	
A → (p∨q)	A → p	△
	A → q	
(p∧q) → A	p → A	△
	q → A	
(p∨q) → A	p → A	○
	q → A	

(5) 가언명제(조건명제)

① 가정적 상황을 바탕으로 하는 명제로, 흔히 'A이면 B이다'의 형식으로 나타낸다. 이때 앞의 조건인 A를 '전건'이라고 하고, 뒤의 조건인 B를 '후건'이라고 한다. 반드시 참을 구할 때는 대우를 통해 풀이가 가능하다. '역'과 '이'는 반드시 참이라고 할 수 없고, 논리적 오류에 해당한다.
　　㉠ 명제 '∼라면 ∼이다/∼는 ∼이기 위한 충분조건이다/단지 ∼인 경우에만 ∼이다/∼는 ∼이기위한 필요조건이다' 명제
　　㉡ 기호: →

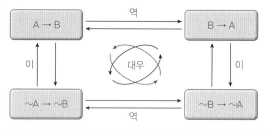

유형	기호화	의미
가언명제	A → B	민호가 공부를 열심히 한다면 성적이 오를 것이다.
역	B → A	민호가 성적이 올랐다면 공부를 열심히 한 것이다.
이	∼A → ∼B	민호가 공부를 열심히 하지 않았다면 성적이 오르지 않을 것이다.
대우	∼B → ∼A	민호가 성적이 오르지 않았다면, 공부를 열심히 한 것이 아닐 것이다.

② 진리표: A → B ≡ ∼A∨B

A	B	A → B
T	T	T
T	F	F
F	T	T
F	F	T

☑ 표현

- A라면 (반드시) B이다.
- A이기 위해서 B여야 한다.
- B일 경우에만 A이다.
- B에 한하여 A이다.

(6) 부정명제

① 명제를 부정하는 것으로, 서술어 부분을 부정형으로 바꾸어 표현한다.

    ㉠ 명제가 '아니다/거짓이다'

    ㉡ 기호: ∼

② 가언명제(조건명제)의 부정: A → B(≡∼A∨B) → ∼(∼A∨B) → A∧∼B

③ 연언명제(합접명제)와 선언명제(이접명제)의 부정(드모르간의 법칙)

    ㉠ 연언명제(합접명제)의 부정: ∼(A∧B)=∼A∨∼B

    ㉡ 선언명제(이접명제)의 부정: ∼(A∨B)=∼A∧∼B

본 명제	모순 명제
A	∼A
A∧B	∼A∨∼B
A∨B	∼A∧∼B
A → B(≡∼A∨B)	A → ∼B(≡A∧∼B)
모든 A는 B이다.	어떤 A는 B가 아니다.
모든 A는 B가 아니다.	어떤 A는 B이다.

(7) 연역규칙

구분	전제1	전제2	결론
전건긍정법	A → B	A	B
후건부정법	A → B	∼B	∼A
조건삼단논법(가언삼단논법)	A → B	B → C	A → C
선언삼단논법(선언지제거법)	A∨B	∼A	B
분리논법(단순화)	A∧B	(각 연언지가 참일 때)	A
간접추리법	A → ∼A		∼A
귀류법	A → (B∧∼B)		∼A
양도논법(딜레마)	A∨B	A → C, B → D	C∨D
	A∨B	A → C, B → C	C
	A → C	∼A → C	C
	A∨B∨C	A → D, B → E, C → F	D∨E∨F

(8) 암기하면 좋을 논리적 동치

① 이중부정: $\sim(\sim A) \equiv A$

② 결합규칙: $A \wedge (B \wedge C) \equiv (A \wedge B) \wedge C$ / $A \vee (B \vee C) \equiv (A \vee B) \vee C$

③ 동어반복: $(A \wedge A) \equiv A$, $(A \vee A) \equiv A$

④ 분배규칙: $A \wedge (B \vee C) \equiv (A \wedge B) \vee (A \wedge C)$, $A \vee (B \wedge C) \equiv (A \wedge B) \vee (A \wedge C)$

⑤ 드모르간 규칙: $\sim(A \wedge B) \equiv \sim A \vee \sim B$, $\sim(A \vee B) \equiv \sim A \wedge \sim B$

⑥ 대우(후건부정): $A \to B \equiv \sim B \to \sim A$

⑦ 수출입규칙(전건규칙): $(A \wedge B) \to C \equiv A \to (B \to C)$

⑧ 함축 규칙(선언화): $A \to B \equiv \sim A \vee B$

⑨ 교환법칙, 치환(자리바꾸기): $A \vee B \equiv B \vee A$, $A \wedge B \equiv B \wedge A$

⑩ 조건문의 정의(단순함축): $A \to B \equiv \sim(A \wedge \sim B)$

2 논리적 오류

(1) 형식적 오류

논증 자체의 내용이 아닌 형식 때문에 범하게 되는 오류이다.

① 선언지 긍정의 오류: 선언적 삼단논법에서 대전제의 어느 한 명제를 긍정하는 것이 필연적으로 다른 명제의 부정을 도출한다고 여기는 오류이다. 포괄적 선언명제와 배타적 선언명제를 혼동해서 생기는 오류이다.

> 예) 민호는 축구부이거나 야구부이다. 민호는 축구부이다. 따라서 민호는 야구부가 아니다.
> → 민호가 축구부와 야구부 둘 다 해당하는 경우를 배제하여 발생하는 오류이다.

② 전건부정의 오류 & 후건긍정의 오류: 조건 논증에서 전건을 긍정하여 후건을 긍정하는 것과 후건을 부정하여 전건을 부정하는 것은 참이지만, 그 반대의 경우는 오류가 된다. 즉 어떤 명제가 참일 때, 그 역과 이도 참일 것이라 여길 때 오류가 생기는 것이다. 이를 필요조건과 충분조건을 혼동하는 오류라고도 한다. 단, 쌍조건문 즉 서로가 서로에게 필요충분조건인 동치 관계에서는 전건긍정과 후건부정 모두 참이다.

> 예) · 비행기를 타면 다른 나라로 갈 수 있다. 그는 비행기를 타지 않았다. 따라서 그는 다른 나라로 가지 않았을 것이다.
> [전건부정]
> · 비행기를 타면 다른 나라로 갈 수 있다. 그는 다른 나라로 갔다. 따라서 그는 비행기를 탔을 것이다. [후건긍정]
> · 4의 배수는 짝수이다. 6은 4의 배수가 아니다. 그러므로 6은 짝수가 아니다. [전건부정]
> · 4의 배수는 짝수이다. 10은 짝수이다. 그러므로 10은 4의 배수이다. [후건긍정]
> → 참인지 거짓인지 알 수 없으므로 반드시 참이라고 할 수 없다.
> · 물은 100℃에서 끓는다. 물이 100℃이다. 따라서 물이 끓는다. [전건긍정]
> · 물은 100℃에서 끓는다. 물이 100℃가 아니다. 따라서 물은 끓지 않는다. [전건부정]
> · 물은 100℃에서 끓는다. 물이 끓는다. 따라서 물은 100℃이다. [후건긍정]
> · 물은 100℃에서 끓는다. 물이 끓고 있지 않다. 따라서 물은 100℃가 아니다. [후건부정]
> → 대우명제이므로 참이 된다.

③ 매개념(중명사) 부주연의 오류: '모든 A는 B이다. C도 B이다. 따라서 C는 A이다(또는 A는 C다)'의 형식의 오류로, 삼단논법에서 매개념(C, 두 명제 사이를 잇는 개념)이 외연 전부(B)에 대하여 성립되지 않을 때 발생하는 오류이다. 이러한 추론은 ABC의 관계가 A⊆B⊆C(⊆:=부분집합)이 아니면 성립하지 않기 때문에 언제나 참이라고 할 수 없다.

> 예) · 소크라테스는 사람이다. 플라톤도 사람이다. 따라서 플라톤은 소크라테스이다.
> · 모든 개는 포유류이다. 고양이도 포유류이다. 따라서 개는 고양이다.

④ 사개명사의 오류: 삼단논법에서 매개념이 없음으로 발생하는 오류이다.

예) 물고기는 지느러미가 있다. 물고기도 사람도 모두 척추동물이다. 따라서 사람에게는 지느러미가 있다. (물고기/사람/척추
동물/지느러미)

(2) 비형식적 오류 – 관련성의 오류

① 힘(위협, 공포)에 호소하는 오류: 힘을 통해서 상대를 위협함으로써 자신의 주장에 동의하도록 하는 오류이다.

예) 당신이 이 지역에서 포장마차를 운영하려면 우리에게 인사를 제대로 하는 것이 좋을걸. 아니면 어디 두고 보시오. 장사를
제대로 할 수 있을는지.

② 인신공격의 오류: 각기 다른 사람이 똑같은 주장을 한다고 했을 때 주장하는 사람에 따라 그 주장의 진위가 달라
지지 않는다. 하지만 발화자 자체를 문제 삼으며 발화자의 주장을 논파하려고 하는 오류이다.

예) 소크라테스는 독배로 죽은 사람이다. 따라서 그의 말은 믿을 것이 못된다.

③ 특수환경 공격(정황에 호소하는 오류): 어떤 주장 자체를 비판하는 것이 아니라 그런 주장을 하는 사람의 배경을 공
격하는 오류이다. 그 사람의 사생활, 도덕성, 성격, 지적 능력 등을 공격함으로써 그 사람의 주장을 무력화시키려는
데서 발생한다. 또는 그 사람이 처한 주변 상황, 직업, 국적, 정치적 입장, 출생지 등을 문제 삼아 공격하기도 한다.

예) 김 박사는 진화론을 옹호한다. 그런데 그의 주장이 온당하다고 생각할 수 있겠는가? 그는 마약 소지 혐의를 받고 있는 사
회적으로 문제가 있는 사람이다.

④ 피장파장의 오류(역공격): 발화자의 특정 발언에 대해 발언 자체가 아닌 그 말을 하는 사람의 위선을 논거로 내세
워 논점을 흐리는 것이다. 또는 자신과 유사한 잘못을 저질렀던 다른 이의 이력을 끌어내어 자신의 행위를 옹호하
거나 정당화하는 것이다. '다른 사람도 그런데 나라고 왜 안 되나, 나의 잘못을 따지기 전에 당신이 한 것부터 따지
자' 등의 형태를 띤다.

예) (정신과 의사인 박사) 화목한 가정을 위해 부부가 서로 대화하는 시간을 늘려야 합니다.
(상담자) 당신네 부부도 대화를 잘 합니까? 그렇지 않은 것으로 아는데요.

⑤ 무지에 의한 논증: 어떤 명제가 참 또는 거짓이라는 것이 증명되지 않았다는 것을 근거로 해서 그 명제를 거짓 또
는 참이라고 논증하는 오류이다. 또는 상대방이 무지하거나 지식이 부족하여 그것을 반증할 수 없는 상황을 이용
하여 상대의 주장이 거짓임을 추론하거나 자신의 주장이 참임을 추론하는 오류이다.

예) 이제까지 그 누구도 UFO의 존재를 증명하지 못했다. 그러므로 UFO는 존재하지 않는다.

⑥ 허수아비 공격의 오류: 상대방의 주장을 격파하기 쉬운 입장으로 재구성해서 비판하는 오류이다.

예) 김 모 의원은 극빈자에 대한 사회보장 제도의 확대를 요구하는 법안이 통과되도록 추진하고 있다. 그가 이런 입장을 옹호
하는 것은 이제까지의 신뢰할 만한 정치가로서 그에게 어울리지 않는 일이다. 사회 보장제도는 공정하게 노력하는 자에게
적절한 보상을 해 주는 대신 노동하지 않는 자들에게 비용을 대는 아주 비효율적인 제도이기 때문이다.

⑦ 발생학적 오류: 어떤 사상, 사람, 관행, 제도 등의 원천이 어떤 속성을 갖고 있기 때문에 그것들이 그러한 속성을
갖고 있다고 추론하는 것을 말한다.

예) 선생님: 넌 어떻게 짝이랑 똑같은 문제를 틀렸니? / 학생: 같은 선생님에게서 배웠으니까요.

⑧ 원천봉쇄의 오류(우물에 독 뿌리기): 자신의 주장에 대한 반박을 원천적으로 봉쇄하는 오류이다.

　　예) 얘! 빨리 들어가서 자야지 늦게 자는 어린이는 착한 어린이가 아니야.

⑨ 연민, 동정에 호소하는 오류: 연민에의 호소는 상대방의 동정심을 유발하여 자기의 주장을 받아들이게 할 때 범하게 되는 오류이다.

　　예) 판사님! 이 피고인은 단칸방에 살면서 노부모를 모시고 3명의 자식을 키우고 있습니다. 그리고 피고인은 매일 막노동을 해서 생계를 유지하고 있습니다. 이런 불쌍한 처지를 참작하시어 피고인을 무죄 석방해 주십시오.

⑩ 군중(다수)에 의거한 논증: 군중의 감정을 자극해서 사람들이 자기의 결론에 동조하도록 하는 오류이다. 또한, 많은 사람들이 어떤 신념을 갖고 있거나 어떤 행동을 하기 때문에 그것이 옳다는 식으로 주장하는 것도 해당한다.

　　예) 저 책 요즘 계속 베스트셀러인 거 보면 훌륭한 소설인가 봐.

⑪ 잘못된 권위에 호소하는 오류: 전문가는 자신의 영역에서 권위를 인정받는다. 그러나 자기 분야 이외의 분야에서는 권위를 인정받을 수 없다. 그럼에도 다른 분야에서도 그 사람의 권위를 이용할 때 범하는 오류이다.

　　예) 세계적인 지휘자 정명훈 씨는 무대에 오르기 전에 꼭 우유를 한 잔씩 마시는 습관이 있는데 우유를 마시면 긴장이 풀어지기 때문이래. 우리도 긴장을 풀기 위해 시험 전에 우유를 마시자.

⑫ 우연의 오류(원칙 혼동의 오류): 일반적인 규칙이나 사실을 특수한, 예외적인 경우나 우연한 상황에 적용하는 오류이다.

　　예) 거짓말을 하는 것은 죄악이다. 그러므로 의사가 환자에게 거짓말을 하는 것은 당연히 죄악이다.

⑬ 성급한 일반화의 오류(역우연의 오류): 특수한 경우에만 참인 것을 일반적으로 타당한 원리나 규칙으로 삼아서 일반적인 경우에까지 적용시키는 오류이다. 즉 우연, 특수, 예외를 일반화하는 오류이다.

　　예) 환자를 위한 거짓말은 유용하다. 그러므로 거짓말은 유용하다.

⑭ 인과적 오류(거짓 원인의 오류, 원인 오판의 오류): 어떤 두 사건이 우연히 일치할 때, 한 사건이 다른 사건의 원인이라고 주장하는 경우, 또는 한 사건이 앞서 발생했다고 해서 전자가 후자의 원인이라고 잘못 추론하는 오류이다.

　　예) 온도계가 영하 20도를 가리키고 있구나. 그러니까 이렇게 춥지. 오늘 밤부터 온도계를 치워버려야겠어.

⑮ 논점 일탈의 오류: 논점에서 벗어나서 논점과 관련성이 없는 주장을 할 때 생겨나는 오류이다.

　　예) 누가 잘했든 잘못했든 그렇게 싸우고만 있을 거야? 그렇게 할 일이 없으면 차라리 잠이나 자!

⑯ 흑백 사고의 오류: 선택지가 2개뿐이라고 생각하고 추론할 때 생기는 오류이다.

　　예) 내 부탁을 거절하다니, 넌 나를 싫어하는구나.

⑰ 복합 질문의 오류: 한 질문 속에 두 가지 이상의 질문이 동시에 들어 있기 때문에 "예.", "아니오."로 대답할 수 없는 질문임에도 불구하고 "예.", "아니오."로 대답할 것을 강요할 때 범하는 오류이다.

　　예) 형사가 피의자에게 다음과 같이 질문했다. "당신, 어제 3시에 거기에 갔었죠?"

⑱ 의도 확대의 오류: 의도하지 않은 결과를 유발시킬 경우, 결과를 의도된 행위라고 간주하는 오류이다.

　　예) 담배 피우면 폐암에 걸려 죽을 확률이 높아지는 것도 모르니? 어, 그렇게도 죽고 싶어?

⑲ 잘못된 유비 추론(잘못된 비유의 오류): 잘못된 비유를 사용해서 자신의 주장을 정당화시키는 오류이다.

  예) 컴퓨터와 사람은 유사한 점이 많아. 그러니 컴퓨터도 사람처럼 감정을 느낄 거야.

⑳ 선결 문제 요구(순환 논증)의 오류: 어떤 주장을 논증함에 있어서 바로 그 논증하는 주장과 동의어에 불과한 명제를 논거로 삼을 때 범하는 오류이다.

  예) 그 놈은 나쁜 놈이니 사형을 당해야 해. 사형을 당하는 것을 보면 나쁜 놈이야.

㉑ 본말전도의 오류(말 앞에 수레 놓는 오류): 어떤 일의 앞뒤 순서를 뒤바꿈으로써 범하게 되는 오류이다.

  예) 문 닫고 나가야 한다.

㉒ 사적 관계에 호소하는 오류: 정(情) 때문에 논지를 받아들이게 되는 오류, 상대와의 친분을 근거로 주장을 받아들이게 하는 오류이다.

  예) 우리 아버지때부터 이어오던 관계가 아닌가? 나 좀 도와주게.

㉓ 도박사의 오류: 이전 판의 결과가 다음 판에 영향을 끼칠 거라 생각하는, 일종의 보상 심리라고도 할 수 있다.

  예) 적색 숫자가 5연속 나왔으니 다음엔 흑색 숫자가 나올 거야.

(3) 비형식적 오류 – 애매어의 오류

① 애매어의 오류: 동일한 단어가 여러 가지 의미로 사용될 때 생기는 오류이다.

  예) 사물의 끝은 그 사물의 완성이다. 죽음은 인생의 끝이다. 그러므로 죽음은 인생의 완성이다.

② 강조의 오류: 문장의 한 부분을 강조하는 데서 생기는 오류이다. 어떤 말의 특정 부분만 강조함으로써 범하게 되는 오류이다.

  예) 우리는 우리의 친구들에 대하여 험담해서는 안 된다." / "그래요? 그러면 선생님에 대한 험담은 상관없겠네요?"

③ 결합, 합성의 오류: 부분이나 개별적 요소들이 지닌 성질이나 특성을 전체 또는 부분의 집합도 그런 성질이나 특성을 지니고 있다고 추론할 때 생기는 오류이다. 전체를 부분의 총합으로 보는 관점이다.

  예) 그 나라 사람들은 모두 도덕적이고 친절하다. 그러므로 그 국가도 도덕적이고 친절할 것이다.

④ 분할의 오류: 전체나 집합이 지닌 성질이나 특성을 부분이나 요소들도 지니고 있다고 추론할 때 생기는 오류이다.

  예) 1학년 4반은 전교에서 수학 성적을 가장 잘 받았다. 그러므로 그 반 학생들은 모두 수학을 잘할 것이다.

⑤ 은밀한 재정의의 오류: 단어나 구의 의미를 자의적으로 바꾸어 추론하는 오류이다. 즉 다른 사람들은 모르고 자기만 알고 있는 정의 때문에 발생하는 오류이다.

  예) 너는 왜 아침에 운동을 하지 않니? 너는 참 게으르구나.

⑥ 비유의 오류: 수사적, 비유적인 뜻을 논리적 사실이자 사실적인 뜻과 혼동할 때 일어나는 오류이다.

  예) 우리가 졌어. 승기(勝旗)가 꺾였다고….

2018년 한국수자원공사

기출   난이도 상 중 하

01   다음 명제가 모두 참이라고 할 때, 반드시 참인 명제를 고르면?

> • 어떤 사람의 얼굴을 보면, 그 사람의 성격을 알 수 있다.
> • 온화한 성격을 지닌 사람의 얼굴에는 구김살이 없다.
> • 얼굴에 구김살이 있는 사람은 예민한 성격을 지닌다.

① 예민한 성격을 지니지 않는 사람은 온화한 성격을 지닌다.
② 어떤 사람의 성격을 알 수 없다면 그 사람의 얼굴에는 구김살이 있다.
③ 어떤 사람의 얼굴에 구김살이 없다면 그 사람은 온화한 성격을 지닌다.
✔④ 얼굴에 구김살이 있는 사람은 온화한 성격을 지니지 않고 예민한 성격을 지닌다.
⑤ 얼굴에 구김살이 없는 사람은 온화하지 않거나 예민하지 않은 성격을 지닌다.

📝 풀이법 1 시각화(기호화)

주어진 명제를 기호나 축약어로 단순화하거나 시각화하는 것이 풀이에 도움이 된다. 이를 통해 숨겨진 풀이의 단서를 찾을 수도 있다. 주어진 명제들을 기호화하면 다음과 같다.

- 어떤 사람의 얼굴을 보면, 그 사람의 성격을 알 수 있다.: 얼굴 → 성격
- 온화한 성격을 지닌 사람의 얼굴에는 구김살이 없다.: 온화 → ∼구김살
- 얼굴에 구김살이 있는 사람은 예민한 성격을 지닌다.: 구김살 → 예민

흔히 핵심어만을 남기는 식으로 줄이는데, 다른 명제들과 헷갈리지 않는 선에서 정리하는 것이 좋다. 만약 복합명제라면 초성들을 바탕으로 줄이는 것도 가능하다.

📝 풀이법 2+3 적용 순위, 이론 정리

정언명제들로만 구성된 문제는 정보의 연결만으로 풀이가 가능하기도 하다. 더불어 대우명제는 숨 쉬듯 적용 가능해야 한다.

- 얼굴 → 성격
- 온화 → ∼구김살 ≡ 구김살 → ∼온화
- 구김살 → 예민

'온화 → ∼구김살'의 대우명제인 '구김살 → ∼온화'와 '구김살 → 예민'을 연결하면 '④ 얼굴에 구김살이 있는 사람은 온화한 성격을 지니지 않고 예민한 성격을 지닌다.'를 이끌어낼 수 있다. 이론 중 '명제의 분리'를 살펴보면 'A → (p∧q)'의 형태는 각각의 명제로 분리가 가능하다고 나와있다. 따라서 주어진 명제들은 '구김살 → (∼온화∧예민)'으로 정리가 가능하다.

02 다음 대화에서 나온 논리적 오류의 유형을 고르면?

> • 김 과장: 오늘 채용 면접을 보았는데, 뽑을 사람이 마땅치 않더라고.
>
> • 이 과장: 그래? 어떤 사람이 지원했는데?
>
> • 김 과장: 십 수 년 동안 은행에서 일하다 그만두고 자기 사업을 하던 사람이야. 그런데 본인 사업이 망해서 일자리를 알아보고 있는 것 같아.
>
> • 이 과장: 십 년 넘게 은행에서 일한 거면 꽤 괜찮을 것 같은데?
>
> • 김 과장: 에이, 자기 사업도 망한 사람이 무슨 일을 잘 할 수 있겠어?

✓① 인신공격의 오류

② 논점일탈의 오류

③ 성급한 일반화의 오류

④ 감정에 호소하는 오류

⑤ 허수아비 공격의 오류

- 김 과장: 오늘 채용 면접을 보았는데, 뽑을 사람이 마땅치 않더라고.
- 이 과장: 그래? 어떤 사람이 지원했는데?
- 김 과장: 십수 년 동안 은행에서 일하다 그만두고 자기 사업을 하던 사람이야. 그런데 본인 사업이 망해서 일자리를 알아보고 있는 것 같아.
- 이 과장: 십 년 넘게 은행에서 일한 거면 꽤 괜찮을 것 같은데?
- 김 과장: 에이, 자기 사업도 망한 사람이 무슨 일을 잘할 수 있겠어?

🖊 풀이법 1 비형식적 오류① – 이론 정리

가장 기본적인 형태의 논리적 오류 문제로 선택지에 나오는 논리적 오류를 정확하게 구분해야만 풀이가 가능한 유형이다. 논리적 오류의 종류나 명칭을 모르더라도 유사한 상황을 고르라는 문제는 상식으로도 풀이가 가능하지만, 이처럼 단순형으로 나올 경우 오히려 난도가 더 올라갈 수도 있다. 흔히 모듈형에서 나오는 형태이지만 막힘없이 풀이하기 위해서는 기본적인 이론을 정리할 필요가 있다.

🖊 풀이법 2 비형식적 오류② – 핵심 문장(구) 확인

모든 문제가 그러하듯 핵심 힌트가 되는 부분을 찾는 것은 대단히 중요하다. 논리적 오류 역시 주어진 모든 문장이 논리적 오류를 범하기보다는 특정 부분에서 이를 확인해야 하는데, 이를 잘 구분할수록 풀이가 용이해진다. 주어진 대화의 경우 김 과장의 마지막 말이 핵심 문장이 됨을 확인했다면 좀 더 쉽게 풀이가 가능했을 것이다.

- 김 과장: 오늘 채용 면접을 보았는데, 뽑을 사람이 마땅치 않더라고.
- 이 과장: 그래? 어떤 사람이 지원했는데?
- 김 과장: 십수 년 동안 은행에서 일하다 그만두고 자기 사업을 하던 사람이야. 그런데 본인 사업이 망해서 일자리를 알아보고 있는 것 같아.
- 이 과장: 십 년 넘게 은행에서 일한 거면 꽤 괜찮을 것 같은데?
- 김 과장: 에이, 자기 사업도 망한 사람이 무슨 일을 잘할 수 있겠어?

→ 그 사람이 아닌 과거의 행적을 바탕으로 그의 능력을 평가하고 있다. 이는 상대방의 주장에 대해 논하는 것이 아니라 그 주장을 하는 사람의 인격을 손상시키며 그의 주장을 깎아내리는 '인신공격의 오류'를 범했다고 판단할 수 있다.

난이도 **상 중** 하   2021년 한국수자원공사

01   **주어진 전제가 모두 참일 때, 반드시 참인 결론을 고르면?**

> 〈전제1〉 A부서의 사원은 녹차를 좋아하지 않는다.
> 〈전제2〉 커피를 좋아하는 사람은 A부서의 사원이다.
> 〈결론〉 _____

① A부서의 사원이 아니면 녹차를 좋아한다.
② 녹차를 좋아하는 사람은 커피를 좋아하지 않는다.
③ 커피를 좋아하지 않으면 A부서의 사원이 아니다.
④ 커피를 좋아하는 사람은 녹차도 좋아한다.
⑤ 녹차를 좋아하는 사람은 A부서의 사원이 아니다.

난이도 **상 중** 하   2020년 하반기 한국전력공사

02   **다음 〈보기〉의 명제가 모두 참일 때, 반드시 참인 명제를 고르면?**

> ─〈보기〉─
> ㉠ 노란색을 좋아하는 사람은 여행을 좋아한다.
> ㉡ 여행을 좋아하는 사람은 음악을 좋아한다.
> ㉢ 음악을 좋아하는 사람은 냉면을 좋아하지 않는다.
> ㉣ 냉면을 좋아하는 사람은 수영을 좋아하지 않는다.
> ㉤ 수영을 좋아하는 사람은 노란색을 좋아하지 않는다.

① 음악을 좋아하지 않는 사람은 노란색을 좋아한다.
② 냉면을 좋아하는 사람은 노란색을 좋아하지 않는다.
③ 수영을 좋아하지 않는 사람은 음악을 좋아한다.
④ 여행을 좋아하는 사람은 수영을 좋아한다.
⑤ 음악을 좋아하는 사람은 여행을 좋아한다.

03 다음 중 〈보기〉의 상황에서 나타난 오류와 동일한 오류가 나타난 것을 고르면?

―〈보기〉―

성 과장: 팀장님. 공개채용 지원자들의 이력서 검토를 모두 끝마쳤습니다. 이력서를 살펴보니 이번 지원자 중에 ○사에서 인턴을 한 사람이 있습니다. ○사는 우리나라에서 영업을 가장 잘하는 회사이니 ○사에 근무했던 이 지원자도 분명 영업력이 좋은 사람일 것입니다. ○사에 근무했던 지원자를 채용하는 것이 어떨까요?

① 독일에서 태어난 B와 S는 모두 키가 크므로 독일인들은 모두 키가 클 것이다.
② 중형 세단의 평균 중량은 1,500kg이므로 그를 구성하는 부품들도 모두 무거울 것이다.
③ 신은 존재하지 않는다는 것이 밝혀지지 않았으므로 신은 존재하는 것이다.
④ 네가 자아를 찾아 여행을 떠난다는 것은, 네가 부모와 형제를 버리겠다는 뜻일 것이다.
⑤ 제가 임금을 더 받아야 하는 이유는 제가 노부모를 모시고, 어린 자식들이 3명이나 있기 때문입니다.

04 다음 〈보기〉의 명제가 모두 참이라고 할 때, 반드시 참인 명제를 고르면?

―〈보기〉―

• 농업용수용 댐은 크기가 15m 이상이다.
• 홍수방지용 댐은 다목적 댐이다.
• 콘크리트 댐은 다목적 댐이 아니다.
• 크기가 15m 미만이면 콘크리트 댐이다.

① 콘크리트 댐은 홍수방지용 댐이다.
② 크기가 15m 미만인 댐은 홍수방지용 댐이다.
③ 홍수방지용 댐은 크기가 15m 이상이다.
④ 다목적 댐이 아니면 크기가 15m 미만이다.

05 다음은 사내 워크숍을 준비하기 위해 조사한 정보이다. 이를 바탕으로 C가 반드시 참석하는 경우, 현 부서의 참석자를 타당하게 추론한 것을 고르면?(단, 부서의 총 인원은 A, B, C, D, E 5명이다.)

〈정보1〉 B가 워크숍에 참여하면 E는 참여할 수 없다.

〈정보2〉 D는 B와 E 모두가 참여하지 않을 경우에만 참석한다.

〈정보3〉 A가 워크숍에 갈 경우 B 혹은 D 중의 한 명이 함께 참석한다.

〈정보4〉 C가 워크숍에 참석하면 D는 참석하지 않는다.

〈정보5〉 C가 워크숍에 참여하면 A도 참여한다.

① A, B, C

② A, C, D

③ A, C, D, E

④ A, B, C, D

⑤ A, B, C, E

06 다음 전제와 결론을 보고 반드시 참이 되게 하는 전제2를 고르면?

전제1	경위 중에는 파출소 소장이 아닌 사람이 존재한다.
전제2	
결론	30대가 아닌 사람 중에 경위인 사람이 있다.

① 어떤 파출소 소장은 30대이다.

② 어떤 파출소 소장은 30대가 아니다.

③ 30대는 모두 파출소 소장이다.

④ 파출소 소장은 모두 경위이다.

⑤ 파출소 소장은 모두 30대이다.

07 다음 명제가 모두 참이라고 할 때, 갑이 반드시 출장 가는 국가의 수를 고르면?

> • 갑은 독일로 출장을 간다.
> • 영국으로 출장을 가면 독일로 출장을 가지 않는다.
> • 영국으로 출장을 가지 않으면 이탈리아로도 출장을 가지 않는다.
> • 스위스로 출장을 간다면 이탈리아로도 출장을 간다.
> • 프랑스로 출장을 가지 않는다면 스위스로는 출장을 간다.

① 1곳
② 2곳
③ 3곳
④ 4곳
⑤ 5곳

08 다음과 같은 유형의 논리적 오류를 고르면?

> 네가 내게 한 약속을 지키지 않은 것은 곧 나를 사랑하지 않는다는 증거이다.

① 내 부탁을 거절하다니, 넌 나를 싫어하는구나.
② 김 씨는 참말만 하는 사람이다. 왜냐하면 그는 거짓말을 하지 않는 사람이기 때문이다.
③ 거짓말을 하는 것은 죄악이다. 따라서 의사가 환자에게 거짓말하는 것도 죄악이다.
④ 조국 통일에 대한 정부의 입장을 거부하는 사람은 민족을 사랑하는 사람이 아닙니다.
⑤ B회사의 세탁기는 한국에서 판매 1등을 달리고 있습니다. 그러므로 가장 좋은 세탁기라고 할 수 있습니다.

09 다음 〈보기〉의 명제 사이의 관계에 대해 타당한 추리를 한 사람을 모두 고르면?

─────〈보기〉─────

ㄱ: 모든 취준생은 NCS를 공부한다.

ㄴ: 모든 취준생은 NCS를 공부하지 않는다.

ㄷ: 어떤 취준생은 NCS를 공부한다.

ㄹ: 어떤 취준생은 NCS를 공부하지 않는다.

가은: ㄱ이 참이면, ㄷ은 무조건 참이지만, ㄷ이 참일 경우 ㄱ에 대해서는 참 또는 거짓을 확정으로 결정할 수 없다. 반면에 ㄱ이 거짓일 경우 ㄷ에 대해서는 참 또는 거짓을 확정적으로 결정할 수 없지만, ㄷ이 거짓일 경우 ㄱ은 무조건 거짓이다.

나은: ㄱ이 참이면 ㄹ은 거짓이고, ㄱ이 거짓이면 ㄹ은 참이다. 그리고 ㄹ이 참이면 ㄱ은 거짓이고 ㄹ이 거짓이면 ㄱ은 참이다.

다은: ㄱ과 ㄴ은 양 판단이 동시에 거짓은 될 수 있지만 양 판단이 동시에 참은 될 수 없다.

라은: ㄷ이 참일 경우 ㄹ은 참과 거짓 양 값을 다 가질 수 있지만, ㄷ이 거짓일 경우 ㄹ은 항상 참이다. 그리고 ㄹ이 참일 경우 ㄷ은 항상 거짓이며 ㄹ이 거짓일 경우 ㄷ은 항상 참이다.

마은: ㄴ과 ㄹ의 관계에 대해서는 ㄱ과 ㄷ의 관계에 대한 가은의 추론을 그대로 적용할 수 있고, ㄴ과 ㄷ의 관계에 대해서는 ㄱ과 ㄹ의 관계에 대한 나은의 추론을 그대로 적용할 수 있다.

① 가은

② 가은, 나은

③ 가은, 나은, 다은

④ 가은, 나은, 다은, 라은

⑤ 가은, 나은, 다은, 마은

10 다음 (가)~(마) 중 논리적으로 타당한 것만 묶은 것을 고르면?

(가) 만일 이번 미국 대통령 선거에서 A후보가 당선되었다면 남북 관계가 화해와 협력의 길로 갔을 것이다. 그런데 A후보가 낙선됨으로 인해 남북관계는 화해와 협력의 길로 가지 못할 것이다.

(나) 만일 그가 진심으로 그녀를 사랑했다면 그는 그녀와 결혼할 것이다. 그가 양가의 강한 반대에도 불구하고 그녀와 결혼한 것으로 보아 그녀를 진심으로 사랑한 것이 틀림없다.

(다) 그는 대학을 졸업한 후에 대학원에 진학하든지 취직을 하든지 할 것이다. 그런데 그가 취직을 안 한 것으로 보아 그는 대학을 졸업하지 않았을 것이다.

(라) 그녀는 비가 오면서 바람이 불면 그와 데이트를 하지 않기로 약속했다. 그런데 그들이 데이트를 한 것으로 보아 비가 오지 않았거나 바람이 불지 않았다.

(마) 나는 참말을 하든지 거짓말을 해야 한다. 내가 참말을 하면 윗사람들이 비난할 것이고, 거짓말을 하면 아랫사람들이 비난할 것이다. 따라서 나는 어떤 경우든 비난을 받지 않을 수 없다.

① (가), (나)
② (가), (마)
③ (나), (다)
④ (다), (라)
⑤ (라), (마)

2 | 참/거짓

기출 유형 분석

주어진 진술 중에 참 또는 거짓의 진술의 개수가 정해지고, 그에 따라 참 또는 거짓을 말한 사람을 찾거나, 선택지의 내용 중 참 또는 거짓인 내용을 찾는 유형이다. PSAT 유형에서는 참 또는 거짓을 나누거나 어떤 조건일 때 반드시 참 혹은 거짓이라고 제시하는 경우도 존재한다.

세부 유형

세부 유형	발문 내용
참/거짓	• 직원 A, B, C, D, E 다섯 직원들은 오늘 회의에 참석한 사람들에 대한 진술을 하고 있다. 아래의 진술 중 3명은 진실만을, 2명은 거짓만을 말하고 있다고 할 때, 회의에 참석하지도 않았으며 거짓을 말하고 있는 사람을 고르면? • 어느 모임에서 지갑 도난 사건이 있었다. 혐의자 A, B, C, D, E 중 한 명이 범인이고, 그들의 진술은 다음과 같다. 각각의 혐의자들이 말한 세 가지 진술 중 두 가지는 참이지만 한 가지는 거짓이라고 밝혀졌다. 지갑을 훔친 사람이 누구인지 고르면? • 다음은 영화를 관람하기 위해 성민, 민수, 아름, 창민, 수영이가 앉은 좌석의 배치도와 각자의 진술을 나타낸 것이다. 한 사람만 거짓을 말할 때, A와 B에 앉을 수 있는 사람으로 바르게 짝지은 것을 고르면? • A~E 5명이 다음 〈조건〉과 같이 진술했다. 야근한 사람은 1명이고, 2명은 거짓을 말하고 있다고 할 때, 야근한 사람을 고르면?

기출 유형 접근법

(1) 문두부터 파악

주어진 문제에서 묻는 바를 확인하는 것은 늘 중요하다. 참, 거짓 유형에서는 참을 말하는 자와 거짓을 말하는 자가 각각 몇 명인지, 그리고 그중 구분해야 하는 사람이 누구인지까지 확인하고 풀이에 임해야 한다. 자주 실수하는 부분 중 하나임을 명심하자.

(2) 기호화(시각화)

주어진 정보를 기호나 축약어로 단순화하거나 시각화하는 것이 풀이에 도움이 된다. 이때 중요한 것은 최대한 많은 정보를 기호화하기 위해 노력해야 한다는 것이다. 이를 통해 모순관계를 파악하거나 풀이의 단서를 빨리 찾을 수도 있다.

(3) 적용 순서①(모순관계)

주어진 진술 중 동시에 참 혹은 거짓이 될 수 있는 것이 있는지 확인해야 한다. 예컨대 'A가 범인이다'라는 진술과 'A가 범인이 아니다'라는 진술이 동시에 등장했다면 이는 모순관계에 해당하므로 두 진술 중 하나는 무조건 거짓이 된다. 이를 통해 비교적 쉽게 풀이가 가능하다. PSAT형에서는 'A라면 B이다'의 가언명제의 모순은 그 부정형인 'A이고 B가 아니다'가 된다. 이러한 모순을 이루는 쌍을 기억하고 있으면 풀이에 도움이 된다. 더불어 거짓이 한 명일 때, 다섯 명의 진술 중 두 사람의 진술이 모순관계라면 나머지 진술은 자연스럽게 참이 되므로 이를 통한 풀이도 가능하다. 우선순위를 구한다면 나머지 참의 정보를 바탕으로 풀이를 시도해보고 안 될 경우 귀류법 혹은 경우의 수 나열을 시도하는 것이 좀 더 효율적인 방법이 된다.

☑ 모순관계 정리

가언명제인 'A → B'은 그 거짓인 'A → ∼B'와 모순관계이다. 더불어 'A → B'의 진릿값이 같은 '∼A∨B'의 부정형인 'A∧∼B' 역시 모순관계를 이루게 된다.

즉 'A → B ≡ ∼A∨B'의 모순은 'A → ∼B, A∧∼B'이다.

---

(4) 적용 순서②(단정적 정보)

주어진 진술 중 모순관계를 확인할 수 없다면, 단정적 정보를 말한 것부터 확인하는 것이 효율적인 접근법이 된다. 예컨대 '갑의 말은 거짓이다'라는 진술이 있다면 이를 기준으로 삼고 나머지를 확인하는 식이다. 복합명제의 경우 가언명제나 선언명제보다는 연언명제를 우선 확인해야 한다.

(5) 적용 순서③(정보량이 많은 순)

주어진 진술 중에 모순관계를 확인할 수 없다면, 정보의 양이 많은 진술부터 확인하는 것이 좋다.

(6) 변수 적용

변수를 적용하여 정리한 후 진술들의 참 혹은 거짓을 판단해야 하는 문제들도 있다. 이 경우 조건추리 유형처럼 표를 그려 확인하는 것이 효율적인 접근법이 된다.

(7) 난도 높은 순서

주어진 진술에서 참 혹은 거짓이 2개 이상이 나오는 경우는 시간 소요가 많이 되는 문제라고 볼 수 있다. 모순관계가 보인다면 난도가 낮아지지만 그렇지 않다면 난도가 높은 편에 속한다.

(8) 일부는 참, 일부는 거짓

모순점을 찾을 수 있다면 그를 바탕으로 판단하면 되고, 공통적 정보가 있다면 그를 기준 삼으면 된다. 만약 그러한 점이 모두 보이지 않는다면 첫 번째 진술의 앞이 거짓이고 뒤가 참일 때와 앞 진술이 참이고 뒤가 거짓일 때를 각각 기준 삼아 확인하면 된다.

기출　난이도 상 중 하　　　　　　　　　　　　　　　　2022년 코레일 한국철도공사

A, B, C, D, E 다섯 직원들은 오늘 회의에 참석한 사람들에 대한 진술을 하고 있다. 아래의 진술 중 3명은 진실만을, 2명은 거짓만을 말하고 있다고 할 때, 회의에 참석하지도 않았으며 거짓을 말하고 있는 사람을 고르면?

- A: 저는 회의에 참석하였습니다.
- B: A와 C는 둘 다 회의에 참석하였습니다.
- C: A는 회의에 참석하지 않았습니다.
- D: E만 회의에 참석하지 않았습니다.
- E: A, D와 저만 회의에 참석하였습니다.

① A
② C
✔③ E
④ C, D
⑤ C, E

A, B, C, D, E 다섯 직원들은 오늘 회의에 참석한 사람들에 대한 진술을 하고 있다. 아래의 진술 중 3명은 진실만을, 2명은 거짓만을 말하고 있다고 할 때, **회의에 참석하지도 않았으며 거짓을 말하고 있는 사람**을 고르면?

> • A: 저는 회의에 참석하였습니다. → Ⓐ
> • B: A와 C는 둘 다 회의에 참석하였습니다. → Ⓐ, Ⓒ
> • C: A는 회의에 참석하지 않았습니다. → ~A
> • D: E만 회의에 참석하지 않았습니다. → ~E / Ⓐ, B, Ⓒ, D
> • E: A, D와 저만 회의에 참석하였습니다. → Ⓐ, D, E / ~B, ~Ⓒ
> → A가 불참이면, 거짓은 4명이므로, A는 참석이 참이고 C는 거짓이다.
> → C가 불참이면 거짓이 4명이 되므로 C는 참석이고 E는 거짓이다. 따라서 회의에 참석하지 않았으면서 거짓을 말하고 있는 사람은 E뿐이다.

① A
② C
③ E
④ C, D
⑤ C, E

📝 풀이법 ① 문두부터 파악

주어진 문제에서 묻는 바를 확인하는 것은 늘 중요하다. 참/거짓 유형에서는 참을 말하는 자와 거짓을 말하는 자가 각각 몇 명인지, 그리고 그중 구분해야 하는 사람이 누구인지까지 확인하고 풀이에 임해야 한다. 자주 실수하는 부분 중 하나임을 명심한다.

📝 풀이법 ② 기호화(시각화)

참/거짓 유형은 각 진술을 명제의 기호화를 통해 정리할 수 있다. 이를 통해 모순관계를 파악하거나 풀이의 단서를 찾기도 하므로 기호화하는 것이 풀이에 도움이 된다. 주어진 진술을 기호화하면 다음과 같다. 이때 중요한 것이 최대한 많은 정보를 기호화하는 것이다.
만약 D와 E의 진술 중에서 '만'이라는 보조사의 중요성을 확인하지 못하고 단순하게만 기호화했다면 문제가 생길 수 있다.

📝 풀이법 ③ 적용 순서

참/거짓 유형에서 적용 순위는 중요한데, 풀이 시간을 결정할 수도 있기 때문이다. 흔히 '모순관계 → 단정적 정보 → 정보량이 많은 순'으로 정리할 수 있다. 주어진 문제의 경우 모순관계이면서 동시에 정보량이 많은 순을 확인할 수 있다.

난이도 **상** 중 **하**

01 직원 A~E가 월요일 오후 사무실 근무 여부에 대하여 〈보기〉와 같이 대화를 나누었다. 이 중 2명은 거짓만을 말하고, 나머지 3명은 진실만을 말했다고 할 때, 거짓을 말한 사람을 모두 고르면?(단, 거짓을 말하는 사람의 말에는 진실이 포함되어 있지 않다.)

─────〈보기〉─────

- A: 나는 오전에 D와 출장을 갔다가 D는 오후에 사무실로 복귀했고, 나만 복귀하지 않고 집에 갔어.
- B: 나는 오후에 사무실 근무를 하지 않았어.
- C: D는 오후에 사무실 근무를 하지 않았어.
- D: B는 오후에 사무실 근무를 했어.
- E: B와 D 모두 오후에 사무실 근무를 했어.

① A, C
② A, D
③ A, E
④ B, C
⑤ B, E

난이도 **상** 중 **하**

02 어느 모임에서 지갑 도난 사건이 있었다. 여러 가지 증거를 근거로 혐의자는 A, B, C, D, E로 좁혀졌다. 이 중 한 명이 범인이고, 그들의 진술은 다음과 같다. 각각의 혐의자들이 말한 세 가지 진술 중 두 가지는 참이지만 한 가지는 거짓이라고 밝혀졌다. 지갑을 훔친 사람이 누구인지 고르면?

- A: 나는 훔치지 않았다. C도 훔치지 않았다. D가 훔쳤다.
- B: 나는 훔치지 않았다. D도 훔치지 않았다. E가 진짜 범인을 알고 있다.
- C: 나는 훔치지 않았다. E는 내가 모르는 사람이다. D가 훔쳤다.
- D: 나는 훔치지 않았다. E가 훔쳤다. A가 내가 훔쳤다고 말한 것은 거짓말이다.
- E: 나는 훔치지 않았다. B가 훔쳤다. C와 나는 오랜 친구이다.

① A
② B
③ C
④ D
⑤ E

03 다음은 영화를 관람하기 위해 성민, 민수, 아름, 창민, 수영이가 앉은 좌석의 배치도와 각자의 진술을 나타 낸 것이다. 한 사람만 거짓을 말할 때, A와 B에 앉을 수 있는 사람으로 바르게 짝지은 것을 고르면?

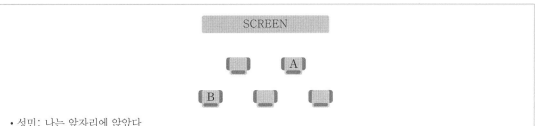

- 성민: 나는 앞자리에 앉았다.
- 수영: 나는 뒷자리에 앉았다.
- 민수: 나는 성민이의 오른쪽 바로 옆에 앉았다.
- 창민: 성민이는 거짓말을 했다.
- 아름: 내가 앉은 후 왼쪽으로 시선을 돌렸을 때 수영이는 보이지 않았다.

	A	B
①	아름	민수
②	아름	성민
③	아름	수영
④	창민	민수
⑤	창민	수영

04 A~E 5명이 다음 〈조건〉과 같이 진술했다. 야근한 사람은 1명이고, 2명은 거짓을 말하고 있다고 할 때, 야 근한 사람을 고르면?

───〈조건〉───

- A: "E는 항상 진실만을 말해."
- B: "C가 야근을 했어."
- C: "나는 야근을 하지 않았어."
- D: "B의 말이 맞아."
- E: "A가 야근을 했어."

① A

② B

③ C

④ D

⑤ E

정답과 해설 P.5

기 출 유 형 **3** | # 조건추리

기출 유형 분석

여러 개의 조건을 제시한 후 이를 대응시키거나 연결하여 바르게 추론한 바를 묻거나 특정 정보의 참 혹은 거짓을 묻는 유형이다. 유형별로 '매칭, 연결, 순서·대소관계, 위치관계' 등으로 나눌 수 있다. 기본적인 풀이법을 바탕으로 다양한 문제를 접하는 것이 중요하며, 그를 통해 자신만의 기준을 세워야 한다. 예컨대 유형별로 접근하는 방식, 자주 하는 실수 및 그에 대한 대비책, 풀이가 오래 걸리는 유형 파악이 이에 해당한다.

세부 유형

세부 유형	발문 내용
조건추리	• 기획부 직원들은 2인 1조로 출장을 가게 되었다. 다음 〈조건〉을 따를 때, 출장지와 해당 지역으로 출장을 가는 사람들로 옳은 것을 고르면? • 다음 〈조건〉은 H씨가 월요일부터 일요일까지 일주일 동안 방문할 곳에 대한 정보이다. 이를 바탕으로 H씨가 세탁소에 방문하는 요일을 고르면?(단, 날짜는 월요일이 가장 빠르다.) • ○○기업에 새로 채용된 직원 9명은 각각 기획조정부, 홍보부, 인사부로 발령받는다. 이들은 자신이 발령받고 싶은 부서를 각각 1지망, 2지망, 3지망으로 지원해야 한다. 아래와 같이 각 부서에 대한 직원 9명의 지원 현황을 토대로 할 때, 다음 중 옳지 않은 것을 고르면? • 다음 〈조건〉과 같이 물감을 혼합해서 다른 색상을 만들어낼 수 있다고 할 때, 옳지 않은 것을 고르면? • 다음 〈조건〉의 순서에 따라 갑, 을, 병과 A, B, C 6명의 직원이 출근하였다. 6명의 출근 순서에 대한 설명으로 항상 옳은 것을 고르면?(단, 동시에 출근한 사람은 없다.) • S공기업의 기획부 과장, 기획부 대리, 재무부 과장, 재무부 대리, 홍보부 과장, 홍보부 대리가 원탁에 일정한 간격으로 둘러앉아 있다. 다음 〈조건〉에 따라 앉았다고 할 때, 옳은 것을 고르면?

기출 유형 접근법

(1) 문두에 집중

조건추리에서는 문두의 길이가 길다면 숨겨진 조건이 있는지 확인할 필요가 있다. 더불어 문두를 통해 어떤 유형인지 확인함과 동시에 문제에서 묻고 있는 바가 무엇인지 정확하게 파악하는 것이 중요하다.

(2) 기호화(시각화)

주어진 정보를 기호나 축약어로 단순화하거나 시각화하는 것이 풀이에 도움이 된다. 이때 중요한 것은 최대한 많은 정보를 기호화하기 위해 노력해야 한다는 것이다. 이를 통해 숨겨진 단서를 찾을 수도 있다. 흔히 첫 번째, 많으면 세 번째 조건까지는 기본 조건이라고 하여 기본 변수를 확인할 수 있다.

(3) 적절한 표 그리기

주어진 정보들이 하나도 빠짐없이 대응할 수 있도록 그에 알맞은 '표'를 그리는 연습을 해야 한다. 물론 주어진 조건에 따라 '표'가 아닌 그림이나 벤 다이어그램을 그려 정리할 수도 있다. 이는 어느 정도의 문제를 풀어봄으로써(양치기를 통해) 자연스럽게 습득되는 부분도 있으므로, 다양한 문제를 접해 보는 것이 중요하다.

(4) 적용 순서

조건들이 중요도와 상관없이 나열되어 있으므로, 적용 순서를 정하는 것이 좋다. 어떤 조건부터 적용하는지에 따라 시간 소요가 달라진다. 대부분은 단정적인 조건부터 적용한 후 가정적 조건을 적용해야 한다. 가정적 조건 중에서는 단정적 조건과 연관 있는 정보부터 적용하거나 정보량이 많은 순서대로 적용하면 효율적인 접근법이 된다. 순서 찾기의 경우 일부러 반대의 순서대로 조건을 제시해 놓기도 한다. 예를 들어 2등이 B이고 3등이 A라면 'A와 B는 연이은 순서로 들어왔다.'로 제시하는 식이다. 원형 테이블이 전제되어 있는 경우는 '마주보는' 것이 단정적 조건에 해당한다.

(5) 경우의 수

모든 조건을 대입했을 때 하나의 완성된 형태가 나오는 경우도 있지만, 경우의 수를 구해야 하는 경우도 있다. 후자의 경우 그룹화를 한 후 제약조건을 확인하는 식으로 접근하는 것이 실수를 줄일 수 있다. 예컨대 '서울과 부산 사이에 하나의 도시에 방문한다'와 '대구는 대전 전후에 방문한다'가 있다면, '서울-( )-부산/부산-( )-서울'과 '대구-대전/대전-대구'로 그룹화하여 경우의 수를 이끌어 낸 후 제약조건을 확인하면 된다.

(6) 숨겨진 단서(연결고리 찾기)

난도가 높을수록 숨겨진 조건을 연결해야만 풀이의 실마리가 보이는 경우가 많다. 따라서 조건들 사이에서 같은 요소(대상)이나 인물들에 대한 정보가 있다면, 이를 연결하여 새로운 정보를 찾을 수 있을지에 대한 고민이 필요하다. 더불어 처음부터 조건들을 정리할 때 최대한 많은 정보들을 이끌어내려고 노력해야 한다.

(7) 숨겨진 단서(숫자)

흔히 문두나 조건 첫 번째부터 세 번째까지는 전제 조건이 제시될 가능성이 높은데, 이 중 놓치지 말아야 할 것이 '숫자(수치)'이다. 전체 숫자가 나온다면 이를 바탕으로 대응시켜야 할 경우의 수를 뽑아낼 수도 있기 때문이다. 또한 최솟값과 최댓값을 구하는 것이 유리한 경우도 많다.

(8) 검토

단정적인 정보를 우선 적용하고 가정적 정보들을 대입하다보면, 자칫 한두 개의 정보를 대입하지 않고 놓쳐 실수를 하는 경우가 생긴다. 따라서 첫 번째 조건부터 마지막 조건까지 모두 다 대입되었는지 여부를 반드시 검토할 필요가 있다.

(9) 주요 단서는 선택지

주어진 조건들을 정리하다보면 경우의 수를 모두 정리해야 하는 경우가 있다. 경우의 수를 모두 정리해야만 정답이 나오는 경우도 있지만, 그렇지 않은 경우도 많다. 특히 반드시 '참' 혹은 '거짓'을 찾을 경우 단정적인 정보가 근거가 되어 정답이 되는 경우도 많으므로 어느 정도 정리가 되었다면 선택지의 내용을 바탕으로 소거하는 식으로 접근하는 것이 효율적이다.

(10) 명제 활용

주어진 조건이 가언명제의 형태라면 대우를 통해 풀이가 가능하다. 삼단논법을 통해 숨겨진 단서를 찾을 수도 있다.

(11) 실수 줄이기

자신만의 생각으로 미루어 짐작하여 정보를 해석해서는 안 된다. 즉 정확하게 알지 못하는 정보를 확정할 경우 실수하기 쉽다. 예를 들어 '기획부에 지원한 사람은 모두 경영학과를 나왔다'라는 조건이 있을 때, 경영학과를 나온 사람 중 다른 부서를 지원한 사람이 있을 수 있음을 잊지 말아야 한다. 경영학과를 나온 사람이 모두 기획부를 지원한 것은 아니기 때문이다.

(12) 난도가 높은 문제(패스할 문제) 선별

1문항을 1분 이내로 풀어야 하는 NCS의 특성상 문제의 난도를 판별하는 능력은 대단히 중요하다. 바로 풀이에 임할 것인지 뒤로 미룰 것인지에 대한 판단이 빠르고 정확하게 일어나야 한다. 난도가 높은지 아닌지에 대한 구분은 실제 문제 풀이에 임해야만 정확하겠지만 형태만으로 구분할 수 있기도 하다.

① 묻는 항목이 많은 경우: 줄 세우기에서 5명보다는 7명이, 직급, 부서만 묻기보다는 직급, 부서, 성까지 묻는 경우가 더 어렵다.

② 조건이 많은 경우: 〈조건〉이 5개 이상일 경우, 고정적 조건이 적고 가정적 조건이 많을 경우 등은 난도가 높을 수 있다.

③ 경우의 수가 보이는 경우: 문두에서 항상 참 혹은 거짓을 묻거나 선택지에서 '~라면'의 형태를 띤다면 경우의 수를 따져야 하는 경우이므로 난도가 높을 수 있다.

유형 핵심 이론

(1) 대응 관계(매칭)

변수가 여럿 등장하고 각각의 조건을 대응시켜 찾는 유형이다. 가장 단순한 형태는 변수가 2가지인 경우로 OX를 통해 쉽게 풀이가 가능하다. 하지만 실제 시험에서는 변수가 좀 더 다양하게 등장한다. 흔히 단정적 조건을 채운 뒤 가정적 조건을 대입하면 경우의 수가 나오는 경우가 많이 있다. 하나의 표로 그리기가 용이치 않으면 표를 여러 개 그리는 식으로 접근하는 것이 더 효율적일 수도 있다. 그리고 '알 수 없는 정보'를 쓰는 칸도 미리 만들어 두는 것이 실수를 줄일 수 있는 방법이 되기도 한다.

(2) 순서/대소/위치

- 순서: 주어진 조건들을 바탕으로 특정 요소(대상)나 인물의 순서를 묻는 유형이다. 단순히 선후관계를 물을 수도 있지만, 구체적인 등수를 묻기도 한다. 조건추리 중 난도 면에서 쉬운 편에 속한다. 표를 그릴 때 어떤 조건을 기준으로 삼는 것에 대한 고민이 있을 수 있다. 만약 변수가 3가지라면 각 변수별로 표를 그렸을 때 연속성을 보이는 것을 기준으로 삼는 것이 효율적이다.

  물론 순서 문제 중에서도 난도가 높은 유형은 존재한다. 특히 특정 날짜(요일)를 묻는 유형은 달력 전체를 그려야만 해결되는 경우도 있다. 문제에서 달력이 제시되어 있다면 풀이 시간이 오래 걸릴 확률이 높다. 더불어 일주일의 시작과 끝은 연속된다는 점을 잊어서는 안 된다. 간혹 일요일로 시작하여 토요일로 끝나는 경우와 월요일로 시작하여 일요일로 끝나는 식으로 제시되는 경우가 있는데 모두 시작 요일과 마지막 요일은 연속된다는 점을 잊어서는 안 된다.

- 대소: 조건들의 수치와 관련된 내용이 주어지고 그를 바탕으로 크고 작음, 높고 낮음을 묻는다. 주어진 조건들의 관계들을 잘 파악해야 한다. 숫자들이 많이 등장하고, 평균을 활용해야 하는 경우도 많다.

- 위치: 주어진 조건을 바탕으로 위치를 묻는 유형이다. 표나 그림이 제시될 경우 그를 단서삼아 풀이하는 것이 효율적인 접근법이 된다. 그리고 원형, 육각형, 사각형 등의 테이블 형태가 제시된 후 앉는 위치에 대해 묻기도 한다. 이때 주의해야 할 점은 '마주보고 앉는다'가 확정적 조건이라는 점이다. 그리고 원형을 모두 그리기보다는 도식화하여 정리하는 것이 효율적인 접근법이다.

2021년 한국수자원공사

기출 난이도 상 중 하

01 기획부 직원들은 2인 1조로 출장을 가게 되었다. 다음 〈조건〉을 따를 때, 출장지와 해당 지역으로 출장을 가는 사람들로 옳은 것을 고르면?

─〈조건〉─

- 출장을 가는 직원은 A과장, B과장, C대리, D대리, E사원, F사원이다.
- 부산, 인천, 대전 3개의 지역에 각각 한 조가 출장을 간다.
- 직위가 같은 사람은 같은 조가 될 수 없다.
- A과장은 부산과 대전으로 출장을 가지 않는다.
- F사원은 대전으로 출장을 가며, 직위가 과장인 사람과 출장을 같이 가지 않는다.
- B과장이 부산으로 출장을 가게 된다면, C대리와 함께 간다.

① 부산 – B과장, D대리
✓② 인천 – A과장, E사원
③ 인천 – B과장, E사원
④ 대전 – E사원, F사원
⑤ 대전 – C대리, F사원

기획부 직원들은 2인 1조로 출장을 가게 되었다. 다음의 〈조건〉을 따를 때 **출장지와 해당 지역으로 출장을 가는 사람들로 옳은 것을 고르면?** ①～⑤ 풀이 순서

〈조건〉

- 출장을 가는 직원은 A과장, B과장, C대리, D대리, E사원, F사원이다.
- 부산, 인천, 대전 3개의 지역에 각각 한 조가 출장을 간다.
- 직위가 같은 사람은 같은 조가 될 수 없다. → 1) 다른 직위끼리 출장
- A과장은 부산과 대전으로 출장을 가지 않는다.
  → 2) A과장: ~부산∧~대전 / A과장: 인천〈①〉 + (~B과장, ~F사원 - C, D, E〈⑤〉)
- F사원은 대전으로 출장을 가며, 직위가 과장인 사람과 출장을 같이 가지 않는다.
  → 3) F사원: 대전〈②〉/ F+C∨F+D 〈④〉
- B과장이 부산으로 출장을 가게 된다면, C대리와 함께 간다.
  → 4) B과장: 부산 → B+C〈③〉

부산	인천	대전
B과장	A과장	F사원
C대리	E사원	D대리

① 부산 - B과장, D대리
② 인천 - A과장, E사원
③ 인천 - B과장, E사원
④ 대전 - E사원, F사원
⑤ 대전 - C대리, F사원

📝 **풀이법 ① 문두에 집중**

문두를 통해 어떤 유형인지 확인함과 동시에 문제에서 묻고 있는 바가 무엇인지 정확하게 파악하는 것이 중요하다. 문제를 제대로 읽지 않아 실수하는 경우가 생각보다 많다. 해당 문제는 '출장지와 출장을 가는 사람들'이라는 구를 통해 변수가 2개인 매칭 문제임을 확인할 수 있다.

📝 **풀이법 ② 기호화(시각화)**

주어진 정보를 기호나 축약어로 단순화하거나 시각화하는 것이 풀이에 도움이 된다. 이때 중요한 것은 최대한 많은 정보를 기호화하기 위해 노력해야 한다는 것이다. 이를 통해 숨겨진 단서를 찾을 수도 있다.

📝 **풀이법 ③ 적절한 표 그리기＋적용 순서**

변수가 2개이므로 하나의 표로 완성이 가능하다. 주어진 조건 중에서 단정적 조건인 '2) A과장-인천, 3) F사원-대전'부터 적용할 수 있다. 그 후 1)을 통해 A과장은 B과장과 함께 출장 갈 수 없고, F사원은 C 혹은 D대리와 출장 감을 알 수 있으므로, 남은 부산에는 B과장이 들어가야 함을 알 수 있다. 이를 통해 4)를 적용하면 부산에는 B과장과 C대리가, 대전에는 D대리가 F사원과 함께 출장을 가야 함을 알 수 있다. 이에 따라 마지막 남은 E사원은 A과장과 함께 인천에 출장을 가야 한다.

02 다음 〈조건〉은 H씨가 월요일부터 일요일까지 일주일 동안 방문할 곳에 대한 정보이다. 이를 바탕으로 H씨가 세탁소에 방문하는 요일을 고르면?(단, 날짜는 월요일이 가장 빠르다.)

〈조건〉

- H씨는 일주일 동안 서점, 도서관, 수영장, 카페, 대형마트, 컴퓨터 수리점, 세탁소를 방문한다.
- 하루에 한 곳만 방문한다.
- 서점과 도서관은 연달아 방문하지 않는다.
- 수영장은 카페보다 2일 먼저 방문하고 대형마트보다 2일 늦게 방문한다.
- 컴퓨터 수리점은 카페보다 하루 먼저 방문한다.
- 서점은 토요일에 방문한다.

---

① 월요일
② 화요일
③ 목요일
④ 금요일
✔⑤ 일요일

다음 〈조건〉은 H씨가 월요일부터 일요일까지 **일주일 동안** 방문할 곳에 대한 정보이다. 이를 바탕으로 **H씨가 세탁소에 방문하는 요일을 고르면?**(단, 날짜는 월요일이 가장 빠르다.)

→ 시작:월, 마지막: 일

---〈조건〉---

- H씨는 일주일 동안 서점, 도서관, 수영장, 카페, 대형마트, 컴퓨터 수리점, 세탁소를 방문한다.
  〈⑤〉
- 하루에 한 곳만 방문한다. → 하루 한 곳
- 서점과 도서관은 연달아 방문하지 않는다. → 1) 서점 – 도서관 〈④〉
- 수영장은 카페보다 2일 먼저 방문하고 대형마트보다 2일 늦게 방문한다.
  → 2) 대형마트 – (   ) – 수영장 – (   ) – 카페 〈②〉
  　　　　　　 〈③〉
- 컴퓨터 수리점은 카페보다 하루 먼저 방문한다.
  → 3) (컴퓨터 수리점 → 카페) 〈②〉
  　　　　　 〈③〉
- 서점은 토요일에 방문한다. → 4) 서점: 토 〈①〉

월	화	수	목	금	토	일
대형마트	도서관	수영장	컴퓨터수리점	카페	서점	세탁소

① 월요일
② 화요일
③ 목요일
④ 금요일
⑤ 일요일

✏️ 풀이법 ① 문두에 집중

문두를 통해 어떤 유형인지 확인함과 동시에 문제에서 묻고 있는바가 무엇인지 정확하게 파악하는 것이 중요하다. 생각보다 문제를 제대로 읽지 않아 실수하는 경우가 많다. 해당 문제는 '일주일 동안'이라는 구를 통해 요일을 찾는 순서 찾기 유형임을 확인할 수 있다. 요일 문제는 처음과 마지막 요일을 확인해야 하며, 특히 일주일의 시작과 끝은 연속된다는 점을 잊어서는 안 된다. 주어진 문제는 월요일이 시작 요일임을 문두를 통해 확인할 수 있다.

✏️ 풀이법 ② 기호화(시각화)

주어진 정보를 기호나 축약어로 단순화하거나 시각화하는 것이 풀이에 도움이 된다. 이때 중요한 것은 최대한 많은 정보를 기호화하기 위해 노력해야 한다는 것이다. 이를 통해 숨겨진 단서를 찾을 수도 있다.

✏️ 풀이법 ③ 적절한 표 그리기+적용 순서

요일 문제이면서 하루에 한 곳이라는 기본 조건으로 인해 표를 그리기 수월하다. 단정적 조건인 4)를 우선 적용한 후 정보량이 많은 '카페'에 대한 정보를 확인하면 적어도 앞서 4곳을 방문해야 하고 바로 앞에는 컴퓨터수리점을 방문해야 함을 알 수 있다. 이에 따라 카페는 금요일에 가야함을 알 수 있다. 마지막으로 1)에서 서점은 도서관과 연달아 방문하지 않으므로 도서관이 화요일에, 남은 세탁소가 일요일에 방문해야 하는 곳임을 알 수 있다.

난이도 **상** 중 하 2022년 코레일 한국철도공사

01 ○○기업에 새로 채용된 직원 9명은 각각 기획조정부, 홍보부, 인사부로 발령받는다. 이들은 자신이 발령받고 싶은 부서를 각각 1지망, 2지망, 3지망으로 지원해야 한다. 아래와 같이 각 부서에 대한 직원 9명의 지원 현황을 토대로 할 때, 다음 중 옳지 않은 것을 고르면?

- 인사부를 3지망으로 지원한 직원은 없다.
- 인사부보다 홍보부로 발령받고 싶어하는 직원은 2명이다.
- 2지망으로 기획조정부를 지원한 직원이 2지망으로 홍보부를 지원한 직원보다 2명 더 많다.
- 인사부보다 기획조정부로 발령받고 싶어하는 직원은 3명이다.

---

① 1지망으로 인사부를 지원한 직원은 4명이다.
② 1지망 지원자 중 홍보부를 지원한 직원이 가장 적다.
③ 3지망으로 홍보부를 지원한 직원이 가장 많다.
④ 기획조정부를 3지망으로 지원한 직원은 6명이다.
⑤ 홍보부를 2지망으로 지원한 직원과 3지망으로 지원한 직원의 수는 다르다.

난이도 **상** 중 하 2022년 부산교통공사

02 다음 설명을 참고할 때, 앉아 있는 자리를 확정할 수 있는 사람 수를 고르면?

- 갑, 을, 병, 정, 무, 기, 경, 신 8명은 각각 A~H 의자 중 어느 한 곳에 앉아 있다.
- 갑은 G에, 정은 A에 앉아 있다.
- 기와 신은 서로 마주 보는 의자에 앉아 있다.
- 경과 기 사이에는 무 한 사람만 앉아 있다.
- 을과 병은 같은 줄의 양 끝자리에 앉아 있다.

---

① 3명
② 4명
③ 5명
④ 6명

03 다음은 학교급식 위생 점검을 위해 학교를 방문한 조건에 관한 내용이다. 이를 바탕으로 옳은 것을 고르면?

대전광역시 교육청은 신학기 식중독 사고예방을 위해 교육감을 비롯한 전 간부공무원이 초·중·고 20개교를 불시 방문해 학교급식 위생·안전 점검을 펼쳤다고 밝혔다. 이번 점검을 통해 식중독 사고가 중점적으로 발생하는 개학시기에 급식 위생관리에 대한 경각심을 일깨웠다. 대전광역시 교육청 간부 공무원이 식재료 검수 과정을 참관하며 식재료의 상태, 조리 종사자의 위생상태, 조리과정 및 보존음식 관리 상태 등을 중점적으로 점검하였다. 대전교육청에서는 각 구별로 초등학교 2개교, 중학교 1개교, 고등학교 1개교를 선정하였으며 아래 조건에 따라 학교를 방문하였다.

〈방문 조건〉
- 대전에는 동구, 중구, 서구, 유성구, 대덕구 다섯 개 구가 있다.
- 같은 구인 경우 초등학교−중학교−고등학교 순으로 방문하였다.
- 유성구 학교를 모두 방문한 뒤 대덕구 학교를 방문하였다.
- 동구 학교와 중구 학교는 연속하여 번갈아 가며 방문하였다.
- 가장 먼저 방문한 곳은 서구이고, 가장 마지막에 방문한 곳은 중구이다.
- 여섯 번째로 방문한 곳은 서구 고등학교이다.
- 유성구 초등학교는 연속해서 방문하였고 서구 초등학교는 연속해서 방문하지 않았다.

① 대덕구 학교는 모두 연속해서 방문했다.
② 동구 학교를 모두 방문한 뒤 대덕구 학교를 방문했다.
③ 서구 고등학교는 유성구 고등학교보다 늦게 방문했다.
④ 열 번째로 방문한 학교는 중학교이다.
⑤ 동구 중학교보다 중구 중학교를 먼저 방문했다.

04 다음 〈조건〉과 같이 물감을 혼합해서 다른 색상을 만들어낼 수 있다고 할 때, 옳지 않은 것을 고르면?

─〈조건〉─
- 분홍색과 노란색을 1:1로 혼합하면 빨간색을 만들 수 있다.
- 노란색과 하늘색을 1:1로 혼합하면 파란색을 만들 수 있다.
- 분홍색과 노란색과 하늘색을 1:1:1로 혼합하면 검정색을 만들 수 있다.
- 빨간색과 파란색을 1:2로 혼합하면 보라색을 만들 수 있다.
- 노란색과 파란색을 1:1로 혼합하면 초록색을 만들 수 있다.

① 빨간색 12g과 파란색 12g을 혼합하면 검정색 24g을 만들 수 있다.
② 분홍색 6g과 노란색 18g과 하늘색 12g을 혼합하면 보라색 36g을 만들 수 있다.
③ 노란색 18g과 하늘색 6g을 혼합하면 초록색 24g을 만들 수 있다.
④ 빨간색 12g과 노란색 12g과 하늘색 12g을 혼합하면 보라색 36g을 만들 수 있다.
⑤ 분홍색 6g과 파란색 12g을 혼합하면 검정색 18g을 만들 수 있다.

05 A~D팀이 월요일~목요일 기간 중 각 3번씩 회의를 한다. 회의실은 대회의실, 중회의실, 소회의실로 나뉘어져 있고, 각 회의실마다 하루에 한 팀만 회의를 할 수 있다. 다음 〈조건〉을 바탕으로 회의실을 배정한다고 할 때, 옳지 않은 것을 고르면?

───────〈조건〉───────

- 각 팀은 대회의실, 중회의실, 소회의실을 한 번씩 배정받으며, 하루에 한 번만 회의를 할 수 있다.
- A팀은 3일 연속으로 회의를 하고, 대회의실 → 중회의실 → 소회의실 순으로 배정받는다.
- B팀이 대회의실을 배정받은 날, D팀은 중회의실을 배정받는다.
- D팀은 대회의실을 가장 마지막으로 배정받는다.
- C팀이 중회의실을 배정받은 날 D팀은 회의를 하지 않는다.
- 목요일에 C팀이 소회의실을 배정받는다.

① A팀이 중회의실을 배정받은 날 C팀이 대회의실을 배정받는다.
② B팀이 대회의실을 배정받은 날 C팀은 회의를 하지 않는다.
③ D팀이 소회의실을 배정받은 날 A팀은 대회의실을 배정받는다.
④ D팀은 3일 연속으로 회의를 한다.

06 다음 〈조건〉의 순서에 따라 갑, 을, 병과 A, B, C 6명의 직원이 출근하였다. 6명의 출근 순서에 대한 설명으로 항상 옳은 것을 고르면?(단, 동시에 출근한 사람은 없다.)

───────〈조건〉───────

- 을은 갑보다 먼저 출근하였다.
- 갑보다 늦게 출근한 사람은 2명이다.
- 병은 을의 바로 전에 출근하였다.
- C는 A의 바로 다음에 출근하였다.

① B는 병보다 빨리 출근한다.
② 병과 A 사이에 출근한 직원은 2명이다.
③ 병은 A, C 중 적어도 한 사람보다 늦게 출근하였다.
④ 가장 마지막으로 출근한 직원은 A, B, C 세 명 중에 없다.
⑤ 갑의 바로 전후에 출근한 직원 중 A가 있다.

07 다음은 K공기업의 순환배치 규정에 관한 자료이다. 이에 대한 설명으로 옳지 않은 것을 고르면?

1) 순환배치 신청 가능 지역
- 수도권: 영등포, 종로, 여의도 지점
- 그 외 지역: 충장로, 동성로, 제주공항 지점
2) 순환배치 조건
- 신입사원은 전년도 평가를 100점으로 가정하고 계산한다.
- 2021년 기준, 3년 이내에 동일 지역에서 2번 이상 근무할 수 없다.
- 현재 근무 중인 지역은 지망이 불가하다.
- 지망하는 지역에 배치하되 동일 지역 지망 인원이 2명 이상일 경우 직전연도 평가 점수가 더 높은 직원을 우선한다.
- 1지망 또는 2지망에 배치되지 않은 직원은 무작위로 배치한다.
- 각 지역별로 1명씩 배치한다.

〈사원별 순환배치 신청사항〉

구분	과거 근무지		현재 근무지	2021년 희망 근무지		직전연도 평가 점수
	2018년	2019년	2020년	1지망	2지망	
A사원	–	–	–	종로	제주공항	신입
B사원	충장로	영등포	제주공항	여의도	영등포	98점
C사원	영등포	충장로	동성로	여의도	제주공항	100점
D사원	제주공항	여의도	충장로	종로	영등포	98점
E사원	동성로	종로	제주공항	여의도	동성로	99점

① A사원은 종로에 배치된다.
② B사원은 충장로에 배치된다.
③ C사원은 제주공항에 배치된다.
④ D사원은 영등포에 배치된다.
⑤ E사원은 동성로에 배치된다.

08 ○○대학교 총학생회장은 다음 〈조건〉에 따라 각 부처의 국장을 선출하려고 한다. 이를 바탕으로 항상 옳지 않은 것을 고르면?

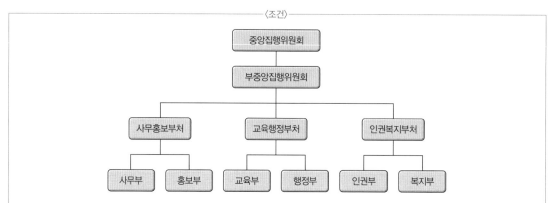

- 중앙집행위원장, 부중앙집행위원장, 사무부장, 홍보부장, 교육부장, 행정부장, 인권부장, 복지부장을 각 1명씩 총 8명을 선출하며 중앙집행위원장과 부중앙집행위원장은 간부 임원이다.
- 후보는 경영학과 출신 A, 경영학과 출신 B, 경영학과 출신 C, 교육학과 출신 D, 교육학과 출신 E, 사회복지학과 출신 F, 사회복지학과 출신 G, 사회복지학과 출신 H로 총 8명이다.
- 사무홍보부처의 부장은 경영학과 출신, 교육부장은 교육학과 출신, 인권복지부처의 부장은 사회복지학과 출신으로 구성한다.
- B와 D는 같은 부처로 구성된다.
- F와 H는 같은 부처로 구성될 수 없다.

① 경영학과 출신의 사람이 행정부장이 된다.
② F가 복지부장이 되지 않으면 G는 인권부장이 된다.
③ 부중앙집행위원장이 될 수 있는 사람은 4명이다.
④ F가 복지부장이 된다면 H는 간부 임원이 된다.
⑤ 어떤 부처의 국장인지 확실히 알 수 있는 사람은 2명이다.

09 S공기업의 기획부 과장, 기획부 대리, 재무부 과장, 재무부 대리, 홍보부 과장, 홍보부 대리가 원탁에 일정한 간격으로 둘러앉아 있다. 다음 〈조건〉에 따라 앉았다고 할 때, 옳은 것을 고르면?

───〈조건〉───

- 기획부 직원은 서로 마주 보고 앉아 있다.
- 재무부 과장은 기획부 대리의 오른쪽에 앉아 있다.
- 홍보부 대리는 재무부 대리의 왼쪽에 앉아 있다.

① 재무부 직원은 서로 이웃하여 앉아 있다.
② 기획부 과장의 양 옆에는 대리가 앉는다.
③ 재무부 대리는 홍보부 과장과 마주 보고 앉아 있다.
④ 홍보부 직원은 서로 마주 보고 앉아 있다.
⑤ 홍보부 과장은 기획부 과장의 오른쪽에 앉아 있다.

10 1번부터 5번까지의 학생들이 다음 규칙에 맞춰 다음과 같이 배열되어 있는 번호의 의자에 앉아 있다. 다음 중 옳은 것을 고르면?

(가) 세 명의 학생이 자기의 번호와 일치하지 않는 번호의 의자에 앉아 있다.
(나) 2명의 학생은 자기의 번호보다 작은 번호의 의자에 앉아 있다.
(다) 홀수 번호의 학생들은 모두 홀수 번호의 의자에 앉아 있다.

1　　2　　3　　4　　5

① 1번 학생은 5번 의자에 앉아 있다.
② 2번 학생은 4번 의자에 앉아 있다.
③ 3번 학생은 3번 의자에 앉아 있다.
④ 4번 학생은 2번 의자에 앉아 있다.
⑤ 5번 학생은 1번 의자에 앉아 있다.

정답과 해설 P.6

기출유형 **4** | # 상황판단형_시간자원관리

기출 유형 분석

자원관리능력에서 가장 많이 출제되는 세부영역은 시간자원관리와 예산자원관리이다. 왜냐하면 기업이 자원을 관리하는 가장 큰 이유가 시간과 돈을 얼마나 효율적으로 사용하는 가에 따라 이익률과 손해율이 달라지기 때문이다. 그러므로 시간자원관리에 관련한 유형의 문항은 다양한 형태의 문제를 접하며 다양한 상황에 익숙해질 필요가 있다.

세부 유형

세부 유형	발문 내용
퍼트분석	• 일의 우선 순위를 고려하여 어떠한 문제를 먼저 해결해야 하는지 고르면?
시차 및 스케줄	• 걸리는 시간이 총 얼마인지 고르면?
최적의 시간과 경로	• 목적지에 도착하기 위해서 얼마나 일찍 출발해야 하는지 고르면? • 최소의 비용을 고려하여 일정을 조절한 것을 고르면?
모듈형	• 여러 경로 중 최적의 경로를 고르면?

기출 유형 접근법

자원관리능력 문항의 경우 간단한 이론을 기본적으로 숙지하고 있어야 풀 수 있는 문항과 이론과는 별개로 주어진 전제와 조건만을 고려해 풀어야 하는 문항이 출제된다.

• 이론형(모듈형) 문항

간단한 이론을 암기만 하는 것이 아니라 꼭 이해를 해야 할 필요가 있다. 왜냐하면 암기만으로도 풀어 낼 수 있는 유형뿐만 아니라 이론을 상황에 적용시킨 문항이 출제되기 때문이다.

그 다음으로 주어진 전제와 조건만을 고려하는 유형은 계산형과 선택형이 있다.

• 계산형 문항

시차, 이동시간 등의 가감을 이용해 계산하는 형태로 24시 시간제를 이용하면 실수를 줄일 수 있다. 즉, 1시간은 60분, 1일은 24시간이라는 것을 염두에 두고 계산해야 한다.

• 선택형 문항

전제와 조건에 따라 스케줄 혹은 시간의 나열을 통해 최적의 선택을 내려야 하는 형태이다. 최적의 선택을 내리기 위해서는 시간 흐름에 따른 나열을 할 수 있어야 한다.

1 퍼트(PERT)

프로그램 평가 및 검토기법(The Program/Project Evaluation and Review Technique)은 프로젝트 수행을 위한 일정 계획을 수립하고 공정을 관리하기 위한 방법이다. 대규모 프로젝트는 소규모의 개별적인 공정들이 유기적으로 연결되어 완성된다. 즉, 대규모 프로젝트를 완성하기 위해서는 개별 공정들이 정해진 프로세스에 따라 동시에 이루어져야 한다. 그러므로 전체 과정을 효율적으로 관리할 수 있는 네트워크 시스템 중 하나가 PERT기법이다.

예)

〈표〉 프로젝트

공정	선행작업	시간(개월)
A	–	3
B	–	2
C	A	4
D	B	3
E	C, D	2

〈그림〉 퍼트 네트워크 시스템

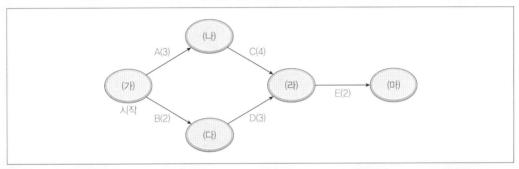

- 프로젝트와 퍼트 네트워크 시스템에서 A, B공정은 그 전 선행 작업이 없으므로 동시에 시작되지 않으며 A공정 후 C공정, B공정 후 D공정을 실시한다. E공정은 C, D공정을 마친 후 시작된다.
- 퍼트 네트워크 시스템에서는 여러 가지 경로들 중 최장시간경로(크리티컬 패스)를 선택한다. 즉, A–C–E 경로가 주 경로가 된다. 주어진 자료는 총 3+4+2=9(개월)이 되므로 이 프로젝트를 완성하는 데 9개월이 소요된다.
- 주 경로인 크리티컬 패스를 알면 프로젝트의 전체 소요시간을 알 수 있으며, 실제 업무에서 정해진 기간보다 긴 시간이 필요한 경우 크리티컬 패스에 해당 되는 작업에 자원을 중점적으로 투입하여 시간을 단축시킨다.

☑ 체크포인트

퍼트(PERT)의 적용 순서

㉠ 각 작업들의 의존도에 따라 순서 결정하기

㉡ 작업 관계 파악하기

㉢ 퍼트 네트워크 작성하기

㉣ 각 작업의 개별 소요시간 고려하기

㉤ 네트워크를 이용해 크리티컬 패스 결정

2 시차 이해하기

지구는 태양 주위를 돌며 자전과 공전을 하기 때문에 태양의 열을 항상 받게 되고, 자전으로 지구의 각 지역마다 전달되는 태양의 열 정도가 달라진다. 먼 과거에는 태양이 떠있는 시간을 낮, 태양이 진 시간을 밤이라 하고, 이에 따라 나라마다 시계를 맞추었다. 하지만 철도와 통신의 발달로 장거리로 이동을 할 때 지역마다 시간이 달라 많은 불편함이 초래되었다. 이를 계기로 세계 시간의 표준을 제정하고, 상대적으로 각 지역별 시간이 얼마나 차이 나는지를 환산한 개념이 시차이다.

시차는 영국의 그리니치 천문대를 기준으로 하여 서쪽으로 15도 멀어질 때마다 표준시에서 1시간을 빼고, 동쪽으로 15도 멀어질 때마다 표준시에서 1시간을 더하는 방식으로 계산한다. 지구는 하루에 360도를 회전하며 1시간에 15도씩 돌기 때문에 세계의 모든 표준시는 15도 기준으로 구분한다.

예)

위치	시차(동쪽 15도=＋1시간, 서쪽 15도=－1시간)
한국이 영국보다 동쪽으로 135도	영국시간＋9시간＝한국시간 • 한국이 영국보다 9시간 빠르다. • 영국이 한국보다 9시간 느리다.
LA는 영국보다 서쪽으로 120도	LA시간＋8시간＝영국시간 • 영국이 LA보다 8시간 빠르다. • LA가 영국보다 8시간 느리다.
한국은 영국보다 동쪽으로 135도 LA는 영국보다 서쪽으로 120도	영국시간＋9시간＝한국시간 LA시간＋8시간＝영국시간 LA시간＋17시간＝한국시간 － 한국이 LA보다 17시간 빠르다. － LA가 한국보다 17시간 느리다.

시차가 빠르다는 것은 정해진 시각에 먼저 도달하는 것을 의미하고, 그 반대라면 시차가 느린 것이다. 예를 들어 한국이 영국보다 시차가 9시간 빠르다는 것은 '2022년 2월 8일 오전 10시'라는 시각에 한국이 영국보다 9시간 먼저 도달한 것이다.

☑ 체크포인트

시차가 빠르다와 느리다 계산 시 (+) 또는 (-)만 이용하면 어렵지 않게 해결할 수 있다.

시차가 빠르다 = (+)

시차가 느리다 = (-)

---

3 최적의 시간과 경로

시간을 돈으로 환산한다면 비용이 되기 때문에 시간자원을 효과적으로 사용하는 것이 곧 시간자원관리의 목적이다. 즉, 시간자원을 절약한다는 것은 비용을 줄이는 것과 동일하다. 하지만, 최적의 시간을 이용한다는 것은 무조건 시간을 적게 들이는 것이 아니라 주어진 전제와 조건들을 고려하여 결정해야 한다.

자주 출제되는 내용으로는 스케줄 관리, 최단시간 구하기, 이동수단을 고려한 최적의 경로 찾기 등 다양한 조건을 제시하여 정답을 찾아내는 형태로 나온다.

특히, 경로를 구하거나 조건이 다양하게 제시될 때가 많으므로 문제 풀이에 시간이 많이 걸릴 수 있다. 이때 한정된 응시 시간 동안 많은 시간을 투자하기에는 다른 문항을 풀이할 시간이 부족할 수 있다. 때로는 비워두고 넘어가는 지혜가 필요하다. 왜냐하면 우리의 목표는 합격이지 만점이 아니기 때문이다.

4 효과적인 시간계획 수립하기

시간자원관리능력에 대한 모듈형 문항으로 자주 쓰이는 이론이다. 시간관리에 대한 대표적인 오해는 다음과 같다.

- 시간관리는 상식에 불과하다.
- 시간에 쫓기면 일의 능률이 높아진다.
- 간단한 일정 체크만으로도 충분하다.
- 창의적인 일을 수행하는 데 적합하지 않다.

하지만, 자신의 시간자원을 최대한 활용하기 위해서는 첫째, 가장 많이 반복되는 일에 가장 많은 시간을 분배하고, 둘째, 최단시간에 최선의 목표를 달성하여야 한다.

〈표〉 SMART 법칙에 따른 목표 설정

구분	내용
S(Specific)	목표를 구체적으로 작성한다.
M(Measurable)	수치화, 객관화를 시켜서 측정이 가능한 척도를 세운다.
A(Action-oriented)	사고 및 생각이 아닌 행동을 중심으로 목표를 세운다.
R(Realistic)	실현 가능한 목표를 세운다.
T(Time limited)	목표를 설정할 때 제한 시간을 둔다.

시간계획을 적절하게 세우기 위해서 지켜야 하는 가장 기본적인 원리는 60:40의 룰을 지키는 것이다. 이는 계획된 행동 60%, 비계획된 행동 40%(계획 외의 행동 20%, 자발적 행동 20%)를 의미한다.

(1) 효과적인 시간 계획을 세우는 순서

⊙ 명확한 목표 설정하기 → ⓒ 일의 우선순위 정하기 → ⓒ 예상 소요시간 결정하기 → ⓔ 시간계획서 작성하기

(2) 시간관리 매트릭스 우선순위(A → B → C →D)

⊙ 긴급 ○ / 중요 ○ → ⓒ 긴급 × / 중요 ○ → ⓒ 긴급 ○ / 중요 × → ⓔ 긴급 × / 중요 ×

〈일의 우선순위 판단을 위한 매트릭스〉

	긴급함	긴급하지 않음
중요함	A. 긴급하면서 중요한 일 • 위기상황 • 급박한 문제 • 기한이 정해진 프로젝트	B. 긴급하지 않지만 중요한 일 • 예방 생산 능력 활동 • 인간관계 구축 • 새로운 기회 발굴 • 중장기 계획, 오락
중요하지 않음	C. 긴급하지만 중요하지 않은 일 • 잠깐의 급한 질문 • 일부 보고서 및 회의 • 눈앞의 급박한 상황 • 인기 있는 활동	D. 긴급하지 않고 중요하지 않은 일 • 바쁜 일, 하찮은 일 • 우편물, 전화 • 시간낭비 거리 • 즐거운 활동

기출 난이도 상 중 하   2021년 한국수력원자력

01 ○○사의 최 대리는 토론토 해외 공개 입찰에 참여할 예정이고, 입찰에 필요한 서류들은 **입찰 마감 1시간 전까지는** 토론토 해외지사에 보내야 한다. 현지 시간 기준으로 입찰 마감시간이 9월 26일 10시일 때, 최 대리가 입찰 관련 서류들을 준비할 수 있는 시간을 고르면?(단, 대한민국은 서머타임을 시행하지 않는다.)

〈표〉 국가별 UTC

국가	LA	토론토	영국	독일	대한민국
UTC	−8	−5	0	+1	+9

• UTC는 영국 그리니치 천문대를 기준으로 하는 국제표준시이며, 각 숫자는 시차를 의미한다.
• 서머타임은 여름철에 표준시보다 1시간 시계를 앞당겨 놓는 제도로 매년 3월 마지막 일요일에 시작되어 10월 마지막 일요일에 끝나며, 주어진 국가 모두 시행 중이다.
• 현재 대한민국은 9월 25일 16시 20분이다.

① 1일 4시간 40분
② 1일 5시간 20분
✓③ 1일 5시간 40분
④ 1일 6시간 20분
⑤ 1일 6시간 40분

문제 풀이 전략

시차 계산 시 서머타임을 고려할 수 있는지 없는지를 물어보는 문제이다. 서머타임을 3월에 시작할 때는 1시간을 빠르게 돌린다. 즉, 2시인 시각을 3시로 바꾸는 것이다. 그렇다면 시차 계산 시 +1이 된다.
반대로 서머타임이 끝날 때는 1시간을 느리게 돌리므로 1시간이라는 여유 시간이 발생한다. 따라서 시차 계산 시 −1이 된다.

한국과 토론토와 시차를 체크한 후 나머지 조건을 고려하면 된다. 이때, 서머타임 같은 변수들이 들어 있으므로, 체크하며 풀도록 한다.

[1단계]
한국과 토론토와의 시차를 계산한 후 입찰 관련 서류를 준비할 수 있는 시간을 고려해야 한다.
한국과 토론토와의 시차는 +14시간이다. 9월은 서머타임이 적용되는 달이므로 표준시보다 1시간 시계를 앞당겨 놓으므로 서머타임을 적용하면 +13시간이다.
즉, 한국이 토론토보다 13시간 빠르다.

[2단계]
토론토 입찰 마감 시간인 9월 26일 10시는 대한민국 시간으로 9월 26일 23시이다.
→ 토론토 9/26, 10시+13시간=대한민국 9/26, 23시

[3단계]
최 대리는 입찰 마감 시간 1시간 전까지는 서류를 보내야 하므로, 대한민국 기준 9월 26일 22시까지는 보내야 한다.
그렇다면 최 대리가 서류를 준비할 수 있는 최대 시간은 9월 25일 16시 20분~9월 26일 22시가 된다.
따라서 1일 5시간 40분이 된다.

02 다음은 버스노선도와 버스 종류별 정보에 관한 자료이다. 각 노선에 따른 버스가 최종 정류소에 정차했을 때, 가장 빨리 도착하는 버스와 가장 늦게 도착하는 버스의 소요시간 차이를 고르면?

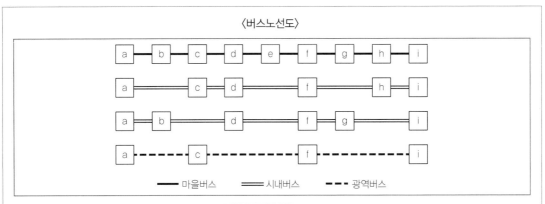

〈버스노선도〉

━━ 마을버스   ═══ 시내버스   --- 광역버스

- 마을버스 기준으로 각 정류소 사이의 거리는 1,200m로 동일하다.
- 모든 버스는 a정류소를 출발 후 i정류소를 회차하여 f정류소에서 최종 정차한다.

〈버스 종류별 정보〉

구분	평균 속력(km/h)	정류소 정차 시 추가 소요시간(초)
마을버스	48	5
시내버스	60	15
광역버스	90	60

① 2분 38초
② 3분 48초
③ 4분 32초
✓④ 5분 32초
⑤ 6분 22초

문제 풀이 전략

해당 문제는 얼마나 빠르게 전체 거리에 따른 이동 시간을 구할 수 있냐는 것으로 수리능력과 마찬가지로 단위를 꼼꼼하게 확인해야 한다. 속력이 주어질 땐 항상 시속, 분속 등의 단위를 확인하여 실수 없이 풀어나가야 시간이 부족하지 않다. 만약 풀던 중 단위를 늦게 확인하여 다시 풀게 된다면 시간이 오래 걸리므로 이 문제는 틀린 것과 다름없다. 또한, 최종 도착지는 i정류소가 아니라 f 정류소이므로 이 부분 역시 꼼꼼하게 확인해야 한다.

해당 문제는 버스의 소요시간 차이를 구해야 하므로 버스가 움직인 시간과 정류소 정차 시 추가 소요시간의 합을 구하면 된다. 여기에 맞춰 우선 버스가 움직인 거리와 속력을 이용하여 움직인 시간을 구한 다음 추가 소요시간을 구하도록 한다.

[1단계]
모든 버스는 a정류소를 출발 후 i정류소를 회차하여 f정류소에 최종 정차하므로, 움직이는 거리는 동일하다.
마을버스 기준으로 각 정류소 사이의 거리는 1,200m이고, a정류소를 출발하여 i정류소를 돌아 f정류소까지 오는
정류소는 11개이므로, 총 거리는 1,200m×11=13.2(km)이다.

[2단계]
주어진 자료는 시속이므로 모두 분속으로 바꾸어 계산하면, 각 버스의 소요 시간은 다음과 같다.
• 시속 48km=48km/60분=분속 0.8km
• 시속 60km=60km/60분=분속 1km
• 시속 90km=90km/60분=분속 1.5km

[3단계]
'$\frac{거리}{속력}$=시간'이므로 버스가 움직이는 거리를 [2단계]에서 구한 속력으로 나누면 버스가 a정류소에서 출발하여 i정

류소를 돌아 f정류소까지 움직인 시간을 알 수 있다.

구분	움직인 시간
마을버스	13.2÷0.8=16.5(분)=16분 30초
시내버스	13.2÷1=13.2(분)=13분 12초
광역버스	13.2÷1.5=8.8(분)=8분 48초

[4단계]
각 버스의 종류에 따라 정류소 정차 시 추가 소요시간이 다르므로, 정류소 정차 시간을 계산하여 더하면 총 걸린
시간이 나온다. 이때, B버스나 C버스는 정류소 수가 동일한 시내버스이므로 각각 나누어 생각할 필요가 없다. 또
한, 마지막 f정류소에 최종 정차 시에는 정류소 정차 시간을 더할 필요가 없다.

구분	움직인 시간	정류장 정차 시간	총 걸린 시간
마을버스	13.2÷0.8=16.5분=16분 30초	5×10=50(초)	17분 20초
시내버스	13.2÷1=13.2분=13분 12초	15×6=90(초)	14분 42초
광역버스	13.2÷1.5=8.8분=8분 48초	60×3=180(초)	11분 48초

정리하면, 가장 빨리 도착하는 버스는 광역버스이고, 가장 늦게 도착하는 버스는 마을버스이므로, 소요시간의 차이는 17분 20초−11분 48초=5분 32초이다.

03 박 대리는 ○○프로젝트의 기획부터 완성까지 맡기로 하였다. 먼저 ○○프로젝트의 **PERT 네트워크 시스템**을 작성하고 이것을 토대로 ○○프로젝트 활동을 분석하려고 한다. 이때, 각 프로젝트 활동을 분석표로 작성한 것 중 적절한 것을 고르면?(단, ○○프로젝트를 끝내는 데 걸리는 **전체 소요시간은 24개월**이다.)

〈표〉 ○○프로젝트 PERT 네트워크 시스템

작업	선행 작업	활동시간(개월)
A	–	㉠
B	A	㉡
C	–	㉢
D	C	㉣
E	A	㉤
F	B, D, E	9

① ㉠: 6, ㉡: 8, ㉢: 7, ㉣: 8, ㉤:10
② ㉠: 6, ㉡: 9, ㉢: 7, ㉣: 7, ㉤:10
③ ㉠: 6, ㉡: 9, ㉢: 7, ㉣: 8, ㉤:10
④ ㉠: 7, ㉡: 8, ㉢: 8, ㉣: 9, ㉤:7
✓⑤ ㉠: 7, ㉡: 8, ㉢: 8, ㉣: 7, ㉤:7

최장시간경로가 무엇인지를 먼저 찾아야 한다. 즉, PERT기법에 대해 모르고 있다면 풀기가 어려울 수 있다. 혹은 PERT기법에 대한 설명이 문항에 제시되어도 배경지식으로 이미 알고 있다면 빠른 시간 내에 풀이할 수 있으므로, PERT기법이 무엇인지 미리 알아두도록 한다.

○○프로젝트를 끝내는 데 걸리는 전체 소요시간이 주어져 있으므로, PERT 네트워크 시스템에서 나올 수 있는 예상 주 경로를 모두 구한 후 각 활동시간을 계산한다.

[1단계]
○○프로젝트를 끝내는 데 걸리는 전체 소요시간은 24개월이고, ○○프로젝트를 끝내기 위한 예상 주 경로는 다음과 같다.
A → B → F(㉠+㉡+9)
A → E → F(㉠+㉢+9)
C → D → F(㉢+㉣+9)
위의 3가지 경로 중 적어도 1개 이상의 경로는 24개월이어야 한다.
즉, (㉠+㉡) / (㉠+㉢) / (㉢+㉣) 중 적어도 1가지는 15개월이 되어야 한다.

[2단계]
주어진 선택지를 적용하여 1가지 경로라도 15개월을 넘거나 모든 경우에도 15개월에 미치지 못한다면 적절하지 않은 선택지가 된다.
주어진 선택지에 따라 적용해 보면 다음과 같다.
① A → B: 14(㉠+㉡) / A → E: 16(㉠+㉢) / C → D: 15(㉢+㉣)
② A → B: 15(㉠+㉡) / A → E: 16(㉠+㉢) / C → D: 14(㉢+㉣)
③ A → B: 15(㉠+㉡) / A → E: 16(㉠+㉢) / C → D: 15(㉢+㉣)
④ A → B: 15(㉠+㉡) / A → E: 14(㉠+㉢) / C → D: 16(㉢+㉣)
⑤ A → B: 15(㉠+㉡) / A → E: 14(㉠+㉢) / C → D: 15(㉢+㉣)
따라서 ⑤를 제외하고는 모두 16개월이 들어가 있다.

04 양 사원은 업무를 효율적으로 끝내기 위해 시간관리 매트릭스 4단계를 사용하려고 한다. 아래의 설명을 바탕으로 할 때, 양사원이 사용하는 방법은 효과적인 시간 계획을 세우는 순서 중 어느 단계에 해당하는지 고르면?

> 시간 계획을 적절하게 세우기 위해서 지켜야 하는 가장 기본적인 원리는 60:40의 룰을 지키는 것이다. 이는 계획된 행동 60%, 비계획된 행동 40%(계획 외의 행동 20%, 자발적 행동 20%)를 의미한다. 또한, 효과적인 시간 계획을 세우는 순서는 명확한 목표를 설정하고, 일의 우선순위를 정하고, 예상 소요시간을 결정하고, 시간계획서를 작성하는 것이다.

① 비계획된 행동하기
② 명확한 목표 설정하기
✓③ 일의 우선순위 정하기
④ 예상 소요시간 결정하기
⑤ 시간 계획서 작성하기

문제 풀이 전략

모듈형 문항은 이론을 무작정 암기하기보다는 이론들이 어떻게 적용되는지도 고려하며 암기해야 한다.

시간관리 매트릭스 4단계는 다음과 같다.

〈일의 우선순위 판단을 위한 매트릭스〉

	긴급함	긴급하지 않음
중요함	A. 긴급하면서 중요한 일 • 위기상황 • 급박한 문제 • 기한이 정해진 프로젝트	B. 긴급하지 않지만 중요한 일 • 예방 생산 능력 활동 • 인간관계 구축 • 새로운 기회 발굴 • 중장기 계획, 오락
중요하지 않음	C. 긴급하지만 중요하지 않은 일 • 잠깐의 급한 질문 • 일부 보고서 및 회의 • 눈앞의 급박한 상황 • 인기 있는 활동	D. 긴급하지 않고 중요하지 않은 일 • 바쁜 일, 하찮은 일 • 우편물, 전화 • 시간낭비 거리 • 즐거운 활동

문제에서 주어진 설명은 시간 계획을 적절하게 세우기 위한 60 : 40룰에 관해 제시되어 있다. 즉, 일의 우선순위에 관한 내용이다.

그러므로 시간관리 매트릭스 4단계 역시 일의 우선순위 판단을 위한 것이다.

난이도 **상** 중 하   2020년 한국전력공사

01 영업팀 박 팀장은 10월에 직원들과 1박 2일간의 워크숍 일정을 계획하려고 한다. 직원들의 출장 일정을 고려해야 하고, 주말은 제외한다고 할 때, 전 직원이 참석 가능한 날짜를 고르면?

〈직원들의 10월 출장 스케줄〉

일	월	화	수	목	금	토
28	29	30	1	2	3	4
			D대리			
5	6	7	8	9	10	11
	A부장			박 팀장		
12	13	14	15	16	17	18
		B차장				
19	20	21	22	23	24	25
		F대리				
26	27	28	29	30	31	1
		C과장				

※ 매년 10월 넷째주 목요일은 회사 창립기념일.
※ 매월 첫째 주, 셋째 주 금요일에는 전 부서 회의에 참석.
※ 매월 마지막 날은 실적 발표.

① 2일, 3일
② 15일, 16일
③ 22일, 23일
④ 29일, 30일
⑤ 30일, 31일

02 김 과장은 서울에서 출발하여 밴쿠버를 경유하고 뉴욕에 출장을 갈 예정이다. 서울에서 밴쿠버까지는 10시간 30분이 걸리고, 1시간 대기 후 밴쿠버에서 뉴욕까지는 5시간 30분이 걸린다. 뉴욕 현지 시간 기준으로 8월 1일 15시 20분까지 뉴욕 공항에 도착해야 한다고 할 때, 한국에서 적어도 언제 비행기를 타야 하는지 고르면?

① 8월 2일 8시 20분
② 8월 2일 7시 20분
③ 8월 1일 22시 20분
④ 8월 1일 11시 20분
⑤ 8월 1일 8시 20분

03 다음 〈대화〉를 바탕으로 시간계획을 하는 직원 중 적절하게 시간을 계획하지 않는 직원을 고르면?

―〈대화〉―

• A사원: "맡은 일을 계획함에 있어 구체적으로 객관화시켜 실현 가능한 것들로 계획하고 있다."
• B대리: "항상 여유의 시간을 준비하여 예상할 수 없는 상황에서도 시간의 부족함이 없도록 시간 계획을 세우고 있다."
• C과장: "필기구와 메모장을 가지고 다니며 언제 어디서 시간을 효과적으로 사용하고 있는지를 체크한다."
• D차장: "갑작스레 발생하는 문제도 늘 해오던 일과 겹치지 않도록 동일하게 시간을 분배하여 일을 처리한다."
• E부장: "어떠한 상황에서도 상사나 부하와의 일정을 고려하여 시간 계획을 보완하고 조정한다."

① A사원   ② B대리   ③ C과장
④ D차장   ⑤ E부장

04 ○○연구소는 Z프로젝트를 실시하게 되었다. 이 프로젝트의 과업은 총 7개로 진행되고, 선행 과업이 완료된 다음 날 해당 과업을 바로 진행하며, 모든 과업이 끝나는 순간 프로젝트는 완료된다. 이 프로젝트가 완료되는 날짜는 언제인지 고르면?

〈프로젝트 수행 조건〉

과업	완료 기간	시작 조건
A	4일	10월 12일 시작
B	5일	A 완료 후 시작
C	6일	10월 13일 시작
D	4일	B 완료 후 시작
E	7일	10월 14일 시작
F	5일	E 완료 후 시작
G	6일	C, E 완료 후 시작

① 10월 23일
② 10월 24일
③ 10월 25일
④ 10월 26일
⑤ 10월 27일

05 주어진 일의 우선순위 판단을 위한 매트릭스를 보고 빈칸에 해당하는 경우로 적절한 것을 고르면?

〈일의 우선순위 판단을 위한 매트릭스〉

	긴급함	긴급하지 않음
중요함	긴급하면서 중요한 일	긴급하지 않지만 중요한 일
중요하지 않음	( )	긴급하지 않고 중요하지 않은 일

① 우편물, 전화
② 위기상황
③ 중장기 계획
④ 일부 보고서 및 회의
⑤ 새로운 기회 발굴

06 다음은 A프로젝트의 마감기일이 촉박하여 소요시간을 단축하는 데 필요한 비용과 시간을 정리한 자료이다. 단축비용당 많은 시간을 단축할 수 있는 1개의 작업을 선택한 후 전체 소요시간이 단축되었다. ○○프로젝트의 전체 소요시간은 얼마인지 고르면?

〈표〉 작업별 선행작업 및 시간

작업	선행작업	시간(개월)
A	–	3
B	A	7
C	B	6
D	C	4
E	D	5

〈표〉 작업별 단축비용과 작업을 완료하는데 걸리는 시간

작업	단축비용(만 원)	걸리는 시간(개월)
B	30	4
C	25	3
D	15	1
E	25	2

예 B작업은 30만 원의 비용을 더 쓰면 7개월 걸릴 일을 4개월이면 완료된다.

① 24개월

② 23개월

③ 22개월

④ 21개월

⑤ 20개월

07 임 대리는 운송과정에 따른 소요시간과 파손율에 관한 자료를 작성하여 기존 운송과정과 새로운 운송과정을 비교하여 발표하려고 한다. 아래의 평가 기준을 참고했을 때, 새로운 운송과정의 평균 소요시간이 기존 운송과정에 비해 얼마나 줄어드는지 고르면?

〈운송과정별 소요시간〉

운송과정	물품 1개당 평균 소요시간(시간)	
	개선 전	개선 후
A지역 물류센터 이동	6	5
A지역 물류센터 보관	15	14
B지역 물류센터 이동	9	8
B지역 물류센터 보관	18	15
물품 배달	8	6

〈운송과정별 파손율〉

운송과정	물품 1개당 평균 파손율(%)
A지역 물류센터 이동	40
B지역 물류센터 이동	20
물품 배달	30

※ 평균 소요시간 평가 기준＝물품 1개당 평균 소요시간＋(물품 1개당 평균 소요시간×평균 파손율)

① 5.2시간
② 5.8시간
③ 6.2시간
④ 8.8시간
⑤ 9.2시간

08 박 과장은 숙소를 출발하여 모든 출장지를 들른 후 숙소로 다시 돌아 왔다. 박 과장이 이동 시 최소 시간을 고려하여 이동했다고 할 때, 박 과장이 모든 출장지를 들른 후 숙소까지 돌아오는데 걸린 총 소요시간을 고르면?(단, 출장지에서 머문 시간은 고려하지 않는다.)

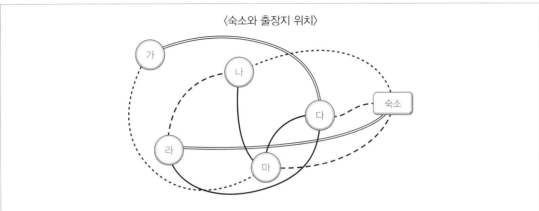

〈숙소와 출장지 위치〉

〈표〉 교통수단 사용 소요시간

(단위: 분)

	숙소	가	나	다	라	마
숙소		–	40	20	25	40
가			–	55	–	65
나				–	40	35
다					45	30
라						–
마						

※ 출장지까지 이용 가능한 교통수단은 위의 경우를 제외하고는 없음.

① 235분

② 240분

③ 260분

④ 280분

⑤ 285분

정답과 해설 P.10

기 출 유 형 **5** | # 상황판단형_예산자원관리

기출 유형 분석

자원관리능력에서 가장 높은 비중으로 출제되는 것은 예산자원관리이다. 이는 기업의 목적이 이윤 추구이기 때문이다. 일반적으로 예산자원과 관련된 매출액, 이익, 비용 등을 다양한 상황 안에서 계산하는 유형으로 출제된다.

세부 유형

세부 유형	발문 내용
손익 계산하기	• 매출액에 따른 이익이 얼마인지 고르면?
비용 계산하기	• 생산하는데 드는 총 비용이 얼마인지 고르면? • 투입되는 예산이 얼마인지 고르면?
환율 이용하기	• 환율을 고려했을 때 가장 적은 비용을 고르면?

기출 유형 접근법

• **출제자의 의도 파악하기**

출제자의 입장에서는 지원자가 짧은 시간에 문제를 풀기보다는 조금이라도 시간이 더 걸리는 문항을 통해 난이도를 조절한다. 따라서 지원자는 출제자의 의중을 파악하여 풀이에 접근하는 것이 중요하다.

예를 들어 출제자가 주어진 시간과 비용이라는 두 가지 조건을 제시한 후 해당 조건에 따라서 문항을 풀어야 하는 문제를 출제했다면 일반적으로 출제자는 조건을 배치할 때 5개의 선택지 중 2개는 시간 조건으로 답을 걸러내게 하고, 나머지 선택지는 비용 조건으로 답을 걸러내게끔 선택지를 배치한다. 왜냐하면, 만약 두 가지 조건 중 시간 조건만으로 모든 오답 선택지를 걸러낼 수 있게 출제하였다면 비용 조건을 문항에 제시할 필요가 없기 때문이다.

• **복잡한 계산은 선택지 먼저 확인하기**

예산자원관리는 계산 문항이 많이 출제되는데, 특히 높은 자릿수의 숫자가 자주 주어진다. 이때, 이런 숫자들은 계산할 때 시간이 많이 걸릴 뿐만 아니라 실수도 자주하게 된다. 간단한 계산이 아니라 복잡하고 자릿수가 큰 숫자의 계산이 필요할 땐, 선택지를 먼저 확인한 후 일의 자리나 십의 자리가 모두 다른 숫자라면 그 자리에 해당하는 숫자 계산을 통해 답을 찾을 수 있을지를 생각해 보는 것도 하나의 방법이 될 수 있다.

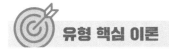 유형 핵심 이론

1 이익, 매출액, 비용의 관계

기업이 최대 이익을 낼 수 있는 방법은 매출액을 늘리는 것과 비용을 줄이는 것이다.

이익=매출액－비용

첫 번째, 매출액을 늘리는 것이다. 매출액을 늘릴 수 있는 방법은 마케팅 등의 다양한 방법으로 제품이나 서비스를 최대한 많이 판매하는 것이다.

두 번째는 비용을 줄이는 것이다. 여기서 비용을 줄인다는 의미는 무조건 적은 비용만을 사용해야 한다는 것이 아니라 발생하는 매출액 대비 드는 비용을 줄인다는 것이다. 절대적인 금액이 아닌 상대적인 금액을 생각해야 하다 보니 출제되는 문항들에는 대부분 다양한 조건이 제시된다. 자주 출제되는 조건으로는 시기에 따라 달라질 수 있는 예산, 자동차 연비에 따라 달라질 수 있는 연료비, 환율에 의해 달라질 수 있는 매출액과 비용, 주어진 계산식에 대입하기 등이 있다.

조건에 따른 더하기/빼기	조건에 따른 차이 구하기
주어진 보기의 특징적인 숫자(일의 자리 또는 십/백의 자리)를 확인 후 그 자릿수 위주로 계산하기	각각 값을 구해서 차이를 계산하기보다는 차이 나는 항목들만 계산하기

2 수익체계표

경쟁관계에 놓여있는 두 회사 간의 제품 또는 서비스를 홍보하여 판매한 발생한 손익을 비교하는 상대적인 자료이다. 다음은 일반적인 수익체계표이며 해석하는 방법은 다음과 같다.

(단위: 천만 원)		B회사	
		X제품	Y제품
A회사	X제품	(2, 5)	(4, 1)
	Y제품	(1, 3)	(4, −3)

먼저 빈칸의 수치 중 양의 수는 '수익(흑자)', 음의 수는 '손해(적자)'를 의미한다. 또한, 주어진 표에서는 행(A회사)을 먼저 읽고, 그다음 열(B회사)을 읽는다. 예를 들어 A회사와 B회사가 동일한 X제품을 홍보하여 판매했을 때 A회사는 2천만 원의 수익을, B회사는 5천만 원의 수익을 의미한다.

3 환율 이용하기

(1) 환율

환율이란 한 나라의 화폐와 외국 화폐의 교환 비율이다. 국제 표준은 기준통화 단위가 앞에 오고 슬래시 기호를 쓴 후 상대통화를 뒤에 쓴다. 그리고 슬래시 왼쪽의 기준통화는 항상 값이 1이다. 즉, 기준통화 1단위를 매수 혹은 매도하기 위해 상대통화로 지불해야 하는 금액을 의미한다. 예를 들어 우리나라에서 US 1달러를 매수 혹은 매도하기 위해 1,200원이 필요하다면, USD/KRW=1,200 또는 USD−KRW=1,200 또는 USDKRW=1,200으로 표시한다. 하지만 한국 내에선 1,200원/달러로 사용하기도 한다.

엔화의 경우 JPY/KRW=1,000은 기준 단위가 1엔이 아니라 100엔을 사용하므로 100엔을 매수하거나 매도할 수 있는 금액은 1,000원을 의미한다.

(2) 환전수수료

환전수수료를 구하는 방법을 외울 필요는 없으나 계산식이 주어졌을 때 빠르게 계산할 수 있어야 한다. 환전수수료는 우리나라 화폐를 외국의 화폐로 교환하거나 외국의 화폐를 우리나라의 화폐로 교환할 때 발생하는 금액이다.

'환전금액=환율+환전수수료'가 되며, '환전수수료=환율×환전스프레드×(100%−환전우대율)'이다. 여기서 환율은 고시환율, 통상 은행의 환전스프레드는 1.75%이며, 환전우대율은 은행마다 상이하다.

예를 들어 고시환율 1,000원/달러, 환전스프레드 1.75%, 환전우대율 90%이면, 외화를 살 때와 팔 때 상황에서는 다음과 같이 계산한다.

① 외화를 살 때
  ㉠ 환전수수료=1,000원×1.75%×(100%−90%)=1.75(원)
  ㉡ 1달러를 받기 위해서 1,000+1.75=1,001.75(원)이 필요함
  즉, 100달러를 받기 위해선 1,001.75×100=100,175(원)이 필요함
② 외화를 팔 때
  ㉠ 환전수수료=1,000원×1.75%×(100%−90%)=1.75(원)
  ㉡ 1달러를 팔면 1,000−1.75=998.25(원)을 받음
  즉, 100달러를 팔면 998.25×100=99,825(원)을 받음

4 비용과 예산수립

(1) 비용

일반적으로 직접비용과 간접비용으로 구분되며, 직접비용은 제품 또는 서비스를 창출하기 위해 직접 소요되는 비용으로 재료비, 원료와 장비, 시설비, 여행(출장)및 잡비, 인건비 등이 포함된다. 간접비용은 생산에 직접 관련되지 않는 비용으로 보험료, 건물관리비, 광고비, 통신비 등이 포함된다.

직접비용(Direct Cost)	간접비용(Indirect Cost)
• 컴퓨터 구입비 • 빔 프로젝트 대여료 • 재료비 • 건물임대료 • 인건비 • 상여금 • 출장비 • 여비교통비	• 보험료 • 건물관리비 • 광고비 • 통신비 • 공과금 • 세금 • 복리후생비 • 소모품비 • 사무용품비

(2) 효과적으로 예산을 수립하기 위한 단계

① 1단계: 필요한 과업 및 활동 구명
② 2단계: 우선순위 결정
③ 3단계: 예산 배정

※ 과업 세부도를 활용하여 과업을 구명하고 예산을 매칭시킴으로써 효과적으로 예산을 수립할 수 있다.

대표 기출 문항

2020년 한국토지주택공사

기출 난이도 **상** 중 하

01 임 과장은 서울에서 출발하여 부산 회의에 참석하려고 한다. 주어진 자료를 바탕으로 이동해야 하며, **총 교통비는 100,000원, 총 소요시간은 6시간 20분을 넘지 않아야 한다**고 할 때, 서울 사무소에서 부산 회의실까지 가는 이동 방법 중 가능한 것을 고르면?

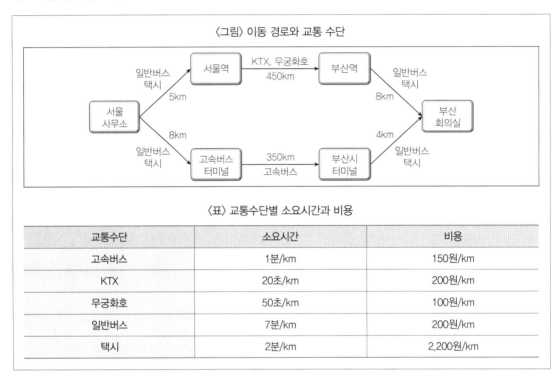

〈그림〉이동 경로와 교통 수단

〈표〉교통수단별 소요시간과 비용

교통수단	소요시간	비용
고속버스	1분/km	150원/km
KTX	20초/km	200원/km
무궁화호	50초/km	100원/km
일반버스	7분/km	200원/km
택시	2분/km	2,200원/km

① 서울역까지 택시를 탄 후 KTX를 타고 부산역으로 이동 후 일반버스를 탄다.

② 서울역까지 택시를 탄 후 KTX를 타고 부산역으로 이동 후 택시를 탄다.

③ 서울역까지 택시를 탄 후 무궁화호를 타고 부산역으로 이동 후 일반버스를 탄다.

④ 고속버스터미널까지 택시를 탄 후 고속버스를 타고 부산시 터미널로 이동 후 일반버스를 탄다.

✔⑤ 고속버스터미널까지 택시를 탄 후 고속버스를 타고 부산시 터미널로 이동 후 택시를 탄다.

비용만이 아닌 시간까지도 고려하여야 한다. 큰 틀로 나누면 선택지 ①과 ②는 부산역까지의 교통수단은 동일하지만, 부산 회의실까지 가는 교통수단은 다르다. 또한, 선택지 ④와 ⑤는 부산시 터미널까지의 교통수단은 동일하지만, 부산회의실까지 가는 교통수단은 다르다.

즉, 문제에서 비용과 시간 조건이 주어졌으므로 선택지 ①과 ②의 비용조건으로 정답을 선택하게 한다면 아마도 선택지 ④와 ⑤는 시간 조건으로 답을 선택하게끔 출제될 것이다. 왜냐하면, 출제자가 두 가지의 조건을 제시할 땐 조건을 모두 사용하게끔 출제하기 때문이다.

모든 선택지에 맞춰 각각 계산 후 시간 조건(380분)과 비용 조건(100,000원)을 고려하여 다음 답을 구하면 된다. 하지만, 선택지의 공통점을 이용하여 계산한다면 문제 풀이 시간을 줄여갈 수 있다.

선택지 ①과 ②의 경우 서울사무소에서 부산역까지의 교통수단은 동일하므로 계산하면 다음과 같다.

서울사무소~서울역	서울역~부산역	부산역까지의 시간과 비용 합계
택시	KTX	160분
• 2분/km×5km=10(분)	• 20초/km×450km=150(분)	101,000원
• 2,200원/km×5km=11,000(원)	• 200원/km×450km=90,000(원)	

비용 조건인 100,000원을 벌써 넘었으므로 더 이상 고려하지 않는다.

선택지 ③의 경우

서울사무소~서울역	서울역~부산역	부산역까지의 시간과 비용 합계
택시	무궁화호	385분
• 2분/km×5km=10(분)	• 50초/km×450km=375(분)	56,000원
• 2,200원/km×5km=11,000(원)	• 100원/km×450km=45,000(원)	

부산역까지만 와도 시간 조건인 380분을 넘으므로 정답이 될 수 없다.

선택지 ④와 ⑤의 경우 서울사무소에서 부산시 터미널까지의 교통수단은 동일하므로 계산하면 다음과 같다.

서울사무소~고속버스터미널	고속버스터미널~부산시 터미널	부산시 터미널까지의 시간과 비용 합계
택시	고속버스	366분
• 2분/km×8km=16(분)	• 1분/km×350km=350(분)	70,100원
• 2,200원/km×8km=17,600(원)	• 150원/km×350km=52,500(원)	

선택지 ④와 ⑤는 부산시 터미널에서 부산회의실까지 가는 교통편이 다르므로 계산하면 다음과 같다.

부산시 터미널~부산회의실	부산시 터미널~부산회의실
일반버스	택시
• 7분/km×4km=28(분)	• 2분/km×4km=8(분)
• 200원/km×4km=800(원)	• 2,200원/km×4km=8,800(원)

선택지 ④의 경우 총 걸린 시간이 366+28=394(분)>380분이므로 정답이 될 수 없다.

따라서 선택지 ⑤를 굳이 계산해보지 않아도 정답이 될 것으로 예측할 수 있다.

02 수출입 업무 담당인 서 대리는 A국에서 라면 1,200개, B국에서 치킨 500마리를 수출한 금액으로 C국에서 콜라를 수입하고자 한다. 이때, A국과 B국에서 발생한 매출액을 현지 화폐로 입금 받은 후 B국의 환율이 16% 상승한다면, 수입하려는 콜라는 원래 수입하려던 콜라의 개수보다 몇 % 더 증가하는지 고르면?

〈표〉A~C국의 화폐 대비 원화 환율

국가	화폐단위	환율 (원/각 국의 화폐 1단위)
A	a	1,500
B	b	800
C	c	1,200

〈표〉A~C국의 판매 단위별 가격

국가	라면(1개)	치킨(1마리)	콜라(1개)
A	8a	25a	16a
B	15b	60b	30b
C	10c	48c	20c

① 8%

✓② 10%

③ 12%

④ 15%

⑤ 16%

환율의 단위를 정확하게 확인해야 하는 문항으로 예를 들어 A국과의 환율을 1,500원/a라고 나타내면 A국의 화폐 a는 1,500원이라는 것을 의미한다. 각국의 화폐단위가 다르므로 1가지의 통화(원화)로 바꿔서 생각해야 한다.

A국에 수출한 라면 값과 B국에 수출한 치킨 값을 구한 후 C국에서 콜라를 수입하는 수입액으로 나누면 수입하려는 콜라의 개수를 구할 수 있다. 이때, 각 나라의 화폐가치가 동일하지 않으므로 원 단위로 화폐 단위를 통일한 후 계산해야 한다.

(A국 라면 수출액+B국 치킨 수출액)÷C국 콜라 1개당 수입액=C국 콜라를 수입하는 개수

[1단계]
- A국 라면 수출액(9,600×1,500원)
  A국에 라면 1,200개를 수출했으므로, 8a×1,200=9,600a를 벌었고, 환율을 이용해 원화로 바꾸면 9,600a×1,500원/a=14,400,000(원)의 매출액 발생
- B국 치킨 수출액(30,000×800원)
  B국에 치킨 500마리를 수출했으므로, 60b×500=30,000b를 벌었고, 환율을 이용해 원화로 바꾸면 30,000b×800원/b=24,000,000(원)의 매출액 발생

[2단계]
- C국 콜라 1개당 수입액(20×1,200원/개)
  C국에서 콜라 1개를 수입하여 환율을 이용해 원화로 바꾸면 20c×1,200원/c=24,000(원)

[3단계]
- C국 콜라를 수입하는 개수
  [(9,600×1,500원)+(30,000×800원)]÷(20×1,200원/개)=1,600(개)

[4단계]
- B국의 환율이 16% 상승하여 수출액 상승
  (30,000×800원)×0.16=3,840,000(원)
  C국 콜라 수입 개수 3,840,000÷(20×1,200원/개)=160(개) 증가
  따라서 총 1,600개에서 160개를 더 수입할 수 있으므로 10% 더 증가한다.

[다른 풀이]
C국 콜라를 수입하는 개수
=(A국 라면 수출액+B국 치킨 수출액)÷C국 콜라 1개당 수입액
=(A국 라면 수출액÷C국 콜라 1개당 수입액)+(B국 치킨 수출액÷C국 콜라 1개당 수입액)
=(9,600×1,500원)÷(20×1,200원)+(30,000×800원)÷(20×1,200원)
=600+1,000=1,600(개)
B국 환율 16% 상승 시 수입 개수 역시 16% 증가: 1,000개×0.16 → 160개 증가
따라서 총 1,600개 중 160개를 더 수입할 수 있으므로 10% 더 증가한다.

03 ○○사는 하반기 공개 채용을 계획하고 있다. 채용 프로세스는 서류 전형, 필기 전형, 면접 전형으로 진행될 예정이다. 채용 담당자 방 과장이 필기 전형을 오프라인으로 진행하기 위해 이에 필요한 예산표를 작성한다고 할 때, 예산표에 들어가는 비용 중 **직접 비용**으로 옳지 않은 것을 고르면?

① 시험 감독 관리 인건비
② 시험장 대관료
✓③ 시험장 보험료
④ 직원 교통비
⑤ 시험지 출력비

직접비용과 간접비용에 관한 이해뿐만 아니라 문제에 제시되는 상황에 적용할 수 있어야 한다.

직접비용과 간접비용은 다음과 같다.

직접비용(Direct Cost)	간접비용(Indirect Cost)
• 컴퓨터 구입비 • 빔 프로젝트 대여료 • 재료비 • 건물임대료 • 인건비 • 상여금 • 출장비 • 여비교통비	• 보험료 • 건물관리비 • 광고비 • 통신비 • 공과금 • 세금 • 복리후생비 • 소모품비 • 사무용품비

① 시험 감독 관리 인건비 → 인건비(직접비용)

② 시험장 대관료 → 건물임대료(직접비용)

③ 시험장 보험료 → 보험료(간접비용)

④ 직원 교통비 → 교통비(직접비용)

⑤ 시험지 출력비 → 재료비(직접비용)

따라서 시험장 보험료는 간접비용에 해당한다.

04 A사와 B사는 경쟁관계에 놓여있고, 제품별 추가 생산에 따른 수익은 다음과 같다. 이때, 2분기에 제품을 추가 생산 시 A사와 B사가 얻는 **수익의 합이 가장 큰 경우**는 언제인지 고르면?

<추가 생산 제품 수익체계>

(단위: 억 원)		B사		
		X제품	Y제품	Z제품
A사	X제품	(−4, 6)	(4, 1)	(6, −4)
	Y제품	(4, −6)	(2, 4)	(3, 1)
	Z제품	(−2, −4)	(−3, 11)	(10, −10)

※ 빈칸의 숫자는 각 회사의 제품 생산으로 인한 분기 수익(A사 수익, B사 수익)
※ A사가 X제품, B사가 X제품을 생산 시 A사의 분기 손해는 4억 원, B사의 분기 수익은 6억 원

<분기별 매출 증감률>

(단위: %)

분기	1분기	2분기	3분기	4분기
X제품	100	50	0	100
Y제품	50	0	50	0
Z제품	0	100	50	50

※ 제품에 따라 분기별로 수익체계에 나타나는 매출의 증감률을 의미
※ 주어진 (분기별 매출 증감률)%: 제품 추가 생산 시 발생하는 해당 회사의 분기 수익은 (　)%만큼 증가, 손해는 {(　)÷2}%만큼 감소
예) A사의 X제품(−4)과 B사의 X제품(6) 추가 생산 시 1분기 매출
　• A사의 X제품 분기 손해는 6억 원(100÷2=50%만큼 감소)
　• B사의 X제품 분기 수익은 12억 원(100%만큼 증가)

✔① A사: X제품, B사: Y제품
② A사: Y제품, B사: Y제품
③ A사: Y제품, B사: Z제품
④ A사: Z제품, B사: Y제품
⑤ A사: Z제품, B사: Z제품

💡 **문제 풀이 전략**

수익체계표를 빠르게 읽어낼 수 있어야 한다. 또한, 주어진 분기별 매출 증감률을 빠르게 이해하여 괄호 안의 수치에 따라 수익과 손해를 구분하여 적용할 수 있어야 한다.

경쟁 관계에 놓여있는 A사와 B사는 2분기에 제품별 추가 생산에 따라 매출 증감률이 달라진다. 이때, 2분기의 경우 X제품 50%, Z제품 100%의 증감률을 의미하고, 손해의 경우 손해가 더 커지게 되고, 수익의 경우 수익이 더 커지게 된다.

[1단계]

- (A사, B사)=(X제품, X제품)

  A사는 −4로 손해이므로 현재보다 50÷2=25(%)만큼 감소하여 (−4)+(−4×25%)=−5이다.

  B사는 6으로 수익이므로 현재보다 50%만큼 증가하여 6+(6×50%)=9이다.

- (A사, B사)=(X제품, Y제품)

  A사는 4로 수익이므로 현재보다 50%만큼 증가하여 4+(4×50%)=6이다.

  B사의 Y제품은 2분기에 매출증감률이 0이므로 그대로 1이다.

- (A사, B사)=(X제품, Z제품)

  A사는 6으로 수익이므로 현재보다 50%만큼 증가하여 6+(6×50%)=9이다.

  B사는 −4로 손해이므로 현재보다 100÷2=50(%)만큼 감소하여 (−4)+(−4×50%)=−6이다.

[2단계]

- (A사, B사)=(Y제품, X제품)

  A사의 Y제품은 2분기에 매출증감률이 0이므로 그대로 4이다.

  B사는 −6으로 손해이므로 현재보다 50÷2=25%만큼 감소하여 (−6)+(−6×25%)=−7.5이다.

- (A사, B사)=(Y제품, Y제품)

  A사의 Y제품은 2분기에 매출증감률이 0이므로 그대로 2이다.

  B사의 Y제품은 2분기에 매출증감률이 0이므로 그대로 4이다.

- (A사, B사)=(Y제품, Z제품)

  A사의 Y제품은 2분기에 매출증감률이 0이므로 그대로 3이다.

  B사는 1로 수익이므로 현재보다 100%만큼 증가하여 1+(1×100%)=2이다.

[3단계]

- (A사, B사)=(Z제품, X제품)

  A사는 −2로 손해이므로 현재보다 100÷2=50(%)만큼 감소하여 (−2)+(−2×50%)=−3이다.

  B사는 −4로 손해이므로 현재보다 50÷2=25(%)만큼 감소하여 (−4)+(−4×25%)=−5이다.

- (A사, B사)=(Z제품, Y제품)

  A사는 −3으로 손해이므로 현재보다 100÷2=50(%)만큼 감소하여 (−3)+(−3×50%)=−4.5이다.

  B사의 Y제품은 2분기에 매출증감률이 0이므로 그대로 11이다.

- (A사, B사)=(Z제품, Z제품)

  A사는 10으로 수익이므로 현재보다 100%만큼 증가하여 10+(10×100%)=20이다.

  B사는 −10로 손해이므로 현재보다 100÷2=50(%)만큼 감소하여 (−10)+(−10×50%)=−15이다.

[4단계]

2분기에 제품을 추가 생산 시 A사와 B사가 얻는 수익의 합은 다음과 같다.

(단위: 억 원)		B사		
		X제품	Y제품	Z제품
A사	X제품	(−5, 9)=4	(6, 1)=7	(9, −6)=3
	Y제품	(4, −7.5)=−3.5	(2, 4)=6	(3, 2)=5
	Z제품	(−3, −5)=−8	(−4.5, 11)=6.5	(20, −15)=5

따라서 A사가 X제품을, B사가 Y제품을 추가 생산 시 두 회사가 얻는 수익의 합이 7억 원으로 가장 크다.

난이도 상 중 하　　　　　　　　　　　　　　　　　　　　　　　　2019년 한국수자원공사

01　다음 중 Q사의 기대 수익에 대한 예측으로 적절한 것을 고르면?

P사와 Q사는 경쟁회사로써 각 제품을 생산할 수 있는 설비를 모두 갖추었다. 각 제품의 생산에 따른 기대 수익은 아래와 같다.

〈제품 생산에 따른 기대 수익체계〉

(단위: 억 원)		Q사		
		X제품	Y제품	Z제품
P사	X제품	(9, -6)	(6, -2)	(-4, 7)
	Y제품	(-3, 7)	(-3, -2)	(4, -5)
	Z제품	(1, -5)	(4, 11)	(-2, 5)

※ 괄호 안의 숫자는 각 회사의 추가 생산으로 인한 월 수익(P사 월 수익, Q사 월 수익)
※ P사가 X제품, Q사가 X제품을 생산 시 P사의 월 수익은 9억 원, B사의 월 손해는 6억 원

---

① P사가 Z제품만을 생산한다면, Q사의 기대 수익이 가장 높은 제품은 Z제품이다.
② P사와 Q사 모두 전 제품을 생산하면 Q사의 수익이 P사보다 높을 것이다.
③ P사와 Q사 모두 수익이 가장 낮은 제품은 X제품일 것이다.
④ P사와 Q사 모두 Y제품만을 생산한다면 P사보다 Q사의 수익이 더 낮을 것이다.
⑤ 올해 마지막 시기에 P사가 X제품만을 생산한다면 Q사는 Z제품을 생산하는 것이 가장 이득일 것이다.

02 황 대리는 워크숍을 추진하기 위해 다음과 같이 관련 문서를 작성하고 있다. 그런데 회사 내 사정으로 워크숍 일정이 2주가 늦춰지게 되었다고 할 때, 원래 진행하려던 일정과 달라진 비용의 차이를 고르면?

---

1. 참석인원

 남자직원 18명(남자 팀장 2명), 여자직원 12명(여자 팀장 2명)

2. 일정

 8월 18일(금)~8월 19일(토)

3. 참고사항
- 각 팀장급은 2인 1실 배정
- 가장 저렴한 비용으로 숙박 예약

<표> 숙박비용

(단위: 만 원)

객실 타입	투숙인원(명)	성수기(7~8월, 12~1월)		비수기	
		주중(월~목)	주말(금~일)	주중(월~목)	주말(금~일)
침대	기준 2/최대 4	16	20	14	18
온돌	기준 2/최대 4	16	18	12	16
침대	기준 4/최대 6	28	40	24	30
온돌	기준 6/최대 12	30	44	24	34

※ 기준인원에서 추가 1명당 10,000원 추가
※ 동일한 객실로 여러 개 예약 가능

---

① 22만 원
② 24만 원
③ 26만 원
④ 30만 원
⑤ 32만 원

03 A사는 올해 소비자 선호도와는 무관하게 X제품만을 생산할 것이다. B사는 A사의 경쟁회사로써 B사가 A사보다 최대한 높은 수익을 얻기 위해 추가 생산할 제품과 그 해당 시기로 적절하지 않은 것을 고르면?

〈추가 생산에 따른 기대 수익〉

(단위: 억 원)		B사		
		X제품	Y제품	Z제품
A사	X제품	(3, 3)	(5, 4)	(4, 4)
	Y제품	(4, 9)	(9, 2)	(4, 5)
	Z제품	(1, 5)	(4, 11)	(12, 7)

※ 괄호 안의 숫자는 각 회사의 추가 생산으로 인한 월 수익(A사 월 수익, B사 월 수익)

〈시기별 소비자 선호도〉

시기	1분기	2분기	3분기	4분기
선호 품목	Y제품, Z제품	Y제품	X제품	X제품, Z제품
비선호 품목	X제품	Z제품	Y제품	Y제품

※ 제품을 선호 시기에 추가 생산 시 회사별 기대 수익의 월 수익은 50% 증가, 비선호 시기에는 월 수익의 50%가 감소함

① 1분기: Y제품
② 2분기: Y제품
③ 3분기: X제품
④ 4분기: X제품
⑤ 4분기: Z제품

04 박 대리는 일본 출장을 위해 은행에서 환전하려고 한다. 박 대리가 환전우대율 80% 쿠폰을 가지고 있고, 총 15만 엔을 환전할 예정이라고 할 때, 박 대리가 은행에 얼마를 지불해야 하는지 고르면?(단, 환전스프레드는 2%이다.)

〈고시 환율〉

국가	통화명	매매기준율(원)
미국	USD	1,306.00
일본	JPY100	950.00
유럽연합	EUR	1,376.92
중국	CNY	187.61
영국	GBP	1,600.70

※ 환전금액＝환율＋환전수수료
※ 환전수수료＝고시환율×환전스프레드×(100%－환전우대율)

① 1,425,800원
② 1,428,900원
③ 1,430,700원
④ 1,468,200원
⑤ 1,482,000원

05 ○○상사 진 대리는 미국 업체에 구매 대금 50,000달러를 입금하고, 유럽 업체로부터는 판매 대금 40,000 유로를 받을 예정이다. 진 대리는 각각 현지 화폐기준으로 거래하며, 동일한 날짜에 입금 및 출금하려 할 때, 가장 높은 수익을 올릴 수 있는 날짜와 총 금액을 바르게 짝지은 것을 고르면?(단, 수수료는 고려하지 않는다.)

〈표〉 해외송금 고시환율

(단위: 원)

날짜	12/5		12/6		12/7		12/8	
통화명	보낼 때	받을 때	보낼 때	받을 때	보낼 때	받을 때	보낼 때	받을 때
미국 USD	1,307	1,297	1,295	1,285	1,299	1,289	1,290	1,280
호주 AUD	884	874	899	890	910	899	920	909
유럽연합 EUR	1,873	1,858	1,880	1,865	1,871	1,856	1,875	1,860

① 12/6, 9,850,000원
② 12/6, 9,940,000원
③ 12/7, 9,880,000원
④ 12/8, 9,900,000원
⑤ 12/8, 9,950,000원

06 다음은 K공기업의 해외 출장 여비 규정이다. 이를 바탕으로 출장 여비를 지급받았을 때, 김 대리, 이 대리, 박 대리의 출장 여비의 합을 고르면?

○ 출장 여비는 숙박비+식비+일비+교통비이다.
○ 숙박비는 숙박 실지출 비용을 지급하는 실비지급 유형과 출장국가 숙박비 상한액의 80%를 지급하는 정액지급 유형으로 구분한다.
   • 실비지급 숙박비(달러)=(1박 실지출 비용)×('박' 수)
   • 정액지급 숙박비(달러)=(출장국가 1일 숙박비 상한액)×('박' 수)×0.8
○ 식비는 정액지급이며 국가마다 상이하다.
   • 식비(달러)=(출장국가 1일 식비)×('일' 수)
○ 일비는 정액지급이며 개인 마일리지 사용여부에 따라 출장 중 일비의 20%를 추가 지급한다.
   • 개인 마일리지 미사용 시 지급 일비(달러)=(출장국가 1일 일비)×('일' 수)
   • 개인 마일리지 사용 시 지급 일비(달러)=(출장국가 1일 일비)×('일' 수)×1.2
○ 교통비는 실비지급이다.
○ 국가별 1인당 여비 지급 기준액은 다음과 같다.

구분	1일 숙박비 상한액(달러/박)	1일 식비(달러/일)	1일 일비(달러/일)
A국가	180	70	60
B국가	150	60	50
C국가	120	50	45
D국가	100	40	40

〈표〉 김 대리, 이 대리, 박 대리의 국외 출장 현황

구분	출장 국가	출장 기간	숙박비지급 유형	1박 실지출 비용 (달러/박)	총교통비 (달러)	출장 시 개인 마일리지 사용 여부
김 대리	A국가	3박 4일	실비지급	150	1,200	미사용
이 대리	D국가	5박 6일	정액지급	120	900	사용
박 대리	B국가	3박 5일	실비지급	160	700	사용

※ 각 출장자의 출장 기간 중 매박 실지출 비용은 변동 없음

① 5,568달러
② 5,678달러
③ 5,778달러
④ 5,878달러
⑤ 5,968달러

〈현수막 설치 메인 거리〉

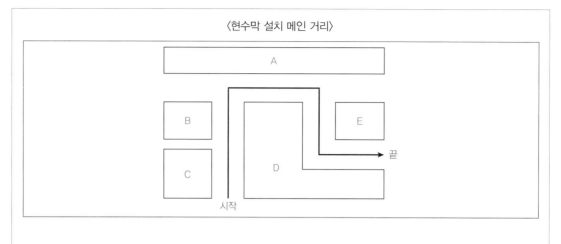

[현수막 제작비용] (사이즈: 가로×세로)

80cm×300cm	100cm×400cm
50,000원	55,000원

[현수막 위치에 따른 설치비용]

1m 이하 위치 1개당	1m 이상 위치 1개당
5,000원	8,000원

[현수막 설치 장소]
- 메인 거리 시작점부터 B건물과 C건물 앞 각각 한 곳, A건물 앞에 한 곳, D건물과 E건물 사이 양끝 두 곳에 설치함
- C건물 앞에 설치하는 현수막은 세로 길이가 400cm 미만이 되도록 해야 함
- D건물과 E건물 사이에 설치하는 현수막은 각각 1m 이상인 곳에 설치해야 함

난이도 상 중 하   2020년 하반기 서울교통공사

07 주류회사에 근무하는 홍 사원은 신제품 출시를 맞아 길거리 홍보를 진행할 예정이다. 현수막 제작비용으로 가능하지 않은 것을 고르면?

① 255,000원
② 260,000원
③ 265,000원
④ 270,000원
⑤ 275,000원

08 현수막 총 설치비용은 현수막 제작비용과 현수막 위치에 따른 설치비용의 합이다. 이때, 현수막 총 설치비용으로 가능하지 않은 것을 고르면?

① 281,000원

② 289,000원

③ 298,000원

④ 302,000원

⑤ 310,000원

09 ○○사에서 근무하는 김 사원은 예산 관리 업무도 맡게 되었다. 김 사원이 전체 비용을 직접비용과 간접비용을 구분하여 정리하려고 할 때, 간접비용의 합계액을 구하면?

항목	금액(원)
광고비	12,000,000
출장비	3,800,000
건물관리비	2,100,000
상여금	10,000,000
컴퓨터 구입비	9,600,000
통신비	800,000
인건비	42,000,000
법인세	35,000,000
탕비실 물품비	1,500,000

① 49,300,000원

② 51,400,000원

③ 51,600,000원

④ 53,100,000원

⑤ 53,900,000원

정답과 해설 P.12

PART 1

상황판단형_물적자원관리

 기출 유형 분석

물적자원관리는 시간자원관리와 예산자원관리의 융합형이다. 물적자원관리를 하는 목적은 최적의 선택 및 관리를 위해 시간자원과 예산자원을 고려하는 것이다. 그러다보니 어떠한 상황에서 조건을 고려하여 자원을 생산, 선택, 이용하는 계산형 문제들이 주를 이루고, 자주 출제되는 조건으로는 시간과 비용을 고려하거나 최솟값, 최댓값, 가중치에 따른 값 등을 적용하는 형태로 출제된다.

 **세부 유형**

세부 유형	발문 내용
생산, 선택, 이용하기	• 주어진 조건을 바탕으로 판매한 최대 금액이 얼마인지 고르면? • 주어진 시설을 이용하여 비용을 얼마나 줄일 수 있는지 고르면?
모듈형 문항	• 다음과 같이 진행 시 직원들의 급여의 차이는 얼마인지 고르면? • 효과적인 물적자원관리 과정으로 적절하지 않은 것을 고르면?

 기출 유형 접근법

• **계산형 문항**

계산형 문항이 나오면 결코 계산을 먼저 하려고 해서는 안 된다. 자원관리능력을 출제하는 목적은 계산할 수 있느냐 보다 주어진 상황에서 얼마나 시간, 예산, 물적 자원 등을 합리적으로 사용하거나 이용할 수 있느냐를 물어보기 위함이다. 즉, 나무를 보는 것이 아니라 숲을 봐야 한다는 것이다. 계산이 필요한 문항은 궁극적으로 구해야 하는 답을 구하기 전 주어진 조건을 최대한 간소화 시켜 접근할 필요가 있다.

• **모듈형 문항**

최근에 시간자원관리, 예산자원관리, 물적자원관리에서 모듈형(이론형) 문항이 자주 출제되고 있다. 그러므로 시간자원, 예산자원 뿐만 아니라 물적자원과 관련된 이론을 꼭 숙지하도록 한다.

 **유형 핵심 이론**

1 생산, 선택, 이용하기

일반적으로 기업들이 수익을 올리기 위해서는 서비스나 재화를 생산하거나 주어진 자원을 적절하게 선택하거나 효과적으로 자원을 이용해야 한다. 주어지는 상황이나 조건들은 다양하게 출제되지만, 기준을 통일하거나 가중치를 적용하면 문항을 풀어가는 데 도움이 된다.

(1) 기준 통일하기

시간 조건이 다를 때 시간을 분할할 수 없는 경우라면 큰 단위로 통일한다.

예)

구분	상황		통일
A업체	30분 이용 시 3,000원	→	60분 이용 시 6,000원
B업체	60분 이용 시 5,000원		60분 이용 시 5,000원

(2) 주어진 비율로 차이 구하기

주어진 비율을 값으로 바꾸지 말고 비율로 차이를 구한 후 값으로 바꾼다.

예) A업체의 상품 가격이 500,000원이고, 주어진 상품 가격 비율은 A업체 대비 비율

구분	상황	상품 값 차이
B업체	상품 가격 120%	A업체 vs B업체: 20% 차이=100,000원
C업체	상품 가격 130%	A업체 vs C업체: 30% 차이=150,000원
D업체	상품 가격 150%	A업체 vs D업체: 50% 차이=250,000원

상품 가격의 비율을 이용해 값으로 바꾼 뒤 차이를 구하는 것이 아니라 비율과 비율의 차이를 구한 뒤 값으로 바꾼다.
→ 상품 가격 비율은 A업체 기준이므로 A업체는 100%라는 것을 알 수 있다.

(3) 가중치 적용하기

① 가중치들의 합이 100% 또는 1이 된다.
② 가중치는 주어진 값과의 곱을 이용한다. 하지만 문제에 따라 가중치의 값을 적용하는 방식이 다를 수 있다(일반적으로 가중치는 항목이 차지하는 비율을 의미한다).

예) 가중치 적용 전 C업체>A업체>B업체 순이다.

평가항목(가중치)	A업체	B업체	C업체
X항목(0.2)	70	70	80
Y항목(0.5)	90	60	70
Z항목(0.3)	40	50	60
합계	200	180	210

가중치 적용 후 A업체>C업체>B업체 순이다.

평가항목(가중치)	A업체	B업체	C업체
X항목(0.2)	14	14	16
Y항목(0.5)	45	30	35
Z항목(0.3)	12	15	18
합계	71	59	69

(4) 크기 비교하기

① 주어진 업체 중 한 업체를 기준으로 가감하여 차이를 구한다(A업체를 기준으로 한다).

② 가감을 한 차이에 가중치를 적용 후 비교한다.

예) 가중치 적용 전 C업체>A업체>B업체 순이다.

평가항목(가중치)	A업체	B업체	C업체
X항목(0.2)	0	0	+10
Y항목(0.5)	0	−30	−20
Z항목(0.3)	0	+10	+20
합계	0	−20	+10

이 상태에서 가중치를 적용하면 A업체>C업체>B업체 순이다.

평가항목(가중치)	A업체	B업체	C업체
X항목(0.2)	0	0	+2
Y항목(0.5)	0	−15	−10
Z항목(0.3)	0	+3	+6
합계	0	−12	−2

② 효과적인 물적자원관리 과정과 기법

(1) 효과적인 물적자원관리 과정

① 1단계: 사용 물품과 보관 물품의 구분

  ㉠ 반복 작업을 피하고 활용의 편리성을 확보하기 위해 사용 물품과 보관 물품을 구분한다.

② 2단계: 동일 및 유사 물품의 분류

  ㉠ 동일성의 원칙: 같은 품종은 같은 장소에 보관한다.

  ㉡ 유사성의 원칙: 유사품은 인접한 장소에 보관한다.

③ 3단계: 물품 특성에 맞는 보관장소 선정

  ㉠ 개별 물품의 훼손을 방지하기 위해 물품의 형상과 소재를 고려하여 안전한 보관 장소를 선정하여야 한다.

  ※ 회전대응 보관의 원칙: 입, 출하의 빈도가 높은 품목은 출입구 가까운 곳에 보관한다.

(2) 효과적인 물적자원관리 기법

다량의 물적자원을 관리하기 위해서는 바코드의 원리를 활용하는 것이 효과적이다. 바코드는 문자나 숫자를 흑과 백의 막대모양 기호로 조합한 것으로 컴퓨터가 판독하기 쉽고 데이터를 빠르게 입력하기 위한 것이다. 최근에는 바코드의 단점을 보완한 RFID, QR코드 등이 활용되고 있다. 이와 같이 물적자원을 기호화하여 정리해두면 관리에 더욱 효과적이다.

| # 대표 기출 문항

기출 난이도 상 중 하   2019년 한국수자원공사

01 다음은 동일한 ○○상품에 대한 경쟁업체 A~D사에 대한 유명 블로거들의 리뷰 평가 결과 점수이다. ○○상품의 리뷰 평가 결과를 바탕으로 **가중치를 적용하여** 가장 높은 점수를 받은 회사부터 차례대로 나열한 것으로 적절한 것을 고르면?

〈표〉 유명 블로거들의 리뷰 평가 결과(점수)

리뷰 항목(가중치)	A사	B사	C사	D사
만족도(0.2)	8	7	10	6
완성도(0.3)	7	9	6	7
디자인(0.4)	9	8	8	10
대중성(0.1)	6	9	7	8
브랜드네임(1)	★★★★☆	★★★☆☆	★★★☆☆	★★★★☆

※ 브랜드네임은 ★ 하나당 2점이다.

① A사 − D사 − B사 − C사
② A사 − D사 − C사 − B사
✓③ D사 − A사 − B사 − C사
④ D사 − A사 − C사 − B사
⑤ D사 − B사 − A사 − C사

문제 풀이 전략

가중치를 적용하기 전에 한 업체를 기준으로 증감을 계산한 후 가중치를 적용한다. 또한, 가중치의 경우도 계산을 쉽게 하기 위해서 동일한 비율로 증가시켜주거나 감소시켜주는 것은 문제없다. 왜냐하면 크기를 비교하는 문제이기 때문이다.

각 항목의 점수에 가중치를 곱하여 나타낸 후 각 항목의 점수를 더하여 A~D사의 점수를 비교할 수 있다. 하지만, 해당 문제는 어떤 업체가 정확하게 몇 점이냐보다 최종적으로 크기 비교를 할 뿐 정확한 값을 구해야 하는 것은 아니다. 즉, 누가 더 높고 낮은지 차례대로 나열하면 되는 것이다. 따라서 A~D사 중 한 업체를 기준으로 증감을 계산하여 가중치를 비교하도록 한다.

[1단계]

리뷰 평가 결과 점수를 브랜드네임까지 나타내면 다음과 같다(∵ 별 1개＝2점).

리뷰 항목(가중치)	A사	B사	C사	D사
만족도(0.2)	8	7	10	6
완성도(0.3)	7	9	6	7
디자인(0.4)	9	8	8	10
대중성(0.1)	6	9	7	8
브랜드네임(1)	8	6	6	8

[2단계]

A사를 기준(0점)으로 하여 나타내면 다음과 같다.

리뷰 항목(가중치)	A사	B사	C사	D사
만족도(0.2)	0	−1	+2	−2
완성도(0.3)	0	+2	−1	0
디자인(0.4)	0	−1	−1	+1
대중성(0.1)	0	+3	+1	+2
브랜드네임(1)	0	−2	−2	0

가중치는 비율이므로 소수점을 가진 수이지만, 결과적으로 정확한 값보다는 큰 지 작은 지를 비교할 것이므로 가중치의 소수점에 모두 10배를 적용하여 나타내어도 문제가 없다.

리뷰 항목(가중치)	A사	B사	C사	D사
만족도(2)	0	−2	4	−4
완성도(3)	0	6	−3	0
디자인(4)	0	−4	−4	4
대중성(1)	0	3	1	2
브랜드네임(10)	0	−20	−20	0
합계	0	−17	−22	2

따라서 큰 점수부터 나열하면 'D사−A사−B사−C사'이다.

02 김 대리는 업무 미숙으로 인해 상품을 발송하지 못하여 냉동 창고에 상품을 보관할 예정이다. 아래의 사용료를 바탕으로 주어진 조건에 따라 사용하는 경우 어느 창고에 저장하는 것이 더 이득인지 고르면?

〈표〉 냉동창고 사용료

구분	기본시간&금액(최대용량)	추가시간&금액
A창고	1일 기준 120,000원(300kg)	초과 3시간마다 10,000원
B창고	2일 기준 150,000원(200kg)	초과 2시간마다 8,000원

※ 초과 용량 50kg까지는 30,000원이 추가되고, 초과 용량이 50kg을 넘을 경우 20,000원만 더 추가된다.

보관 시간	48시간	66시간	85시간	99시간
보관 용량	350kg	200kg	400kg	250kg
①	A창고	B창고	A창고	A창고
②	A창고	A창고	B창고	B창고
✔③	B창고	B창고	B창고	A창고
④	B창고	A창고	B창고	B창고
⑤	B창고	B창고	B창고	B창고

문제 풀이 전략

문제 풀기 전에 미시적으로 하나하나 구할지, 아니면 거시적으로 봐야 할지는 문제 상황을 보며 판단해야 한다. 이 문제는 정확한 값을 모두 구하면 시간이 너무 오래 걸린다. 즉, 시간과 용량에 따라 A창고와 B창고 금액의 크기를 비교하면 된다. 또한, 비교하기 전에 주어진 조건의 기준을 통일하여 비교하도록 한다.

문제에 주어진 조건대로 문제를 풀면 시간이 너무 오래 걸릴거라고 생각할 것이다. 왜냐하면 A창고와 B창고에 주어진 기준이 달라 비교할 수 없기 때문이다. 그러므로 각 창고의 기준을 동일하게 맞춰 비교하도록 한다.
하지만, 추가 시간이 3시간이면 A창고는 10,000원, B창고는 $8,000 \times 2 = 16,000$(원)이 적용된다.

[1단계]

• A창고와 B창고는 기준이 다르므로 보관용량을 고려하지 않고, 기준을 동일하게 맞추면 다음과 같다.

구분	기본시간 및 금액(최대용량)	추가시간 및 금액
A창고	48시간 200,000원(300kg)	초과 6시간마다 20,000원
B창고	48시간 150,000원(200kg)	초과 6시간마다 24,000원

즉, 48시간까지는 B창고가 A창고보다 50,000원 저렴하고 A창고가 B창고보다 6시간당 4,000원씩 저렴하다. 하지만, 추가 시간이 3시간이면 창고 A는 10,000원, 창고 B는 $8,000 \times 2 = 16,000$(원)이 적용된다.
• 보관용량은 초과 용량 50kg까지는 30,000원이 추가되고, 초과 용량이 50kg을 넘을 경우 20,000원만 더 추가되므로, 초과 용량에 의한 비용은 최대 50,000원만 추가된다.

[2단계]

주어진 시간과 용량을 고려하여 정리하면 다음과 같다.

	48시간	66시간	85시간	99시간
보관 시간	50,000원 차이	48시간+18시간 50,000원 − 12,000원 (3×4,000) =38,000원 차이	48시간+37시간 50,000원 − 22,000원 (6×4,000−2,000) =28,000원 차이	48시간+51시간 50,000원 − 38,000원 (8×4,000+6,000) =12,000원 차이
	A창고>B창고 (50,000>0)	A창고>B창고 (38,000>0)	A창고>B창고 (28,000>0)	A창고>B창고 (12,000>0)
보관 용량	350kg	200kg	400kg	250kg
	A(30,000) < B(30,000+20,000) 20,000원 차이	A = B 추가금액 없음	A = B 추가금액 동일	A < B(30,000) 30,000원 차이
	A창고<B창고 (0<20,000)	A창고=B창고	A창고=B창고	A창고<B창고 (0<30,000)
저렴한 창고	B	B	B	A

03 ○○건설사의 근로자인 갑과 을은 국내에서 3,000만 원의 연봉을 받았고, 해외 주재원으로 '캐나다–미국–멕시코'에서 근무한 후 국내로 다시 돌아와서 근무할 예정이다. 현재 10월 1일을 기준으로 **4년 동안** 갑과 을이 받은 총 **임금의 차이**를 구하면?

〈표〉 갑과 을의 근무기간 및 임금대체율

구분	캐나다		미국		멕시코	
	기간(개월)	임금대체율(%)	기간(개월)	임금대체율(%)	기간(개월)	임금대체율(%)
갑	15	180	30	270	10	200
을	25	240	20	230	국내 복귀	

※ 1) 임금대체율(%)은 국내 급여 대비 해외에서 받는 급여가 차지하는 비율을 뜻함.
　 2) 갑과 을은 10월 1일부터 캐나다 주재원으로 근무함.

① 1,025만 원
✓② 1,250만 원
③ 1,325만 원
④ 1,625만 원
⑤ 1,750만 원

해당 문제는 기간과 급여라는 2가지 조건이 제시되었다. 먼저, 기간에 따른 기준을 통일 시킨 후 기간에 따라 일한 급여의 차이를 이용한다. 또한, 임금대체율은 비율을 의미하고, 비율에 따른 차이를 이용하는 것이 계산하기 더 쉽다.

갑과 을이 4년(48개월) 동안 받는 임금의 차이를 구해야 하므로 각각 근무한 곳에서 받은 임금을 모두 구하여 더해도 된다. 하지만, 그렇게 접근할 경우 문제 풀이 시간이 너무 오래 걸리므로 근무 기간에 따른 근무지에서의 임금 차이를 비교하는 것이 더 낫다.

즉, 이를 이용하기 위해서는 먼저 임금대체율의 의미를 이해한 후 기간에 따른 근무지 기준을 통일하여 구한다.

[1단계]

갑과 을 모두 국내에서 받는 급여는 연봉 3,000만 원이었으므로 월 250만 원의 급여를 받았다.

임금대체율(%)이란 국내 급여 대비 해외에서 받는 급여가 차지하는 비율을 의미한다. 즉, 임금대체율이 100%라는 것은 해외에서 국내 월 급여의 액수와 동일한 급여를 받는다는 것이다.

예를 들어 국내 월 급여가 250만 원일 때, 임금대체율이 120%인 직원은 국내 월 급여 250만 원보다 20%(50만 원) 더 많은 300만 원을 받는다.

또한, '갑' 캐나다(180%)과 '을' 캐나다(240%)는 임금대체율이 60% 차이 나므로 국내 월 급여 250만 원의 60%인 150만 원을 '을'이 더 많이 받는다는 것을 의미한다. 즉, 임금대체율의 차이를 이용하여 급여 차이를 구할 수 있다.

[2단계]

현재 10월 1일을 기준으로 4년(=48개월) 동안의 임금의 차이를 구해야 하므로 총 48개월 동안의 임금의 차이를 의미한다. 4년 동안 갑과 을이 해외주재원으로 일한 날짜는 상이하고, 급여 역시 동일하지 않으므로 일하는 기간을 기준으로 근무지를 정리한다.

• 갑과 을의 기간에 따른 근무지

기간	15개월	10개월	20개월	3개월
갑	캐나다	미국	미국	멕시코
을	캐나다	캐나다	미국	국내

[3단계]

갑과 을의 4년(=48개월) 동안의 임금 차이

기간	15개월	10개월	20개월	3개월	합계
갑	캐나다	미국	미국	멕시코	3,500만 원
		10개월×30% =10×75만 원 =750(만 원)	20개월×40% =20×100만 원 =2,000(만 원)	3개월×100% =3×250만 원 =750(만 원)	
을	캐나다	캐나다	미국	국내	2,250만 원
	15개월×60% =15×150만 원 =2,250(만 원)				

따라서 갑은 급여 3,500만 원을 더 받고, 을은 2,250만 원을 더 받으므로 임금 차이는 3,500-2,250=1,250(만 원)이다.

04 다음 ㉠에 들어갈 말로 적절한 것을 고르면?

> 　(　㉠　)은/는 흑백 격자무늬 패턴으로 정보를 나타내는 매트릭스 형식의 바코드로, 바코드가 용량 제한에 따라 가격과 상품명 등 한정된 정보만 담는 데 비해 (　㉠　)은/는 넉넉한 용량을 강점으로 다양한 정보를 담을 수 있다. 스마트폰 보급 확산에 따라 훌륭한 마케팅 도구로 활용할 수 있기 때문에 최근 유통업계가 (　㉠　) 도입에 앞장서고 있다.

① 바코드
② 전자칩
③ RFID
✔④ QR코드
⑤ 전자태그

문제 풀이 전략

효과적인 물적자원관리를 위해 관련한 도구나 이론을 확인해 두도록 한다.

물적자원관리를 효과적으로 관리하기 위해 사용되는 방법 중 하나이다. 바코드, RFID, QR코드를 이용하여 기호화하여 정리하면 물적자원을 관리하는데 효과적이다.

QR코드는 Quick Response코드의 줄임말로써 흑백 격자무늬 패턴으로 정보를 나타내는 매트릭스 형식의 바코드이다.

2020년 부산교통공사

난이도 상 중 하

01 P사는 휴대폰 보호 관련 장비 업체로써 시간당 케이스는 20개, 필름은 15개, 케이블은 12개 생산해 낼 수 있다. 이때, 5시간 동안 멈추지 않고 생산해 낼 때, 주어진 물적 자원에 대한 총 비용을 구하면?

〈재료비 및 단가〉

구분	케이스	필름	케이블
납품가/개	2,500원	4,000원	6,000원
원료비/개	600원	850원	2,400원
인건비/h	1,500원	1,200원	1,300원
기계사용료/h	700원	600원	900원
포장비/개	150원	150원	100원
보관료/h	100원	100원	100원

① 70,500원
② 72,500원
③ 74,500원
④ 87,500원
⑤ 92,500원

난이도 상 중 하

02 K사는 회사 사옥 리모델링이 예정되어 있다. 각 동을 먼저 실사한 후 불량인 시설은 교체 및 보강 작업을 한 후 리모델링을 실시할 예정이다. 이때, 교체 및 보강 작업을 해야할 시설은 최대 총 몇 개인지 고르면?

〈○○사 건물별 시설물〉

(단위: 개)

구분	조명등	콘센트	승강기 부품	파이프
A동	156	199	39	52
B동	150	220	57	36
C동	186	231	75	64
계	492	650	171	152

※ 건물별로 조명등과 파이프는 4개당 1개, 콘센트 2개당 1개, 승강기 부품 3개당 1개의 비율로 불량임.

① 543개
② 544개
③ 545개
④ 643개
⑤ 644개

난이도 상 중 하

03 총무팀에서 근무하는 이 사원은 창고 물품을 새롭게 정리하기로 하였다. 다음과 같이 보관장소가 배치되어 있을 때, 가장 적절하지 않은 것을 고르면?

〈창고물품 자리 배치〉

① "폐기해야 할 자료와 새로운 자료들은 구분해서 F에 보관해야겠어."
② "펜 등의 사무용품들은 구분해서 D와 E에 보관하면 좋겠어."
③ "변색에 취약한 용지나 물품들은 A에 보관해야 되겠어."
④ "내년도 다이어리는 올해 다이어리와 함께 B에 보관하는게 좋겠어."
⑤ "A4와 같이 자주 사용하는 인쇄용지는 C에 두는 게 좋겠어."

04 ○○사는 복합기를 구매하기보다는 렌탈 업체를 이용하려고 한다. 아래 내용을 바탕으로 할 때, 렌탈회사를 비교한 것으로 가장 적절하지 않은 것을 고르면?

〈렌탈 업체 비교〉

구분	A사	B사	C사
월 대여료	150,000원	120,000원	180,000원
월 기본 매수	2,000장	1,500장	6,000장
월 추가 이용료	장당 12원	장당 10원	장당 15원

① 월 4,000장 이용 시 B사가 가장 저렴하다.
② 월 5,000장 이용 시 A사가 가장 비싸다.
③ 월 6,000장 이용 시 B사가 가장 저렴하다.
④ 월 11,000장 이용 시 C사가 가장 비싸다.
⑤ 월 13,000장 이용 시 C사가 가장 비싸다.

05 박 대리는 각 부서에 필요한 사무용품을 구매할 예정이다. 다음 자료를 바탕으로 가장 저렴하게 구입할 수 있는 업체를 고르면?

〈사무용품 수량 및 가격〉

구분	A물품	B물품	C물품	D물품	E물품
구매수량(개)	75	60	45	48	66
개당 제한가격(원)	2,550	1,840	1,750	1,850	2,100

※ 제한가격까지는 구매 가능하다.

〈업체별 단가〉

(단위: 원/묶음)

구분	A물품	B물품	C물품	D물품	E물품
가 업체	7,750	5,500	5,200	5,500	6,000
나 업체	7,550	5,400	5,100	5,400	5,950
다 업체	7,650	5,300	5,200	5,500	5,800
라 업체	7,550	5,450	5,150	5,600	6,200
마 업체	7,500	5,350	5,200	5,500	5,900

※ 묶음 단위로 구매 가능하고, 3개씩 묶어서 판매한다.

① 가 업체   ② 나 업체   ③ 다 업체
④ 라 업체   ⑤ 마 업체

06 생산라인을 가동하여 협력업체에 정상제품 14,000개를 납품할 예정이다. 현재 정상 재고상품 356개가 남아 있으며, 생산라인별 조건을 고려하여 최대한 빠르게 생산해야 한다. 이때, 최소 몇 시간 내로 생산을 끝마칠 수 있는지 고르면?

〈생산라인별 생산성 조건〉

- A생산라인, B생산라인, C생산라인 중 동시에 두 라인만 가동될 수 있고, A생산라인은 상시 가동된다.
- B생산라인은 연속으로 6시간 가동 후에는 3시간의 휴식시간이 필요하다.
- C생산라인은 연속으로 8시간 가동 후에는 4시간의 휴식시간이 필요하다.
- A생산라인과 B생산라인이 동시에 가동될 때는 시간당 생산량이 20% 증가한다.
- A생산라인과 C생산라인이 동시에 가동될 때는 시간당 생산량이 10% 증가한다.

〈생산라인별 시간당 생산량〉

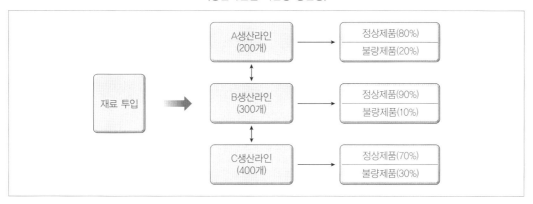

① 27시간
② 28시간
③ 29시간
④ 30시간
⑤ 31시간

정답과 해설 P.15

기 출 유 형

7 | 상황판단형_인적자원관리

기출 유형 분석

자원관리능력은 시간자원과 예산자원을 기반으로 물적자원을 효율적으로 선택 및 이용하거나 인적자원을 적재적소에 배치 및 이용할 줄 아는 능력을 의미한다. 즉, 인적자원관리는 새로운 것이 아니라 시간자원과 예산자원을 기반으로 한 최적의 선택 및 결정을 기반으로 한 유형이 출제된다.

세부 유형

세부 유형	발문 내용
인재채용하기	• 신입사원으로 채용될 지원자가 누구인지 고르면? • 올해 인사팀에 새롭게 배치될 인원이 몇 명인지 고르면?
승진/부서배치하기	• 인사고과 점수를 바탕으로 승진될 사람이 누구인지 고르면?

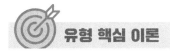

■ 인적자원＝시간자원＋예산자원＋물적자원

누구나 쉽게 떠 올릴 수 있는 인적자원관리는 인재채용이라 할 수 있다. 일반적으로 인재를 채용하는 과정은 서류–필기–면접의 형태로 진행되는 데 각각을 정량적으로 나타내어야 합격자와 불합격자를 판별할 수 있다. 출제되는 유형은 직원 채용 또는 부서별 인재 채용 등을 각각의 항목으로 점수화 시켜 주어진 기준을 가지고 합격과 불합격을 나누는 형태이다.

여기서 각각의 항목을 점수화 한 후, 기준을 가지고 합격을 판별하는 것은 주어진 물적 자원을 시간, 비용 등의 조건으로 물품을 선택하거나 생산하는 것과 크게 다르지 않다. 즉, 인적자원관리는 주어진 물적자원을 시간자원과 에산자원 등을 고려하여 자원을 배분하고 선택하는 것과 다르지 않다. 그러다 보니 물적자원관리와 관련하여 출제되는 문항에서 사용하는 기준 통일하기, 가중치 적용하기, 크기 비교하기 등의 스킬들은 인적자원관리에서도 동일하게 사용한다.

※ 기준 통일하기, 주어진 비율로 차이 구하기, 가중치 적용하기, 크기 비교하기는 물적자원관리 유형핵심이론에 제시되어 있다.

(1) 인재 채용하기

가중치 적용하기, 주어진 비율로 차이 구하기, 크기 비교하기

(2) 승진/부서 배치하기

기준 통일하기, 주어진 비율로 차이 구하기, 크기 비교하기

대표 기출 문항

2021년 한국토지주택공사

기출 난이도 상 중 하

01 다음은 직원들의 인사고과 점수표 및 승진기준에 관한 정보이다. 2022년 06월 29일 기준으로 승진된 직원으로만 묶어 놓은 것을 고르면?(단, 현재 보직기간이 끝난 다음 날 승진한다.)

〈승진 기준〉

보직	보직기간	인사고과점수
부장	5년	–
과장	6년	90점 이상
대리	5년	85점 이상
사원	4년	–

※ 현재 보직기간이 끝난 다음날 승진(사원 → 대리 → 과장 → 부장)

〈직원 인사고과 점수표〉

구분	근무 시기	근무성적평가(0.5)	표창 점수(0.2)	자격증 점수(0.3)
A사원	18.05.04	80	75	90
B과장	16.06.15	82	85	100
C대리	17.08.25	84	80	90
D사원	18.09.28	68	95	100
E과장	16.06.20	88	90	100
F대리	17.06.20	82	80	90
G과장	16.06.30	76	90	100
H대리	17.06.26	92	85	80

※ 인사고과점수는 가중치 비율대로 적용한 후 합산함.

① A사원, C대리
② A사원, F대리
③ H대리, B과장
④ F대리, E과장
✓⑤ H대리, E과장

문제 풀이 전략

해당 문제는 선택지를 먼저 이용해야 한다. 선택지에는 D사원, G과장이 없으므로 인사고과점수를 구할 필요가 없다. 22년 06월 29일 기준으로 부합되지 않은 직원을 찾으면 C대리 역시 부합하지 않으므로 제외한다. 그럼 나머지 직원에 대한 인사고과점수를 계산한다.

직원들이 승진하기 위해선 보직기간을 채워야하고, 인사고과점수 기준을 만족해야 한다. 이때 사원과 부장의 경우는 보직기간만을 채우면 된다.

[1단계]
인사고과점수가 승진기준에 부합하더라도 2022년 06월 29일 기준으로 했을 때, 승진이 가능하지 않은 사람은 C대리, D사원, G과장이므로, 승진 대상에서 제외한다.

구분	근무 시기	보직기간	승진 시기	22.06.29 기준
A사원	18.05.04	4년	22.05.04	○
B과장	16.06.15	6년	22.06.15	○
C대리	17.08.25	5년	22.08.25	×
D사원	18.09.28	4년	22.09.28	×
E과장	16.06.20	6년	22.06.20	○
F대리	17.06.20	5년	22.06.20	○
G과장	16.06.30	6년	22.06.30	×
H대리	17.06.26	5년	22.06.26	○

[2단계]
A사원의 경우 인사고과 점수에 상관없이 보직기간을 채웠으므로 무조건 승진된다. 나머지 직원들의 인사고과점수에 가중치를 적용한 후 합을 구하면 다음과 같다.

구분	근무성적평가(0.5)	표창 점수(0.2)	자격증 점수(0.3)	합계	승진기준
B과장	41	17	30	88	90
E과장	44	18	30	92	90
F대리	41	16	27	84	85
H대리	46	17	24	87	85

2022년 06월 29일 기준으로 승진이 되는 직원은 A사원, E과장, H대리이다.

02 다음은 영업팀 수습직원들의 평가점수 결과이다. 결과를 바탕으로 **수습직원 중 평가점수가 높은 2명을 정식 직원으로 채용할 예정이다. 정식 직원으로 채용될 직원**은 누구인지 고르면?(단, 영업팀은 의사소통, 친화력, 조직적합도에 각각 0.2, 0.5, 0.3의 가중치를 부여한다.)

〈표〉 수습직원 평가점수

구분	의사소통	분석능력	문제해결력	친화력	조직적합도
A수습사원	70	80	90	70	80
B수습사원	65	70	90	85	70
C수습사원	80	75	85	70	80
D수습사원	75	80	90	90	60
E수습사원	80	75	80	80	70

※ 최종평가점수＝평가점수＋가중치점수
※ 가중치점수＝평가점수×가중치

① A수습사원, B수습사원
② B수습사원, D수습사원
✓③ C수습사원, D수습사원
④ C수습사원, E수습사원
⑤ D수습사원, E수습사원

 문제 풀이 전략

물적자원관리의 주제와 내용의 변화에 대한 차이만 있을 뿐 풀어가는 방식은 동일하다. 하지만 주어진 그대로 계산 시 시간이 많이 걸리므로 물적자원관리에서 제시되었던 가중치 적용하기, 크기 비교하기 등을 이용한다.

전 직원의 점수를 모두 구해 더해도 되지만, 한 명의 직원을 기준으로 나타내면 크기 비교는 가능하다.
[1단계]
㉠ A수습사원(＝0점)을 기준으로 하여 수습사원 평가점수를 정리하면 다음과 같다.

구분	의사소통	분석능력	문제해결력	친화력	조직적합도	합계
A수습사원	0	0	0	0	0	0
B수습사원	−5	−10	0	15	−10	−10
C수습사원	10	−5	−5	0	0	0
D수습사원	5	0	0	20	−20	5
E수습사원	10	−5	−10	10	−10	−5

[2단계]
㉡ 가중치점수를 구하면 다음과 같다.

구분	의사소통(0.2)	분석능력	문제해결력	친화력(0.5)	조직적합도(0.3)	합계
A수습사원	0			0	0	0
B수습사원	−1			7.5	−3	3.5
C수습사원	2			0	0	2
D수습사원	1			10	−6	5
E수습사원	2			5	−3	4

[3단계]

ⓒ 최종평가점수는 평가점수와 가중치점수의 합으로 다음과 같다.

구분	합계(㉠ 평가점수+㉡ 가중치)	순위
A수습사원	0	3
B수습사원	−6.5	5
C수습사원	2	2
D수습사원	10	1
E수습사원	−1	4

따라서 C수습사원과 D수습사원이 정식 직원으로 채용될 것이다.

[다른 풀이]

한 직원을 기준으로 두지 않고 있는 그대로 계산하면 다음과 같다.

㉠ 수습사원 평가점수 합계

구분	의사소통	분석능력	문제해결력	친화력	조직적합도	합계
A수습사원	70	80	90	70	80	390
B수습사원	65	70	90	85	70	380
C수습사원	80	75	85	70	80	390
D수습사원	75	80	90	90	60	395
E수습사원	80	75	80	80	70	385

㉡ 가중치점수 합계

구분	의사소통(0.2)	분석능력	문제해결력	친화력(0.5)	조직적합도(0.3)	합계
A수습사원	14			35	24	73
B수습사원	13			42.5	21	76.5
C수습사원	16			35	24	75
D수습사원	15			45	18	78
E수습사원	16			40	21	77

ⓒ 최종평가점수는 다음과 같다.

구분	합계(㉠ 평가점수+㉡ 가중치)	순위
A수습사원	463	3
B수습사원	456.5	5
C수습사원	465	2
D수습사원	473	1
E수습사원	462	4

01 다음은 성과평가등급에 따른 연봉인상률에 대한 자료이다. 최근 3년 동안의 평균 성과평가등급이 가장 우수한 직원을 두 명을 뽑아 팀장으로 추천할 예정이다. 팀장으로 추천될 수 있는 직원은 누구인지 고르면?

〈성과평가등급별 연봉인상률〉

성과평가등급	1등급	2등급	3등급	4등급	5등급
연봉인상률(%)	25	20	15	10	5

※ 성과평가등급에 따라 전년도 연봉에서 연봉인상률이 적용되어 당해년도 연봉이 결정됨.

〈표〉 2018~2021년 직원들의 연봉

(단위: 천 원)

연도 성명	2018	2019	2020	2021
직원 A	40,000	50,000	55,000	57,750
직원 B	38,000	45,600	57,000	62,700
직원 C	36,000	45,000	47,250	56,700
직원 D	35,000	42,000	46,200	53,130
직원 E	42,000	48,300	57,960	69,552
직원 F	40,000	48,000	52,800	58,080

① 직원 B, 직원 C
② 직원 C, 직원 D
③ 직원 B, 직원 E
④ 직원 C, 직원 E
⑤ 직원 D, 직원 E

02 다음은 어느 기업의 2차 전형 선발 기준이다. 2차 전형 응시자 중 가장 높은 점수의 지원자를 직원으로 선발할 예정이다. 직원으로 선발되는 지원자가 누구인지 고르면?

〈2차 전형 선발 기준〉

㉮ 면접(100점)
  ㉠ 개별면접: PT면접(30점), 상황면접(20점)
    - 개별면접: 발표 및 질문을 포함하여 지원자 1인당 15분 내외
    - 상황면접: 면접관과 지원자간의 다대일 면접 1인당 6~7분
  ㉡ 집단면접: 직무수행능력면접(25점), 토론면접(25점)
    - 직무수행능력면접: 직무 관련 이해도 3인 1조로 진행
    - 토론면접: 문제상황에 대한 찬반토론
㉯ 자격증 가점(2~3점)
  - 가점 인정 고급자격·면허증
  - 2점: 변호사, 공인회계사, 세무사, 공인노무사
  - 3점: 해당 분야 기술사, 변리사, 감정평가사

〈표〉 2차 전형 응시자 명단

구분	PT면접	상황면접	토론면접	직무수행능력면접	자격증
A지원자	90	85	90	84	변리사
B지원자	88	89	88	88	–
C지원자	89	87	88	90	세무사
D지원자	96	91	84	82	–
E지원자	87	88	89	87	감정평가사

① A지원자
② B지원자
③ C지원자
④ D지원자
⑤ E지원자

03　다음은 오늘 정립된 인사고과 반영기준이다. 인사고과는 경력평점과 가산평점의 합계가 14점 이상인 경우에 한해서 내년 인사고과에 적용해 승진 시 반영된다. 이때, 2015년 4월 9일에 입사한 유 대리는 내년 승진을 위해 자격증을 취득하려고 한다. 이때, 승진을 위해 취득할 수 있는 최소한의 자격증을 고르면?(단, 올해 인사고과는 22.12.31에 마감된다.)

〈인사고과 반영기준(22.06.30)〉

1. 경력평점 기준

경력 기간	점수
근속연수 3년 이상~5년 미만	5점
근속연수 5년 이상~7년 미만	8점
근속연수 7년 이상~10년 미만	10점
근속연수 10년 이상~15년 미만	12점

2. 가산평점 기준(자격증 점수＋교육이수기간 점수)

구분	A자격증	B자격증	C자격증	D자격증	E자격증	F자격증
점수	1.5점	1.5점	1점	1점	1.5점	2점
교육 이수 기간	7개월	3개월	5개월	4개월	2개월	1개월

※ 자격증 2종 이상 취득 시 합산 가능.

3. 교육이수 기간에 따른 추가 점수

교육이수 기간	점수	비고
5개월 이상	1점	자격증 수료 시 전부 인정
3개월 초과 5개월 미만	0.5점	
3개월 이하	0점	

① A자격증, B자격증
② A자격증, C자격증
③ B자격증, D자격증
④ C자격증, F자격증
⑤ E자격증, F자격증

정답과 해설 P.18

다 알고 가는 사람은 없습니다.
굳게 믿고 가는 사람이 있을 뿐입니다.

– 조정민, 『고난이 선물이다』, 두란노

8 | 독해형_제시문/자료 및 도표

 기출 유형 분석

대부분 출제 기업과 관련된 자료를 바탕으로 하거나, 공문서 등의 공고문이나 법규정 등의 문서를 제시하여 이를 이해하고 분석하는 문제들로 구성된다. 문제해결능력에서 출제되고 있지만 큰 틀에서 본다면 의사소통능력의 내용 이해 문제와 크게 다르지 않다. 다만, 최근 수리 영역과 연계되어 복수형 문제가 출제되는 경향이 강하므로 이에 대한 대비가 필요하다.

세부 유형

세부 유형	발문 내용
제시문형	• 다음 글의 내용과 일치하지 않는 것을 고르면? • 다음 글에 대한 설명으로 옳지 않은 것을 고르면? • 다음 글에 대한 추론으로 옳지 않은 것을 〈보기〉에서 모두 고르면?
자료 및 도표형 (개조식 문서의 이해)	• 윗글을 근거로 판단할 때, 〈보기〉에서 옳은 것만을 모두 고르면? • 다음 글을 근거로 판단할 때 옳은 것을 고르면? • 다음 대화의 빈칸에 들어갈 내용으로 가장 적절한 것을 고르면?

1. 제시문형

의사소통능력의 일치/불일치 및 추론 유형과 거의 동일한 유형에 해당한다.

(1) 효율적 읽기

- **첫 번째 문단(~두 번째 문단)부터 읽기**

  일반적으로 글의 첫 번째 문단은 앞으로 이어질 글의 방향성을 알려주는 역할을 담당한다. 즉 핵심이 무엇인지 소개하는 문단이다. 물론 첫 문단에서 예화가 등장한다면 두 번째 문단에서 핵심어가 나올 가능성도 있다. 따라서 첫 번째 문단에서 핵심어 및 방향성을 우선 확인하여 독해의 기준을 세우는 것이 바람직하다.

- **선택지의 키워드화**

  주어진 글의 모든 내용이 '강'하게 읽어야 할 주요 내용이 아니다. 우리가 주어진 글을 읽는 이유는 문제를 풀기 위함이다. 따라서 문제화된, 즉 선택지화 된 내용만을 '강'하게 읽으면 된다. 따라서 주어진 글에서 주요하게 읽어야 할 요소들을 선택지에서 미리 체크하여 그를 중점으로 읽어 내려가는 것이 내용일치 유형의 문제를 푸는 데 있어 효율적 접근법이 된다.

  ☑ 키워드 법

  – 주어+서술어 우선 체크

  – 다른 선택지와의 차이점 위주로 체크

  – 출제자의 패턴에 맞춰 체크

- **끊어 읽기를 통한 소거법**

  주어진 글이 두~세 문단 이내의 짧은 글이라면 끊어 읽지 않아도 전체 내용을 빠르게 이해하고, 정답을 체크할 수 있다. 하지만 그 이상으로 길어질 경우 한 번에 모든 내용을 이해하기 어려울 수 있다. 방심하게 되면 주요 내용을 놓칠 가능성도 있고, 무엇보다 앞 내용들이 휘발성을 띨 위험이 있기 때문에, 끊어 읽기를 통해 집중력을 높일 필요가 있다.

(2) 분석적 풀이

- **주요 내용: 출제자의 패턴**

  많은 문제들을 분석하다보면, 선택지를 구성하는 일정한 패턴들이 존재함을 알 수 있다. 이러한 패턴들은 흔히 정답 혹은 매력적인 오답이 될 가능성이 높으므로 주요 체크 사항이 되어야 한다.

  – 추가, 삭제, 복사, 대체

  오답을 구성하는 가장 기본적인 형태로, 주어진 글의 내용을 그대로 복사하거나, 새로운 내용을 추가하거나, 기존 내용을 삭제하는 방식을 활용한다. 핵심 내용에 반하는 내용을 추가하거나 핵심 내용을 삭제한다면 틀린 내용이 되겠지만 그렇지 않다면 무시해도 될 만한 내용들이다. 그에 반해 '대체'는 주어진 글의 내용을 아주 유사한 단어나 구로 바꿔 제시하는 것인데 대부분의 선택지에서 활용하는 방법이므로 이를 꼼꼼하게 살펴보아야 한다. 대체된 단어나 구가 기존의 내용과 유사한지 아닌지만 적절히 판단할 수 있어도 선택지의 구분법 기초는 완성된다고 볼 수 있다.

– 긍정과 부정의 치환

출제자들은 긍정을 부정으로 만들거나, 부정을 긍정으로 만드는 것을 선호한다. 따라서 주어진 글이나 선택지에서 '아니다/못하다/않다/어긋나다/A 아니라 B' 등의 부정 표현이 나온다면 일단 주요 체크 사항이 된다.

– 범위의 왜곡

출제자들은 주어진 글의 내용의 범위를 왜곡시켜 오답을 구성하는 것을 선호한다. 특히 특수 의미를 더하는 부사나 보조사를 통해 기존 내용의 범위를 확대하거나 축소한다. 따라서 선택지에 부사인 '반드시/절대로/모두/전부' 등이나, '도/만' 등의 보조사가 나온다면 일단 주요 체크 사항이 된다.

– 비교급의 활용

출제자들은 두 대상 이상이 제시되는 경우 이를 활용하여 비교하는 것을 선호한다. 예를 들어 'A 비해/반해/보다 B' 등의 표현을 통해 두 대상의 정보를 정확하게 이해하고 있는지 묻는 경우가 많다. 따라서 주어진 글에서 두 대상 이상이 제시될 경우 공통점과 차이점을 중심으로 구분하여 체크할 필요가 있다.

– 연결고리의 왜곡

출제자들은 앞뒤 단어 혹은 문장의 관계성을 비트는 것을 선호한다. 인과관계가 아닌데 인과관계의 형태를 띠는 경우, 원인과 결과의 순서를 바꾸는 것, 선후가 명확한 과정에서 그 관계성을 바꾸는 등의 형태를 자주 활용한다. 따라서 연결을 시킬 수 있는, 관계성이 명확히 드러나는 내용이 나타날 경우 주요 체크 사항이 된다.

– 숫자/수치의 변경

출제자들은 숫자나 수치와 관련된 표현들을 선호한다. 대표적으로 연도나 단순 숫자를 변경하여 제시한다. 특히 제재가 과학이나 기술 분야일 경우 'A 할수록 높다/낮다/크다/작다' 등의 표현을 사용하여 비례 또는 반비례 관계 등을 활용하여 선택지화하는 경우가 많다. 그리고 '이상/이하/미만/초과' 등의 표현도 자주 활용한다. 따라서 주어진 글에서 숫자나 수치와 관련된 표현이 나올 경우 주요 체크 사항이 된다.

– 확대 해석

세부 내용 파악 유형보다는 주어진 내용의 추론 유형에서 자주 활용되는 패턴이다. 주어진 글의 내용을 근거로 하지 않거나, 근거로 하였더라도 한 차례 더 나아간, 즉 확대 추론한 것은 적절한 추론이라고 보기 어렵다.

– 배경지식의 활용

흔히 상식상 적절하다고 생각하는 내용들이 있다. 예를 들어 '도덕적인 사람은 선한 사람이다.'라든가, '주장은 비판적으로 분석해야 한다.'라든가 하는 표현 등이다. 하지만 우리는 주어진 글을 바탕으로 옳고 그름을 판단해야 하므로, 주어진 글과 상관없는 내용이 상식상 옳다고 하더라도 그 내용이 '옳다'라고 판단해서는 안 된다. 출제자들은 이 점을 파고들어 오답을 만드는 것을 선호한다.

• **발문에 맞춰 접근**

내용일치 유형은 발문에 따라 접근법을 달리해야 한다.

– 부정 발문

부정 발문은 주어진 내용을 바탕으로 할 때 틀린 내용 하나를 찾는 것으로, 나머지 선택지들은 모두 맞는 내용으로 구성되는 것이 일반적이다. 즉, 모든 선택지 내용을 주어진 글에서 'ㅇ/×' 할 수 있다. 따라서 선택지를 키워드화한 후, 끊어 읽기하여 키워드를 확인해 나가면 자연스럽게 정답에 접근할 수 있다.

– 긍정 발문

긍정 발문은 주어진 내용과 비교하여 맞는 내용 하나를 찾는 것으로, 나머지 선택지들은 주어진 글을 바탕으로 할 때 틀리거나 혹은 알 수 없는 내용으로 구성된다. 따라서 부정 발문처럼 하나씩 대응하며 찾는 식으로 접근해서는 안 된다. 자칫 잘못하면 알 수 없는 내용을 확인하기 위해 주어진 글을 여러 번 읽게 되는 불상사가 일어날 수 있기 때문이다.

'애매한 내용'이 등장했다면 이는 가장 '적절하다'고 보기 어려우므로 반드시 근거를 바탕으로 가장 적절한 것을 찾는 연습을 해야 한다.

2. 자료 및 도표형(개조식 문서의 이해)

공적인 목적을 가진 문서는 서술식보다는 개조식 서술을 선호하는 편이다. 따라서 공문서를 제재로 하는 NCS를 대비하는 수험생들에게 개조식 문서에 대한 이해는 선행되어야 하는 과제이다.

- **개조식 문서**
  - 글을 쓸 때 글 앞에 번호를 붙여가며 중요한 요점이나 단어를 나열하는 방식
  - 낱말 그대로의 뜻인 '각각의 조항에 대한 형식'이라고 이해해도 무방하고, 대표적으로 법조문이 이에 해당한다.

- **개조식 문서의 특성**
  - 조사, 부사, 어미 등이 최대한 생략된 명사형 종결 형태
  - 단순 정보의 나열이 아닌 의미 단위 별로 나누어 항목별 배치
  - 정보 전달의 효율성을 높이기 위한 형태이므로, 핵심 정보만을 축약하여 배치(두괄식)
  - 효과적인 내용 전달을 위해 표, 그래프 등의 자료를 통해 내용을 보완

개조식 문서를 바탕으로 출제되는 대부분의 문제들은 그 이해와 판단을 요구하는 경우가 많다. 단, 주어진 문서의 정보량이 필요 이상으로 많다면 항목별 주요 사항을 바탕으로 발췌독을 시도해 볼 수 있다.

더불어 주어진 문서를 바탕으로 질의응답한 내용의 옳고 그름을 판단하는 유형도 출제된다. 항목별로 구분하여 1:1 매칭하듯 풀이할 수도 있지만, 여러 요소들을 모두 확인해야 하는 경우도 있으므로 항목별로 확인할 수 있는 내용이 있다면 모두 표시하면서 놓친 정보가 없도록 꼼꼼하게 구분해야 한다.

기출 난이도 상 중 하

2022년 LH 한국토지주택공사

01 다음 글의 내용과 일치하지 않는 것을 고르면?

정부와 관련 학계, 기관 등에 따르면, 정부 R&D 예산은 국공립연구소, 출연연, 대학, 기업 등의 연구 자금으로 지원된다. 여기엔 연구개발 인력의 인건비도 포함된다. 세금이 들어가는 만큼 R&D 집행에 대한 관리는 촘촘하다. 그러나 '비합리적으로 촘촘하다'는 게 현장의 목소리다. 통상 연구비는 과제 수행 기간에 따라 연간 총액으로 지급하지만, 여러 항목마다 한도가 정해져 있다. 그 한도를 초과하면 안 되지만 남겨서도 안 된다. 과제 종료 2개월 이전에 장비 구입 등을 마쳐야 해, 꼭 쓰지 않아도 될 자금까지 무조건 써야 한다.

이런 규제는 물론 그간 연구자들의 연구비 유용 등에 따른 불신에서 비롯됐다. 하지만 현장에서는 일부의 그릇된 행위로 대다수 연구자를 옥죄고 있다는 불만이 비등하다. 가령 공동 구매나 해외 직접 구매 등을 통해 필요 물품을 구입할 경우, 연구비를 크게 아낄 수 있지만 '리베이트'를 차단한다는 이유로 조달청을 통해서만 구입하도록 하면서 세금을 아낄 기회마저 봉쇄됐다는 주장도 나온다.

전문가들은 "연구비 집행 실적과 성과급 연동, 이에 따른 불필요한 지출 강요, 연구장비 조달 방식 획일화 등은 이미 현장에 만연한 문제"라며 "연구 예산도 다음해로 이월하거나 반납하는 방법이 막혀 있어 세금이 낭비되는 경우가 적잖다"고 지적했다. 연구기관에서 R&D 과제를 수주하면 해당 기관은 '간접비' 명목으로 일정 금액을 뗀다. 간접비는 연구에 필요한 인력 고용 행정 용품 구입 등에 사용하는 비용이다. 연구자들이 받을 수 있는 행정 서비스에 대한 비용이라고 보면 된다.

문제는 이 간접비가 기관마다 천차만별이라는 데 있다. 출연연은 21~30%, 대학은 15~25% 등으로 제각각이다. 서울의 유명 사립 의대 C교수는 지난해 1억 5,000만 원 규모의 정부 R&D 지원 사업을 따냈다. 대학병원은 이 중 약 20%를 간접비 명목으로 가져갔다. 실제 C교수가 연구에 투입할 수 있는 금액은 1억 2,000만 원뿐이었던 셈이다. 반면 국가 예산으로 운영되는 국립대는 사정이 정반대다. 지방 국립대 의대 교수 D씨는 "국립대는 인력을 국가 예산으로 충원하기 때문에 R&D 예산의 간접비가 5% 수준"이라고 말했다. 이처럼 간접비가 뚜렷한 기준 없이 사실상 기관의 수익으로 인식되다 보니, 기관으로서는 R&D 예산을 많이 끌어오는 연구자가 최고일 수밖에 없다. 실제 지난해 서울 모 사립대의 교수 임용 과정이 학계에서 논란이 됐다. 대학이 교수 임용 조건으로 매년 국제학회 발표 논문 5편에 더해 정부나 기업의 연구과제 지원금 3억 원 수주를 내건 것이다. 학계에선 3억 원이 많고 적고를 떠나 이런 요구가 비일비재한 현실에 대한 논란이 끊이지 않는다.

① 통상 연구비는 여러 항목마다 한도가 정해진 채로 연간 총액으로 지급된다.

② 직접 구매 등을 통해 더 저렴한 가격으로 필요 물품을 구입할 수 있으나 연구를 위한 물품은 조달청을 통해서만 구입해야 한다.

③ 간접비는 연구자들이 받을 수 있는 행정서비스에 대한 비용으로, 뚜렷한 기준이 없어 사실상 기관의 수익으로 인식되는 경우가 있다.

✔④ 간접비의 문제 중 하나는 기관마다 정해진 비율이 다르다는 것인데, 국립대학의 경우 15~25%로 측정되어 있다.

⑤ 기관으로서는 연구자가 R&D 예산을 많이 끌어오길 바라기 때문에 이를 임용 조건으로 거는 경우가 있다.

① 통상 연구비는 여러 항목마다 한도가 정해진 채로 연간 총액으로 지급된다.(○)

> … 그러나 '비합리적으로 촘촘하다'는 게 현장의 목소리다. 통상 연구비는 과제 수행 기간에 따라 연간 총액으로 지급하지만, 여러 항목마다 한도가 정해져 있다. 그 한도를 초과하면 안 되지만 남겨서도 안 된다. 과제 종료 2개월 이전에 장비 구입 등을 마쳐야 해, 꼭 쓰지 않아도 될 자금까지 무조건 써야 한다.
> → 첫 번째 문단에서 통상 연구비는 과제 수행 기간에 따라 연간 총액으로 지급하지만, 여러 항목마다 한도가 정해져 있음을 알 수 있다.

② 직접 구매 등을 통해 더 저렴한 가격으로 필요 물품을 구입할 수 있으나 연구를 위한 물품은 조달청을 통해서만 구입해야 한다.(○)

> … 하지만 현장에서는 일부의 그릇된 행위로 대다수 연구자를 옥죄고 있다는 불만이 비등하다. 가령 공동 구매나 해외 직접 구매 등을 통해 필요 물품을 구입할 경우, 연구비를 크게 아낄 수 있지만 '리베이트'를 차단한다는 이유로 조달청을 통해서만 구입하도록 하면서 세금을 아낄 기회마저 봉쇄됐다는 주장도 나온다.
> → 공동 구매나 해외 직접 구매 등을 통해 필요 물품을 구입할 경우, 연구비를 크게 아낄 수 있지만 '리베이트'를 차단한다는 이유로 조달청을 통해서만 구입하도록 되어있음을 알 수 있다.

③ 간접비는 연구자들이 받을 수 있는 행정서비스에 대한 비용으로, 뚜렷한 기준이 없어 사실상 기관의 수익으로 인식되는 경우가 있다.(○)

④ 네 번째 문단에 따르면, 간접비 규모는 대학이 15~25%이며 국립대의 경우 5% 수준임을 알 수 있다.(×)

> 전문가들은 "연구비 집행 실적과 성과급 연동, 이에 따른 불필요한 지출 강요, 연구장비 조달 방식 획일화 등은 이미 현장에 만연한 문제"라며 "연구 예산도 다음해로 이월하거나 반납하는 방법이 막혀 있어 세금이 낭비되는 경우가 적잖다"고 지적했다. 연구기관에서 R&D 과제를 수주하면 해당 기관은 '간접비' 명목으로 일정 금액을 뗀다. 간접비는 연구에 필요한 인력 고용 행정 용품 구입 등에 사용하는 비용이다. 연구자들이 받을 수 있는 행정 서비스에 대한 비용이라고 보면 된다.
> 문제는 이 간접비가 기관마다 천차만별이라는 데 있다. 출연연은 21~30%, 대학은 15~25% 등으로 제각각이다. 서울의 유명 사립 의대 C교수는 지난해 1억 5,000만 원 규모의 정부 R&D 지원 사업을 따냈다. 대학병원은 이 중 약 20%를 간접비 명목으로 가져갔다. 실제 C교수가 연구에 투입할 수 있는 금액은 1억 2,000만 원뿐이었던 셈이다.
> → ③ 간접비는 연구에 필요한 인력 고용 행정 용품 구입 등에 사용하는 비용이다. 연구자들이 받을 수 있는 행정 서비스에 대한 비용이라고 볼 수 있다. 그런데 간접비가 뚜렷한 기준 없이 사실상 기관의 수익으로 인식되고 있어 사립 의대 C교수가 정부 지원의 1억 5천만 원 규모의 R&D 사업을 따냈으나 대학측에서 20%의 간접비를 가져갔다고 나와 있다.
> → ④ 간접비 규모는 대학이 15~25%이며 국립대의 경우 5% 수준임을 알 수 있다.

⑤ 기관으로서는 연구자가 R&D 예산을 많이 끌어오길 바라기 때문에 이를 임용 조건으로 거는 경우가 있다. (○)

> 이처럼 간접비가 뚜렷한 기준 없이 사실상 기관의 수익으로 인식되다 보니, 기관으로서는 R&D 예산을 많이 끌어오는 연구자가 최고일 수밖에 없다. 실제 지난해 서울 모 사립대의 교수 임용 과정이 학계에서 논란이 됐다. 대학이 교수 임용 조건으로 매년 국제학회 발표 논문 5편에 더해 정부나 기업의 연구과제 지원금 3억 원 수주를 내건 것이다. 학계에선 3억 원이 많고 적고를 떠나 이런 요구가 비일비재한 현실에 대한 논란이 끊이지 않는다.
> → 마지막 문단에 따르면, 간접비가 뚜렷한 기준 없이 사실상 기관의 수익으로 인식되다 보니, 기관으로서는 R&D 예산을 많이 끌어오는 연구자가 최고일 수밖에 없고 이러한 이유로 서울 모 사립대의 교수 임용 과정이 학계에서 논란이 됐다고 나와 있다. 임용 기준에 정부나 기업의 연구과제 지원금 3억 원 수주를 조건으로 내걸었기 때문이다.

02 다음은 A시의 불법 주정차 주민신고 독려 공문이다. 이에 대한 설명으로 옳지 않은 것을 고르면?

A시 불법 주정차 주민신고 독려

1. 취지 및 목적

   주민 참여형 신고제로 앱을 이용하여 주민이 불법 주정차를 신고하면 단속 공무원의 현장 출동 없이도 해당 차량에 과태료를 부과할 수 있도록 함

2. 신고제 운영사항

   가. 운영시간

      1) 소방시설 주변: 24시간

      2) 그 외 지역: 주정차 금지 운영시간(평일 08:00~19:00)

         ※ 제외시간: 주말 및 공휴일, 점심시간(12~14시)

   나. 신고방법: 생활불편신고 앱

   다. 신고(접수) 요건

      – 사진자료 첨부

         • 10분 이상 간격의 동일한 위치에서 촬영한 사진 2장 이상

         • 위반지역과 차량번호가 식별 가능하고 촬영시간이 표시되어야 함

      – 신고기한: 교통법규 위반사실 적발로부터 3일 이내

   라. 과태료 부과: 요건구비 시 현장단속 없이 과태료 부과 처분

3. 신고대상

   1) 교차로 · 횡단보도 · 건널목이나 보도와 차도가 구분된 도로의 보도

   2) 교차로의 가장자리나 도로의 모퉁이로부터 5m 이내인 곳

   3) 안전지대가 설치된 도로에서는 그 안전지대의 사방으로부터 각각 10m 이내인 곳

   4) 버스여객자동차의 정류지임을 표시하는 기둥이나 표지판 또는 선이 설치된 곳으로부터 10m 이내인 곳.

      다만, 버스여객자동차의 운전자가 그 버스여객자동차의 운행시간 중에 운행노선에 따르는 정류장에서 승객을 태우거나 내리기 위하여 차를 정차하거나 주차하는 경우에는 그러하지 아니함

   5) 건널목의 가장자리 또는 횡단보도로부터 10m 이내인 곳

   6) 다음 각 목의 곳으로부터 5m 이내인 곳

      가. 「소방기본법」 제10조에 따른 소방용수시설 또는 비상소화장치가 설치된 곳

      나. 「소방시설 설치 및 관리에 관한 법률」 제2조 제1항 제1호에 따른 소방시설로서 대통령령으로 정하는 시설이 설치된 곳

   7) 시 · 도 경찰청장이 도로에서의 위험을 방지하고 교통의 안전과 원활한 소통을 확보하기 위하여 필요하다고 인정하여 지정한 곳

   8) 시장 등이 지정한 어린이 보호구역

   쾌적한 교통질서 확립을 위하여 주민 여러분들의 많은 협조 부탁드립니다.

---

① 초등학교 앞과 같은 어린이 보호구역 안에 불법 주정차한 차량은 신고 대상이 된다.

② A시 불법 주정차 주민신고제는 소방시설 외 지역에서 평일 하루 9시간 동안 운영된다.

③ 교차로의 가장자리로부터 3m인 곳에 5분 동안 정차하는 경우 불법 주정차 주민신고 대상이 아니다.

✓④ 버스가 버스정류장의 표지판으로부터 10m 이내인 곳에 10분간 정차를 하는 경우 주민신고 대상이 아니다.

⑤ 불법 주정차를 한 차량에 과태료를 부과하기 위해서는 촬영한 사진을 3일 이내로 생활불편신고 앱에 올려야 한다.

① 초등학교 앞과 같은 어린이 보호구역 안에 불법 주정차한 차량은 신고 대상이 된다.(○)

> 3. 신고대상 - 8) 시장 등이 지정한 어린이 보호구역

② A시 불법 주정차 주민신고제는 소방시설 외 지역에서 평일 하루 9시간 동안 운영된다.(○)

> 2. 신고제 운영사항
> 　가. 운영시간
> 　　1) 소방시설 주변: 24시간
> 　　2) 그 외 지역: 주정차 금지 운영시간(평일 08:00~19:00)
> 　　　※ 제외시간: 주말 및 공휴일, 점심시간(12~14시)
> → 2-가)에 따르면 소방시설 외 지역의 평일 하루 신고제 운영시간은 점심시간은 12~14시를 제외한 08:00~12:00, 14:00~19:00이므로 총 9시간임을 알 수 있다.

③ 교차로의 가장자리로부터 3m인 곳에 5분 동안 정차하는 경우 불법 주정차 주민신고 대상이 아니다.(○)

> 2. 신고제 운영사항
> 　다. 신고(접수) 요건
> 　　- 사진자료 첨부
> 　　　• 10분 이상 간격의 동일한 위치에서 촬영한 사진 2장 이상
> 　　　• 위반지역과 차량번호가 식별 가능하고 촬영시간이 표시되어야 함
> 　　- 신고기한: 교통법규 위반사실 적발로부터 3일 이내
> 　라. 과태료 부과: 요건구비 시 현장단속 없이 과태료 부과 처분
> → 주민신고를 하기 위해서는 10분 간격으로 사진을 찍어서 올려야 한다. 따라서 5분 동안 정차하는 경우 불법주정차 주민신고 대상이 아님을 알 수 있다.

④ 버스가 버스정류장의 표지판으로부터 10m 이내인 곳에 10분간 정차를 하는 경우 주민신고 대상이 아니다.(×)

> 3. 신고대상
> 　4) 버스여객자동차의 정류지임을 표시하는 기둥이나 표지판 또는 선이 설치된 곳으로부터 10m 이내인 곳.
> 　　다만, 버스여객자동차의 운전자가 그 버스여객자동차의 운행시간 중에 운행노선에 따르는 정류장에서 승객을 태우거나 내리기 위하여 차를 정차하거나 주차하는 경우에는 그러하지 아니함
> → 3-4)에 따르면 버스가 운행시간 중에 운행노선에 따르는 정류장에서 승객을 태우거나 내리기 위해 차를 정차하거나 주차하는 경우를 제외하고는 버스정류장의 표지판으로부터 10m 이내인 곳에 10분간 정차한다면 이는 신고대상이 된다.

⑤ 불법 주정차를 한 차량에 과태료를 부과하기 위해서는 촬영한 사진을 3일 이내로 생활불편신고 앱에 올려야 한다.(○)

> 2. 신고제 운영사항
> 　나. 신고방법: 생활불편신고 앱
> 　다. 신고(접수) 요건
> 　　- 사진자료 첨부
> 　　　• 10분 이상 간격의 동일한 위치에서 촬영한 사진 2장 이상
> 　　　• 위반지역과 차량번호가 식별 가능하고 촬영시간이 표시되어야 함
> 　　- 신고기한: 교통법규 위반사실 적발로부터 3일 이내
> → 2-다)에 따르면 신고기한은 '교통법규 위반사실 적발로부터 3일 이내'이고, 2-나)에 따르면 신고방법은 '생활불편신고 앱'임을 알 수 있다.

[01~02] 다음은 ○○공사 후생지원(조리) 채용공고에 관한 내용이다. 이를 바탕으로 이어지는 질문에 답하시오.

[채용 절차]

[서류평가]
- 자격증 점수와 경력 점수의 합계가 높은 순으로 서류평가 통과자를 결정한다.
- 서류평가에서 최종합격 인원의 10배수를 선발한다.
- 서류평가 통과 인원이 동점자로 인해 최종합격 인원의 10배수를 초과할 경우, 동점자를 전원 선발한다.
- 자격증 점수와 경력 점수 산정은 다음 기준에 따른다(단, 자격증은 점수가 가장 높은 1개만 인정하며, 경력은 유효한 경력 기간 모두 인정함).

자격증 점수 (한식, 양식, 일식, 중식 자격증에 한함)				경력 점수 (50인 이상 단체급식조리 경력에 한함)				
조리 기능장	조리 기사	조리 산업기사	조리 기능사	7년 이상	5년 이상 7년 미만	3년 이상 5년 미만	1년 이상 3년 미만	6개월 이상 1년 미만
50점	40점	30점	20점	50점	40점	30점	20점	10점

※ 단, 본인이나 부모가 국가유공자인 경우, 자격증 점수와 경력 점수 합계에서 10% 가산함

[면접평가]
- 서류평가 통과자를 대상으로 NCS 기반 블라인드 면접평가를 실시한다.
- 면접평가는 5개 항목을 각각 상·중·하 3단계로 평가하며, '상'은 3점, '중'은 2점, '하'는 1점을 부여한다.
- 면접평가 항목은 다음과 같다.

평가 항목	만점
직무에 대한 이해도	3점
직무 및 회사에 대한 관심	3점
문제해결능력 및 창의성	3점
조직적응력 및 협동심	3점
공공기관 재직자로서의 품위·태도	3점
합계	15점

[최종합격]
- 서류평가 통과자 중 서류평가와 면접평가 합산 점수가 높은 순으로 최종합격을 결정한다.
- 단, 신원확인과 건강검진에서 결격사유가 있는 경우 불합격 처리한다.

01 다음 중 ○○공사 후생지원(조리) 채용공고에 대한 설명으로 옳은 것을 고르면?

① 서류평가에서 받을 수 있는 최대 점수는 100점이다.
② 서류평가에서 자격증은 최대 1개까지만 인정받을 수 있다.
③ 최종합격자는 서류평가와 면접평가 합산 점수로만 선정한다.
④ 50인 이상 단체급식조리 경력이 없는 경우 경력 점수는 10점이다.
⑤ 면접평가보다 자격증 점수가 높은 사람이 유리하다.

02 다음 〈보기〉는 ○○공사 후생지원(조리) 채용에 지원한 A씨의 상황이다. A씨의 서류평가와 면접평가의 합산 점수를 고르면?

〈보기〉

• 양식 조리산업기사 자격증 보유
• 중식 조리기사 자격증 보유
• 200인 규모 고등학교 급식조리 경력 1년 6개월
• 30인 규모 중소기업 급식조리 경력 2년
• 면접평가 결과 5개 항목 중 '상' 2개, '중' 2개, '하' 1개
• 할아버지가 6·25전쟁 국가유공자

① 60점
② 66점
③ 71점
④ 77점
⑤ 81점

03 다음은 표준예방 접종 일정표와 백신별 참고사항에 관한 자료이다. 이를 바탕으로 할 때 옳은 것을 고르면?

[표준예방 접종 일정표(국가예방 접종)]

대상 감염병	백신 종류 및 방법	횟수	출생~1개월 이내	1개월	2개월	4개월	6개월	12개월	15개월	18개월	19~23 개월	24~35 개월	만 4세	만 6세	만 11세	만 12세
결핵	BCG (피내용)	1	1회													
B형 간염	HepB	5	1차	2차			3차		4차*				5차*			
디프테리아 파상풍 백일해	DTaP	3			1차	2차	3차									
	Tdap/Td	1													6차*	
폴리오	IPV	4			1차	2차	3차						4차*			
b형 헤모필루스 인플루엔자	Hib	4			1차	2차	3차	4차*								
폐렴구균	PCV	4			1차	2차	3차	4차*								
	PPSV	-							고위험군에 한하여 접종							
홍역 유행성 이하선염 풍진	MMR	2						1차					2차			
수두	VAR	1						1회								
A형 간염	HepA	2						1~2차								
일본뇌염	IJEV	5						1~2차				3차		4차*		5차*
	LJEV	2						1차		2차						
사람유두종 바이러스 감염증	HPV	2													1~2차	
인플루엔자	IIV	-						매년 접종								

* 추가 접종

[참고]

1. BCG: 생후 4주 이내 접종

2. HepB: 임신 중 B형 간염 표면항원 양성인 산모로부터 출생한 신생아는 출생 후 12시간 이내 B형 간염 면역글로불린 및 B형 간염 백신을 동시에 접종하고, 이후의 B형 간염 접종 일정은 출생 후 1개월 및 6개월에 2차, 3차 접종 실시

3. DTaP: DTaP-IPV(디프테리아, 파상풍, 백일해, 폴리오) 또는 DTaP-IPV/Hib(디프테리아, 파상풍, 백일해, 폴리오, b형 헤모필루스인플루엔자) 혼합 백신으로 접종 가능

4. Tdap/Td(파상풍, 디프테리아, 백일해/파상풍, 디프테리아): 만 11~12세 접종은 Tdap 또는 Td 백신 사용 가능하나 Tdap 백신을 우선 고려, 이후 10년 마다 Td 재접종(만 11세 이후 접종 중 한 번은 Tdap으로 접종)

5. IPV(폴리오): 3차 접종은 생후 6개월에 접종하나 18개월까지 접종 가능하며, DTaP-IPV*(디프테리아, 파상풍, 백일해, 폴리오) 또는 DTaP-IPV/Hib**(디프테리아, 파상풍, 백일해, 폴리오, b형 헤모필루스인플루엔자) 혼합 백신으로 접종 가능

   * DTaP-IPV: 생후 2, 4, 6개월, 만 4~6세에 DTaP, IPV 백신 대신 DTaP-IPV 혼합 백신으로 접종할 수 있음

   ** DTaP-IPV/Hib: 생후 2, 4, 6개월에 DTaP, IPV, Hib 백신 대신 DTaP-IPV/Hib 혼합 백신으로 접종할 수 있음

   ※ 혼합 백신 사용 시 기초 접종 3회를 동일 제조사의 백신으로 접종하는 것이 원칙이며, 생후 15~18개월에 접종하는 DTaP 백신은 제조사에 관계없이 선택하여 접종 가능

6. Hib: 생후 2개월~만 5세 미만 모든 소아를 대상으로 접종, 만 5세 이상은 b형 헤모필루스인플루엔자 감염 위험성이 높은 경우 접종하며, DTaP-IPV/Hib 혼합 백신으로 접종 가능

7. PCV: 10가와 13가 단백결합 백신 간에 교차 접종은 권장하지 않음

8. PPSV: 만 2세 이상의 폐렴구균 감염의 고위험군을 대상으로 접종

9. MMR: 홍역 유행 시 생후 6~11개월에 MMR 백신이 가능하나 이 경우 생후 12개월 이후에 MMR 백신으로 일정에 맞추어 접종

10. HepA: 1차 접종은 생후 12~23개월에 시작, 2차 접종은 1차 접종 후 6~12(18)개월 간격으로 접종(제조사에 따라 상이)

11. IJEV: 불활성화 백신으로 1차 접종 후 7~30일 간격으로 2차 접종을 실시하고, 2차 접종 후 12개월 후 3차 접종

12. LJEV: 약독화 생백신으로, 1차 접종 후 12개월 후 2차 접종

13. HPV 감염증: 만 12세에 6개월 간격으로 2회 접종하고, 2가와 4가 백신 간 교차 접종은 권장하지 않음

14. IIV: 접종 첫 해는 4주 간격으로 2회 접종이 필요하며, 접종 첫 해 1회 접종 받았다면 다음 해 2회 접종을 완료, 이전에 인플루엔자 접종을 받은 적이 있는 생후 6개월~만 9세 미만 소아들도 유행 주에 따라서 2회 접종이 필요할 수 있음.

• 국가예방 접종: 국가에서 권장하는 필수예방접종(국가는 「감염병의 예방 및 관리에 관한 법률」을 통해 예방접종 대상 감염병과 예방접종 실시기준 및 방법을 정하고, 이를 근거로 재원을 마련하여 지원하고 있음)

• 기타예방접종: 예방접종 대상 감염병 및 지정감염병 이외 감염병으로 민간 의료기관에서 접종 가능한 유료 예방접종

① HPV는 가장 늦게까지 접종해야 하는 기본 예방 접종이다.

② 국가에서 지정한 예방접종은 무료로 진행하되, 일부 감염병의 경우 유료로 접종 가능하다.

③ 가정에서 태어난 신생아의 경우 HepB 접종을 위해 12시간 내 병원을 방문해야 한다.

④ DTaP-IPV/Hib를 접종하는 경우 허가받은 혼합 백신 사용이 각 성분의 개별 접종보다 선호된다.

⑤ 일본뇌염은 생백신과 사백신에 따라 접종 횟수가 다르지만 추가를 제외한 기본 접종 완료시기는 생후 35개월이다.

04 다음 글에 대한 추론으로 옳지 않은 것을 〈보기〉에서 모두 고르면?

○○일보는 적게 벌고 적게 쓰는 젊은이들을 소개하며 그들에게 '달관세대'라는 이름을 붙였다. 이 달관세대라는 이름은 '득도'를 의미하는 일본의 '사토리세대'를 우리식으로 바꾼 것이다. 일본의 사토리세대는 경기 불황으로 정규직 취업이 어려워지자 아예 정규직 취업을 포기하고 아르바이트만으로 생활하는 청년층을 말한다. 이들은 돈을 많이 벌지는 못하지만 그런대로 자신의 삶에 만족하며 지내는 것이 특징이다. ○○일보의 기사에 따르면 일본의 사토리세대는 취업하기도 어렵고, 취업을 해도 격무에 시달리는 현실 때문에 비정규직을 선택하고 이러한 삶에 만족하며 사는 이들을 칭한다.

한국의 달관세대도 이와 크게 다르지 않다. 불확실한 미래에 기대를 걸기보다는 현재에 안주하며 지금 이 순간 행복한 게 최고라는 젊은이들을 가리킨다. 좌절을 넘어 자기방어적 만족의 단계에 이른 것이다. 저성장, 장기 불황 시대에 좌절해 스스로를 '88만 원 세대', '(연애·결혼·출산을 포기한) 삼포 세대'라고 자조하던 20·30대 가운데 "그래 봐야 무슨 소용이냐"는 젊은이들이 생기기 시작했다. 이들은 차라리 '안분지족(安分知足)'하는 법을 터득하자고 주장한다. 그들은 "양극화, 취업 전쟁, 주택난 등 노력으로 바꿀 수 없는 절망적 미래에 대한 헛된 욕망을 버리고 '지금 이 순간'을 행복하게 사는 게 낫다"고 말한다.

달관세대로 소개된 한 청년은 대기업을 그만두고 아르바이트로 자급자족하기를 선택했다. 그는 회사를 나와 학원 계약직 강사로 취업했다. 최근에는 강사직도 그만두고 그간 벌어둔 돈으로 일하지 않고 지낼 계획이라고 했다. 하지만 그가 달관세대를 선택할 수 있었던 것은 그가 소위 명문대생이었고 어느 정도의 자본을 갖추고 있었기 때문이다. 기사에 달관세대라고 소개된 나머지 청년들 역시 어느 정도 달관할 만한 준비가 돼 있는 이들이었다. 과연 우리 사회에서 이런 청년들이 얼마나 될까. 소수가 삶을 살아가는 방식이 사회 전반의 문제에 대한 대안이 될 수는 없다. 또한 달관세대의 원형인 일본의 사토리세대와 단순 비교도 어렵다. 일본은 우리보다 높은 최저임금이 지급되기 때문에 생계를 꾸려갈 수 있는 최소한의 조건이 마련돼 있기 때문이다.

우리는 한 세대에 이름을 붙이고 정의 내리는 것을 좋아한다. 그리고 세대가 규정되는 방식은 그 시대의 과제가 무엇이었는지를 보여 준다. 대체로 먹고사는 생존의 문제가 해결된 뒤에 민주화 등 정치적인 욕구가 나타나고, 그것이 어느 정도 충족된 후 문화적 소비 욕구가 뒤따른다. 이를 보여 주는 사례가 바로 베이비붐 세대다. 86세대 직전 세대인 1차 베이비붐세대(1950년대 중·후반 출생)는 경제적 생존이 우선인 산업화 세대인 데 비해, 86세대 이후 태어난 2차 베이비붐세대(1970년대 초반 출생)는 X세대라 불리며 문화적 소비를 주도했다. 소비 성향을 중심으로 세대를 구분하는 흐름은 2000년대 이후 힘을 잃는다. 대신 어려운 경제 상황을 상징하는 세대 명이 두루 등장한다. 나라의 곳간이 거덜나 IMF 구제금융을 받아야 했던 시대에 청년기를 보낸 IMF 세대로 시작해 기성세대가 만들어놓은 사회제도에 적응하지 못하고 주변부만 맴돈다는 뜻의 잉여 세대 등이 여기에 해당한다. 하지만 이 세대를 긍정적으로 읽으려는 움직임도 있다. 밀레니엄세대, 월드컵세대, 촛불세대, 광장세대 등이 그렇다. 즉 세대론이 만들어지는 과정에서 세대를 바라보는 시각이 반영되며 이 이름들은 각 세대의 가치에 영향을 주기도 한다.

─────────────〈보기〉─────────────

㉠ ○○일보는 지금의 한국 청년 세대 전반을 아우르는 언어 표현을 사용하였다.

㉡ 청년 세대를 부르는 말은 그 세대의 가치에 영향을 받을 수밖에 없다.

㉢ 일본 사토리세대에 비해 한국의 달관세대가 경제적 달관의 정도가 크다.

㉣ 일본 사토리세대는 절약한다면 생계를 꾸려가는 데 어려움이 없을 것이다.

① ㉠, ㉡

② ㉡, ㉢

③ ㉠, ㉡, ㉢

④ ㉡, ㉢, ㉣

⑤ ㉠, ㉡, ㉢, ㉣

05 다음 자료를 바탕으로 고객 문의에 답변하였다. 답변 내용으로 옳지 않은 것을 고르면?

□ 여성가족부는 ◆◆은행과 함께 9월 17일(금) 오후 1시 40분 정부서울청사에서 아이돌봄 간편결제 서비스 '돌봄페이' 오픈 행사를 연다.
  ○ 이번 행사는 아이돌봄사업 주거래은행*인 ◆◆은행과 지난 4월 업무협약을 체결해 추진한 '돌봄페이'와 '돌봄톡톡' 서비스**의 개통을 국민들과 서비스 이용자들에게 널리 알리기 위해 마련되었다.
    * 아이돌봄지원사업 사업수행기관의 자금 및 아이돌보미 급여 계좌 등을 관리하기 위하여 '19년부터 주거래은행 사업자 공모 및 심사 절차를 거쳐 관련 업무 수행
    ** 아이돌봄서비스 모바일앱에서 사용하는 간편결제 서비스 및 채팅 서비스
□ 그동안 아이돌봄서비스는 아이돌보미가 한정된 상황에서 매월 서비스를 이용하는 정기 이용 가정이 우선 연계됨에 따라 코로나19에 따른 수시, 긴급 돌봄 수요 대응에는 한계가 있었다.
  ○ 이를 개선하기 위해 지난해 3월 아이돌봄서비스 모바일앱을 출시하고, 긴급 돌봄을 위한 '일시연계서비스'를 지난해 11월 말부터 본격적으로 운영하고 있다.
  ○ '일시연계서비스'는 이용자가 야간·주말 등 긴급 돌봄이 필요한 경우 앱을 통해 아이돌보미에게 직접 돌봄을 신청하는 서비스로, 현재까지 약 2천 6백여 명의 아동이 이용한 것으로 나타났다.
□ 이번 '돌봄페이'와 '돌봄톡톡' 서비스는 지난 10여 개월 동안 운영한 '일시연계서비스' 결제 불편사항을 해결하고, 긴급 돌봄 요청 시 아이돌보미들이 응답하지 않는 경우 등을 개선하기 위해 추진되었다.
  ○ '돌봄페이'는 아이돌봄 모바일앱에서 ◆◆은행의 간편결제 플랫폼을 연계하는 방식으로 실시간 결제 및 현금영수증 발행이 가능하다.
  ○ '돌봄톡톡'은 서로 다른 두 개의 앱으로 소통하는 실시간 대화 서비스로, 이용자용 앱에서 여러 명의 아이돌보미 앱으로 일대다 방식으로 대화를 요청해 돌봄 요청 및 참여 의사를 미리 확인할 수 있다.

[아이돌봄서비스 모바일앱 개선 내용]

구분		개선 전	개선 후
돌봄페이	결제수단	2가지(◆◆행복카드, 계좌이체)	3가지(돌봄페이, ◆◆행복카드, 계좌이체)
	긴급 돌봄 이용료 납부	• ◆◆행복카드 이용 시 최소 1~2일 소요 • 계좌이체 시 은행방문 또는 별도 은행사이트를 통해 입금 필요	돌봄페이로 언제든 빠르고 간편하게 실시간 결제 가능
	현금영수증 발행	계좌이체 시 현금영수증 발행 불가 * 아이돌봄 서비스기관은 소득세법 시행령에 따라 현금영수증 가맹점 가입 곤란	은행을 통해 현금영수증 처리 가능
돌봄톡톡	긴급 돌봄 요청 및 참여 의사 확인	• (1:1 방식) 한 번에 한 명에게만 돌봄 요청 가능 • 돌보미가 응답하지 않거나 거절 시 다른 돌보미에게 처음부터 다시 요청 • 돌보미 연락처를 알 수 없어 돌봄 의사 등 확인 곤란	• (1:N 방식) 여러 명의 돌보미에게 채팅으로 돌봄 의사 확인 가능 • 여러 명의 돌보미 중 답변이 온 돌보미 중 한 명과 서비스 연계 • 돌보미 연락처를 몰라도 채팅으로 연락 가능

  ○ 서비스 개통을 기념하여 여성가족부에서는 '돌봄페이' 이용 소감 이벤트를 10월에 실시할 예정이며, ◆◆은행도 「엄마, 아빠 힘내세요! 돌봄페이 있잖아요」 이벤트(9.23.~11.19.)를 개최한다.
    * ◆◆은행 누리집 또는 아이돌봄서비스 누리집(www.idolbom.go.kr) 팝업을 통해 참여 가능

☐ 여성가족부 장관은 "모바일 간편결제와 대화 서비스를 통해 아이돌봄서비스 연계와 이용자 편의성이 높아질 것으로 기대한다."라며, "코로나19 상황에서 돌봄에 어려움을 겪고 있는 국민들에게 아이돌봄서비스를 더욱 확대 지원할 수 있도록 노력해 나가겠다."라고 말했다.

① Q1: 긴급 돌봄 이용료를 가장 빨리 결제할 수 있는 방법이 무엇인가요?

A1: 긴급 돌봄 이용료를 돌봄페이로 결제할 경우 실시간으로 결제됩니다.

② Q2: 아이돌봄서비스 모바일앱에서 계좌이체 현금영수증 발행이 가능한가요?

A2: 모바일앱에서는 불가능하시고, 이용하신 은행을 통해 현금영수증 처리가 가능합니다.

③ Q3: 돌봄페이 이용 소감 이벤트를 어떻게 참여하나요?

A3: ◆◆은행 누리집 또는 아이돌봄서비스 누리집 팝업을 통해 참여 가능합니다.

④ Q4: 돌봄톡톡 이용 시 매칭된 돌보미의 연락처를 알 수 있나요?

A4: 개선된 모바일앱에서는 돌보미의 연락처를 몰라도 채팅을 통해서 연락이 가능합니다.

정답과 해설 P.19

독해형_법률

 기출 유형 분석

문제해결능력에서는 의사소통능력에 비해 법조문을 자료로 자주 제시한다는 점에서 특이점이 있다. 법령에 제시된 특정 상황을 응용 및 적용하여 주어진 문제 상황을 해결하는 유형으로 출제되고 있다. 주어진 조건 또는 정보를 정리 및 파악하여 문항에 적용시킬 수 있어야 하며, 보통의 경우 지문/자료의 내용과 제시되는 상황을 매칭하여 답을 도출할 수 있어야 한다.

 **세부 유형**

세부 유형	발문 내용
독해형_법률	• 다음은 ○○○○○○법의 일부이다. 주어진 자료를 참고할 때, ~ 보기 어려운 것을 고르면? • 다음은 ~에 관한 법령이다. 다음 설명 중 옳은 것/옳지 않은 것을 고르면? • 다음은 ~규정 중 일부이다. 이를 바탕으로 할 때, ~ 대상이 아닌 사람을 고르면?

기출 유형 접근법

주어진 지문을 바탕으로 〈보기〉에 제시된 상황을 판단해야 하는 유형이다. 대부분 법조문이나 기준, 협약 등의 규정을 바탕으로 하고 있어, 개조식 문서의 특성을 고려해야 한다. 우선 〈보기〉에 제시된 상황이 주어진 지문의 어떤 요소와 관련이 있는지 파악해야 하며, 예외 사항에 해당하지는 않는지 살펴야 한다. 특히 주의해서 봐야 할 부분은 다음과 같다.

· 주체 파악

주체와 그 권한이나 의무 등이 잘 연결되었는지 확인해야 한다. 주체가 여러 명이라면 필수 체크 사항이 된다.

· 충족 요건 파악

법규가 적용되기 위해서는 일정한 요건들이 제시되는 경우가 많은데 이때 요건들이 단수인지 복수인지가 필수 체크 요소가 된다. 대부분은 복수 요건이 제시되고 해당 요건 중 하나만 충족되어도 되는지 일정 수가 충족되어야 하는지 모두 충족되어야 하는지 등을 파악해야 한다.

· 예외 파악

규정 중에서 예외 사항이 존재한다면 그에 대한 적용은 반드시 출제된다. 흔히 '다만, 예외, ※' 등으로 등장한다.

· 수치 구분

개정된 시기가 있다면 주의해서 봐야 하고, 처벌 수위가 있다면 정확하게 연월일을 구분하여 적용해야 한다. '이상/이하/미만/초과'을 통해 헷갈림을 가중하기도 하므로 주의해서 봐야 하는 부분이다.

· 법률 용어

법조문에서 쓰이는 법률 용어는 그 자체로의 의미가 존재한다. 일반 독해 문항처럼 유사성을 근거로 자의적 해석을 해서는 안된다. 예컨대 '벌금, 과태료, 과징금'은 일반적으로 잘못에 대해 돈을 내는 것이라는 점에서 동일하다. 하지만 각각 뜻하는 바가 다르므로 유의어, 동의어 등으로 착각하여 판단할 경우 문제가 생길 수 있다.

참고 벌금은 법을 어겼을 경우 돈을 내는 금전적 형벌로, 전과기록이 남게 된다. 반면 과태료 역시 법을 어겼을 경우 돈을 내는 금전적 벌이지만 형벌적인 성격을 띠지 않기 때문에 전과기록은 남지 않는다. 일종의 질서 유지라고 볼 수 있다. 과징금은 행정법상 의무를 위반하는 경우에 이를 제재하기 위한 금전적인 벌로, 행정상의 의무를 위반하여 부당한 이득을 챙겼거나 챙기려 한 경우 이에 대한 일이 다시는 생기지 않도록 하기 위한 벌이다. 주로 부당이익의 환수로 과징금 처분이 내려지는 경우가 많다.

2018년 코레일 한국철도공사

기출 난이도 상 중 하

01 다음은 개인정보보호법의 일부이다. 주어진 자료를 참고할 때, 상법상 공공기관에 속하지 않는 기업에서 근무하는 개인정보처리자의 행위로 적법하다고 보기 어려운 것을 고르면?

제15조(개인정보의 수집·이용)

개인정보처리자는 다음 각 호의 어느 하나에 해당하는 경우에는 개인정보를 수집할 수 있으며 그 수집 목적의 범위에서 이용할 수 있다.

제1호 정보주체의 동의를 받은 경우

제2호 법률에 특별한 규정이 있거나 법령상 의무를 준수하기 위하여 불가피한 경우

제3호 공공기관이 법령 등에서 정하는 소관 업무의 수행을 위하여 불가피한 경우

제4호 정보주체와의 계약의 체결 및 이행을 위하여 불가피하게 필요한 경우

개인정보처리자는 제1항 제1호에 따른 동의를 받을 때에는 다음 각 호의 사항을 정보주체에게 알려야 한다. 다음 각 호의 어느 하나의 사항을 변경하는 경우에도 이를 알리고 동의를 받아야 한다.

제1호 개인정보의 수집·이용 목적

제2호 수집하려는 개인정보의 항목

제3호 개인정보의 보유 및 이용 기간

제4호 동의를 거부할 권리가 있다는 사실 및 동의 거부에 따른 불이익이 있는 경우에는 그 불이익의 내용

개인정보보호법 시행규칙

제2조(공공기관에 의한 개인정보의 목적 외 이용 또는 제3자 제공의 공고)

공공기관은 개인정보를 목적 외의 용도로 이용하거나 제3자에게 제공(이하 "목적외이용등"이라 한다)하는 경우에는 「개인정보 보호법」(이하 "법"이라 한다) 제18조 제4항에 따라 개인정보를 목적외이용등을 한 날부터 30일 이내에 다음 각 호의 사항을 관보 또는 인터넷 홈페이지에 게재하여야 한다. 이 경우 인터넷 홈페이지에 게재할 때에는 10일 이상 계속 게재하되, 게재를 시작하는 날은 목적외이용등을 한 날부터 30일 이내여야 한다.

제1호 목적외이용등을 한 날짜

제2호 목적외이용등의 법적 근거

제3호 목적외이용등의 목적

제4호 목적외이용등을 한 개인정보의 항목

---

① 정보주체의 동의를 받아 개인정보를 수집한다.

✓② 개인정보를 제3자에게 제공하면 동 사항을 인터넷에 게재해야만 한다.

③ 서비스를 받는 대상자에게 이를 제공하기 위해 개인 식별 정보를 수집한다.

④ 개인정보의 보유 및 이용 기간이 변경될 경우 정보주체에게 이를 알린다.

⑤ 입찰공고에 따른 낙찰자와의 계약을 체결하기 위하여 개인정보를 수집한다.

다음은 개인정보보호법의 일부이다. 주어진 자료를 참고할 때, **상법상 공공기관에 속하지 않는** 기업에서 근무하는 개인정보처리자의 행위로 적법하다고 보기 어려운 것을 고르면?

제15조(개인정보의 수집·이용)

개인정보처리자는 다음 각 호의 어느 하나에 해당하는 경우에는 개인정보를 수집할 수 있으며 그 수집 목적의 범위에서 이용할 수 있다.

제1호 정보주체의 동의를 받은 경우 〈①〉

제2호 법률에 특별한 규정이 있거나 법령상 의무를 준수하기 위하여 불가피한 경우

제3호 공공기관이 법령 등에서 정하는 소관 업무의 수행을 위하여 불가피한 경우 〈⑤〉

제4호 정보주체와의 계약의 체결 및 이행을 위하여 불가피하게 필요한 경우 〈③〉

개인정보처리자는 제1항 제1호에 따른 동의를 받을 때에는 다음 각 호의 사항을 정보주체에게 알려야 한다. 다음 각 호의 어느 하나의 사항을 변경하는 경우에도 이를 알리고 동의를 받아야 한다.

제1호 개인정보의 수집·이용 목적

제2호 수집하려는 개인정보의 항목

제3호 개인정보의 보유 및 이용 기간 〈④〉

제4호 동의를 거부할 권리가 있다는 사실 및 동의 거부에 따른 불이익이 있는 경우에는 그 불이익의 내용

개인정보보호법 시행규칙

제2조(공공기관에 의한 개인정보의 목적 외 이용 또는 제3자 제공의 공고) 〈해당 없음〉

공공기관은 개인정보를 목적 외의 용도로 이용하거나 제3자에게 제공(이하 "목적외이용등"이라 한다)하는 경우에는 「개인정보 보호법」(이하 "법"이라 한다) 제18조 제4항에 따라 개인정보를 목적외이용등을 한 날부터 30일 이내에 다음 각 호의 사항을 관보 또는 인터넷 홈페이지에 게재하여야 한다. 이 경우 인터넷 홈페이지에 게재할 때에는 10일 이상 계속 게재하되, 게재를 시작하는 날은 목적외이용등을 한 날부터 30일 이내여야 한다.

제1호 목적외이용등을 한 날짜

제2호 목적외이용등의 법적 근거

제3호 목적외이용등의 목적

제4호 목적외이용등을 한 개인정보의 항목

① 정보주체의 동의를 받아 개인정보를 수집한다.
② 개인정보를 제3자에게 제공하면 동 사항을 인터넷에 게재해야만 한다.
③ 서비스를 받는 대상자에게 이를 제공하기 위해 개인 식별 정보를 수집한다.
④ 개인정보의 보유 및 이용 기간이 변경될 경우 정보주체에게 이를 알린다.
⑤ 입찰공고에 따른 낙찰자와의 계약을 체결하기 위하여 개인정보를 수집한다.

풀이법 1 주체 파악

문두를 통해 '상법상 공공기관에 속하지 않는 기업에서 근무하는 개인정보처리자의 행위'를 찾아야 하므로 제2조는 관련 없는 내용임을 알 수 있다. 이에 집중했다면 제1조와 관련 없는 내용을 쉽게 고를 수 있다.

풀이법 2 독해 문제는 유사한 단어와 구의 연결을 잘 지어야 한다.

해당 문제를 어렵게 느꼈다면, 주어진 글과 선택지의 연결을 '복사'에 치중해서 봤을 가능성이 높다. 선택지를 구성하는 방법은 여러 가지인데 그중 가장 많이 사용되는 것이 '복사, 교체, 융합'이다. '복사'는 주어진 글의 내용을 그대로 가져오는 것이고, '대체'는 유사한 내용으로 바꾸는 것이고, '융합'은 주어진 내용을 바탕으로 한 추론형으로 좀 더 나아간 형태를 띠는 것이다. 순서대로 난도는 올라간다. 해당 문제의 경우 ①, ②, ④는 복사에 해당하고, ③과 ⑤는 교체형에 가깝다. ③의 경우 '개인 식별 정보'라는 내용이 그대로 복사되지 않았기 때문에 이것이 동일한지의 여부를 추론을 통해 확인해야 하고, ⑤의 경우 '입찰공고에 따른'이 주어진 글의 '공공기관이 법령 등에서 정하는 소관 업무의 수행'과 연결이 가능해야 한다. 이러한 선택지의 구성법을 숙지하고 잘 적용할 수 있도록 하는 연습은 독해 문제를 잘 풀기 위한 필수 과정이다.

2021년 LH 한국토지주택공사

난이도 상 중 하

01 다음은 민간건설공사 표준도급계약서의 일부 내용이다. 이에 대한 설명으로 옳은 것을 〈보기〉에서 모두 고르면?

제17조(공사기간의 연장) ① "도급인"의 책임 있는 사유 또는 태풍·홍수·악천후·전쟁·사변·지진·전염병·폭동 등 불가항력(이하 "불가항력"이라고 한다.)의 사태, 원자재 수급불균형 등으로 현저히 계약이행이 어려운 경우 등 "수급인"의 책임이 아닌 사유로 공사수행이 지연되는 경우 "수급인"은 서면으로 공사기간의 연장을 "도급인"에게 요구할 수 있다.

② "도급인"은 제1항의 규정에 의한 계약기간 연장의 요구가 있는 경우 즉시 그 사실을 조사·확인하고 공사가 적절히 이행될 수 있도록 계약기간의 연장 등 필요한 조치를 하여야 한다.

③ "도급인"은 제1항의 계약기간의 연장을 승인하였을 경우 동 연장기간에 대하여는 지체상금을 부과하여서는 아니 된다.

제18조(부적합한 공사) ① "도급인"은 "수급인"이 시공한 공사 중 설계서에 적합하지 아니한 부분이 있을 때에는 이의 시정을 요구할 수 있으며, "수급인"은 지체 없이 이에 응하여야 한다. 이 경우 "수급인"은 계약금액의 증액 또는 는 공기의 연장을 요청할 수 없다.

② 제1항의 경우 설계서에 적합하지 아니한 공사가 "도급인"의 요구 또는 지시에 의하거나 기타 "수급인"의 책임으로 돌릴 수 없는 사유로 인한 때에는 "수급인"은 그 책임을 지지 아니한다.

제19조(불가항력에 의한 손해) ① "수급인"은 검사를 마친 기성부분 또는 지급자재와 대여품에 대하여 불가항력에 의한 손해가 발생한 때에는 즉시 그 사실을 "도급인"에게 통지하여야 한다.

② "도급인"은 제1항의 통지를 받은 경우 즉시 그 사실을 조사·확인하고 그 손해의 부담에 있어서 기성검사를 필한 부분 및 검사를 필하지 아니한 부분 중 객관적인 자료(감독일지, 사진 등)에 의하여 이미 수행되었음이 판명된 부분은 "도급인"이 부담하고, 기타 부분은 "도급인"과 "수급인"이 협의하여 결정한다.

제20조(공사의 변경·중지) ① "도급인"이 설계변경 등에 의하여 공사내용을 변경·추가하거나 공사의 전부 또는 일부에 대한 시공을 일시 중지할 경우에는 변경계약서 등을 사전에 "수급인"에게 교부하여야 한다.

② "도급인"이 제1항에 따른 공사내용의 변경·추가 관련 서류를 교부하지 아니한 때에는 "수급인"은 "도급인"에게 도급받은 공사 내용의 변경·추가에 관한 사항을 서면으로 통지하여 확인을 요청할 수 있다. 이 경우 "수급인"의 요청에 대하여 "도급인"은 15일 이내에 그 내용에 대한 인정 또는 부인의 의사를 서면으로 회신하여야 하며, 이 기간 내에 회신하지 아니한 경우에는 원래 "수급인"이 통지한 내용대로 공사내용이 변경·추가된 것으로 본다. 다만, 불가항력으로 인하여 회신이 불가능한 경우에는 제외한다.

③ "도급인"의 지시에 의하여 "수급인"이 추가로 시공한 공사물량에 대하여서는 공사비를 증액하여 지급하여야 한다.

④ "수급인"은 동 계약서에 규정된 계약금액의 조정사유 이외의 계약체결 후 계약조건의 미숙지, 덤핑수주 등을 이유로 계약금액의 변경을 요구하거나 시공을 거부할 수 없다.

〈보기〉

㉠ 태풍으로 인해 이미 공사가 완료된 일부 시설에 큰 파손이 발생했을 경우, 서류상 검사가 완료된 기성부분이 아니라면 수급인의 책임으로 재시공을 해야 한다.

㉡ 원자재 업체의 파업으로 인해 물품 공급에 차질이 발생했을 경우, 도급인은 수급인의 요청이 있을 시 공사기간을 연장해 주어야 한다.

㉢ 당초 설계에 일부 변경사항이 있어 이를 수급인에게 구두로 지시하였지만, 수급인이 이에 대한 확인서를 보내와서 답변서를 교부해 주었어도 변경사항이 공식 인정되는 것은 아니다.

㉣ 조경공사가 도급인의 요구에 따라 당초 설계와는 적합하지 않게 시공되었다면, 수급인이 그에 대한 책임을 질 필요는 없다.

① ㉠

② ㉠, ㉢

③ ㉡, ㉣

④ ㉠, ㉢, ㉣

⑤ ㉡, ㉢, ㉣

제1조(당직의 구분) ① 당직은 일직과 숙직으로 구분한다.

② 일직은 토요일과 공휴일에 두며, 그 근무시간은 정상근무일의 근무시간(09:00~17:00)에 준한다.

③ 숙직근무시간은 정상근무시간 또는 일직근무시간이 종료된 때로부터 다음 날의 정상근무 또는 일직근무가 개시될 때까지로 한다.

제2조(당직신고 및 인계·인수) ① 당직근무자는 당직근무 개시 시간 30분 전 당직명령자에게 당직 신고를 한다. 기타 필요한 당직용 비품을 인수 확인하고, 당직근무를 마칠 때에는 이를 당직 주무부서에 인계하여야 한다. 다만 공휴일인 경우에는 일직근무자와 숙직근무자 간에 인계·인수한다.

② 공휴일의 신고는 전·후번 당직근무자 간에 인계·인수하는 것으로 대신할 수 있다.

제3조(당직의 편성) ① 당직근무자는 4인으로 한다.

② 신규임용, 전입 직원에 대하여는 행정업무를 숙지할 때까지 당직편성을 1개월 이내 유예할 수 있다.

③ 당직 대상자 중 전입, 전출(순환근무 포함), 기타 장기간 교육, 출장 등 당직근무를 할 수 없는 직원은 사유 발생 시 3일 이내 당직담당(지원관리팀)에게 이의 사실을 통보해야 한다. 그렇지 않을 경우 다른 직원과 형평성을 고려해 다음 당직 순을 명절이나 공휴일 등으로 편성한다.

제4조(당직명령 및 변경) ① 당직명령은 지원관리과장이 근무일 1개월 전까지 발령한다.

② 당직명령을 받은 자가 부득이한 사유로 당직근무를 할 수 없는 경우에는 당직 3일 전까지 조정 근무자를 지정하여 당직명령권자에게 정정명령을 요청하여 변경 승인을 얻어야 한다.

③ 당직명령 발령 전 사전예고를 매월 25일까지 익월 당직근무자에게 통보한다.

④ 당직근무의 명령을 받은 자는 휴가, 출장 등을 제한할 수 있다.

제5조(당직근무의 유예) ① 다음 각 호에 보직된 자는 당직근무를 유예할 수 있다.

　1. 당직근무의 지휘·감독/담당 및 비상근무 통제직위에 있는 자

　2. 국·부장이상, 만 55세 이상의 공무원, 지휘부의 보좌관

　3. 정보화기획담당관 통합관제실 근무자(자체 당직근무 운영)

　4. 지방사무소 근무자

　5. 대변인실 근무자(대변인실 자체 공보당직근무체제 운영)

　6. 신규임용 및 전입 직원

　7. 임신 중인 자 및 출산 후 6개월 이내인 여직원

　8. 신체적 결함으로 당직근무(일직, 숙직 구분)가 제한되는 경우(일정 기간)

　　－ 진단서 제출 후 당직명령권자의 승인을 받은 자

02 다음 중 A사의 당직 규정에 관한 설명으로 항상 옳은 것을 고르면?

① 금요일의 숙직근무자는 토요일의 숙직근무자와 교대한다.
② 당직대상자인 A가 출장으로 인해 당직근무를 하지 못하게 된 경우 다음 당직은 명절 또는 공휴일에 편성된다.
③ 당직대상자인 B가 장기간 교육으로 당직근무를 하지 못하게 된 경우 당직담당에게 당직 3일 전까지 통보해야 한다.
④ 평일의 당직근무자는 오후 4시 30분에 지원관리과장에게 당직 신고를 한다.
⑤ 일요일에 숙직근무를 한 사람은 다음 날 일직근무자와 인계·인수한다.

03 다음 중 자료를 바탕으로 당직근무 유예 대상이 아닌 사람을 고르면?

① 신규임용일로부터 1개월 이내인 자
② 정보화기획담당관 통합관제실 근무자
③ 임신 6개월 이내인 배우자를 둔 직원
④ 진단서 제출 후 당직 명령권자의 승인을 받은 자
⑤ 만 52세의 부장

[04~05] 다음은 재난행동요령 안내문이다. 이를 바탕으로 질문에 답하시오.

[호우 예보 시]
- 저지대, 상습침수지역에 거주하고 계신 주민은 대피를 준비합시다.
- 침수나 산사태 위험지역 주민은 대피장소와 비상연락 방법을 미리 알아둡시다.
- 하천에 주차된 자동차는 안전한 곳으로 이동합시다.

[호우 주의보 및 경보 시]
1. 도시지역
   - 산사태 취약지역 주민은 안전을 위해 사전에 대피하거나 주민대피명령이 발령될 경우 대피장소 또는 안전지대로 반드시 대피합시다.
   - 대형공사장, 비탈면 등의 관리인은 안전 상태를 미리 확인합시다.
   - 가로등이나 신호등 및 고압전선 근처에는 가까이 가지 맙시다.
   - 집 안팎의 전기수리는 하지 맙시다.
   - 공사장 근처에는 가까이 가지 맙시다.
2. 해안지역
   - 저지대, 상습침수지역에 거주하고 계신 주민은 대피를 준비합시다.
   - 해안가의 위험한 비탈면에 접근하지 맙시다.
   - 침수가 예상되는 건물의 지하공간에는 주차를 하지 마시고, 지하에 거주하고 계신 주민은 대피합시다.
   - 가로등이나 신호등 및 고압전선 근처에는 가까이 가지 맙시다.
   - 집 안팎의 전기수리는 하지 맙시다.
   - 공사장 근처에는 가까이 가지 맙시다.
   - 해안도로에서는 운전하지 맙시다.
3. 농촌지역
   - 저지대, 상습침수지역에 거주하고 계신 주민은 대피를 준비합시다.
   - 집 주변 산사태 위험이 있는지 살피고 대피를 준비합시다.
   - 고압전선 근처에는 가까이 가지 맙시다.
   - 감전의 위험이 있으니 집 안팎의 전기수리는 하지 맙시다.
   - 천둥번개가 칠 경우 건물 안이나 낮은 곳으로 대피합시다.
   - 물에 떠내려갈 수 있는 물건을 안전한 곳으로 옮깁시다.
   - 모래주머니 등을 이용하여 하천의 물이 넘치지 않도록 하여 농경지의 침수를 예방합시다.
4. 산악지역
   - 산사태 발생지역의 주민은 대피 준비를 합시다.
   - 재배시설 등의 피해를 줄이려는 조치를 합시다.
   - 기상정보와 강우상황을 주의 깊게 들읍시다.

[호우가 지나간 후]
- 집에 도착한 후에는 바로 안으로 들어가지 말고, 구조적 붕괴가능성을 반드시 점검합시다.
- 파손된 상하수도나 도로가 있다면 시·군·구청이나 읍·면·동사무소에 연락합시다.

04 재난행동요령에 따라 호우 단계별 해야 할 행동으로 옳지 않은 것을 고르면?

① 호우 예보일 때, 주차된 자동차를 먼저 안전한 장소로 이동하고 유사시 대피할 장소를 알아본다.

② 호우 주의보 및 경보 시에는 해안지역에 거주하는 주민은 해안도로가 아닌 도로를 이용해서 대피할 준비를 한다.

③ 호우 주의보 및 경보 시에는 주변 전기수리를 하지 말고 대피 준비를 한다.

④ 호우가 지나간 후에 먼저 집에 들어가 침수된 흔적이 있는지 확인하고, 건물의 붕괴가능성을 확인해 본다.

05 오전에는 호우 주의보 및 경보였다가 오후에 호우가 지나간 상태이다. 농촌지역 저지대에 거주하는 철수가 호우 단계별 재난행동요령에 맞춰 한 행동으로 옳지 않은 것을 고르면?

① 대피장소를 미리 파악해 두고, 철수의 거주 지역이 저지대이므로 대피장소로 이동할 준비를 한다.

② 오전에는 침수가 발생할 수 있으니, 집안에 누전이 될 수 있는 전기장치를 수리하고, 물에 떠내려갈 수 있는 물건을 안전한 곳으로 옮긴다.

③ 오전에는 하천 주변에 모래주머니로 제방을 쌓아 하천의 물이 넘치지 않도록 예방한다.

④ 천둥번개가 치는 동안에는 건물 안에 대피해 있다가 산사태 위험을 살피면서 안전한 장소로 대피한다.

06 다음 자료를 바탕으로 할 때, 〈보기〉에서 옳은 판단만을 고르면?

제○○조(항공보안협의회의 구성 등)

① 항공보안협의회(이하 "보안협의회"라 한다)는 위원장 1명을 포함한 20명 이내의 위원으로 구성한다.

② 보안협의회의 위원장은 국토교통부 항공정책실장이 되고, 위원은 다음 각 호의 사람으로 한다.

    1. 외교부·법무부·국방부·문화체육관광부·농림축산식품부·보건복지부·국토교통부·국가정보원·관세청·경찰청 및 해양경찰청의 고위공무원단 또는 이에 상당하는 직급의 공무원 중 소속 기관의 장이 지명하는 사람 각 1명

    2. 항공보안에 관한 학식과 경험이 풍부한 사람·공항운영자 또는 항공운송 사업자를 대표하는 사람 중 국토교통부장관이 위촉하는 사람

③ 제2항 제2호에 따른 위촉위원의 임기는 2년으로 한다.

④ 위원장은 보안협의회를 대표하며 그 업무를 총괄한다.

⑤ 보안협의회의 위원장이 부득이한 사유로 그 직무를 수행할 수 없을 경우에는 위원장이 지명한 위원이 그 직무를 대행한다.

⑥ 위원장은 보안협의회의 회의를 소집하고, 그 의장이 된다.

⑦ 보안협의회의 사무를 처리하기 위하여 간사를 두며, 국토교통부장관이 소속 공무원 중에서 임명한다.

⑧ 보안협의회의 협의대상인 자체 보안계획은 다음 각 호와 같다.

    1. 공항운영자의 자체 보안계획의 수립 및 변경

    2. 항공운송사업자(국내항공운송사업자 및 국제항공운송사업자만 해당한다)의 자체 보안계획의 수립 및 변경

⑨ 이 영에서 규정한 사항 외에 보안협의회의 운영에 필요한 세부사항은 보안협의회의 의결을 거쳐 위원장이 정한다.

〈보기〉

㉠ 국토교통부 장관이 별도로 지명하는 공무원이 보안협의회의 위원장이 되겠네.

㉡ 보안협의회 위원장이 사정이 생길 경우 직무 대행을 직접 지정할 수 있겠어.

㉢ 보안협의회의 위원들 중 2년 주기로 새롭게 위촉되는 인원이 생길 수도 있겠어.

㉣ 보안협의회의 협의대상에 대해 의결되어 변경된 사항은 위원장이 정리하여 국토교통부장관에게 보고해야겠네.

---

① ㉠, ㉡

② ㉡, ㉢

③ ㉠, ㉢

④ ㉡, ㉢, ㉣

⑤ ㉠, ㉢, ㉣

07 다음 자료를 바탕으로 할 때, 탄력근무제 운영에 대한 설명으로 옳지 않은 것을 고르면?

제17조(탄력근무 유형 등) ① 탄력근무의 유형은 시차출퇴근제와 시간선택제로 구분한다.

② 시차출퇴근제는 근무시간을 기준으로 다음 각 호와 같이 구분한다. 이 경우 시차출퇴근 C형은 12세 이하이거나 초등학교에 재학 중인 자녀를 양육하는 직원만 사용할 수 있다.

1. 시차출퇴근 A형: 8:00~17:00
2. 시차출퇴근 B형: 10:00~19:00
3. 시차출퇴근 C형: 9:30~18:30

③ 시간선택제는 다음 각 호의 어느 하나에 해당하는 직원이 근무시간을 회당 1시간부터 3시간까지 단축하는 근무형태로서 그 근무유형 및 근무시간은 별도로 정한 바와 같다.

1. 임금피크제의 적용을 받는 직원
2. 일·가정 양립, 자기계발 등 업무 내·외적으로 조화로운 직장생활을 위하여 월 2회의 범위 안에서 조기퇴근을 하려는 직원

제18조(시간선택제 근무시간 정산) ① 시간선택제 근무 직원은 그 단축 근무로 통상근무에 비해 부족해진 근무시간을 시간선택제 근무를 실시한 날이 속하는 달이 끝나기 전까지 정산하여야 한다.

② 제1항에 따른 근무시간 정산은 08:00~09:00 또는 18:00~21:00에만 가능하다.

③ 시간선택제 근무 직원은 휴가·교육 등으로 제1항에 따른 정산을 실시하지 못함에 따른 임금 손실을 방지하기 위하여 사전에 정산근무를 실시하는 등 적정한 조치를 하여야 한다.

제19조(신청 및 승인) ① 탄력근무를 하려는 직원은 그 근무 시작 예정일의 5일 전까지 탄력근무 신청서를 그 소속 부서의 장에게 제출하여야 한다.

② 다음 각 호의 직원은 조기퇴근을 신청할 수 없다.

1. 임신부
2. 시간선택제를 이용하고 있는 직원
3. 육아 및 모성보호 시간 이용 직원

③ 부서의 장은 제1항에 따라 신청서를 제출받으면 다음 각 호의 어느 하나에 해당하는 경우 외에는 그 신청에 대하여 승인하여야 한다.

1. 업무공백 최소화 등 원활한 업무진행을 위하여 승인 인원의 조정이 필요한 경우
2. 민원인에게 불편을 초래하는 등 정상적인 사업운영이 어렵다고 판단되는 경우

④ 탄력근무는 매월 1일을 근무 시작일로 하여 1개월 단위로 승인한다.

⑤ 조기퇴근의 신청, 취소 및 조기퇴근일의 변경은 별지 서식에 따라 개인이 신청한다. 이 경우 조기퇴근 신청에 관하여 승인권자는 월 2회의 범위에서 승인한다.

---

① 시차출퇴근제와 시간선택제 모두 월간 총 근무시간에는 변함이 없다.
② 시간선택제 사용에 따라 월간 정산해야 할 근무시간은 최대 6시간이다.
③ 업무 후 야간 대학을 다니기 위한 사유로는 조기퇴근을 신청할 수 없다.
④ 적절한 사유가 있을 시 부서의 장은 탄력근무 신청을 승인하지 않을 수 있다.
⑤ 조기퇴근 계획은 경우에 따라 한 번만 승인될 수도 있다.

정답과 해설 P.21

PSAT 기출을 통한 NCS 출제유형 연습

기출 유형 1 논리 · 명제형

기출 유형 2 참/거짓

기출 유형 3 조건추리

기출 유형 4 상황판단형_시간자원관리

기출 유형 5 상황판단형_예산자원관리

기출 유형 6 상황판단형_물적자원관리

기출 유형 7 상황판단형_인적자원관리

기출 유형 8 독해형_제시문/자료 및 도표

기출 유형 9 독해형_법률

PART

2

5급	7급	민경채

난이도 상 중 하

01

풀이시간 | 2분

2023년 5급 공채 PSAT

다음 글의 빈칸에 들어갈 내용으로 적절하지 않은 것은?

> △△부에서는 국가 간 정책 교류를 위해 사무관 A~E 중 UN에 파견할 사무관을 선정하기로 했다. 파견 여부를 정하기 위해 다음의 기준을 세웠다.
> ○ A를 파견하면 B를 파견한다.
> ○ B를 파견하면 D를 파견하지 않는다.
> ○ C를 파견하면 E를 파견하지 않는다.
> ○ D를 파견하지 않으면 C를 파견한다.
> ○ E를 파견하지 않으면 D를 파견한다.
> 위의 기준으로는 사무관 세 명의 파견 여부가 확정되지만 두 명의 파견 여부는 확정되지 않는다. 하지만 "_____"를 기준으로 추가하면, 모든 사무관의 파견 여부를 확정할 수 있다.

① A를 파견하지 않으면 C를 파견한다.
② B를 파견하지 않으면 C를 파견한다.
③ C를 파견하지 않으면 D를 파견하지 않는다.
④ C를 파견하지 않으면 E를 파견하지 않는다.
⑤ D나 E를 파견하면 C를 파견한다.

난이도 상 중 하

02

풀이시간 | 2분

2023년 7급 공채 PSAT/민경채

다음 글의 내용이 참일 때, 반드시 참인 것만을 〈보기〉에서 모두 고르면?

> 갑은 〈공직 자세 교육과정〉, 〈리더십 교육과정〉, 〈글로벌 교육과정〉, 〈직무 교육과정〉, 〈전문성 교육과정〉의 다섯 개 과정으로 이루어진 공직자 교육 프로그램에 참여할 것을 고려하고 있다. 갑이 〈공직 자세 교육과정〉을 이수한다면 〈리더십 교육과정〉도 이수한다. 또한 갑이 〈글로벌 교육과정〉을 이수한다면 〈직무 교육과정〉과 〈전문성 교육과정〉도 모두 이수한다. 그런데 갑은 〈리더십 교육과정〉을 이수하지 않거나 〈전문성 교육과정〉을 이수하지 않는다.

〈보기〉

ㄱ. 갑은 〈공직 자세 교육과정〉을 이수하지 않거나 〈글로벌 교육과정〉을 이수하지 않는다.
ㄴ. 갑이 〈직무 교육과정〉을 이수하지 않는다면 〈글로벌 교육과정〉도 이수하지 않는다.
ㄷ. 갑은 〈공직 자세 교육과정〉을 이수하지 않는다.

① ㄱ
② ㄷ
③ ㄱ, ㄴ
④ ㄴ, ㄷ
⑤ ㄱ, ㄴ, ㄷ

03
2022년 7급 공채 PSAT/민경채

다음 글의 내용이 참일 때, 갑이 반드시 수강해야 할 과목은?

> 갑은 A~E과목에 대해 수강신청을 준비하고 있다. 갑이 수강하기 위해 충족해야 하는 조건은 다음과 같다.
>
> ○ A를 수강하면 B를 수강하지 않고, B를 수강하지 않으면 C를 수강하지 않는다.
> ○ D를 수강하지 않으면 C를 수강하고, A를 수강하지 않으면 E를 수강하지 않는다.
> ○ E를 수강하지 않으면 C를 수강하지 않는다.

① A
② B
③ C
④ D
⑤ E

04
2022년 5급 공채 PSAT

다음 글의 내용이 참일 때 반드시 참인 것은?

> 수습 사무관 갑, 을, 병, 정을 A, B, C, D 네 도시 중 필요한 도시에 배치해 연수 프로그램을 시행하였다. 이와 관련해 다음과 같은 사실이 알려져 있다.
>
> ○ 세 명 이상의 수습 사무관이 배치되는 도시는 없다.
> ○ 두 도시 이상에 배치되는 수습 사무관은 아무도 없다.
> ○ 갑이 A시에 배치되면, 을은 C시에 배치되지 않는다.
> ○ 갑은 B시에 배치되지 않는다.
> ○ 을과 병은 같은 시에 배치된다.
> ○ 병이 B시에 배치되면, 갑은 D시에 배치되지 않는다.
> ○ D시에는 한 명이 배치된다.

① 갑이 C시에 배치되면, 병은 A시에 배치된다.
② 을이 B시에 배치되지 않으면, 정은 D시에 배치된다.
③ 병이 C시에 배치되면, 갑은 D시에 배치되지 않는다.
④ 정이 D시에 배치되면, 갑은 A시에 배치된다.
⑤ 정이 D시에 배치되지 않으면, 을은 B시에 배치되지 않는다.

PART 2

다음 글의 내용이 참일 때, 반드시 참인 것만을 〈보기〉에서 모두 고르면?

최근 두 주 동안 직원들은 다음 주에 있을 연례 정책 브리핑을 준비해 왔다. 브리핑의 내용과 진행에 관해 알려진 바는 다음과 같다. 개인건강정보 관리 방식 변경에 관한 가안이 정책제안에 포함된다면, 보건정보의 공적 관리에 관한 가안도 정책제안에 포함될 것이다. 그리고 정책제안을 위해 구성되었던 국민건강 2025팀이 재편된다면, 앞에서 언급한 두 개의 가안이 모두 정책제안에 포함될 것이다. 개인건강정보 관리 방식 변경에 관한 가안이 정책제안에 포함되고 국민건강 2025팀 리더인 최팀장이 다음 주 정책 브리핑을 총괄한다면, 프레젠테이션은 국민건강 2025팀의 팀원인 손공정씨가 맡게 될 것이다. 그런데 보건정보의 공적 관리에 관한 가안이 정책제안에 포함될 경우, 국민건강 2025팀이 재편되거나 다음 주 정책 브리핑을 위해 준비한 보도자료가 대폭 수정될 것이다. 한편, 직원들 사이에서는, 최팀장이 다음 주 정책 브리핑을 총괄하면 팀원 손공정씨가 프레젠테이션을 담당한다는 말이 돌았는데 그 말은 틀린 것으로 밝혀졌다.

〈보기〉

ㄱ. 개인건강정보 관리 방식 변경에 관한 가안과 보건정보의 공적 관리에 관한 가안 중 어느 것도 정책제안에 포함되지 않는다.

ㄴ. 국민건강 2025팀은 재편되지 않고, 이 팀의 최팀장이 다음 주 정책 브리핑을 총괄한다.

ㄷ. 보건정보의 공적 관리에 관한 가안이 정책제안에 포함된다면, 다음 주 정책 브리핑을 위해 준비한 보도자료가 대폭 수정될 것이다.

① ㄱ
② ㄴ
③ ㄱ, ㄷ
④ ㄴ, ㄷ
⑤ ㄱ, ㄴ, ㄷ

다음 글의 내용이 참일 때, 대책회의에 참석하는 전문가의 최대 인원 수는?

8명의 전문가 A~H를 대상으로 코로나19 대책회의 참석 여부에 관해 조사한 결과 다음과 같은 정보를 얻었다.

○ A, B, C 세 사람이 모두 참석하면, D나 E 가운데 적어도 한 사람은 참석한다.
○ C와 D 두 사람이 모두 참석하면, F도 참석한다.
○ E는 참석하지 않는다.
○ F나 G 가운데 적어도 한 사람이 참석하면, C와 E 두 사람도 참석한다.
○ H가 참석하면, F나 G 가운데 적어도 한 사람은 참석하지 않는다.

① 3명
② 4명
③ 5명
④ 6명
⑤ 7명

다음 글의 갑~병에 대한 판단으로 적절한 것만을 〈보기〉에서 모두 고르면?

다음 두 삼단논법을 보자.

(1) 모든 춘천시민은 강원도민이다.

모든 강원도민은 한국인이다.

따라서 모든 춘천시민은 한국인이다.

(2) 모든 수학 고득점자는 우등생이다.

모든 과학 고득점자는 우등생이다.

따라서 모든 수학 고득점자는 과학 고득점자이다.

(1)은 타당한 삼단논법이지만 (2)는 부당한 삼단논법이다. 하지만 어떤 사람들은 (2)도 타당한 논증이라고 잘못 판단한다. 왜 이런 오류가 발생하는지 설명하기 위해 세 가지 입장이 제시되었다.

갑: 사람들은 '모든 A는 B이다'를 '모든 B는 A이다'로 잘못 바꾸는 경향이 있다. '어떤 A도 B가 아니다'나 '어떤 A는 B이다'라는 형태에서는 A와 B의 자리를 바꾸더라도 아무런 문제가 없다. 하지만 '모든 A는 B이다'라는 형태에서는 A와 B의 자리를 바꾸면 논리적 오류가 생겨난다.

을: 사람들은 '모든 A는 B이다'를 약한 의미로 이해해야 하는데도 강한 의미로 이해하는 잘못을 저지르는 경향이 있다. 여기서 약한 의미란 그것을 'A는 B에 포함된다'로 이해하는 것이고, 강한 의미란 그것을 'A는 B에 포함되고 또한 B는 A에 포함된다'는 뜻에서 'A와 B가 동일하다'로 이해하는 것이다.

병: 사람들은 전제가 모두 '모든 A는 B이다'라는 형태의 명제로 이루어진 것일 경우에는 결론도 그런 형태이기만 하면 타당하다고 생각하고, 전제 가운데 하나가 '어떤 A는 B이다'라는 형태의 명제로 이루어진 것일 경우에는 결론도 그런 형태이기만 하면 타당하다고 생각하는 경향이 있다.

〈보기〉

ㄱ. 대다수의 사람이 "어떤 과학자는 운동선수이다. 어떤 철학자도 과학자가 아니다."라는 전제로부터 "어떤 철학자도 운동선수가 아니다."를 타당하게 도출할 수 있는 결론이라고 응답했다는 심리 실험 결과는 갑에 의해 설명된다.

ㄴ. 대다수의 사람이 "모든 적색 블록은 구멍이 난 블록이다. 모든 적색 블록은 삼각 블록이다."라는 전제로부터 "모든 구멍이 난 블록은 삼각 블록이다."를 타당하게 도출할 수 있는 결론이라고 응답했다는 심리 실험 결과는 을에 의해 설명된다.

ㄷ. 대다수의 사람이 "모든 물리학자는 과학자이다. 어떤 컴퓨터 프로그래머는 과학자이다."라는 전제로부터 "어떤 컴퓨터 프로그래머는 물리학자이다."를 타당하게 도출할 수 있는 결론이라고 응답했다는 심리 실험 결과는 병에 의해 설명된다.

① ㄱ

② ㄷ

③ ㄱ, ㄴ

④ ㄴ, ㄷ

⑤ ㄱ, ㄴ, ㄷ

다음 글에서 추론할 수 있는 것만을 〈보기〉에서 모두 고르면?

'도박사의 오류'라고 불리는 것은 특정 사건과 관련 없는 사건을 관련 있는 것으로 간주했을 때 발생하는 오류이다. 예를 들어, 주사위 세 개를 동시에 던지는 게임을 생각해 보자. 첫 번째 던지기 결과는 두 번째 던지기 결과에 어떤 영향도 미치지 않으며, 이런 의미에서 두 사건은 서로 상관이 없다. 마찬가지로 10번의 던지기에서 한 번도 6의 눈이 나오지 않았다는 것은 11번째 던지기에서 6의 눈이 나온다는 것과 아무 상관이 없다. 그럼에도 불구하고, 우리는 "10번 던질 동안 한 번도 6의 눈이 나오지 않았으니, 이번 11번째 던지기에서는 6의 눈이 나올 확률이 무척 높다."라고 말하는 경우를 종종 본다. 이런 오류를 '도박사의 오류 A'라고 하자. 이 오류는 지금까지 일어난 사건을 통해 미래에 일어날 특정 사건을 예측할 때 일어난다.

하지만 반대 방향도 가능하다. 즉, 지금 일어난 특정 사건을 바탕으로 과거를 추측하는 경우에도 오류가 발생한다. 다음 사례를 생각해보자. 당신은 친구의 집을 방문했다. 친구의 방에 들어가는 순간, 친구는 주사위 세 개를 던지고 있었으며 그 결과 세 개의 주사위에서 모두 6의 눈이 나왔다. 이를 본 당신은 "방금 6의 눈이 세 개가 나온 놀라운 사건이 일어났다는 것에 비춰볼 때, 내가 오기 전에 너는 주사위 던지기를 무척 많이 했음에 틀림없다."라고 말한다. 당신은 방금 놀라운 사건이 일어났다는 것을 바탕으로 당신 친구가 과거에 주사위 던지기를 많이 했다는 것을 추론한 것이다. 하지만 이것도 오류이다. 당신이 방문을 여는 순간 친구가 던진 주사위들에서 모두 6의 눈이 나올 확률은 매우 낮다. 하지만 이 사건은 당신 친구가 과거에 주사위 던지기를 많이 했다는 것에 영향을 받은 것이 아니다. 왜냐하면 문을 열었을 때 처음으로 주사위 던지기를 했을 경우에 문제의 사건이 일어날 확률과, 문을 열기 전 오랫동안 주사위 던지기를 했을 경우에 해당 사건이 일어날 확률은 동일하기 때문이다. 이 오류는 현재에 일어난 특정 사건을 통해 과거를 추측할 때 일어난다. 이를 '도박사의 오류 B'라고 하자.

〈보기〉

ㄱ. 갑이 당첨 확률이 매우 낮은 복권을 구입했다는 사실로부터 그가 구입한 그 복권은 당첨되지 않을 것이라고 추론하는 것은 도박사의 오류 A이다.

ㄴ. 을이 오늘 구입한 복권에 당첨되었다는 사실로부터 그가 그동안 꽤 많은 복권을 샀을 것이라고 추론하는 것은 도박사의 오류 B이다.

ㄷ. 병이 어제 구입한 복권에 당첨되었다는 사실로부터 그가 구입했던 그 복권의 당첨 확률이 매우 높았을 것이라고 추론하는 것은 도박사의 오류 A도 아니며 도박사의 오류 B도 아니다.

① ㄱ
② ㄴ
③ ㄱ, ㄷ
④ ㄴ, ㄷ
⑤ ㄱ, ㄴ, ㄷ

다음 글에 제시된 논리적 오류의 사례로 적절하지 않은 것은?

흔히 주변에서 암 검진 결과 암의 징후가 없다는 판정을 받은 후 암이 발견되면 검진이 엉터리였다고 비난하는 것을 본다. 우리 몸의 세포들을 모두 살펴보지 않은 이상 암세포가 없다고 결론지을 수 없다는 것은 논리적으로 명확한데 말이다. 우리는 1,000마리의 까마귀를 관찰하여 모두 까맣다고 해서 까맣지 않은 까마귀가 없다고 단정할 수는 없다고 학교에서 배웠다. 하지만 교실에서 범하지 않는 논리적 오류를 실생활에서는 흔히 범하곤 한다. 예를 들어, 1960년대에 의사들은 모유가 분유에 비해 이점이 있다는 증거를 찾지 못하였다. 그러자 당시 의사들은 모유가 특별한 이점이 없다고 결론지었다. 그 결과, 많은 사람들이 대가를 치러야만 했다. 수십 년이 지난 후에, 유아기에 모유를 먹지 않은 사람들은 특정 암을 비롯하여 여러 가지 질병에 걸릴 위험성이 높다는 사실이 밝혀진 것이다. 이와 같이 우리는 '증거의 없음'을 '없음의 증거'로 오인하곤 한다.

① 다양한 물질의 전기 저항을 조사한 결과 전기 저항이 0인 경우는 없었다. 따라서 전기 저항이 0인 물질은 없다.

② 어떤 사람이 술과 담배를 즐겼지만 몸에 어떤 이상도 발견되지 않았다. 따라서 그 사람에게는 술과 담배가 무해하다.

③ 경찰은 어떤 피의자가 확실한 알리바이가 있다는 것을 확인했다. 따라서 그 피의자는 해당 범죄 현장에 있지 않았다.

④ 주변에서 빛을 내는 것을 조사해보니 열 발생이 동반되지 않는 것이 없었다. 그러므로 열을 내지 않는 발광체는 없다.

⑤ 현재까지 수많은 노력에도 불구하고 외계 지적 생명체는 발견되지 않았다. 그러므로 외계 지적 생명체는 존재하지 않는다.

다음 대화의 ㉠에 들어갈 말로 가장 적절한 것은?

서의: 이번에 사내 연수원에 개설된 과목인 경제, 법률, 철학, 행정에 대한 수강신청결과가 나왔는데, 경제를 신청한 사람은 모두 법률도 신청했다고 해.

승민: 그래? 나도 그 결과를 보았는데, 행정을 신청한 사람 중에 법률을 신청한 사람은 아무도 없었어. 그리고 경제와 법률은 신청하지 않고 철학은 신청한 사람도 있었다더군.

승범: 나도 그 결과에 대해 몇 가지 얘기를 들었는데, 법률을 신청한 사람 중에 철학을 신청한 사람도 있었대. 그리고 철학은 신청했으나 행정과 경제는 신청하지 않은 사람도 있었다는 거야.

승민: 그런데 [㉠   ]

서의: 정말? 그러면 철학 한 과목만 신청한 사람이 적어도 한 명은 있겠구나.

승범: 맞아. 그리고 적어도 한 명은 행정만 빼고 나머지 세 과목 전부 신청했다는 것도 알 수 있어.

① 경제와 법률 두 과목만을 신청한 사람은 한 명도 없어.

② 행정과 철학 두 과목만을 신청한 사람은 한 명도 없어.

③ 법률과 철학 두 과목만을 신청한 사람은 한 명도 없어.

④ 경제와 법률을 둘 다 신청한 사람은 모두 철학을 신청했어.

⑤ 법률과 철학을 둘 다 신청한 사람 중에 행정을 신청한 사람은 없어.

정답과 해설 P.23

| 5급 | 7급 | 민경채 |

난이도 **상** 중 하

01

풀이시간 | 2분

2023년 5급 공채 PSAT

다음 글의 내용이 참일 때 반드시 참이라고는 할 수 없는 것은?

> 사무관 갑, 을, 병, 정, 무는 각 부처에 배치될 예정이다. 하나의 부처에 여러 명의 사무관이 배치될 수는 있지만, 한 명의 사무관이 여러 부처에 배치되는 일은 없다. 이들은 다음과 같이 예측하였다.
>
> 갑: 내가 환경부에 배치되면, 을 또한 환경부에 배치된다.
>
> 을: 내가 환경부에 배치되면, 병은 통일부에 배치된다.
>
> 병: 갑이 환경부에 배치되지 않으면, 무와 내가 통일부에 배치된다.
>
> 정: 병이 통일부에 배치되지 않고 갑은 환경부에 배치된다.
>
> 무: 갑이 통일부에 배치되고 정은 교육부에 배치된다.
>
> 발표 결과 이들 중 네 명의 예측은 옳고 나머지 한 명의 예측은 그른 것으로 드러났다.

① 갑은 통일부에 배치된다.

② 을은 환경부에 배치된다.

③ 병은 통일부에 배치된다.

④ 정은 교육부에 배치된다.

⑤ 무는 통일부에 배치된다.

난이도 **상** 중 하

02

풀이시간 | 2분

2020년 7급 PSAT 모의평가

다음 글의 내용이 참일 때, 반드시 참인 것만을 〈보기〉에서 모두 고르면?

> 일반행정 직렬 주무관으로 새로 채용된 갑진, 을현, 병천은 행정안전부, 고용노동부, 보건복지부에 한 명씩 배치되는 것으로 정해졌다. 가인, 나운, 다은, 라연은 배치 결과를 궁금해 하며 다음과 같이 예측했는데, 이 중 한 명의 예측만 틀렸음이 밝혀졌다.
>
> 가인: 을현은 행정안전부에, 병천은 보건복지부에 배치될 거야.
>
> 나운: 을현이 행정안전부에 배치되면, 갑진은 고용노동부에 배치될 거야.
>
> 다은: 을현이 행정안전부에 배치되지 않으면, 병천이 행정안전부에 배치될 거야.
>
> 라연: 갑진은 고용노동부에, 병천은 행정안전부에 배치될 거야.

〈보기〉

ㄱ. 갑진은 고용노동부에 배치된다.

ㄴ. 을현은 행정안전부에 배치된다.

ㄷ. 라연의 예측은 틀렸다.

① ㄱ

② ㄴ

③ ㄱ, ㄷ

④ ㄴ, ㄷ

⑤ ㄱ, ㄴ, ㄷ

다음 글의 내용이 참일 때, 반드시 참인 것만을 〈보기〉에서 모두 고르면?

A기술원 해수자원화기술 연구센터는 2014년 세계 최초로 해수전지 원천 기술을 개발한 바 있다. 연구센터는 해수전지 상용화를 위한 학술대회를 열었는데 학술대회로 연구원들이 자리를 비운 사이 누군가 해수전지 상용화를 위한 핵심 기술이 들어 있는 기밀 자료를 훔쳐 갔다. 경찰은 수사 끝에 바다, 다은, 은경, 경아를 용의자로 지목해 학술대회 당일의 상황을 물으며 이들을 심문했는데 이들의 답변은 아래와 같았다.

바다: 학술대회에서 발표된 상용화 아이디어 중 적어도 하나는 학술대회에 참석한 모든 사람들의 관심을 받았어요. 다은은 범인이 아니에요.

다은: 학술대회에 참석한 사람들은 누구나 학술대회에서 발표된 하나 이상의 상용화 아이디어에 관심을 가졌어요. 범인은 은경이거나 경아예요.

은경: 학술대회에 참석한 몇몇 사람은 학술대회에서 발표된 상용화 아이디어 중 적어도 하나에 관심이 있었어요. 경아는 범인이 아니에요.

경아: 학술대회에 참석한 모든 사람들이 어떤 상용화 아이디어에도 관심이 없었어요. 범인은 바다예요.

수사 결과 이들은 각각 참만을 말하거나 거짓만을 말한 것으로 드러났다. 그리고 네 명 중 한 명만 범인이었다는 것이 밝혀졌다.

〈보기〉

ㄱ. 바다와 은경의 말이 모두 참일 수 있다.

ㄴ. 다은과 은경의 말이 모두 참인 것은 가능하지 않다.

ㄷ. 용의자 중 거짓말한 사람이 단 한 명이면, 은경이 범인이다.

① ㄱ

② ㄴ

③ ㄱ, ㄷ

④ ㄴ, ㄷ

⑤ ㄱ, ㄴ, ㄷ

다음 글의 내용이 참일 때, 반드시 참인 것만을 〈보기〉에서 모두 고르면?

세 사람, 가영, 나영, 다영은 지난 회의가 열린 날짜와 요일에 대해 다음과 같이 기억을 달리 하고 있다.

○ 가영은 회의가 5월 8일 목요일에 열렸다고 기억한다.

○ 나영은 회의가 5월 10일 화요일에 열렸다고 기억한다.

○ 다영은 회의가 6월 8일 금요일에 열렸다고 기억한다. 추가로 다음 사실이 알려졌다.

○ 회의는 가영, 나영, 다영이 언급한 월, 일, 요일 중에 열렸다.

○ 세 사람의 기억 내용 가운데, 한 사람은 월, 일, 요일의 세 가지 사항 중 하나만 맞았고, 한 사람은 하나만 틀렸으며, 한 사람은 어느 것도 맞히지 못했다.

〈보기〉

ㄱ. 회의는 6월 10일에 열렸다.

ㄴ. 가영은 어느 것도 맞히지 못한 사람이다.

ㄷ. 다영이 하나만 맞힌 사람이라면 회의는 화요일에 열렸다.

① ㄱ

② ㄷ

③ ㄱ, ㄴ

④ ㄴ, ㄷ

⑤ ㄱ, ㄴ, ㄷ

뇌물수수 혐의자 A~D에 관한 다음 진술들 중 하나만 참일 때, 이들 가운데 뇌물을 받은 사람의 수는?

○ A가 뇌물을 받았다면, B는 뇌물을 받지 않았다.
○ A와 C와 D 중 적어도 한 명은 뇌물을 받았다.
○ B와 C 중 적어도 한 명은 뇌물을 받지 않았다.
○ B와 C 중 한 명이라도 뇌물을 받았다면, D도 뇌물을 받았다.

① 0명
② 1명
③ 2명
④ 3명
⑤ 4명

윗마을에 사는 남자는 참말만 하고 여자는 거짓말만 한다. 아랫마을에 사는 남자는 거짓말만 하고 여자는 참말만 한다. 이 마을들에 사는 이는 남자거나 여자다. 윗마을 사람 두 명과 아랫마을 사람 두 명이 다음과 같이 대화하고 있을 때, 반드시 참인 것은?

○ 갑: 나는 아랫마을에 살아.
○ 을: 나는 아랫마을에 살아. 갑은 남자야.
○ 병: 을은 아랫마을에 살아. 을은 남자야.
○ 정: 을은 윗마을에 살아. 병은 윗마을에 살아.

① 갑은 윗마을에 산다.
② 갑과 을은 같은 마을에 산다.
③ 을과 병은 다른 마을에 산다.
④ 을, 병, 정 가운데 둘은 아랫마을에 산다.
⑤ 이 대화에 참여하고 있는 이들은 모두 여자다.

사무관 A는 국가공무원인재개발원에서 수강할 과목을 선택하려 한다. A가 선택할 과목에 대해 갑~무가 다음과 같이 진술하였는데 이 중 한 사람의 진술은 거짓이고 나머지 사람들의 진술은 모두 참인 것으로 밝혀졌다. A가 반드시 수강할 과목만을 모두 고르면?

○ 갑: 법학을 수강할 경우, 정치학도 수강한다.
○ 을: 법학을 수강하지 않을 경우, 윤리학도 수강하지 않는다.
○ 병: 법학과 정치학 중 적어도 하나를 수강한다.
○ 정: 윤리학을 수강할 경우에만 정치학을 수강한다.
○ 무: 윤리학을 수강하지만 법학은 수강하지 않는다.

① 윤리학
② 법학
③ 윤리학, 정치학
④ 윤리학, 법학
⑤ 윤리학, 법학, 정치학

다음을 참이라고 가정할 때, 반드시 참인 것만을 〈보기〉에서 모두 고르면?

○ A, B, C, D 중 한 명의 근무지는 서울이다.
○ A, B, C, D는 각기 다른 한 도시에서 근무한다.
○ 갑, 을, 병 각각의 두 진술 중 하나는 참이고 다른 하나는 거짓이다.
○ 갑은 "A의 근무지는 광주이다."와 "D의 근무지는 서울이다."라고 진술했다.
○ 을은 "B의 근무지는 광주이다."와 "C의 근무지는 세종이다."라고 진술했다.
○ 병은 "C의 근무지는 광주이다."와 "D의 근무지는 부산이다."라고 진술했다.

─────〈보기〉─────
ㄱ. A의 근무지는 광주이다.
ㄴ. B의 근무지는 서울이다.
ㄷ. C의 근무지는 세종이다.

① ㄱ
② ㄷ
③ ㄱ, ㄴ
④ ㄴ, ㄷ
⑤ ㄱ, ㄴ, ㄷ

| 5급 | 7급 | 민경채 |

난이도 **상** 중 하
01
풀이시간 | 2분
2023년 5급 공채 PSAT

다음 글의 내용이 참일 때 반드시 참인 것은?

영어 회화가 가능한 갑순과 을돌, 중국어 회화가 가능한 병수와 정희를 다음 〈배치 원칙〉에 따라 총무부, 인사부, 영업부, 자재부에 각 한 명씩 모두 배치하기로 하였다. 네 명 중 병수를 제외한 나머지는 신입사원이고, 갑순만 공인노무사 자격증을 갖고 있다.

〈배치 원칙〉
○ 총무부와 인사부 중 한 곳에는 공인노무사 자격증을 갖고 있는 사원을 배치한다.
○ 영업부와 자재부 중 한 곳에만 중국어 회화 가능자를 배치한다.
○ 정희를 인사부에도 자재부에도 배치하지 않는다면, 영업부에 배치한다.
○ 영업부와 자재부 중 한 곳에만 신입사원을 배치한다.
이 원칙에 따라 부서를 배치한 결과 일부 사원의 부서만 결정되었다. 이에 다음의 원칙을 추가하였다.

〈추가 원칙〉
○ 인사부와 영업부에 같은 외국어 회화를 할 수 있는 사원들을 배치한다.
그 결과 〈배치 원칙〉을 어기지 않으면서 위 네 명의 배치를 다 결정할 수 있었다.

① 〈배치 원칙〉만으로 배치된 갑순의 부서는 영업부이다.
② 〈배치 원칙〉만으로 배치된 을돌의 부서는 자재부이다.
③ 〈배치 원칙〉과 〈추가 원칙〉에 따라 최종적으로 배치된 병수의 부서는 자재부이다.
④ 〈배치 원칙〉과 〈추가 원칙〉에 따라 최종적으로 배치된 정희의 부서는 인사부이다.
⑤ 〈배치 원칙〉과 〈추가 원칙〉에 따라 최종적으로 배치된 갑순의 부서도 을돌의 부서도 총무부가 아니다.

난이도 **상** 중 하
02
풀이시간 | 2분
2023년 7급 공채 PSAT/민경채

다음 글의 내용이 참일 때, 반드시 참인 것만을 〈보기〉에서 모두 고르면?

국제해양환경회의에 5명의 대표자가 참석하여 A, B, C, D 4개 정책을 두고 토론회를 열었다. 대표자들은 모두 각 정책에 대해 찬반 중 하나의 입장을 분명하게 표명했으며, 각자 하나 이상의 정책에 찬성하고 하나 이상의 정책에 반대한 것으로 드러났다. 그들의 입장을 정리한 결과는 다음과 같다.
○ A에 찬성하는 대표자는 2명이다.
○ A에 찬성하는 대표자는 모두 B에 찬성한다.
○ B에 찬성하는 대표자 중에 C에 찬성하는 사람과 반대하는 사람은 동수이다.
○ B와 D에 모두 찬성하는 대표자는 아무도 없다.
○ D에 찬성하는 대표자는 2명이다.
○ D에 찬성하는 대표자는 모두 C에 찬성한다.

〈보기〉
ㄱ. 3개 정책에 반대하는 대표자가 있다.
ㄴ. B에 찬성하는 대표자는 2명이다.
ㄷ. C에 찬성하는 대표자가 가장 많다.

① ㄱ
② ㄴ
③ ㄱ, ㄷ
④ ㄴ, ㄷ
⑤ ㄱ, ㄴ, ㄷ

다음 글의 내용이 참일 때 반드시 거짓인 것은?

> 갑, 을, 병 세 사람이 A, B, C, D, E, F, G, H의 총 8권의 고서를 나누어 소장하고 있다. 이와 관련해 다음과 같은 사실이 알려져 있다.
>
> ○ 갑이 가장 많은 고서를 소장하고 있으며, 그 다음은 을이며, 병은 가장 적은 수의 고서를 소장하고 있다.
>
> ○ A, B, C, D, E는 서양서이며, F, G, H는 동양서이다.
>
> ○ B를 소장한 이는 D도 소장하고 있으나 C는 소장하고 있지 않다.
>
> ○ E를 소장한 이는 F도 소장하고 있으나 그 외 다른 동양서를 소장하고 있지는 않다.
>
> ○ G를 소장한 이는 서양서를 소장하고 있지 않다.
>
> ○ H는 갑이 소장하고 있다.

① 갑은 A와 D를 소장하고 있다.

② 을은 3권의 책을 소장하고 있다.

③ 병은 G를 소장하고 있다.

④ C를 소장한 이는 E도 소장하고 있다.

⑤ D를 소장한 이는 F도 소장하고 있다.

다음 글을 근거로 판단할 때, 〈보기〉에서 옳은 것만을 모두 고르면?

> ○ △△강좌의 교수는 수강생을 3개의 팀으로 편성하려고 한다.
>
> ○ 모든 수강생들에 대한 정보는 다음 표와 같다. 빈칸은 현재 알 수 없는 정보이지만, 해당 정보가 무엇이더라도 '팀 편성 규칙'에 위배되지 않도록 팀을 편성해야 한다.

구분	수강생	학년	성별	학과
팀장	A	3		수학과
	B	2	남성	통계학과
	C		여성	화학과
팀원	甲	4	남성	경영학과
	乙	4	여성	영문학과
	丙	3	남성	국문학과
	丁	3	여성	경영학과
	戊	2	여성	물리학과
	己	2	여성	기계공학과

> ○ 팀 편성 규칙은 다음과 같다.
>
> - 각 팀은 팀장 1명과 팀원 2명으로 구성한다.
> - 4학년 학생 2명을 한 팀에 편성할 수 없다.
> - 동일 학과 학생을 한 팀에 편성할 수 없다.
> - 물리학과 학생과 화학과 학생은 한 팀에 편성한다.
> - 각 팀은 특정 성(性)의 수강생만으로 편성할 수 없다.
> - 丙과 丁은 한 팀에 편성할 수 없다.

> 〈보기〉
>
> ㄱ. 乙과 丁은 한 팀에 편성한다.
>
> ㄴ. 경영학과 학생과 기계공학과 학생은 한 팀에 편성할 수 없다.
>
> ㄷ. 己는 A의 팀에 편성한다.

① ㄱ   ② ㄴ   ③ ㄱ, ㄷ

④ ㄴ, ㄷ   ⑤ ㄱ, ㄴ, ㄷ

다음 글을 근거로 판단할 때 옳지 않은 것은?

> △△팀원 7명(A~G)은 새로 부임한 팀장 甲과 함께 하는 환영식사를 계획하고 있다. 모든 팀원은 아래 조건을 전부 만족시키며 甲과 한 번씩만 식사하려 한다.
> ○ 함께 식사하는 총 인원은 4명 이하여야 한다.
> ○ 단둘이 식사하지 않는다.
> ○ 부팀장은 A, B뿐이며, 이 둘은 함께 식사하지 않는다.
> ○ 같은 학교 출신인 C, D는 함께 식사하지 않는다.
> ○ 입사 동기인 E, F는 함께 식사한다.
> ○ 신입사원 G는 부팀장과 함께 식사한다.

① A는 E와 함께 환영식사에 참석할 수 있다.

② B는 C와 함께 환영식사에 참석할 수 있다.

③ C는 G와 함께 환영식사에 참석할 수 있다.

④ D가 E와 함께 환영식사에 참석하는 경우, C는 부팀장과 함께 환영식사에 참석하게 된다.

⑤ G를 포함하여 총 4명이 함께 환영식사에 참석하는 경우, F가 참석하는 환영식사의 인원은 총 3명이다.

다음 글을 근거로 판단할 때, 현재 시점에서 두 번째로 많은 양의 일을 한 사람은?

> A부서 주무관 5명(甲~戊)은 오늘 해야 하는 일의 양이 같다. 오늘 업무 개시 후 현재까지 한 일을 비교해 보면 다음과 같다.
> 甲은 丙이 아직 하지 못한 일의 절반에 해당하는 양의 일을 했다. 乙은 丁이 남겨 놓고 있는 일의 2배에 해당하는 양의 일을 했다. 丙은 자신이 현재까지 했던 일의 절반에 해당하는 일을 남겨 놓고 있다. 丁은 甲이 남겨 놓고 있는 일과 동일한 양의 일을 했다. 戊는 乙이 남겨 놓은 일의 절반에 해당하는 양의 일을 했다.

① 甲

② 乙

③ 丙

④ 丁

⑤ 戊

다음 글을 근거로 판단할 때, 甲이 구매하려는 두 상품의 무게로 옳은 것은?

> ○○마트에서는 쌀 상품 A~D를 판매하고 있다. 상품 무게는 A가 가장 무겁고, B, C, D 순서대로 무게가 가볍다. 무게 측정을 위해 서로 다른 두 상품을 저울에 올린 결과, 각각 35kg, 39kg, 44kg, 45kg, 50kg, 54kg으로 측정되었다. 甲은 가장 무거운 상품과 가장 가벼운 상품을 제외하고 두 상품을 구매하기로 하였다.

※ 상품 무게(kg)의 값은 정수이다.

① 19kg, 25kg
② 19kg, 26kg
③ 20kg, 24kg
④ 21kg, 25kg
⑤ 22kg, 26kg

다음 글을 근거로 판단할 때, ㉠에 해당하는 수는?

> 甲: 〈자기를 위한 인생〉을 찍은 소다르 감독 작고 소식 들었어?
>
> 乙: 응. 그 작품이 소다르 감독이 세 번째로 찍은 영화였지? 1962년 작품이었나?
>
> 甲: 그렇지. 그해 마지막으로 찍은 작품이기도 하고. 1960년에 〈내 멋대로 하자〉로 데뷔하고 〈남자는 남자다〉 다음에 찍은 영화니까. 정작 우리나라에서 개봉은 늦어졌지만.
>
> 乙: 우리나라에선 1983년에 찍은 〈미남 갱 카르멘〉이 주목받아서 그해 처음 개봉된 다음, 데뷔작부터 찍은 순서대로 개봉됐던 거지?
>
> 甲: 전부 순서대로 개봉된 것은 아냐. 1963년 작품 중 2편은 우리나라에서 10편 넘는 작품이 개봉된 이후에야 극장에서 상영되었지.
>
> 乙: 아, 그랬지. 1963년에는 총 3편, 그다음 해에는 총 2편을 찍었으니까….
>
> 甲: 응. 그리고 1965년에 첫 번째로 찍은 영화가 〈베타빌〉이야.
>
> 乙: 그럼 〈베타빌〉은 소다르 감독 작품 중 우리나라에서 개봉된 순서로 [㉠]번째구나.

① 6
② 7
③ 8
④ 9
⑤ 10

다음 글을 근거로 판단할 때, 〈보기〉에서 옳은 것만을 모두 고르면?

○ 엘리베이터 안에는 각 층을 나타내는 버튼만 하나씩 있다.
○ 버튼을 한 번 누르면 해당 층에 가게 되고, 다시 누르면 취소된다. 취소된 버튼을 다시 누를 수 있다.
○ 1층에 계속해서 정지해 있던 빈 엘리베이터에 처음으로 승객 7명이 탔다.
○ 승객들이 버튼을 누른 횟수의 합은 10이며, 1층에서만 눌렀다.
○ 승객 3명은 4층에서, 2명은 5층에서 내렸다. 나머지 2명은 6층 이상의 서로 다른 층에서 내렸다.
○ 1층 외의 층에서 엘리베이터를 탄 승객은 없으며, 엘리베이터는 승객이 타거나 내린 층에서만 정지했다.

〈보기〉

ㄱ. 각 승객은 1개 이상의 버튼을 눌렀다.
ㄴ. 5번 누른 버튼이 있다면, 2번 이상 누른 다른 버튼이 있다.
ㄷ. 4층 버튼을 가장 많이 눌렀다.
ㄹ. 승객이 내리지 않은 층의 버튼을 누른 사람은 없다.

① ㄱ
② ㄴ
③ ㄱ, ㄷ
④ ㄴ, ㄹ
⑤ ㄷ, ㄹ

다음 글을 근거로 판단할 때, 다음 주 수요일과 목요일의 청소당번을 옳게 짝지은 것은?

A~D는 다음 주 월요일부터 금요일까지 하루에 한 명씩 청소당번을 정하려고 한다. 청소당번을 정하는 규칙은 다음과 같다.
○ A~D는 최소 한 번씩 청소당번을 한다.
○ 시험 전날에는 청소당번을 하지 않는다.
○ 발표 수업이 있는 날에는 청소당번을 하지 않는다.
○ 한 사람이 이틀 연속으로는 청소당번을 하지 않는다.
다음은 청소당번을 정한 후 A~D가 나눈 대화이다.
A: 나만 두 번이나 청소당번을 하잖아. 월요일부터 청소당번이라니!
B: 미안. 내가 월요일에 발표 수업이 있어서 그날 너 밖에 할 사람이 없었어.
C: 나는 다음 주에 시험이 이틀 있는데, 발표 수업이 매번 시험 보는 날과 겹쳐서 청소할 수 있는 요일이 하루밖에 없었어.
D: 그래도 금요일에 청소하고 가야 하는 나보다는 나을걸.

	수요일	목요일
①	A	B
②	A	C
③	B	A
④	C	A
⑤	C	B

다음 글을 근거로 판단할 때, 네 번째로 보고되는 개정안은?

△△처에서 소관 법규 개정안 보고회를 개최하고자 한다. 보고회는 아래와 같은 기준에 따라 진행한다.

○ 법규 체계 순위에 따라 법－시행령－시행규칙의 순서로 보고한다. 법규 체계 순위가 같은 개정안이 여러 개 있는 경우 소관 부서명의 가나다순으로 보고한다.

○ 한 부서에서 보고해야 하는 개정안이 여럿인 경우, 해당 부서의 첫 번째 보고 이후 위 기준에도 불구하고 그 부서의 나머지 소관 개정안을 법규 체계 순위에 따라 연달아 보고한다.

○ 이상의 모든 기준과 무관하게 보고자가 국장인 경우 가장 먼저 보고한다.

보고 예정인 개정안은 다음과 같다.

개정안명	소관 부서	보고자
A법 개정안	예산담당관	甲사무관
B법 개정안	기획담당관	乙과장
C법 시행령 개정안	기획담당관	乙과장
D법 시행령 개정안	국제화담당관	丙국장
E법 시행규칙 개정안	예산담당관	甲사무관

① A법 개정안
② B법 개정안
③ C법 시행령 개정안
④ D법 시행령 개정안
⑤ E법 시행규칙 개정안

다음 글을 근거로 판단할 때 옳은 것은?

甲부처 신입직원 선발시험은 전공, 영어, 적성 3개 과목으로 이루어진다. 3개 과목 합계 점수가 높은 사람 순으로 정원까지 합격한다. 응시자는 7명(A~G)이며, 7명의 각 과목 성적에 대해서는 다음과 같은 사실이 알려졌다.

○ 전공시험 점수: A는 B보다 높고, B는 E보다 높고, C는 D보다 높다.
○ 영어시험 점수: E는 F보다 높고, F는 G보다 높다.
○ 적성시험 점수: G는 B보다도 높고 C보다도 높다.

합격자 선발 결과, 전공시험 점수가 일정 점수 이상인 응시자는 모두 합격한 반면 그 점수에 달하지 않은 응시자는 모두 불합격한 것으로 밝혀졌고, 이는 영어시험과 적성시험에서도 마찬가지였다.

① A가 합격하였다면, B도 합격하였다.
② G가 합격하였다면, C도 합격하였다.
③ A와 B가 합격하였다면, C와 D도 합격하였다.
④ B와 E가 합격하였다면, F와 G도 합격하였다.
⑤ B가 합격하였다면, B를 포함하여 적어도 6명이 합격하였다.

다음 글의 내용이 참일 때, 반드시 참인 것은?

A, B, C, D를 포함해 총 8명이 학회에 참석했다. 이들에 관해서 알려진 정보는 다음과 같다.

○ 아인슈타인 해석, 많은 세계 해석, 코펜하겐 해석, 보른 해석 말고도 다른 해석들이 있고, 학회에 참석한 이들은 각각 하나의 해석만을 받아들인다.

○ 상태 오그라듦 가설을 받아들이는 이들은 모두 5명이고, 나머지는 이 가설을 받아들이지 않는다.

○ 상태 오그라듦 가설을 받아들이는 이들은 코펜하겐 해석이나 보른 해석을 받아들인다.

○ 코펜하겐 해석이나 보른 해석을 받아들이는 이들은 상태 오그라듦 가설을 받아들인다.

○ B는 코펜하겐 해석을 받아들이고, C는 보른 해석을 받아들인다.

○ A와 D는 상태 오그라듦 가설을 받아들인다.

○ 아인슈타인 해석을 받아들이는 이가 있다.

① 적어도 한 명은 많은 세계 해석을 받아들인다.

② 만일 보른 해석을 받아들이는 이가 두 명이면, A와 D가 받아들이는 해석은 다르다.

③ 만일 A와 D가 받아들이는 해석이 다르다면, 적어도 두 명은 코펜하겐 해석을 받아들인다.

④ 만일 오직 한 명만이 많은 세계 해석을 받아들인다면, 아인슈타인 해석을 받아들이는 이는 두 명이다.

⑤ 만일 코펜하겐 해석을 받아들이는 이가 세 명이면, A와 D 가운데 적어도 한 명은 보른 해석을 받아들인다.

다음 글을 근거로 판단할 때, 비밀번호의 둘째 자리 숫자와 넷째 자리 숫자의 합은?

甲은 친구의 자전거를 빌려 타기로 했다. 친구의 자전거는 다이얼을 돌려 다섯 자리의 비밀번호를 맞춰야 열리는 자물쇠로 잠겨 있다. 각 다이얼은 0~9 중 하나가 표시된다.

자물쇠에 현재 표시된 숫자는 첫째 자리부터 순서대로 3 - 6 - 4 - 4 - 9이다. 친구는 비밀번호에 대해 다음과 같은 힌트를 주었다.

○ 비밀번호는 모두 다른 숫자로 구성되어 있다.

○ 자물쇠에 현재 표시된 모든 숫자는 비밀번호에 쓰이지 않는다.

○ 현재 짝수가 표시된 자리에는 홀수가, 현재 홀수가 표시된 자리에는 짝수가 온다. 단, 0은 짝수로 간주한다.

○ 비밀번호를 구성하는 숫자 중 가장 큰 숫자가 첫째 자리에 오고, 가장 작은 숫자가 다섯째 자리에 온다.

○ 비밀번호 둘째 자리 숫자는 현재 둘째 자리에 표시된 숫자보다 크다.

○ 서로 인접한 두 숫자의 차이는 5보다 작다.

① 7

② 8

③ 10

④ 12

⑤ 13

다음 글과 〈상황〉을 근거로 판단할 때, 〈보기〉에서 옳은 것만을 모두 고르면?

A팀과 B팀은 다음과 같이 게임을 한다. A팀과 B팀은 각각 3명으로 구성되며, 왼손잡이, 오른손잡이, 양손잡이가 각 1명씩이다. 총 5라운드에 걸쳐 가위바위보를 하며 규칙은 아래와 같다.

○ 모든 선수는 1개 라운드 이상 출전하여야 한다.

○ 왼손잡이는 '가위'만 내고 오른손잡이는 '보'만 내며, 양손잡이는 '바위'만 낸다.

○ 각 라운드마다 가위바위보를 이긴 선수의 팀이 획득하는 점수는 다음과 같다.
 – 이긴 선수가 왼손잡이인 경우: 2점
 – 이긴 선수가 오른손잡이인 경우: 0점
 – 이긴 선수가 양손잡이인 경우: 3점

○ 두 팀은 1라운드를 시작하기 전에 각 라운드에 출전할 선수를 결정하여 명단을 제출한다.

○ 5라운드를 마쳤을 때 획득한 총 점수가 더 높은 팀이 게임에서 승리한다.

〈상황〉

다음은 3라운드를 마친 현재까지의 결과이다.

구분	1라운드	2라운드	3라운드	4라운드	5라운드
A팀	왼손잡이	왼손잡이	양손잡이		
B팀	오른손잡이	오른손잡이	오른손잡이		

※ 각 라운드에서 가위바위보가 비긴 경우는 없다.

〈보기〉

ㄱ. 3라운드까지 A팀이 획득한 점수와 B팀이 획득한 점수의 합은 4점이다.

ㄴ. A팀이 잔여 라운드에서 모두 오른손잡이를 출전시킨다면 B팀이 게임에서 승리한다.

ㄷ. B팀이 게임에서 승리하는 경우가 있다.

① ㄴ

② ㄷ

③ ㄱ, ㄴ

④ ㄱ, ㄷ

⑤ ㄱ, ㄴ, ㄷ

다음 글을 근거로 판단할 때 옳은 것은?

□□학과는 지망자 5명(A~E) 중 한 명을 교환학생으로 추천하기 위하여 각각 5회의 평가를 실시하고, 그 결과에 바탕을 둔 추첨을 하기로 했다. 평가 및 추첨 방식과 현재까지 진행된 평가 결과는 아래와 같다.

○ 매 회 100점 만점으로 10점 단위의 점수를 매기며, 100점을 얻은 지망자에게는 5장의 카드, 90점을 얻은 지망자에게는 2장의 카드, 80점을 얻은 지망자에게는 1장의 카드를 부여한다. 70점 이하를 얻은 지망자에게는 카드를 부여하지 않는다.

○ 5회차 평가 이후 각 지망자는 자신이 받은 모든 카드에 본인의 이름을 적고, 추첨함에 넣는다. 다만 5번의 평가의 총점이 400점 미만인 지망자는 본인의 카드를 추첨함에 넣지 못한다.

○ □□학과장은 추첨함에서 한 장의 카드를 무작위로 뽑아 카드에 이름이 적힌 지망자를 □□학과의 교환학생으로 추천한다.

〈평가 결과〉

(단위: 점)

구분	1회	2회	3회	4회	5회
A	90	90	90	90	
B	80	80	70	70	
C	90	70	90	70	
D	70	70	70	70	
E	80	80	90	80	

① A가 5회차 평가에서 80점을 얻더라도 다른 지망자의 점수에 관계없이 추천될 확률이 가장 높다.

② B가 5회차 평가에서 90점을 얻는다면 적어도 D보다는 추천될 확률이 높다.

③ C가 5회차 평가에서 카드를 받지 못하더라도 B보다는 추천될 확률이 높다.

④ D가 5회차 평가에서 100점을 받고 다른 지망자가 모두 80점을 받는다면 D가 추천될 확률은 세 번째로 높다.

⑤ E가 5회차 평가에서 카드를 받지 못하더라도 E는 추첨 대상에 포함될 수 있다.

다음 글을 근거로 판단할 때, B구역 청소를 하는 요일은?

甲레스토랑은 매주 1회 휴업일(수요일)을 제외하고 매일 영업한다. 甲레스토랑의 청소시간은 영업일 저녁 9시부터 10시까지이다. 이 시간에 A구역, B구역, C구역 중 하나를 청소한다. 청소의 효율성을 위하여 청소를 한 구역은 바로 다음 영업일에는 청소를 하지 않는다. 각 구역은 매주 다음과 같이 청소한다.

○ A구역 청소는 일주일에 1회 한다.
○ B구역 청소는 일주일에 2회 하되, B구역 청소를 한 후 영업일과 휴업일을 가리지 않고 이틀간은 B구역 청소를 하지 않는다.
○ C구역 청소는 일주일에 3회 하되, 그중 1회는 일요일에 한다.

① 월요일과 목요일
② 월요일과 금요일
③ 월요일과 토요일
④ 화요일과 금요일
⑤ 화요일과 토요일

다음 글의 내용이 참일 때 반드시 참인 것은?

A, B, C, D는 출산을 위해 산부인과에 입원하였다. 그리고 이 네 명은 이번 주 월, 화, 수, 목요일에 각각 한 명의 아이를 낳았다. 이 아이들의 이름은 각각 갑, 을, 병, 정이다. 이 아이들과 그 어머니, 출생일에 관한 정보는 다음과 같다.
○ 정은 C의 아이다.
○ 정은 갑보다 나중에 태어났다.
○ 목요일에 태어난 아이는 을이거나 C의 아이다.
○ B의 아이는 을보다 하루 먼저 태어났다.
○ 월요일에 태어난 아이는 A의 아이다.

① 을, 병 중 적어도 한 아이는 수요일에 태어났다.
② 병은 을보다 하루 일찍 태어났다.
③ 정은 을보다 먼저 태어났다.
④ A는 갑의 어머니이다.
⑤ B의 아이는 화요일에 태어났다.

다음 글을 근거로 판단할 때, 방에 출입한 사람의 순서는?

방에는 1부터 6까지의 번호가 각각 적힌 6개의 전구가 다음과 같이 놓여 있다.

	왼쪽 ←					→ 오른쪽
전구 번호	1	2	3	4	5	6
상태	켜짐	켜짐	켜짐	꺼짐	꺼짐	꺼짐

총 3명(A~C)이 각각 한 번씩 홀로 방에 들어가 자신이 정한 규칙에 의해서만 전구를 켜거나 끄고 나왔다.

○ A는 번호가 3의 배수인 전구가 켜진 상태라면 그 전구를 끄고, 꺼진 상태라면 그대로 둔다.
○ B는 번호가 2의 배수인 전구가 켜진 상태라면 그 전구를 끄고, 꺼진 상태라면 그 전구를 켠다.
○ C는 3번 전구는 그대로 두고, 3번 전구를 기준으로 왼쪽과 오른쪽 중 켜진 전구의 개수가 많은 쪽의 전구를 전부 끈다. 다만 켜진 전구의 개수가 같다면 양쪽에 켜진 전구를 모두 끈다.

마지막 사람이 방에서 나왔을 때, 방의 전구는 모두 꺼져 있었다.

① A - B - C
② A - C - B
③ B - A - C
④ B - C - A
⑤ C - B - A

다음 글과 〈상황〉을 근거로 판단할 때, 〈보기〉에서 옳은 것만을 모두 고르면?

퍼스널컬러(personal color)란 개인의 머리카락, 눈동자, 피부색 등을 종합하여 본인에게 가장 어울리는 색상을 말한다. 퍼스널컬러는 크게 웜(warm)톤과 쿨(cool)톤으로 나눠지는데, 웜톤은 따스하고 부드러운 느낌의 색인 반면에 쿨톤은 차갑고 시원한 느낌의 색이다. 웜톤은 봄타입과 가을타입으로, 쿨톤은 여름타입과 겨울타입으로 세분화된다.

퍼스널컬러는 각 타입의 색상 천을 얼굴에 대봄으로써 찾을 수 있다. 가장 잘 어울리는 타입의 천을 얼굴에 댔을 때 얼굴빛이 화사해지고 이목구비가 또렷해 보인다. 이를 '형광등이 켜졌다'라고 표현한다.

〈상황〉

네 명(甲~丁)이 퍼스널컬러를 알아보러 갔다. 각 타입(봄, 여름, 가을, 겨울)마다 색상 천은 밝은 색과 어두운 색이 있어서 총 8장이 있다. 하나의 색상 천을 네 명에게 동시에 대보고 형광등이 켜지는지 확인하였다. 얼굴에 대보는 색상 천의 순서는 다음과 같다.

1. 첫 번째에서 네 번째까지 밝은 색 천을 대보고 다섯 번째부터 여덟 번째까지 어두운 색 천을 대본다.
2. 웜톤 천과 쿨톤 천을 교대로 대보지만, 첫 번째로 대보는 천의 톤은 알 수 없다.

진단 결과, 甲, 乙, 丙, 丁은 서로 다른 타입의 퍼스널컬러를 진단받았으며, 본인 타입의 천을 대보았을 때는 밝은 색과 어두운 색의 천 모두에서 형광등이 켜졌고, 그 외의 천을 대보았을 때는 형광등이 켜지지 않았다.

다음은 진단 후 네 명이 나눈 대화이다.

甲: 나는 가을타입이었어. 마지막 색상 천에서는 형광등이 켜지지 않았어.

乙: 나는 짝수 번째 천에서는 형광등이 켜진 적이 없어.

丙: 나는 乙이랑 타입은 다르지만 톤은 같아. 그리고 나한테 형광등이 켜진 색상 천 순서에 해당하는 숫자를 합해보니까 6이야.

丁: 나는 밝은 색 천을 대보았을 때, 乙보다 먼저 형광등이 켜졌어.

〈보기〉

ㄱ. 네 명의 타입을 모두 알 수 있다.

ㄴ. 丙은 첫 번째 색상 천에서 형광등이 켜졌다.

ㄷ. 색상 천을 대본 순서별로 형광등이 켜진 사람이 누구인지 알 수 있다.

ㄹ. 형광등이 켜진 색상 천 순서에 해당하는 숫자의 합은 丙을 제외한 세 명이 같다.

① ㄱ, ㄴ
② ㄱ, ㄷ
③ ㄴ, ㄹ
④ ㄱ, ㄷ, ㄹ
⑤ ㄴ, ㄷ, ㄹ

정답과 해설 P.29

5급	7급	민경채

난이도 상 **중** 하
풀이시간 | 2분

01
2020년 5급 공채 PSAT

다음 글을 근거로 판단할 때, 甲~丁 4명이 모두 외출 준비를 끝내는 데 소요되는 최소 시간은?

> 甲~丁 4명은 화장실 1개, 세면대 1개, 샤워실 2개를 갖춘 숙소에 묵었다. 다음날 아침 이들은 화장실, 세면대, 샤워실을 이용한 후 외출을 하려고 한다.
>
> ○ 화장실, 세면대, 샤워실 이용을 마치면 외출 준비가 끝난다.
> ○ 화장실, 세면대, 샤워실 순서로 1번씩 이용한다.
> ○ 화장실, 세면대, 각 샤워실은 한 번에 한 명씩 이용한다.
>
> 〈개인별 이용시간〉
> (단위: 분)
>
> | 구분 | 화장실 | 세면대 | 샤워실 |
> |---|---|---|---|
> | 甲 | 5 | 3 | 20 |
> | 乙 | 5 | 5 | 10 |
> | 丙 | 10 | 5 | 5 |
> | 丁 | 10 | 3 | 15 |

① 40분
② 42분
③ 45분
④ 48분
⑤ 50분

난이도 상 **중** 하
풀이시간 | 2분

02
2021년 민경채

다음 글과 〈상황〉을 근거로 판단할 때, 甲의 계약 의뢰 날짜와 공고 종료 후 결과통지 날짜를 옳게 짝지은 것은?

> ○ A국의 정책연구용역 계약 체결을 위한 절차는 다음과 같다.
>
> | 신청자 | 단계 | 소요시간 |
> |---|---|---|
> | 1 | 계약 의뢰 | 1일 |
> | 2 | 서류 검토 | 2일 |
> | 3 | 입찰 공고 | 40일 (긴급계약의 경우 10일) |
> | 4 | 공고 종료 후 결과통지 | 1일 |
> | 5 | 입찰서류 평가 | 10일 |
> | 6 | 우선순위 대상자와 협상 | 7일 |

※ 소요기간은 해당 절차의 시작부터 종료까지 걸리는 기간이다. 모든 절차는 하루 단위로 주말(토, 일) 및 공휴일에도 중단이나 중복 없이 진행된다.

> ─〈상황〉─
>
> A국 공무원인 甲은 정책연구용역 계약을 4월 30일에 체결하는 것을 목표로 계약부서에 긴급계약으로 의뢰하려 한다. 계약은 우선순위 대상자와 협상이 끝난 날의 다음 날에 체결된다.

	계약 의뢰 날짜	공고 종료 후 결과통지 날짜
①	3월 30일	4월 11일
②	3월 30일	4월 12일
③	3월 30일	4월 13일
④	3월 31일	4월 12일
⑤	3월 31일	4월 13일

다음 글과 〈상황〉을 근거로 판단할 때, 甲~丁 가운데 근무계획이 승인될 수 있는 사람만을 모두 고르면?

〈유연근무제〉
□ 개념
  ○ 주 40시간을 근무하되, 근무시간을 유연하게 관리하여 1주일에 5일 이하로 근무하는 제도
□ 복무관리
  ○ 점심 및 저녁시간 운영
    - 근무 시작과 종료 시각에 관계없이 점심시간은 12:00~13:00, 저녁시간은 18:00~19:00의 각 1시간으로 하고 근무시간으로는 산정하지 않음
  ○ 근무시간 제약
    - 근무일의 경우, 1일 최대 근무시간은 12시간으로 하고 최소 근무시간은 4시간으로 함
    - 하루 중 근무시간으로 인정하는 시간대는 06:00~24:00로 한정함

〈상황〉
다음은 甲~丁이 제출한 근무계획을 정리한 것이며 위의 〈유연근무제〉에 부합하는 근무계획만 승인된다.

요일 직원	월	화	수	목	금
甲	08:00~18:00	08:00~18:00	09:00~13:00	08:00~18:00	08:00~18:00
乙	08:00~22:00	08:00~22:00	–	08:00~22:00	08:00~12:00
丙	08:00~24:00	08:00~24:00	–	08:00~22:00	–
丁	06:00~16:00	08:00~22:00	–	09:00~21:00	09:00~18:00

① 乙
② 甲, 丙
③ 甲, 丁
④ 乙, 丙
⑤ 乙, 丁

다음 글과 〈상황〉을 근거로 판단할 때, 공기청정기가 자동으로 꺼지는 시각은?

○ A학교 학생들은 방과 후에 자기주도학습을 위해 교실을 이용한다.
○ 교실 안에 있는 학생 각각은 매 순간 일정한 양의 미세먼지를 발생시켜, 10분마다 5를 증가시킨다.
○ 교실에 설치된 공기청정기는 매 순간 일정한 양의 미세먼지를 제거하여, 10분마다 15를 감소시킨다.
○ 미세먼지는 사람에 의해서만 발생하고, 공기청정기에 의해서만 제거된다.
○ 공기청정기는 매 순간 미세먼지 양을 표시하며 교실 내 미세먼지 양이 30이 되는 순간 자동으로 꺼진다.

〈상황〉
15시 50분 현재, A학교의 교실에는 아무도 없었고 켜져 있는 공기청정기가 나타내는 교실 내 미세먼지 양은 90이었다. 16시 정각에 학생 두 명이 교실에 들어와 공부를 시작하였고, 40분 후 학생 세 명이 더 들어와 공부를 시작하였다. 학생들은 모두 18시 정각에 교실에서 나왔다.

① 18시 50분
② 19시 00분
③ 19시 10분
④ 19시 20분
⑤ 19시 30분

다음 글을 근거로 판단할 때, A서비스를 이용할 수 있는 경우는?

A서비스는 공항에서 출국하는 승객이 공항 외의 지정된 곳에서 수하물을 보내고 목적지에 도착한 후 찾아가는 신개념 수하물 위탁서비스이다.

A서비스를 이용하고자 하는 승객은 ○○호텔에 마련된 체크인 카운터에서 본인 확인과 보안 절차를 거친 후 탑승권을 발급받고 수하물을 위탁하면 된다. ○○호텔 투숙객이 아니더라도 이 서비스를 이용할 수 있다.

○○호텔에 마련된 체크인 카운터는 매일 08:00~16:00에 운영된다. 인천공항에서 13:00~24:00에 출발하는 국제선 이용 승객을 대상으로 A서비스가 제공된다. 단, 미주노선(괌/사이판 포함)은 제외된다.

항공기

	숙박 호텔	출발 시각	출발지	목적지
①	○○호텔	15:30	김포공항	제주
②	◇◇호텔	14:00	김포공항	베이징
③	○○호텔	15:30	인천공항	사이판
④	◇◇호텔	21:00	인천공항	홍콩
⑤	○○호텔	10:00	인천공항	베이징

다음 글을 근거로 판단할 때, 甲이 지불한 연체료의 최솟값은?

A시립도서관은 다음의 원칙에 따라 휴관일 없이 도서 대출 서비스를 운영하고 있다.

○ 시민 1인당 총 10권까지 대출 가능하며, 대출 기간은 대출일을 포함하여 14일이다.

○ 대출 기간은 권당 1회에 한하여 7일 연장할 수 있으며, 이때 총 대출 기간은 21일이 된다. 연장 신청은 기존 대출 기간 내에 해야 한다.

○ 만화와 시로 분류되는 도서의 경우에는 대출 기간은 7일이며 연장 신청도 불가능하다.

○ 대출한 도서를 대출 기간 내에 반납하지 못한 경우에는 기간 종료일의 다음날부터 해당 도서 반납을 연체한 것으로 본다.

○ 연체료는 각 서적별로 '연체 일수×100원'만큼 부과되며, 최종 반납일도 연체 일수에 포함된다. 또한 대출일 기준으로 출간일이 6개월 이내인 신간의 연체료는 2배로 부과된다. A시에 거주하는 甲은 아래와 같이 총 5권의 책을 대출하여 2018년 10월 30일에 모두 반납하였다. 甲은 이 중 2권의 대출 기간을 연장하였으며, 반납한 날에 연체료를 전부 지불하였다.

〈甲의 도서 대출 목록〉

도서명	분류	출간일	대출일
원○○	만화	2018. 1. 10.	2018. 10. 10.
입 속의 검은 △	시	2018. 9. 10.	2018. 10. 20.
□의 노래	소설	2017. 10. 30.	2018. 10. 5.
☆☆ 문화유산 답사기	수필	2018. 4. 15.	2018. 10. 10.
햄◇	희곡	2018. 6. 10.	2018. 10. 5.

① 3,000원

② 3,700원

③ 4,400원

④ 5,500원

⑤ 7,200원

난이도 상 중 하

07

풀이시간 | 2분

2019년 5급 공채 PSAT

다음 글을 근거로 판단할 때 옳은 것은?

전문가 6명(A~F)의 〈회의 참여 가능 시간〉과 〈회의 장소 선호도〉를 반영하여, 〈조건〉을 충족하는 회의를 월~금요일 중 개최하려 한다.

〈회의 참여 가능 시간〉

요일 전문가	월	화	수	목	금
A	13:00 ~ 16:20	15:00 ~ 17:30	13:00 ~ 16:20	15:00 ~ 17:30	16:00 ~ 18:30
B	13:00 ~ 16:10	–	13:00 ~ 16:10	–	16:00 ~ 18:30
C	16:00 ~ 19:20	14:00 ~ 16:20	–	14:00 ~ 16:20	16:00 ~ 19:20
D	17:00 ~ 19:30	–	17:00 ~ 19:30	–	17:00 ~ 19:30
E	–	15:00 ~ 17:10	–	15:00 ~ 17:10	–
F	16:00 ~ 19:20	–	16:00 ~ 19:20	–	16:00 ~ 19:20

※ –: 참여 불가

〈회의 장소 선호도〉

전문가 장소	A	B	C	D	E	F
가	5	4	5	6	7	5
나	6	6	8	6	8	8
다	7	8	5	6	3	4

〈조건〉

○ 전문가 A~F 중 3명 이상이 참여할 수 있어야 회의 개최가 가능하다.

○ 회의는 1시간 동안 진행되며, 회의 참여자는 회의 시작부터 종료까지 자리를 지켜야 한다.

○ 회의 시간이 정해지면, 해당 일정에 참여 가능한 전문가들의 선호도를 합산하여 가장 높은 점수가 나온 곳을 회의 장소로 정한다.

① 월요일에는 회의를 개최할 수 없다.

② 금요일 16시에 회의를 개최할 경우 회의 장소는 '가'이다.

③ 금요일 18시에 회의를 개최할 경우 회의 장소는 '다'이다.

④ A가 반드시 참여해야 할 경우 목요일 16시에 회의를 개최할 수 있다.

⑤ C, D를 포함하여 4명 이상이 참여해야 할 경우 금요일 17시에 회의를 개최할 수 있다.

다음 글과 〈상황〉을 근거로 판단할 때, A가 새로 읽기 시작한 350쪽의 책을 다 읽은 때는?

○ A는 특별한 일이 없는 경우 월~금요일까지 매일 시외버스를 타고 30분씩 각각 출근과 퇴근을 하며 밤 9시 이전에 집에 도착한다.
○ A는 대중교통을 이용할 때 책을 읽는다. 단, 시내버스에서는 책을 읽지 않고, 또 밤 9시가 넘으면 어떤 대중교통을 이용해도 책을 읽지 않는다.
○ A는 10분에 20쪽의 속도로 책을 읽는다. 다만 책의 1쪽부터 30쪽까지는 10분에 15쪽의 속도로 읽는다.

〈상황〉

A는 이번 주 월~금요일까지 출퇴근을 했는데, 화요일에는 회사 앞에서 회식이 있어 밤 8시 30분에 시외버스를 타고 30분 후에 집 근처 정류장에 내려 퇴근했다. 수요일에는 오전 근무를 마치고 회의를 위해서 지하철로 20분 이동한 후 다시 시내버스를 30분 타고 회의 장소로 갔다. 회의가 끝난 직후 밤 9시 10분에 지하철을 40분 타고 퇴근했다. A는 200쪽까지 읽은 280쪽의 책을 월요일 아침 출근부터 이어서 읽었고, 그 책을 다 읽은 직후 곧바로 350쪽의 새로운 책을 읽기 시작했다.

① 수요일 회의 장소 이동 중
② 수요일 퇴근 중
③ 목요일 출근 중
④ 목요일 퇴근 중
⑤ 금요일 출근 중

다음 글을 근거로 판단할 때, 〈보기〉에서 옳은 것만을 모두 고르면?

○ 甲, 乙, 丙 세 사람은 25개 문제(1~25번)로 구성된 문제집을 푼다.
○ 1회차에는 세 사람 모두 1번 문제를 풀고, 2회차부터는 직전 회차 풀이 결과에 따라 풀 문제가 다음과 같이 정해진다.
  - 직전 회차가 정답인 경우: 직전 회차의 문제 번호에 2를 곱한 후 1을 더한 번호의 문제
  - 직전 회차가 오답인 경우: 직전 회차의 문제 번호를 2로 나누어 소수점 이하를 버린 후 1을 더한 번호의 문제
○ 풀 문제의 번호가 25번을 넘어갈 경우, 25번 문제를 풀고 더 이상 문제를 풀지 않는다.
○ 7회차까지 문제를 푼 결과, 세 사람이 맞힌 정답의 개수는 같았고 한 사람이 같은 번호의 문제를 두 번 이상 푼 경우는 없었다.
○ 4, 5회차를 제외한 회차별 풀이 결과는 아래와 같다.

(정답: ○, 오답: ×)

구분	1	2	3	4	5	6	7
甲	○	○	×			○	×
乙	○	○	○			×	○
丙	○	×	○			○	×

〈보기〉

ㄱ. 甲과 丙이 4회차에 푼 문제 번호는 같다.
ㄴ. 4회차에 정답을 맞힌 사람은 2명이다.
ㄷ. 5회차에 정답을 맞힌 사람은 없다.
ㄹ. 乙은 7회차에 9번 문제를 풀었다.

① ㄱ, ㄴ
② ㄱ, ㄷ
③ ㄴ, ㄷ
④ ㄴ, ㄹ
⑤ ㄷ, ㄹ

10

다음 〈상황〉을 근거로 판단할 때 〈보기〉에서 옳은 것만을 모두 고르면?

───────〈상황〉───────

　甲과 乙은 장거리 연애 중인 커플로, 甲은 유럽에서 유학 중이고 乙은 한국에 머무르고 있다.

○ 각 국가의 표준시는 영국을 기준으로 한국, 일본은 9시간(+9), 터키는 3시간(+3), 핀란드, 그리스는 2시간(+2), 독일, 스페인, 프랑스는 1시간(+1) 앞서 있다.

○ 6월 1일부터 9월 30일까지 영국, 독일, 스페인, 프랑스, 그리스, 핀란드는 서머타임을 적용하여, 각 국가의 표준시보다 시간을 1시간 앞당겨 사용한다. 이 경우 각 국가는 표준시를 기준으로 6월 1일 00:00와 9월 30일 24:00에 서머타임을 적용 및 해제한다.

○ 甲은 스페인 마드리드 공항에서 스페인 시각으로 5월 30일 10시 25분에 출발하여 4시간 10분 비행 뒤, 핀란드 헬싱키 공항에 도착하였다. 해당 공항에서 2시간 환승 대기한 후 8시간 45분 비행하여 한국 인천 공항에 도착하였다.

○ 甲이 한국 인천 공항에서 한국 시각으로 9월 30일 08시 40분에 출발하여 11시간 40분 비행 뒤, 터키 이스탄불 공항에 도착하였다. 해당 공항에서 2시간 35분 환승 대기한 후 3시간 10분 비행하여 독일 프랑크푸르트 공항에 도착하였다.

○ 甲과 乙은 메시지를 보내면 즉시 확인하며, 비행 중에는 메시지를 확인할 수 없기 때문에 비행이 끝나 공항에 도착하는 즉시 메시지를 확인한다.

───────〈보기〉───────

ㄱ. 乙이 한국 시각으로 5월 30일 24:00에 甲에게 메시지를 보낼 경우, 甲은 메시지를 즉시 확인한다.

ㄴ. 乙이 한국 시각으로 9월 30일 오후 11시에 甲에게 메시지를 보낼 경우, 甲은 메시지를 즉시 확인한다.

ㄷ. 甲이 유럽으로 돌아가는 도중 터키 이스탄불 공항에서 비행기가 본래 환승 대기시간보다 4시간 연착된 경우, 甲은 독일을 기준으로 10월 1일에 프랑크푸르트 공항에 도착한다.

① ㄱ
② ㄷ
③ ㄱ, ㄴ
④ ㄱ, ㄷ
⑤ ㄴ, ㄷ

정답과 해설 P.37

5급	7급	민경채

난이도 상 중 하
01
풀이시간 | 2분
2021년 민경채

다음 글을 근거로 판단할 때, 7월 1일부터 6일까지 지역 농산물 유통센터에서 판매된 甲의 수박 총 판매액은?

○ A시는 농산물의 판매를 촉진하기 위하여 지역 농산물 유통센터를 운영하고 있다. 해당 유통센터는 농산물을 수확 당일 모두 판매하는 것을 목표로 운영하며, 당일 판매하지 못한 농산물은 판매가에서 20%를 할인하여 다음 날 판매한다.

○ 농부 甲은 7월 1일부터 5일까지 매일 수확한 수박 100개씩을 수확 당일 A시 지역 농산물 유통센터에 공급하였다.

○ 甲으로부터 공급받은 수박의 당일 판매가는 개당 1만 원이며, 매일 판매된 수박 개수는 아래와 같았다. 단, 수확 당일 판매되지 않은 수박은 다음 날 모두 판매되었다.

날짜(일)	1	2	3	4	5	6
판매된 수박(개)	80	100	110	100	100	10

① 482만 원
② 484만 원
③ 486만 원
④ 488만 원
⑤ 490만 원

난이도 상 중 하
02
풀이시간 | 2분
2020년 7급 PSAT 모의평가

다음 글을 근거로 판단할 때, 예약할 펜션과 워크숍 비용을 옳게 짝지은 것은?

甲은 팀 워크숍을 추진하기 위해 펜션을 예약하려 한다. 팀원은 총 8명으로 한 대의 렌터카로 모두 같이 이동하여 워크숍에 참석한다. 워크숍 기간은 1박 2일이며, 甲은 워크숍 비용을 최소화하고자 한다.

○ 워크숍 비용은 아래와 같다.

워크숍 비용＝왕복 교통비＋숙박요금

○ 교통비는 렌터카 비용을 의미하며, 렌터카 비용은 거리 10km당 1,500원이다.

○ 甲은 다음 펜션 중 한 곳을 1박 예약한다.

구분	A 펜션	B 펜션	C 펜션
펜션까지 거리(km)	100	150	200
1박당 숙박요금(원)	100,000	150,000	120,000
숙박기준인원(인)	4	6	8

○ 숙박인원이 숙박기준인원을 초과할 경우, A~C 펜션 모두 초과 인원 1인당 1박 기준 10,000원씩 요금이 추가된다.

	예약할 펜션	워크숍 비용
①	A	155,000원
②	A	170,000원
③	B	215,000원
④	C	150,000원
⑤	C	180,000원

다음 〈A기관 특허대리인 보수 지급 기준〉과 〈상황〉을 근거로 판단할 때, 甲과 乙이 지급받는 보수의 차이는?

───〈A기관 특허대리인 보수 지급 기준〉───

○ A기관은 특허출원을 특허대리인(이하 '대리인')에게 의뢰하고, 이에 따라 특허출원 건을 수임한 대리인에게 보수를 지급한다.

○ 보수는 착수금과 사례금의 합이다.

○ 착수금은 대리인이 작성한 출원서의 내용에 따라 〈착수금 산정 기준〉의 세부항목을 합산하여 산정한다. 단, 세부항목을 합산한 금액이 140만 원을 초과할 경우 착수금은 140만 원으로 한다.

〈착수금 산정 기준〉

세부항목	금액(원)
기본료	1,200,000
독립항 1개 초과분(1개당)	100,000
종속항(1개당)	35,000
명세서 20면 초과분(1면당)	9,000
도면(1도당)	15,000

※ 독립항 1개 또는 명세서 20면 이하는 해당 항목에 대한 착수금을 산정하지 않는다.

○ 사례금은 출원한 특허가 '등록결정'된 경우 착수금과 동일한 금액으로 지급하고, '거절결정'된 경우 0원으로 한다.

───〈상황〉───

○ 특허대리인 甲과 乙은 A기관이 의뢰한 특허출원을 각각 1건씩 수임하였다.

○ 甲은 독립항 1개, 종속항 2개, 명세서 14면, 도면 3도로 출원서를 작성하여 특허를 출원하였고, '등록결정'되었다.

○ 乙은 독립항 5개, 종속항 16개, 명세서 50면, 도면 12도로 출원서를 작성하여 특허를 출원하였고, '거절결정'되었다.

① 2만 원
② 8만 5천 원
③ 123만 원
④ 129만 5천 원
⑤ 259만 원

다음 글을 근거로 판단할 때, 〈보기〉에서 옳은 것만을 모두 고르면?

○ 甲국은 매년 X를 100톤 수입한다. 甲국이 X를 수입할 수 있는 국가는 A국, B국, C국 3개국이며, 甲국은 이 중 한 국가로부터 X를 전량 수입한다.
○ X의 거래조건은 다음과 같다.

국가	1톤당 단가	관세율	1톤당 물류비
A국	12달러	0%	3달러
B국	10달러	50%	5달러
C국	20달러	20%	1달러

○ 1톤당 수입비용은 다음과 같다.
1톤당 수입비용 = 1톤당 단가 + (1톤당 단가 × 관세율) + 1톤당 물류비
○ 특정 국가와 FTA를 체결하면 그 국가에서 수입하는 X에 대한 관세율이 0%가 된다.
○ 甲국은 지금까지 FTA를 체결한 A국으로부터만 X를 수입했다. 그러나 최근 A국으로부터 X의 수입이 일시 중단되었다.

〈보기〉

ㄱ. 甲국이 B국과도 FTA를 체결한다면, 기존에 A국에서 수입하던 것과 동일한 비용으로 X를 수입할 수 있다.
ㄴ. C국이 A국과 동일한 1톤당 단가를 제시하였다면, 甲국은 기존에 A국에서 수입하던 것보다 저렴한 비용으로 C국으로부터 X를 수입할 수 있다.
ㄷ. A국으로부터 X의 수입이 다시 가능해졌으나 1톤당 6달러의 보험료가 A국으로부터의 수입비용에 추가된다면, 甲국은 A국보다 B국에서 X를 수입하는 것이 수입비용 측면에서 더 유리하다.

① ㄱ
② ㄴ
③ ㄷ
④ ㄱ, ㄴ
⑤ ㄱ, ㄷ

다음 글을 근거로 판단할 때, 甲이 지불할 관광비용은?

○ 甲은 경복궁에서 시작하여 서울시립미술관, 서울타워 전망대, 국립중앙박물관까지 관광하려 한다. '경복궁 → 서울시립미술관'은 도보로, '서울시립미술관 → 서울타워 전망대' 및 '서울타워 전망대 → 국립중앙박물관'은 각각 지하철로 이동해야 한다.
○ 입장료 및 지하철 요금

경복궁	서울시립미술관	서울타워전망대	국립중앙박물관	지하철
1,000원	5,000원	10,000원	1,000원	1,000원

※ 지하철 요금은 거리에 관계없이 탑승할 때마다 일정하게 지불하며, 도보 이동시에는 별도 비용 없음.
○ 관광비용은 입장료, 지하철 요금, 상품가격의 합산액이다.
○ 甲은 관광비용을 최소화하고자 하며, 甲이 선택할 수 있는 상품은 다음 세 가지 중 하나이다.

상품	가격	혜택				
		경복궁	서울시립미술관	서울타워전망대	국립중앙박물관	지하철
스마트교통카드	1,000원	–	–	50%할인	–	당일무료
시티투어A	3,000원	30%할인	30%할인	30%할인	30%할인	당일무료
시티투어B	5,000원	무료	–	무료	무료	–

① 11,000원
② 12,000원
③ 13,000원
④ 14,900원
⑤ 19,000원

다음 글과 〈표〉를 근거로 판단할 때, A사무관이 선택할 4월의 광고수단은?

○ 주어진 예산은 월 3천만 원이며, A사무관은 월별 광고 효과가 가장 큰 광고수단 하나만을 선택한다.
○ 광고비용이 예산을 초과하면 해당 광고수단은 선택하지 않는다.
○ 광고효과는 아래와 같이 계산한다.

$$광고효과 = \frac{총\ 광고\ 횟수 \times 회당\ 광고노출자\ 수}{광고비용}$$

○ 광고수단은 한 달 단위로 선택된다.

〈표〉

광고수단	광고 횟수	회당 광고 노출자 수	월 광고비용 (천 원)
TV	월 3회	100만 명	30,000
버스	일 1회	10만 명	20,000
KTX	일 70회	1만 명	35,000
지하철	일 60회	2천 명	25,000
포털사이트	일 50회	5천 명	30,000

① TV
② 버스
③ KTX
④ 지하철
⑤ 포털사이트

다음 글을 근거로 판단할 때, 乙이 계산할 금액은?

甲~丁은 회전 초밥을 먹으러 갔다. 식사를 마친 후, 각자 먹은 접시는 각자 계산하기로 했다. 초밥의 접시당 가격은 다음과 같다.

〈초밥의 접시당 가격〉

(단위: 원)

빨간색 접시	1,500
파란색 접시	1,200
노란색 접시	2,000
검정색 접시	4,000

이들은 각각 3가지 색의 접시만 먹었으며, 각자 먹지 않은 접시의 색은 서로 달랐다. 이들이 먹은 접시 개수를 모두 세어 보니 빨간색 접시 7개, 파란색 접시 4개, 노란색 접시 8개, 검정색 접시 3개였다. 이들이 먹은 접시에 대한 정보는 다음과 같다.

○ 甲은 빨간색 접시 4개, 파란색 접시 1개, 노란색 접시 2개를 먹었다.
○ 丙은 乙보다 파란색 접시를 1개 더 먹었으며, 노란색 접시는 먹지 않았다.
○ 丁은 모두 6개의 접시를 먹었으며, 이 중 빨간색 접시는 2개였고 파란색 접시는 먹지 않았다.

① 7,200원
② 7,900원
③ 9,400원
④ 11,200원
⑤ 13,000원

다음 글을 근거로 판단할 때 옳은 것은?

甲은 정기모임의 간식을 준비하기 위해 과일 가게에 들렀다. 甲이 산 과일의 가격과 수량은 아래 표와 같다. 과일 가게 사장이 준 영수증을 보니, 총 228,000원이어야 할 결제 금액이 총 237,300원이었다.

구분	사과	귤	복숭아	딸기
1상자 가격 (원)	30,700	25,500	14,300	23,600
구입 수량 (상자)	2	3	3	2

① 한 과일이 2상자 더 계산되었다.

② 두 과일이 각각 1상자 더 계산되었다.

③ 한 과일이 1상자 더 계산되고, 다른 한 과일이 1상자 덜 계산되었다.

④ 한 과일이 1상자 더 계산되고, 다른 두 과일이 각각 1상자 덜 계산되었다.

⑤ 두 과일이 각각 1상자 더 계산되고, 다른 두 과일이 각각 1상자 덜 계산되었다.

다음 글과 〈상황〉을 근거로 판단할 때 A부처의 2022년도 총 전기차 보조금 예산 규모는?

○ A부처는 국내에서 생산되는 전기차 지원 및 전기차 보급물량 확대를 위한 2022년도 보조금 업무처리지침을 다음과 같이 밝혔다.

○ 2022년도 전기차 '총 지원대수' 및 '대당 지원기준액'은 다음과 같다.

차종	총 지원대수	대당 지원기준액
승용차	100,000대	1,000만 원
화물차	50,000대	1,500만 원
승합차	2,000대	3,000만 원
합계	152,000대	−

※ 단. 승용차 전체 지원대수의 10%는 전기택시에 배정하고, 전기택시에는 대당 보조금 500만 원을 추가로 지원한다.

○ '1대당 지원기준액'은 차량가격대에 따라 차등 적용되는데, 구체적인 차량가격대별 지원율은 다음과 같다.

차량가격	지원율
5천만 원 미만	100%
5천만~8천만 원 미만	50%

〈상황〉

○ 국내 보조금 지원대상 전기차(택시 포함)의 차종별 구성비율은 다음과 같다.

차종	5천만 원 미만	5천만~8천만 원 미만
승용차	80%	20%
화물차	60%	40%
승합차	50%	50%

※ 단. 국내 전기택시는 모두 5천만 원 미만의 승용차이다.

① 1조 5,450억

② 1조 5,950억

③ 1조 8,100억

④ 1조 9,500억

⑤ 2조

다음 글과 〈상황〉을 근거로 판단할 때, □□시가 A동물보호센터에 10월 지급할 경비의 총액은?

> □□시는 관할구역 내 동물보호센터에 다음과 같은 기준으로 경비를 지급하고 있다.
>
> ○ 사료비
>
> | 구분 | 무게 | 1일
사료 급여량 | 사료가격 |
> |---|---|---|---|
> | 개 | 10kg 미만 | 300g/마리 | 5,000원/kg |
> | | 10kg 이상 | 600g/마리 | 5,000원/kg |
> | 고양이 | – | 400g/마리 | 5,000원/kg |
>
> ○ 인건비
> - 포획활동비(1일 1인당): 안전관리사 노임액 (115,000원)
> - 관리비(1일 1마리당): 안전관리사 노임액 (115,000원)의 100분의 20
>
> ○ 주인이 유실동물을 찾아간 경우 동물보호센터가 주인에게 보호비를 징수한다. 보호비는 보호일수와 관계없이 1마리당 100,000원이다. 단, 3일 미만 보호 시 징수하지 않으며, 7일 이상 보호 시 50%를 가산한다.
>
> ○ □□시는 사료비와 인건비를 합한 금액에서 보호비를 공제한 금액을 다음 달에 경비로 지급한다.

〈상황〉

○ □□시 소재 A동물보호센터가 9월 한 달간 관리한 동물의 일평균 마릿수는 다음과 같다.

개	10kg 미만	10
	10kg 이상	5
고양이	–	5

○ A동물보호센터는 9월 한 달간 1인을 8일 동안 포획활동에 투입하였다.

○ A동물보호센터에서 9월 한 달간 주인에게 반환된 유실동물의 마릿수는 다음과 같다.

보호 일수	1일	2일	3일	4일	5일	6일	7일
마릿수	2	3	1	1	2	0	2

① 1,462만 원
② 1,512만 원
③ 1,522만 원
④ 1,532만 원
⑤ 1,572만 원

정답과 해설 P.40

5급	7급	민경채

난이도 상 중 하

01

풀이시간 | 2분

2022년 5급 공채 PSAT

다음 글을 근거로 판단할 때, 진로의 순위를 옳게 짝지은 것은?

○ 甲은 A, B, C 3가지 진로에 대해 비용편익분석(편익 − 비용)을 통하여 최종 결괏값이 큰 순서대로 순위를 정하려고 한다.

○ 각 진로별 예상되는 편익은 다음과 같다.
  − 편익=근속연수×평균연봉
  − 연금이 있는 경우 편익에 1.2를 곱한다.

구분	A	B	C
근속연수	25	35	30
평균연봉	1억 원	7천만 원	5천만 원
연금 여부	없음	없음	있음

○ 각 진로별 예상되는 비용은 다음과 같다.
  − 비용=준비연수×연간 준비비용×준비난이도 계수
  − 준비난이도 계수는 상 2.0, 중 1.5, 하 1.0으로 한다.
  − 연고지가 아닌 경우 비용에 2억 원을 더한다.

구분	A	B	C
준비연수	3	1	4
연간 준비비용	6천만 원	1천만 원	3천만 원
준비난이도	중	하	상
연고지 여부	연고지	비연고지	비연고지

○ 평판도가 1위인 경우, 비용편익분석 결괏값에 2를 곱한다.

구분	A	B	C
평판도	2위	3위	1위

	1순위	2순위	3순위
①	A	B	C
②	B	A	C
③	B	C	A
④	C	A	B
⑤	C	B	A

난이도 상 중 하

02

풀이시간 | 2분

2020년 7급 PSAT 모의평가

다음 글과 〈사무용품 배분방법〉을 근거로 판단할 때, 11월 1일 현재 甲기관의 직원 수는?

甲기관은 사무용품 절약을 위해 〈사무용품 배분방법〉으로 한 달 동안 사용할 네 종류(A, B, C, D)의 사무용품을 매월 1일에 배분한다. 이에 따라 11월 1일에 네 종류의 사무용품을 모든 직원에게 배분하였다. 甲기관이 배분한 사무용품의 개수는 총 1,050개였다.

〈사무용품 배분방법〉

○ A는 1인당 1개씩 배분한다.
○ B는 2인당 1개씩 배분한다.
○ C는 4인당 1개씩 배분한다.
○ D는 8인당 1개씩 배분한다.

① 320명
② 400명
③ 480명
④ 560명
⑤ 640명

다음 글을 근거로 판단할 때, 甲과 乙이 선택할 스포츠 종목은?

○ 甲과 乙은 함께 스포츠 데이트를 하려 한다. 이들이 고려하고 있는 종목은 등산, 스키, 암벽등반, 수영, 볼링이다.

○ 甲과 乙은 비용, 만족도, 위험도, 활동량을 기준으로 종목별 점수를 부여하고, 종목별로 두 사람의 점수를 더하여 합이 가장 높은 종목을 선택한다. 단, 동점일 때는 乙이 부여한 점수의 합이 가장 높은 종목을 선택한다.

○ 甲과 乙이 점수를 부여하는 방식은 다음과 같다.

– 甲과 乙은 비용이 적게 드는 종목부터, 만족도가 높은 종목부터 순서대로 5점에서 1점까지 1점씩 차이를 두고 부여한다.

– 甲은 위험도가 높은 종목부터, 활동량이 많은 종목부터 순서대로 5점에서 1점까지 1점씩 차이를 두고 부여하며, 乙은 그 반대로 점수를 부여한다.

구분	등산	스키	암벽등반	수영	볼링
비용(원)	8,000	60,000	32,000	20,000	18,000
만족도	30	80	100	20	70
위험도	40	100	80	50	60
활동량	50	100	70	90	30

① 등산
② 스키
③ 암벽등반
④ 수영
⑤ 볼링

다음 글을 근거로 판단할 때, 〈보기〉에서 옳은 것만을 모두 고르면?

○ 甲과 乙이 아래와 같은 방식으로 농구공 던지기 놀이를 하였다.

– 甲과 乙은 각 5회씩 도전하고, 합계 점수가 더 높은 사람이 승리한다.

– 2점 숫과 3점 숫을 자유롭게 선택하여 도전할 수 있으며, 성공하면 해당 점수를 획득한다.

– 5회의 도전 중 4점 숫 도전이 1번 가능한데, '4점 도전'이라고 외친 후 뒤돌아서서 숫을 하여 성공하면 4점을 획득하고, 실패하면 1점을 잃는다.

○ 甲과 乙의 던지기 결과는 다음과 같았다.

(성공: ○, 실패: ×)

구분	1회	2회	3회	4회	5회
甲	○	×	○	○	○
乙	○	○	×	×	○

〈보기〉

ㄱ. 甲의 합계 점수는 8점 이상이었다.

ㄴ. 甲이 3점 숫에 2번 도전하였고 乙이 승리하였다면, 乙은 4점 숫에 도전하였을 것이다.

ㄷ. 4점 숫뿐만 아니라 2점 숫, 3점 숫에 대해서도 실패 시 1점을 차감하였다면, 甲이 승리하였을 것이다.

① ㄱ
② ㄴ
③ ㄱ, ㄴ
④ ㄱ, ㄷ
⑤ ㄴ, ㄷ

다음 글과 〈상황〉을 근거로 판단할 때, A~C 자동차 구매 시 지불 금액을 비교한 것으로 옳은 것은?

○ 甲국은 전기차 및 하이브리드 자동차 보급을 장려하기 위해 다음과 같이 보조금과 세제 혜택을 제공한다.
 - 정부는 차종을 고려하여 자동차 1대당 보조금을 정액 지급한다. 중형 전기차에 대해서는 1,500만 원, 소형 전기차에 대해서는 1,000만 원, 하이브리드차에 대해서는 500만 원을 지급한다.
 - 정부는 차종을 고려하여 아래 〈기준〉에 따라 세제 혜택을 제공한다. 자동차 구입 시 발생하는 세금은 개별소비세, 교육세, 취득세뿐이며, 개별소비세는 자동차 가격의 10%, 교육세는 2%, 취득세는 5%의 금액이 책정된다.

〈기준〉

구분	개별소비세	교육세	취득세
중형 전기차	비감면	전액 감면	전액감면
소형 전기차	전액감면		전액감면
하이브리드차	전액감면		비감면

○ 자동차 구매 시 지불 금액은 다음과 같다.
 지불 금액 =자동차 가격 - 보조금 + 세금

〈상황〉

(단위: 만 원)

자동차	차종	자동차 가격
A	중형 전기차	4,000
B	소형 전기차	3,500
C	하이브리드차	3,500

① A<B<C
② B<A<C
③ B<C<A
④ C<A<B
⑤ C<B<A

다음 글과 〈상황〉을 근거로 판단할 때, 〈보기〉에서 옳은 것만을 모두 고르면?

甲국에서는 4개 기관(A~D)에 대해 전기, 후기 두 번의 평가를 실시하고 있다. 전기평가에서 낮은 점수를 받은 기관이 후기평가를 포기하는 것을 막기 위해 다음과 같은 최종평가점수 산정 방식을 사용하고 있다.

최종평가점수 = Max[0.5×전기평가점수+0.5×후기평가점수, 0.2×전기평가점수+0.8×후기평가점수]

여기서 사용한 Max[X, Y]는 X와 Y 중 큰 값을 의미한다. 즉, 전기평가점수와 후기평가점수의 가중치를 50:50으로 하여 산정한 점수와 20:80으로 하여 산정한 점수 중 더 높은 것이 해당 기관의 최종평가점수이다.

〈상황〉

4개 기관의 전기평가점수(100점 만점)는 다음과 같다.

기관	A	B	C	D
전기평가점수	60	70	90	80

4개 기관의 후기평가점수(100점 만점)는 모두 자연수이고, C기관의 후기평가점수는 70점이다. 최종평가점수를 통해 확인된 기관 순위는 1등부터 4등까지 A-B-D-C 순이며 동점인 기관은 없다.

〈보기〉

ㄱ. A기관의 후기평가점수는 B기관의 후기평가점수보다 최소 3점 높다.
ㄴ. B기관의 후기평가점수는 83점일 수 있다.
ㄷ. A기관과 D기관의 후기평가점수 차이는 5점일 수 있다.

① ㄱ
② ㄴ
③ ㄱ, ㄴ
④ ㄱ, ㄷ
⑤ ㄴ, ㄷ

다음 글과 〈상황〉을 근거로 판단할 때, 〈보기〉에서 옳은 것만을 모두 고르면?

□□부서는 매년 △△사업에 대해 사업자 자격 요건 재허가 심사를 실시한다.

○ 기본심사 점수에서 감점 점수를 뺀 최종심사 점수가 70점 이상이면 '재허가', 60점 이상 70점 미만이면 '허가 정지', 60점 미만이면 '허가 취소'로 판정한다.

　－ 기본심사 점수: 100점 만점으로, ㉮~㉲의 4가지 항목(각 25점 만점) 점수의 합으로 한다. 단, 점수는 자연수이다.

　－ 감점 점수: 과태료 부과의 경우 1회당 2점, 제재 조치의 경우 경고 1회당 3점, 주의 1회당 1.5점, 권고 1회당 0.5점으로 한다.

〈상황〉

2020년 사업자 A~C의 기본심사 점수 및 감점 사항은 아래와 같다.

사업자	기본심사 항목별 점수			
	㉮	㉯	㉰	㉱
A	20	23	17	?
B	18	21	18	?
C	23	18	21	16

사업자	과태료 부과 횟수	제재 조치 횟수		
		경고	주의	권고
A	3	－	－	6
B	5	－	3	2
C	4	1	2	－

〈보기〉

ㄱ. A의 ㉱ 항목 점수가 15점이라면 A는 재허가를 받을 수 있다.

ㄴ. B의 허가가 취소되지 않으려면 B의 ㉱ 항목 점수가 19점 이상이어야 한다.

ㄷ. C가 2020년에 과태료를 부과받은 적이 없다면 판정 결과가 달라진다.

ㄹ. 기본심사 점수와 최종심사 점수 간의 차이가 가장 큰 사업자는 C이다.

① ㄱ
② ㄴ
③ ㄱ, ㄴ
④ ㄴ, ㄷ
⑤ ㄷ, ㄹ

다음 글을 근거로 판단할 때, 규칙 위반에 해당하는 것은?

〈드론 비행 안전 규칙〉

드론을 비행하려면 다음 요건을 갖추어야 한다.

구분		기체검사	비행승인	사업등록	구분		장치신고	조종자격
이륙중량 25kg 초과	사업자	○	○	○	자체중량 12kg 초과	사업자	○	○
	비사업자	○	○	×		비사업자	○	×
이륙중량 25kg 이하	사업자	×	△	○	자체중량 12kg 이하	사업자	○	×
	비사업자	×	△	×		비사업자	×	×

※ ○: 필요, ×: 불필요
△: 공항 또는 비행장 중심 반경 5km 이내에서는 필요

① 비사업자인 甲은 이륙중량 20kg, 자체중량 10kg인 드론을 공항 중심으로부터 10km 떨어진 지역에서 비행승인 없이 비행하였다.

② 비사업자인 乙은 이륙중량 30kg, 자체중량 10kg인 드론을 기체검사, 비행승인을 받아 비행하였다.

③ 사업자인 丙은 이륙중량 25kg, 자체중량 12kg인 드론을 사업등록, 장치신고를 하고 비행승인 없이 비행장 중심으로부터 4km 떨어진 지역에서 비행하였다.

④ 사업자인 丁은 이륙중량 30kg, 자체중량 20kg인 드론을 기체검사, 사업등록, 장치신고, 조종자격을 갖추고 비행승인을 받아 비행하였다.

⑤ 사업자인 戊는 이륙중량 20kg, 자체중량 13kg인 드론을 사업등록, 장치신고, 조종자격을 갖추고 비행승인 없이 비행장 중심으로부터 20km 떨어진 지역에서 비행하였다.

다음 글을 근거로 판단할 때, 〈보기〉에서 옳은 것만을 모두 고르면?

A부처는 CO_2 배출량 감소를 위해 전기와 도시가스 사용을 줄이는 가구를 대상으로 CO_2 배출 감소량에 비례하여 현금처럼 사용할 수 있는 포인트를 지급하는 제도를 시행하고 있다. 전기는 5kWh, 도시가스는 $1m^3$를 사용할 때 각각 2kg의 CO_2가 배출되며, 전기 1kWh당 사용 요금은 20원, 도시가스 $1m^3$당 사용 요금은 60원이다.

〈보기〉

ㄱ. 매월 전기 요금과 도시가스 요금을 각각 1만 2천 원씩 부담하는 가구는 전기 사용으로 인한 월 CO_2 배출량이 도시가스 사용으로 인한 월 CO_2 배출량보다 적다.

ㄴ. 매월 전기 요금을 5만 원, 도시가스 요금을 3만 원 부담하는 가구는 전기와 도시가스 사용에 따른 월 CO_2 배출량이 동일하다.

ㄷ. 전기 1kWh를 절약한 가구는 도시가스 $1m^3$를 절약한 가구보다 많은 포인트를 지급받는다.

① ㄱ
② ㄷ
③ ㄱ, ㄴ
④ ㄴ, ㄷ
⑤ ㄱ, ㄴ, ㄷ

다음 글과 〈상황〉을 근거로 판단할 때 옳지 않은 것은?

甲국은 국가혁신클러스터 지구를 선정하고자 한다. 산업 단지를 대상으로 〈평가 기준〉에 따라 점수를 부여하고 이를 합산한다. 지방자치단체(이하 '지자체')의 육성 의지가 있는 곳 중 합산점수가 높은 4곳의 산업단지를 국가혁신클러스터 지구로 선정한다.

〈평가 기준〉

○ 산업단지 내 기업 집적 정도

산업단지 내 기업 수	30개 이상	10~29개	9개 이하
점수	40점	30점	20점

○ 산업단지의 산업클러스터 연관성

업종	연관 업종	유사 업종	기타
점수	40점	20점	0점

※ 연관 업종: 자동차, 철강, 운송, 화학, IT
   유사 업종: 소재, 전기전자

○ 신규투자기업 입주공간 확보 가능 여부

입주공간 확보	가능	불가
점수	20점	0점

○ 합산점수가 동일할 경우 우선순위는 다음과 같은 순서로 정한다.
   1) 산업클러스터 연관성 점수가 높은 산업단지
   2) 기업 집적 정도 점수가 높은 산업단지
   3) 신규투자기업의 입주공간 확보 가능 여부 점수가 높은 산업단지

〈상황〉

산업단지(A~G)에 관한 정보는 다음과 같다.

산업단지	산업단지 내 기업 수	업종	입주공간 확보	지자체 육성 의지
A	58개	자동차	가능	있음
B	9개	자동차	가능	있음
C	14개	철강	가능	있음
D	10개	운송	가능	없음
E	44개	바이오	가능	있음
F	27개	화학	불가	있음
G	35개	전기전자	가능	있음

① B는 선정된다.
② A가 '소재'산업단지인 경우 F가 선정된다.
③ 3곳을 선정할 경우 G는 선정되지 않는다.
④ F는 산업단지 내에 기업이 3개 더 있다면 선정된다.
⑤ D가 소재한 지역의 지자체가 육성 의지가 있을 경우 D는 선정된다.

5급	7급	민경채

난이도 상 중 하

01

풀이시간 | 2분 30초

2021년 7급 공채 PSAT

다음 글을 근거로 판단할 때, 甲이 통합력에 투입해야 하는 노력의 최솟값은?

○ 업무역량은 기획력, 창의력, 추진력, 통합력의 4가지 부문으로 나뉜다.

○ 부문별 업무역량 값을 수식으로 나타내면 다음과 같다.

부문별 업무역량 값

=(해당 업무역량 재능×4)

+(해당 업무역량 노력×3)

※ 재능과 노력의 값은 음이 아닌 정수이다.

○ 甲의 부문별 업무역량의 재능은 다음과 같다.

기획력	창의력	추진력	통합력
90	100	110	60

○ 甲은 통합력의 업무역량 값을 다른 어떤 부문의 값보다 크게 만들고자 한다. 단, 甲이 투입 가능한 노력은 총 100이며 甲은 가능한 노력을 남김없이 투입한다.

① 67

② 68

③ 69

④ 70

⑤ 71

난이도 상 중 하

02

풀이시간 | 2분 30초

2021년 7급 공채 PSAT

다음 글과 〈대화〉를 근거로 판단할 때, 丙이 받을 수 있는 최대 성과점수는?

○ A과는 과장 1명과 주무관 4명(甲~丁)으로 구성되어 있으며, 주무관의 직급은 甲이 가장 높고, 乙, 丙, 丁 순으로 낮아진다.

○ A과는 프로젝트를 성공적으로 마친 보상으로 성과점수 30점을 부여받았다. 과장은 A과에 부여된 30점을 자신을 제외한 주무관들에게 분배할 계획을 세우고 있다.

○ 과장은 주무관들의 요구를 모두 반영하여 성과점수를 분배하려 한다.

○ 주무관들이 받는 성과점수는 모두 다른 자연수이다.

〈대화〉

甲: 과장님이 주시는 대로 받아야죠. 아! 그렇지만 丁보다는 제가 높아야 합니다.

乙: 이번 프로젝트 성공에는 제가 가장 큰 기여를 했으니, 제가 가장 높은 성과점수를 받아야 합니다.

丙: 기여도를 고려했을 때, 제 경우에는 상급자보다는 낮게 받고 하급자보다는 높게 받아야 합니다.

丁: 저는 내년 승진에 필요한 최소 성과점수인 4점만 받겠습니다.
---

① 6

② 7

③ 8

④ 9

⑤ 10

다음 글을 근거로 판단할 때, 5세트가 시작한 시점에 경기장에 남아 있는 관람객 수의 최댓값은?

○ 총 5세트의 배구경기에서 각 세트를 이길 때마다 세트 점수 1점을 획득하여 누적 세트 점수 3점을 먼저 획득하는 팀이 승리한다.

○ 경기 시작 전, 경기장에는 홈팀을 응원하는 관람객 5,000명과 원정팀을 응원하는 관람객 3,000명이 있었다.

○ 각 세트가 끝날 때마다 누적 세트 점수가 낮은 팀을 응원하는 관람객이 경기장을 나가는데, 홈팀은 1,000명, 원정팀은 500명이 나간다.

○ 경기장을 나간 관람객은 다시 들어오지 못하며, 경기 중간에 들어온 관람객은 없다.

○ 경기는 원정팀이 승리했으나 홈팀이 두 세트를 이기며 분전했다.

① 6,000명
② 6,500명
③ 7,000명
④ 7,500명
⑤ 8,000명

다음 글과 〈상황〉을 근거로 판단할 때 옳지 않은 것은?

□□시는 부서 성과 및 개인 성과에 따라 등급을 매겨 직원들에게 성과급을 지급하고 있다.

○ 부서 등급과 개인 등급은 각각 S, A, B, C로 나뉘고, 등급별 성과급 산정비율은 다음과 같다.

성과 등급	S	A	B	C
성과급 산정비율 (%)	40	20	10	0

○ 작년까지 부서 등급과 개인 등급에 따른 성과급 산정비율의 산술평균을 연봉에 곱해 직원의 성과급을 산정해왔다.

성과급
＝연봉×{(부서 산정비율＋개인 산정비율)/2}

○ 올해부터 부서 등급과 개인 등급에 따른 성과급 산정비율 중 더 큰 값을 연봉에 곱해 성과급을 산정하도록 개편하였다.

성과급
＝연봉×max{부서 산정비율, 개인 산정비율}

※ max{a, b}＝a와 b 중 더 큰 값

〈상황〉

작년과 올해 □□시 소속 직원 甲~丙의 연봉과 성과 등급은 다음과 같다.

구분	작년			올해		
	연봉 (만 원)	성과 등급		연봉 (만 원)	성과 등급	
		부서	개인		부서	개인
甲	3,500	S	A	4,000	A	S
乙	4,000	B	S	4,000	S	A
丙	3,000	B	A	3,500	C	B

① 甲의 작년 성과급은 1,050만 원이다.
② 甲과 乙의 올해 성과급은 동일하다.
③ 甲~丙 모두 작년 대비 올해 성과급이 증가한다.
④ 올해 연봉과 성과급의 합이 가장 작은 사람은 丙이다.
⑤ 작년 대비 올해 성과급 상승률이 가장 큰 사람은 乙이다.

다음 글과 〈국내이전비 신청현황〉을 근거로 판단할 때, 국내이전비를 지급받는 공무원만을 모두 고르면?

청사 소재지 이전에 따라 거주지를 이전하거나, 현 근무지 외의 지역으로 부임의 명을 받아 거주지를 이전하는 공무원은 다음 요건에 모두 부합하는 경우 국내이전비를 지급받는다.

첫째, 전임지에서 신임지로 거주지를 이전하고 이사화물도 옮겨야 한다. 다만 동일한 시(특별시, 광역시 및 특별자치시 포함)·군 및 섬(제주특별자치도 제외) 안에서 거주지를 이전하는 공무원에게는 국내이전비를 지급하지 않는다.

둘째, 거주지와 이사화물은 발령을 받은 후에 이전하여야 한다.

〈국내이전비 신청현황〉

공무원	전임지	신임지	발령일자	이전일자	이전여부	
					거주지	이사화물
甲	울산광역시 중구	울산광역시 북구	'20.2.13.	'20.2.20.	○	○
乙	경기도 고양시	세종특별자치시	'19.12.3.	'19.12.5.	○	×
丙	광주광역시	대구광역시	'19.6.1.	'19.6.15.	×	○
丁	제주특별자치도 서귀포시	제주특별자치도 제주시	'20.1.2.	'20.1.13.	○	○
戊	서울특별시	충청북도 청주시	'19.9.3.	'19.9.8.	○	○
己	부산광역시	서울특별시	'20.4.25.	'20.4.1.	○	○

① 甲, 乙
② 乙, 丁
③ 丙, 己
④ 丁, 戊
⑤ 戊, 己

다음 글과 〈상황〉을 근거로 판단할 때, 날씨 예보 앱을 설치한 잠재 사용자의 총수는?

내일 비가 오는지를 예측하는 날씨 예보시스템을 개발한 A청은 다음과 같은 날씨 예보 앱의 '사전테스트전략'을 수립하였다.

○ 같은 날씨 변화를 경험하는 잠재 사용자의 전화번호를 개인의 동의를 얻어 확보한다.
○ 첫째 날에는 잠재 사용자를 같은 수의 두 그룹으로 나누어, 한쪽은 "비가 온다"로 다른 한쪽에는 "비가 오지 않는다"로 메시지를 보낸다.
○ 둘째 날에는 직전일에 보낸 메시지와 날씨가 일치한 그룹을 다시 같은 수의 두 그룹으로 나누어, 한쪽은 "비가 온다"로 다른 한쪽에는 "비가 오지 않는다"로 메시지를 보낸다.
○ 이후 날에도 같은 작업을 계속 반복한다.
○ 보낸 메시지와 날씨가 일치하지 않는 잠재 사용자를 대상으로도 같은 작업을 반복한다. 즉, 직전일에 보낸 메시지와 날씨가 일치하지 않은 잠재 사용자를 같은 수의 두 그룹으로 나누어, 한쪽은 "비가 온다"로 다른 한쪽에는 "비가 오지 않는다"로 메시지를 보낸다.

〈상황〉

A청은 사전테스트전략대로 200,000명의 잠재 사용자에게 월요일부터 금요일까지 5일간 메시지를 보냈다. 받은 메시지와 날씨가 3일 연속 일치한 경우, 해당 잠재 사용자는 날씨 예보 앱을 그날 설치한 후 제거하지 않았다.

① 12,500명
② 25,000명
③ 37,500명
④ 43,750명
⑤ 50,000명

다음 글과 〈상황〉을 근거로 판단할 때, '통합추진공동위원회'의 전체 위원 수는?

○ 국가는 지방자치단체인 시·군·구의 인구, 지리적 여건, 생활권·경제권, 발전가능성 등을 고려하여 통합이 필요한 지역에 대하여는 지방자치단체 간 통합을 지원해야 한다.

○ △△위원회(이하 '위원회')는 통합대상 지방자치단체를 발굴하고 통합방안을 마련한다. 지방자치단체의 장, 지방의회 또는 주민은 인근 지방자치단체와의 통합을 위원회에 건의할 수 있다. 단, 주민이 건의하는 경우에는 해당 지방자치단체의 주민투표권자 총수의 50분의 1 이상의 연서(連書)가 있어야 한다. 지방자치단체의 장, 지방의회 또는 주민은 위원회에 통합을 건의할 때 통합대상 지방자치단체를 관할하는 특별시장·광역시장 또는 도지사(이하 '시·도지사')를 경유해야 한다. 이 경우 시·도지사는 접수받은 통합건의서에 의견을 첨부하여 지체 없이 위원회에 제출해야 한다. 위원회는 위의 건의를 참고하여 시·군·구 통합방안을 마련해야 한다.

○ □□부 장관은 위원회가 마련한 시·군·구 통합방안에 따라 지방자치단체 간 통합을 해당 지방자치단체의 장에게 권고할 수 있다. □□부 장관은 지방자치단체 간 통합권고안에 관하여 해당 지방의회의 의견을 들어야 한다. 그러나 □□부 장관이 필요하다고 인정하여 해당 지방자치단체의 장에게 주민투표를 요구하여 실시한 경우에는 그렇지 않다. 지방자치단체의 장은 시·군·구 통합과 관련하여 주민투표의 실시 요구를 받은 때에는 지체 없이 이를 공표하고 주민투표를 실시해야 한다.

○ 지방의회 의견청취 또는 주민투표를 통하여 지방자치 단체의 통합의사가 확인되면 '관계지방자치단체(통합 대상 지방자치단체 및 이를 관할하는 특별시·광역시 또는 도)'의 장은 명칭, 청사 소재지, 지방자치단체의 사무 등 통합에 관한 세부사항을 심의하기 위하여 공동으로 '통합추진공동위원회'를 설치해야 한다.

○ 통합추진공동위원회의 위원은 관계지방자치단체의 장 및 그 지방의회가 추천하는 자로 한다. 통합추진공동위원회를 구성하는 각각의 관계지방자치단체 위원 수는 다음에 따라 산정한다. 단, 그 결괏값이 자연수가 아닌 경우에는 소수점 이하의 수를 올림한 값을 관계지방자치단체 위원 수로 한다.

> 관계지방자치단체 위원 수 = [(통합대상 지방자치단체 수) × 6 + (통합대상 지방자치단체를 관할하는 특별시·광역시 또는 도의 수) × 2 + 1] ÷ (관계지방자치단체 수)

○ 통합추진공동위원회의 전체 위원 수는 위에 따라 산출된 관계지방자치단체 위원 수에 관계지방자치단체 수를 곱한 값이다.

〈상황〉

甲도가 관할하는 지방자치단체인 A군과 B군, 乙도가 관할하는 지방자치단체인 C군, 그리고 丙도가 관할하는 지방자치단체인 D군은 관련 절차를 거쳐 하나의 지방자치단체로 통합을 추진하고 있다. 현재 관계지방자치단체장은 공동으로 '통합추진공동위원회'를 설치하고자 한다.

① 42명

② 35명

③ 32명

④ 31명

⑤ 28명

정답과 해설 P.46

5급	7급	민경채

난이도 상 중 하

01

풀이시간 | 2분

2023년 7급 공채 PSAT/민경채

다음 글을 근거로 판단할 때 옳은 것을 고르면?

두부의 주재료는 대두(大豆)라는 콩이다. 50여 년 전만 해도, 모내기가 끝나는 5월쯤 대두의 씨앗을 심어 벼 베기가 끝나는 10월쯤 수확했다. 두부를 만들기 위해서 먼저 콩을 물에 불리는데, 겨울이면 하루 종일, 여름이면 반나절 정도 물에 담가둬야 한다. 콩을 적당히 불린 후 맷돌로 콩을 간다. 물을 조금씩 부어가며 콩을 갈면 맷돌 가운데에서 하얀색의 콩비지가 거품처럼 새어 나온다. 이 콩비지를 솥에 넣고 약한 불로 끓인다. 맷돌에서 막 갈려 나온 콩비지에서는 식물성 단백질에서 나는 묘한 비린내가 나는데, 익히면 이 비린내는 없어진다. 함지박 안에 삼베나 무명으로 만든 주머니를 펼쳐 놓고, 끓인 콩비지를 주머니에 담는다. 콩비지가 다 식기 전에 주머니의 입을 양쪽으로 묶고 그 사이에 나무 막대를 꽂아 돌리면서 마치 탕약 짜듯이 콩물을 빼낸다. 이 콩물을 두유라고 한다. 콩에 함유된 단백질은 두유에 녹아 있다.

두부는 두유를 응고시킨 음식이다. 두유의 응고를 위해 응고제가 필요한데, 예전에는 응고제로 간수를 사용했다. 간수의 주성분은 염화마그네슘이다. 두유에 함유된 식물성 단백질은 염화마그네슘을 만나면 응고된다. 두유에 간수를 넣고 잠시 기다리면 응고된 하얀 덩어리와 물로 분리된다. 하얀 덩어리는 주머니에 옮겨 담는다. 응고가 아직 다 되지 않았기 때문에 덩어리를 싼 주머니에서는 물이 흘러나온다. 함지박 위에 널빤지를 올리고 그 위에 입을 단단히 묶은 주머니를 올려놓는다. 또 다른 널빤지를 주머니 위에 얹고 무거운 돌을 올려놓는다. 이렇게 한참을 누르고 있으면 주머니에서 물이 빠져나오고 덩어리는 굳어져 두부의 모양을 갖추게 된다.

① 50여 년 전에는 5월쯤 그해 수확한 대두로 두부를 만들 수 있었다.
② 콩비지를 염화마그네슘으로 응고시키면 두부와 두유가 나온다.
③ 익힌 콩비지에서는 식물성 단백질로 인해서 비린내가 난다.
④ 간수는 두유에 함유된 식물성 단백질을 응고시키는 성질이 있다.
⑤ 여름에 두부를 만들기 위해서는 콩을 하루 종일 물에 담가둬야 한다.

[02~03] 다음 글을 읽고 물음에 답하시오.

석유사업의 시작은 1859년으로 거슬러 올라간다. 甲국 ○○계곡에서 석유시추 현장책임자인 A가 오랜 노력 끝에 석유시추에 성공하였고, 그날부터 A는 매일 30배럴씩 석유를 퍼 올렸다.

A의 성공을 계기로 석유에 대한 관심이 급증했다. 석유시추에 성공한 이후 1860년 말에는 70여 개의 유정이 석유를 뿜어냈고 정제시설도 15개나 들어섰다. ○○계곡의 연간 산유량은 1859년의 2천 배럴에서 10년 만에 250배가 되었다. 그러나 생산량이 늘어나면서 가격은 하락하였다. 급기야 석유가격은 A가 최초로 시추한 날의 평균가격에서 96%나 떨어져 배럴당 1.2달러에 판매되기도 하였다. 이러한 생산과잉을 해결하기 위해 수출이 시작되었다. 1880년에는 甲국의 수출량이 국내 소비량의 150%가 되었으며, 甲국에서 그해 생산된 석유의 총 가액은 3,500만 달러였다.

석유사업 확대는 연구 및 수요 증가와 밀접한 관련이 있다. 원유에서는 액화석유가스(LPG), 휘발유(가솔린), 등유, 경유(디젤), 중유 등을 생산할 수 있다. 하지만 1859년에는 등유만을 생산하였고, 부산물은 용도가 없어 내다 버렸다. 그런데 등화용으로 사용되던 등유 소비가 한계에 달하면서 새로운 시장을 개척하기 위해 부산물의 용도를 연구하기 시작하였다. 그 결과 휘발유가 석탄을 대신해서 증기기관의 동력으로 사용될 수 있음을 알게 되었다. 1886년 휘발유 자동차가 생산되면서 휘발유의 가치는 치솟았다. 1908년 자동차의 대량생산을 계기로 휘발유 사용이 극적으로 증가하였고, 1911년에는 휘발유 소비가 처음으로 등유를 앞질렀다.

1893년에는 디젤엔진의 특허가 등록되었고, 1910년경 동력 장치로 발명된 디젤엔진이 선박에 처음으로 사용되었다. 경유(디젤)가 자동차 연료로 처음 사용된 것은 1927년에 소형 연료 분사장치가 발명되면서부터이다. 한편 1912년에는 원유에서 끓는점에 따라 휘발유, 등유, 경유, 중유를 차례로 생산하는 최초의 현대식 정유공장이 세워졌으며, 액화석유가스 생산 기술이 처음으로 개발되었다.

난이도 상 중 하
풀이시간 | 2분
02
2023년 5급 공채 PSAT

윗글을 근거로 판단할 때 옳은 것은?

① 1890년이 되어서야 휘발유는 동력 기계를 움직이는 연료로 사용되었다.
② 1907년에는 휘발유보다 등유의 소비량이 더 많았을 것이다.
③ 1925년에 경유가 자동차 연료로 사용되기 시작했을 것이다.
④ 최초의 석유시추는 휘발유와 경유를 생산하기 위한 것이었다.
⑤ 1910년에는 액화석유가스가 자동차 연료로 사용되기 시작했을 것이다.

난이도 상 중 하
풀이시간 | 2분
03
2023년 5급 공채 PSAT

윗글을 근거로 판단할 때, 〈보기〉에서 옳은 것만을 모두 고른 것은?

〈보기〉
ㄱ. A가 시추 첫날 생산한 석유가 그날 평균가격으로 모두 팔렸다면 판매액은 총 900달러이다.
ㄴ. 1869년 ○○계곡의 월 평균 산유량은 2만 배럴이다.
ㄷ. 비축 및 수입된 석유가 없다고 가정할 때, 1880년 甲국의 국내 석유 소비량을 금액으로 환산하면 총 2,100만 달러이다.

① ㄱ
② ㄷ
③ ㄱ, ㄴ
④ ㄱ, ㄷ
⑤ ㄴ, ㄷ

풀이시간 | 1분 30초

2022년 5급 공채 PSAT

다음 글을 근거로 판단할 때 옳은 것은?

커피에 함유된 카페인의 각성효과는 사람에 따라 다르다. 커피를 한 잔만 마셔도 각성효과가 큰 사람이 있고, 몇 잔을 연거푸 마셔도 거의 영향을 받지 않는 사람도 있다. 甲국 정부는 하루 카페인 섭취량으로 성인은 400mg 이하, 임신부는 300mg 이하, 어린이·청소년은 체중 1kg당 2.5mg 이하를 권고하고 있다.

카페인은 식물에서 추출한 알칼로이드 화학물질로 각성효과, 기억력, 집중력을 일시적으로 향상시킨다. 카페인의 효과는 '아데노신'과 밀접한 관련이 있다. 사람의 몸에서 생성되는 화학물질인 아데노신은 뇌의 각성상태를 완화시켜 잠들게 하는 신경전달물질이다. 이 아데노신이 뇌 수용체와 결합하기 전에 카페인이 먼저 뇌 수용체와 결합하면 각성효과가 나타나게 된다. 즉 커피 속의 카페인은 아데노신의 역할을 방해하는 셈이다.

몸에 들어온 카페인은 간에서 분해된다. 카페인의 분해가 잘 될수록 각성효과가 빨리 사라진다. 카페인이 간에서 분해되는 과정에는 카페인 분해 효소가 필요하다. 카페인 분해 효소의 효율이 유전적·환경적 요인에 따라 어떻게 달라지는지 확인하기 위해 조사를 진행하였다. 그 결과 흡연 또는 여성의 경구 피임약 복용 등도 카페인 분해 효율에 영향을 주지만 유전적 요인이 가장 큰 영향을 준다는 결론에 도달했다. 카페인 분해 효소의 효율을 결정하는 유전자는 15번 염색체에 있다. 이 유전자 염기서열 특정 부분의 변이가 A형인 사람을 '빠른 대사자', C형인 사람을 '느린 대사자'로 나누기도 한다. C형인 사람은 카페인 분해가 느려서 카페인이 일으키는 각성효과를 길게 받는다. "나는 낮에 커피 한 잔만 마셔도 밤에 잠이 안 와!"라고 말하는 사람은 느린 대사자일 가능성이 높다. 반면에 커피를 마셔도 잘 자는 사람은 빠른 대사자일 가능성이 높다.

① 甲국 정부가 권고하는 하루 카페인 섭취량 이하를 섭취하면 각성효과가 나타나지 않는다.

② 카페인은 각성효과를 돕는 아데노신 분비를 촉진시킨다.

③ 유전자 염기서열 특정 부분의 변이가 A형인 사람은 C형인 사람보다 카페인의 각성효과가 더 오래 유지된다.

④ 몸무게가 60kg인 성인 남성에 대해 甲국 정부가 권고하는 하루 카페인 섭취량은 최대 150mg이다.

⑤ 사람에 따라 커피의 각성효과가 달라지는 데 가장 큰 영향을 주는 것은 유전적 요인이다.

다음 글을 근거로 판단할 때, 〈보기〉에서 옳은 것만을 모두 고르면?

맥동변광성(脈動變光星)은 팽창과 수축을 되풀이하면서 밝기가 변하는 별이다. 맥동변광성은 변광 주기가 길수록 실제 밝기가 더 밝다. 이를 '주기 – 광도 관계'라 한다.

세페이드 변광성은 보통 3일에서 50일 이내의 변광 주기를 갖는 맥동변광성이다. 지구에서 관찰되는 별의 밝기는 지구로부터의 거리에 따라 달라지기 때문에 실제 밝기는 측정하기 어려운데, 세페이드 변광성의 경우는 주기 – 광도 관계를 이용하여 실제 밝기를 알 수 있다.

별의 밝기는 등급으로 표시하기도 하는데, 지구에서 측정한 밝기인 겉보기등급과 실제 밝기를 나타낸 절대등급이 있다. 두 경우 모두 등급의 수치가 작을수록 밝은데, 그 수치가 1 줄어들 때마다 2.5배 밝아진다. 겉보기등급이 절대등급과 다른 까닭은 별의 밝기가 거리의 제곱에 반비례하기 때문이다. 한편 모든 별이 지구로부터 10파섹(1파섹=3.26광년)의 일정한 거리에 있다고 가정하고 지구에서 관찰된 밝기를 산출한 것을 절대등급이라고 한다. 어느 성단에서 세페이드 변광성이 발견되면 주기 – 광도 관계에 따라 별의 절대등급을 알 수 있으므로, 겉보기등급과의 차이를 보아 그 성단까지의 거리를 계산할 수 있다.

천문학자 W. 바데는 세페이드 변광성에 두 종류가 있으며, I형 세페이드 변광성이 동일한 변광 주기를 갖는 II형 세페이드 변광성보다 1.5등급만큼 더 밝다는 것을 밝혀냈다.

〈보기〉

ㄱ. 변광 주기가 10일인 I형 세페이드 변광성은 변광 주기가 50일인 I형 세페이드 변광성보다 어둡다.

ㄴ. 변광 주기가 동일한 두 개의 II형 세페이드 변광성의 겉보기등급 간에 수치 차이가 1이라면, 지구로부터 두 별까지의 거리의 비는 2.5이다.

ㄷ. 실제 밝기를 기준으로 비교할 때, 변광 주기가 20일인 I형 세페이드 변광성은 같은 주기의 II형 세페이드 변광성보다 2.5배 이상 밝다.

ㄹ. 지구로부터 1파섹 떨어진 별의 밝기는 절대등급과 겉보기등급이 동일하다.

① ㄱ, ㄷ
② ㄱ, ㄹ
③ ㄴ, ㄷ
④ ㄴ, ㄹ
⑤ ㄱ, ㄴ, ㄷ

다음 글을 근거로 판단할 때 옳은 것을 고르면?

조선시대 쌀의 종류에는 가을철 논에서 수확한 벼를 가공한 흰색 쌀 외에 밭에서 자란 곡식을 가공함으로써 얻게 되는 회색 쌀과 노란색 쌀이 있었다. 회색 쌀은 보리의 껍질을 벗긴 보리쌀이었고, 노란색 쌀은 조의 껍질을 벗긴 좁쌀이었다.

남부 지역에서는 보리가 특히 중요시되었다. 가을 곡식이 바닥을 보이기 시작하는 봄철, 농민들의 희망은 들판에 넘실거리는 보리뿐이었다. 보리가 익을 때까지는 주린 배를 움켜쥐고 생활할 수밖에 없었고, 이를 보릿고개라 하였다. 그것은 보리를 수확하는 하지, 즉 낮이 가장 길고 밤이 가장 짧은 시기까지 지속되다가 사라지는 고개였다. 보리 수확기는 여름이었지만 파종 시기는 보리 종류에 따라 달랐다. 가을철에 파종하여 이듬해 수확하는 보리는 가을보리, 봄에 파종하여 그해 수확하는 보리는 봄보리라고 불렀다.

적지 않은 농부들은 보리를 수확하고 그 자리에 다시 콩을 심기도 했다. 이처럼 같은 밭에서 1년 동안 보리와 콩을 교대로 경작하는 방식을 그루갈이라고 한다. 그렇지만 모든 콩이 그루갈이로 재배된 것은 아니었다. 콩 수확기는 가을이었으나, 어떤 콩은 봄철에 파종해야만 제대로 자랄 수 있었고 어떤 콩은 여름에 심을 수도 있었다. 한편 조는 보리, 콩과 달리 모두 봄에 심었다. 그래서 봄철 밭에서는 보리, 콩, 조가 함께 자라는 것을 볼 수 있었다.

① 흰색 쌀과 여름에 심는 콩은 서로 다른 계절에 수확했다.

② 봄보리의 재배 기간은 가을보리의 재배 기간보다 짧았다.

③ 흰색 쌀과 회색 쌀은 논에서 수확된 곡식을 가공한 것이었다.

④ 남부 지역의 보릿고개는 가을 곡식이 바닥을 보이는 하지가 지나면서 더 심해졌다.

⑤ 보리와 콩이 함께 자라는 것은 볼 수 있었지만, 조가 이들과 함께 자라는 것은 볼 수 없었다.

[07~08] 다음 글을 읽고 물음에 답하시오.

농장동물복지는 인간 편의만 생각해 동물을 이용하는 것이 아니라 이들의 습성을 고려해 적절한 생활환경을 보장하는 것을 의미한다. 이는 세계농장동물복지위원회가 규정한 '동물의 5대 자유', 즉 활동의 부자유·배고픔·불편함·질병·두려움으로부터의 자유를 바탕으로 한다. 사실 농장동물복지는 사람에게도 중요한 문제이다. '공장식 축산'의 밀집사육에 따른 전염병 확산, 항생제 남용은 사람의 건강에도 직·간접적인 영향을 미치기 때문이다. 가축분뇨와 악취에 따른 환경오염 역시 무시할 수 없는 문제이다.

甲국은 2011년 동물보호법을 개정하면서 농장·도축장 등에 대한 '동물복지시설인증제'와 축산물에 대한 '동물복지축산물인증 마크' 두 가지 동물복지인증제도를 도입했다. 동물복지시설인증제는 정부가 정한 기준에 따라 동물을 기르는 농장이나 도축하는 시설에 동물복지시설인증을 부여하는 것이다. 더 나아가 동물복지축산물인증 마크는 사육 과정뿐만 아니라 운송·도축 과정까지 기준을 지킨 축산물에 인증 마크를 부여하는 것이다. 동물복지인증제도는 2012년 산란계(알을 낳는 닭)를 시작으로 2013년 돼지, 2014년 육계(식용육으로 기르는 닭), 2015년 육우·젖소·염소로 대상을 확대했다.

동물복지시설인증을 받은 농장은 먹이는 물론 먹는 물, 사육장 내 온도·조도·공기오염도까지 세밀하게 기준을 지켜야 한다. 이러한 기준을 잘 지키고 있는지 확인하기 위해 인증을 받은 농장에 대해 인증을 받은 다음해부터 매년 1회 사후관리를 위한 점검을 실시한다.

시설인증을 받은 농가가 늘고 있지만 여전히 미미한 수준이다. 2020년 현재 해당 인증을 받은 농장은 산란계 74곳, 육계 5곳, 돼지 9곳, 육우 2곳에 불과하다. 시설인증을 가장 많이 받은 산란계 농장도 전체 산란계 농장의 1.1%만 인증을 받았을 뿐이다.

몇몇 농가에서는 해당 제도의 기준에 대해 문제를 제기하기도 한다. 동물복지시설인증을 받으려면 밀집사육을 피하기 위해 가축 개체당 공간 기준을 충족해야 한다. 최소 사육규모 기준 역시 시설인증을 어렵게 하는 장애물 중 하나이다. 돼지농장이라면 어미돼지를 30마리 이상 키워야 시설인증을 신청할 수 있다. 예컨대 A농장은 가축 개체당 공간 기준과 최소 사육규모 기준을 동시에 충족하기 위하여 어미돼지 수를 20% 줄여서 시설인증을 받았다. 또한 닭의 최소 사육규모 기준은 4,000마리 이상이다. 따라서 사육 수를 늘릴 여력이 없는 소규모 농장에선 공장식 축산을 하지 않아도 인증 신청조차 못하는 것이다.

게다가 축산물을 판매할 때 동물복지축산물인증 마크를 붙이려면 도축도 동물복지시설인증을 받은 곳에서 해야 한다. 하지만 전국 70여개 도축장 가운데 동물복지시설인증을 받은 도축장은 2곳에 불과하다. 시설인증을 받은 농가에서 인증 도축장을 이용하고 싶어도 물리적 거리가 걸림돌이 되고 있다.

한편 소비자들의 동물복지인증제도에 대한 인지도 역시 높지 않다. 또한 동물복지축산물인증 마크가 붙은 닭고기, 돼지고기, 소고기 등은 가격이 높아서 소비자들이 많이 찾지 않는 것이 현실이다.

난이도 상 중 하 풀이시간 | 2분

07

2021년 5급 공채 PSAT

윗글을 근거로 판단할 때 옳은 것을 고르면?

① 농장동물복지는 동물의 5대 자유를 보장하기 위한 것으로 사람의 삶과는 무관하다.

② 동물복지시설인증을 받으려는 농장은 도축 시설도 함께 갖추어야 한다.

③ A농장에서 사육하는 돼지는 동물복지축산물인증 마크를 부착한 축산물로 판매된다.

④ 甲국의 소비자 대부분은 동물복지축산물인증 마크가 붙은 축산물을 구매한다.

⑤ 공장식 축산을 하지 않더라도 동물복지시설인증을 받지 못하는 경우가 있다.

난이도 상 중 하 풀이시간 | 2분

08

2021년 5급 공채 PSAT

윗글을 근거로 판단할 때, 〈보기〉에서 옳은 것만을 모두 고르면?

〈보기〉

ㄱ. 甲국에서 동물복지시설인증을 받은 돼지농장은 2020년 12월 31일까지 사후관리를 위한 점검을 최소 10회 받았다.

ㄴ. 2020년 甲국 전체 농장수가 100,000개라면, 동물복지시설인증을 받은 농장 비율은 0.1% 미만이다.

ㄷ. 2020년 甲국 전체 산란계 농장수는 6,000개 이상이다.

ㄹ. 동물복지시설인증을 받기 전, A농장에서 사육하던 어미돼지는 35마리 이하였다.

① ㄱ

② ㄴ, ㄷ

③ ㄴ, ㄹ

④ ㄱ, ㄷ, ㄹ

⑤ ㄴ, ㄷ, ㄹ

다음 글을 근거로 판단할 때 옳지 않은 것은?

이해충돌은 공직자들에게 부여된 공적 의무와 사적 이익이 충돌하는 갈등상황을 지칭한다. 공적 의무와 사적 이익이 충돌한다는 점에서 이해충돌은 공직부패와 공통점이 있다. 하지만 공직부패가 사적 이익을 위해 공적 의무를 저버리고 권력을 남용하는 것이라면, 이해충돌은 공적 의무와 사적 이익이 대립하는 객관적 상황 자체를 의미한다. 이해충돌하에서 공직자는 공적 의무가 아닌 사적 이익을 추구하는 결정을 내릴 위험성이 있지만 항상 그런 결정을 내리는 것은 아니다.

공직자의 이해충돌은 공직부패 발생의 상황요인이며 공직부패의 사전 단계가 될 수 있기 때문에 이에 대한 적절한 규제가 필요하다. 공직부패가 의도적 행위의 결과인 반면, 이해충돌은 의도하지 않은 상태에서 발생하는 상황이다. 또한 공직부패는 드문 현상이지만 이해충돌은 일상적으로 발생하기 때문에 직무수행 과정에서 빈번하게 나타날 수 있다. 그런 이유로 이해충돌에 대한 전통적인 규제는 공직부패의 사전예방에 초점이 맞추어져 있었다.

최근에는 이해충돌에 대한 규제의 초점이 정부의 의사결정 과정과 결과에 대한 신뢰성 확보로 변화되고 있다. 이는 정부의 의사결정 과정의 정당성과 공정성 자체에 대한 불신이 커지고, 그 결과가 시민의 요구와 선호를 충족하지 못하고 있다는 의구심이 제기되고 있는 상황을 반영하고 있다. 신뢰성 확보로 규제의 초점이 변화되면서 이해충돌의 개념이 확대되어, 외관상 발생 가능성이 있는 것만으로도 이해충돌에 대해 규제하는 것이 정당화되고 있다.

① 공직부패는 권력 남용과 관계없이 공적 의무와 사적 이익이 대립하는 객관적 상황 자체를 의미한다.
② 이해충돌 발생 가능성이 외관상으로만 존재해도 이해충돌에 대해 규제하는 것이 정당화되고 있다.
③ 공직자의 이해충돌과 공직부패는 공적 의무와 사적 이익의 충돌이라는 점에서 공통점이 있다.
④ 공직자의 이해충돌은 직무수행 과정에서 빈번하게 발생할 가능성이 있다.
⑤ 이해충돌에 대한 규제의 초점은 공직부패의 사전예방에서 정부의 의사결정 과정과 결과에 대한 신뢰성 확보로 변화되고 있다.

다음 글을 근거로 판단할 때, 〈보기〉에서 옳은 것만을 모두 고르면?

기상예보는 일기예보와 기상특보로 구분할 수 있다. 일기예보는 단기예보, 중기예보, 장기예보 등 시간에 따른 것이고, 기상특보는 주의보, 경보 등 기상현상의 정도에 따른 것이다.

일기예보 중 가장 짧은 기간을 예보하는 단기예보는 3시간 예보와 일일예보로 나뉜다. 3시간 예보는 오늘과 내일의 날씨를 예보하며, 매일 0시 발표부터 시작하여 3시간 간격으로 1일 8회 발표한다. 일일예보는 오늘과 내일, 모레의 날씨를 1일 단위(0시~24시)로 예보하며 매일 5시, 11시, 17시, 23시에 발표

한다. 다음으로 중기예보에는 주간예보와 1개월 예보가 있다. 주간예보는 일일예보를 포함하여 일일예보가 예보한 기간의 다음날부터 5일간의 날씨를 추가로 예보하며 매일 발표한다. 1개월 예보는 앞으로 한 달간의 기상전망을 발표한다. 마지막으로 장기예보는 계절예보로서 봄, 여름, 가을, 겨울의 각 계절별 기상전망을 발표한다.

기상특보는 주의보와 경보로 나뉜다. 주의보는 재해가 일어날 가능성이 있는 경우에, 경보는 중대한 재해가 예상될 때 발표하는 것이다. 주의보가 발표된 후 기상현상의 경과가 악화된다면 경보로 승격 발표되기도 한다. 또한 기상특보의 기준은 지역마다 다를 수도 있다. 대설주의보의 예보 기준은 24시간 신(新)적설량이 대도시일 때 5cm 이상, 일반지역일 때 10cm 이상, 울릉도일 때 20cm 이상이다. 대설경보의 예보 기준은 24시간 신적설량이 대도시일 때 20cm 이상, 일반지역일 때 30cm 이상, 울릉도일 때 50cm 이상이다.

─────〈보기〉─────

ㄱ. 월요일에 발표되는 주간예보에는 그 다음 주 월요일의 날씨가 포함된다.

ㄴ. 일일예보의 발표 시각과 3시간 예보의 발표 시각은 겹치지 않는다.

ㄷ. 오늘 23시에 발표된 일일예보는 오늘 5시에 발표된 일일예보보다 18시간 더 먼 미래의 날씨까지 예보한다.

ㄹ. 대도시 A의 대설경보 예보 기준은 울릉도의 대설주의보 예보 기준과 같다.

① ㄱ, ㄴ

② ㄱ, ㄷ

③ ㄷ, ㄹ

④ ㄱ, ㄴ, ㄹ

⑤ ㄴ, ㄷ, ㄹ

다음 글의 〈표〉에 대한 판단으로 적절한 것만을 〈보기〉에서 모두 고르면?

법제처 주무관 갑은 지방자치단체를 대상으로 조례 입안을 지원하고 있다. 갑은 지방자치단체가 조례 입안 지원 신청을 하는 경우, 두 가지 기준에 따라 나누어 신청안들을 정리하고 있다. 해당 조례안의 입법 예고를 완료하였는지 여부를 기준으로 '완료'와 '미완료'로 나누고, 과거에 입안을 지원하였던 조례안 중에 최근에 접수된 조례안과 내용이 유사한 사례가 있는지를 판단하여 유사 사례 '있음'과 '없음'으로 나눈다. 유사 사례가 존재하지 않는 경우에만 갑은 팀장인 을에게 그 접수된 조례안의 주요 내용을 보고해야 한다.

최근 접수된 조례안 (가)는 지난 분기에 지원하였던 조례안과 많은 부분 유사한 내용을 담고 있다. 입법 예고는 현재 진행 중이다. 조례안 (나)의 경우는 입법 예고가 완료된 후에 접수되었고, 그 주요 내용이 지난해에 지원한 조례안의 주요 내용과 유사하다. 조례안 (다)는 주요 내용이 기존에 지원하였던 조례안과 유사성이 전혀 없는 새로운 내용을 규정하고 있으며, 입법 예고가 진행되지 않았다.

이상의 내용을 다음과 같은 형식으로 나타낼 수 있다.

〈표〉 입안 지원 신청 조례안별 분

기준＼조례안	(가)	(나)	(다)
A	㉠	㉡	㉢
B	㉣	㉤	㉥

─────〈보기〉─────

ㄱ. A에 유사 사례의 유무를 따지는 기준이 들어가면, ㉣과 ㉥이 같다.

ㄴ. B에 따라 을에 대한 갑의 보고 여부가 결정된다면, ㉠과 ㉢은 같다.

ㄷ. ㉣과 ㉤이 같으면, ㉠과 ㉡이 같다.

① ㄱ   ② ㄷ   ③ ㄱ, ㄴ

④ ㄴ, ㄷ   ⑤ ㄱ, ㄴ, ㄷ

다음 글의 〈논쟁〉에 대한 분석으로 적절한 것만을 〈보기〉에서 모두 고르면?

갑과 을은 △△국 「주거법」 제○○조의 해석에 대해 논쟁하고 있다. 그 조문은 다음과 같다.

제○○조(비거주자의 구분) ① 다음 각 호에 해당하는 △△국 국민은 비거주자로 본다.
　1. 외국에서 영업활동에 종사하고 있는 사람
　2. 2년 이상 외국에 체재하고 있는 사람. 이 경우 일시 귀국하여 3개월 이내의 기간 동안 체재한 경우 그 기간은 외국에 체재한 기간에 포함되는 것으로 본다.
　3. 외국인과 혼인하여 배우자의 국적국에 6개월 이상 체재하는 사람
② 국내에서 영업활동에 종사하였거나 6개월 이상 체재하였던 외국인으로서 출국하여 외국에서 3개월 이상 체재 중인 사람의 경우에도 비거주자로 본다.

〈논쟁〉

쟁점1: △△국 국민인 A는 일본에서 2년 1개월째 학교에 다니고 있다. A는 매년 여름방학과 겨울방학 기간에 일시 귀국하여 2개월씩 체재하였다. 이에 대해, 갑은 A가 △△국 비거주자로 구분된다고 주장하는 반면, 을은 그렇지 않다고 주장한다.

쟁점2: △△국과 미국 국적을 모두 보유한 복수 국적자 B는 △△국 C법인에서 임원으로 근무하였다. B는 올해 C법인의 미국 사무소로 발령받아 1개월째 영업활동에 종사 중이다. 이에 대해, 갑은 B가 △△국 비거주자로 구분된다고 주장하는 반면, 을은 그렇지 않다고 주장한다.

쟁점3: △△국 국민인 D는 독일 국적의 E와 결혼하여 독일에서 체재 시작 직후부터 5개월째 길거리 음악 연주를 하고 있다. 이에 대해, 갑은 D가 △△국 비거주자로 구분된다고 주장하는 반면, 을은 그렇지 않다고 주장한다.

─〈보기〉─

ㄱ. 쟁점 1과 관련하여, 일시 귀국하여 체재한 '3개월 이내의 기간'이 귀국할 때마다 체재한 기간의 합으로 확정된다면, 갑의 주장은 옳고 을의 주장은 그르다.

ㄴ. 쟁점 2와 관련하여, 갑은 B를 △△국 국민이라고 생각하지만 을은 외국인이라고 생각하기 때문이라고 하면, 갑과 을 사이의 주장 불일치를 설명할 수 있다.

ㄷ. 쟁점 3과 관련하여, D의 길거리 음악 연주가 영업활동이 아닌 것으로 확정된다면, 갑의 주장은 그르고 을의 주장은 옳다.

① ㄱ
② ㄷ
③ ㄱ, ㄴ
④ ㄴ, ㄷ
⑤ ㄱ, ㄴ, ㄷ

13

다음 대화의 ㉠으로 적절한 것만을 〈보기〉에서 모두 고르면?

갑: 최근 전동킥보드, 전동휠 등 개인형 이동장치 사고가 급증하고 있습니다. 도대체 무엇 때문에 이러한 현상이 나타나는 것일까요? 이에 대해 여러분은 어떤 의견을 가지고 있나요?

을: 원동기 면허만 있으면 19세 미만 미성년자도 개인형 이동장치를 이용할 수 있습니다. 하지만 원동기 면허가 없는 사람들도 많이 이용하고 있습니다. 안전 의식이 부족한 이용자가 증가해 사고가 더 많이 발생하는 것이지요.

병: 저는 개인형 이동장치의 경음기 부착 여부가 사고 발생 확률에 유의미한 영향을 미친다고 생각합니다. 현재 상당수의 개인형 이동장치는 경고음을 낼 수 있는 경음기가 부착되어 있지 않기 때문에 개인형 이동장치가 빠른 속도로 달려와도 주변에서 이를 인지하지 못하는 경우가 많습니다. 이것이 사고가 발생하는 주요한 원인이라고 생각합니다.

정: 저는 개인형 이동장치를 이용할 수 있는 인프라가 부족하다는 점이 가장 큰 원인이라고 생각합니다. 개인형 이동장치 이용자들은 안전한 운행이 가능한 도로를 원하고 있으나, 그러한 개인형 이동장치 전용도로를 갖춘 지역은 드뭅니다. 이처럼 인프라 수요를 공급이 따라가지 못해 사고가 발생하는 것입니다.

갑: 여러분 좋은 의견 제시해주셔서 감사합니다. 그렇다면 말씀하신 의견을 검증하기 위해 ㉠필요한 자료를 조사해 주세요.

〈보기〉

ㄱ. 미성년자 중 원동기 면허 취득 비율과 19세 이상 성인 중 원동기 면허 취득 비율

ㄴ. 경음기가 부착된 개인형 이동장치 1대당 평균 사고 발생 건수와 경음기가 부착되지 않은 개인형 이동장치 1대당 평균 사고 발생 건수

ㄷ. 개인형 이동장치 등록 대수가 가장 많은 지역의 개인형 이동장치 사고 발생 건수와 개인형 이동장치 등록 대수가 가장 적은 지역의 개인형 이동장치 사고 발생 건수

① ㄱ
② ㄴ
③ ㄱ, ㄷ
④ ㄴ, ㄷ
⑤ ㄱ, ㄴ, ㄷ

다음 대화의 빈칸에 들어갈 내용으로 가장 적절한 것을 고르면?

갑: 안녕하십니까? 저는 공립학교인 A고등학교 교감입니다. 우리 학교의 교육 방침을 명확히 밝히는 조항을 학교 규칙(이하 '학칙')에 새로 추가하려고 합니다. 이때 준수해야 할 것이 무엇입니까?

을: 네. 학교에서 학칙을 제정하고자 할 때에는 「초·중등교육법」(이하 '교육법')에 어긋나지 않는 범위에서 제정이 이루어져야 합니다.

갑: 그렇군요. 그래서 교육법 제8조제1항의 학교의 장은 '법령'의 범위에서 학칙을 제정할 수 있다는 규정에 근거해서 학칙을 만들고 있습니다. 그런데 최근 우리 도(道) 의회에서 제정한 「학생인권조례」의 내용을 보니, 우리 학교에서 만들고 있는 학칙과 어긋나는 것이 있습니다. 이러한 경우에 법적 판단은 어떻게 됩니까?

을: [   ].

갑: 교육법 제8조제1항에서는 '법령'이라는 용어를 사용하고, 제10조제2항에서는 '조례'라는 용어를 사용하고 있으니 교육법에서는 법령과 조례를 구분하는 것으로 보입니다.

을: 그것은 다른 문제입니다. 교육법 제10조제2항의 조례는 법령의 위임을 받아 제정되는 위임 입법입니다. 제8조제1항에서의 법령에는 조례가 포함된다고 해석하고 있으며, 이 경우에 제10조제2항의 조례와는 그 성격이 다르다고 할 수 있습니다.

갑: 교육법 제8조제1항은 초·중등학교 운영의 자율과 책임을 위한 것인데 이러한 조례로 인해서 오히려 학교 교육과 운영이 침해당하는 것 아닙니까?

을: 교육법 제8조제1항의 목적은 학교의 자율과 책임을 당연히 존중하는 것입니다. 다만 학칙을 제정할 때에도 국가나 지자체에서 반드시 지킬 것을 요구하는 최소한의 한계를 법령의 범위라는 말로 표현한 것입니다. 더욱이 학생들의 학습권, 개성을 실현할 권리 등은 헌법에서 보장된 기본권에서 나오고 교육법 제18조의4에서도 학생의 인권을 보장하도록 규정하고 있습니다. 최근 「학생인권조례」도 이러한 취지에서 제정되었습니다.

① 학칙의 제정을 통하여 학교 운영의 자율과 책임뿐 아니라 학생들의 학습권과 개성을 실현할 권리가 제한될 수 있습니다

② 법령에 조례가 포함된다고 해석할 여지는 없지만 교육법의 체계상 「학생인권조례」를 따라야 합니다

③ 교육법 제10조제2항에 따라 조례는 입법 목적이나 취지와 관계없이 법령에 포함됩니다

④ 「학생인권조례」에는 교육법에 어긋나는 규정이 있지만 학칙은 이 조례를 따라야 합니다

⑤ 법령의 범위에 있는 「학생인권조례」의 내용에 반하는 학칙은 교육법에 저촉됩니다

15

풀이시간 | 2분

2022년 7급 공채 PSAT/민경채

다음 대화의 빈칸에 들어갈 내용으로 가장 적절한 것을 고르면?

> 갑: 2022년에 A보조금이 B보조금으로 개편되었다고 들었습니다. 2021년에 A보조금을 수령한 민원인이 B보조금의 신청과 관련하여 문의하였습니다. 민원인이 중앙부처로 바로 연락하였다는데 B보조금 신청 자격을 알 수 있을까요?
>
> 을: B보조금 신청 자격은 A보조금과 같습니다. 해당 지자체에 농업경영정보를 등록한 농업인이어야 하고 지급 대상 토지도 해당 지자체에 등록된 농지 또는 초지여야 합니다.
>
> 갑: 네. 민원인의 자격 요건에 변동 사항은 없다는 것을 확인했습니다. 그 외에 다른 제한 사항은 없을까요?
>
> 을: 대상자 및 토지 요건을 모두 충족하더라도 전년도에 A보조금을 부정한 방법으로 수령했다고 판정된 경우에는 B보조금을 신청할 수가 없어요. 다만 부정한 방법으로 수령했다고 해당 지자체에서 판정하더라도 수령인은 일정 기간 동안 중앙부처에 이의를 제기할 수 있습니다. 이의 제기 심의 기간에는 수령인이 부정한 방법으로 수령하지 않은 것으로 봅니다.
>
> 갑: 우리 중앙부처의 2021년 A보조금 부정 수령 판정 현황이 어떻게 되죠?
>
> 을: 2021년 A보조금 부정 수령 판정 이의 제기 신청 기간은 만료되었습니다. 부정 수령 판정이 총 15건이 있었는데, 그중 11건에 대한 이의 제기 신청이 들어왔고 1건은 심의 후 이의 제기가 받아들여져 인용되었습니다. 9건은 이의 제기가 받아들여지지 않아 기각되었고 나머지 1건은 아직 이의 제기 심의 절차가 진행 중입니다.
>
> 갑: 그렇다면 제가 추가로 [   ]만 확인하고 나면 다른 사유를 확인하지 않고서도 민원인이 현재 B보조금 신청 자격이 되는지를 바로 알 수 있겠네요.

① 민원인의 부정 수령 판정 여부, 민원인의 이의 제기 여부, 이의 제기 심의 절차 진행 중인 건이 민원인이 제기한 건인지 여부

② 민원인의 부정 수령 판정 여부, 민원인의 이의 제기 여부, 이의 제기 기각 건에 민원인이 제기한 건이 포함되었는지 여부

③ 민원인의 농업인 및 농지 등록 여부, 민원인의 이의 제기 여부, 이의 제기 심의 절차 진행 중인 건의 심의 완료 여부

④ 민원인의 부정 수령 판정 여부, 민원인의 이의 제기 여부, 이의 제기 인용 건이 민원인이 제기한 건인지 여부

⑤ 민원인의 농업인 및 농지 등록 여부, 민원인의 부정 수령 판정 여부, 민원인의 이의 제기 여부

다음 글의 ㉠에 해당하는 내용으로 가장 적절한 것을 고르면?

A시에 거주하면서 1세, 2세, 4세의 세 자녀를 기르는 갑은 육아를 위해 집에서 15km 떨어진 키즈 카페인 B카페에 자주 방문한다. B카페는 지역 유일의 키즈 카페라서 언제나 50여 구획의 주차장이 꽉 찰 정도로 성업 중이다. 최근 자동차를 교체하게 된 갑은 친환경 추세에 부응하여 전기차로 구매하였는데, B카페는 전기차 충전 시설이 없었다. 세 자녀를 돌보느라 거주지에서의 자동차 충전 시기를 놓치는 때가 많은 갑은 이러한 불편함을 호소하며 B카페에 전기차 충전 시설 설치를 요청하였다. 하지만 B카페는, 충전 시설을 설치하고 싶지만 비용이 문제라서 A시의 환경 친화적 자동차의 보급 및 이용 활성화를 위한 조례(이하 '조례')에 따른 지원금이라도 받아야 간신히 설치할 수 있는 상황인데, 아래의 조문에서 보듯이 B카페는 그에 해당하지 않는다고 설명하였다.

> 「환경 친화적 자동차의 보급 및 이용 활성화를 위한 조례」
>
> 제9조(충전시설 설치대상) ① 주차단위구획 100개 이상을 갖춘 다음 각호의 시설은 전기자동차 충전시설을 설치하여야 한다.
>   1. 판매 · 운수 · 숙박 · 운동 · 위락 · 관광 · 휴게 · 문화시설
>   2. 500세대 이상의 아파트, 근린생활시설, 기숙사
> ② 시장은 제1항의 설치대상에 대하여는 설치비용의 반액을 지원하여야 한다.
> ③ 시장은 제1항의 설치대상에 해당하지 않는 사업장에 대하여도 전기자동차 충전시설의 설치를 권고할 수 있다.

갑은 영유아와 같이 보호가 필요한 이들이 많이 이용하는 키즈 카페 등과 같은 사업장에도 전기차 충전 시설의 설치를 지원해 줄 수 있는 근거를 조례에 마련해 달라는 민원을 제기하였다. 갑의 민원을 검토한 A시 의회는 관련 규정의 보완이 필요하다고 인정하여, ㉠조례 제9조를 개정하였고, B카페는 이에 근거한 지원금을 받아 전기차 충전 시설을 설치하게 되었다.

① 제1항 제3호로 "다중이용시설(극장, 음식점, 카페, 주점 등 불특정다수인이 이용하는 시설을 말한다)"을 신설

② 제1항 제3호로 "교통약자(장애인 · 고령자 · 임산부 · 영유아를 동반한 사람, 어린이 등 일상생활에서 이동에 불편을 느끼는 사람을 말한다)를 위한 시설"을 신설

③ 제4항으로 "시장은 제2항에 따른 지원을 할 때 교통약자(장애인 · 고령자 · 임산부 · 영유아를 동반한 사람, 어린이 등 일상생활에서 이동에 불편을 느끼는 사람을 말한다)를 위한 시설을 우선적으로 지원하여야 한다."를 신설

④ 제4항으로 "시장은 제3항의 권고를 받아들이는 사업장에 대하여는 설치비용의 60퍼센트를 지원하여야 한다."를 신설

⑤ 제4항으로 "시장은 전기자동차 충전시설의 의무 설치 대상으로서 조기 설치를 희망하는 사업장에는 설치비용의 전액을 지원할 수 있다."를 신설

17

다음 대화의 ㉠으로 적절한 것만을 〈보기〉에서 모두 고르면?

갑: 우리 지역 장애인의 체육 활동을 지원하기 위한 '장애인 스포츠강좌 지원사업'의 집행 실적이 저조하다고 합니다. 지원 바우처를 제대로 사용하지 못하고 있다는 의미인데요. 비장애인을 대상으로 하는 '일반 스포츠강좌 지원사업'은 인기가 많아 예산이 금방 소진된다고 합니다. 과연 어디에 문제점이 있는 것일까요?

을: 바우처를 수월하게 사용하려면 사용 가능한 가맹 시설이 많이 있어야 합니다. 우리 지역의 '장애인 스포츠강좌 지원사업' 가맹 시설은 10개소이며 '일반 스포츠강좌 지원사업' 가맹 시설은 300개소입니다. 그런데 장애인들은 비장애인들에 비해 바우처를 사용하기 훨씬 어렵습니다. 혹시 장애인의 수에 비해 장애인 대상 가맹 시설의 수가 비장애인의 경우보다 턱없이 적어서 그런 것 아닐까요?

병: 글쎄요, 제 생각은 조금 다릅니다. 바우처 지원액이 너무 적은 것은 아닐까요? 장애인을 대상으로 하는 스포츠강좌는 보조인력 비용 등 추가 비용으로 인해, 비장애인 대상 강좌보다 수강료가 높을 수 있습니다. 바우처를 사용한다 해도 자기 부담금이 여전히 크다면 장애인들은 스포츠강좌를 이용하기 어려울 것입니다.

정: 하지만 제가 보기엔 장애인들의 주요 연령대가 사업에서 제외된 것 같습니다. 현재 본 사업의 대상 연령은 만 12세에서 만 49세까지인데, 장애인 인구의 고령자 인구 비율이 비장애인 인구에 비해 높다는 사실을 고려하면, 대상 연령의 상한을 적어도 만 64세까지 높여야 한다고 생각합니다.

갑: 모두들 좋은 의견 감사합니다. 오늘 회의에서 논의된 내용을 확인하기 위해 ㉠필요한 자료를 조사해 주세요.

〈보기〉

ㄱ. 장애인 및 비장애인 각각의 인구 대비 '스포츠강좌 지원사업' 가맹 시설 수

ㄴ. 장애인과 비장애인 각각 '스포츠강좌 지원사업'에 참여하기 위해 본인이 부담해야 하는 금액

ㄷ. 만 50세에서 만 64세까지의 장애인 중 스포츠강좌 수강을 희망하는 인구와 만 50세에서 만 64세까지의 비장애인 중 스포츠강좌 수강을 희망하는 인구

① ㄴ
② ㄷ
③ ㄱ, ㄴ
④ ㄱ, ㄷ
⑤ ㄱ, ㄴ, ㄷ

다음 글에서 추론할 수 있는 것만을 〈보기〉에서 모두 고르면?

갑: 조(粗)출생률은 인구 1천 명당 출생아 수를 의미합니다. 조출생률은 인구 규모가 상이한 지역이나 시점 간의 출산 수준을 간편하게 비교할 때 유용한 지표입니다. 예를 들어, 2016년에 세종시보다 인구 규모가 훨씬 큰 경기도의 출생아 수는 10만 5천 명으로 세종시의 3천 명보다 많지만, 조출생률은 경기도가 8.4명이고 세종시는 14.6명입니다. 출산 수준은 세종시가 더 높다는 의미입니다.

을: 그렇군요. 그럼 합계 출산율은 무엇인가요?

갑: 합계 출산율은 여성 한 명이 평생 동안 낳을 것으로 예상되는 출생아 수를 의미합니다. 여성이 실제 평생 동안 낳은 아이 수를 측정하는 것은 가임 기간 35년이 지나야 산출할 수 있다는 문제가 있습니다. 이에 비해 합계 출산율은 여성 1명이 출산 가능한 시기를 15세부터 49세까지로 가정하고 그 사이의 각 연령대 출산율을 모두 합해서 얻습니다. 15~19세 연령대 출산율은 한 해 동안 15~19세 여성에게서 태어난 출생아 수를 15~19세 여성의 수로 나눈 수치인데, 15~19세부터 45~49세까지 7개 구간 각각의 연령대 출산율을 모두 합한 것이 합계 출산율입니다. 합계 출산율은 한 여성이 가임 기간 내내 특정 시기의 연령대 출산율 패턴을 그대로 따른다는 가정을 전제로 산출하므로 실제 출산 현실과 차이가 있을 수 있습니다.

을: 그렇다면 조출생률과 합계 출산율을 구별하는 이유가 뭐죠?

갑: 조출생률과 달리 합계 출산율은 성비 및 연령 구조에 따른 출산 수준의 차이를 표준화할 수 있는 장점이 있습니다. 예를 들어, 이스라엘의 합계 출산율은 3.0인 반면 남아프리카공화국은 2.5 가량입니다. 하지만 조출생률은 거의 비슷하지요. 이것은 남아프리카공화국의 경우 전체 인구 대비 젊은 여성의 비율이 이스라엘보다 높기 때문입니다.

〈보기〉

ㄱ. 조출생률을 계산할 때는 전체 인구 대비 여성의 비율은 고려하지 않는다.

ㄴ. 두 나라가 인구수와 조출생률에 차이가 없다면 각 나라의 합계 출산율에는 차이가 없다.

ㄷ. 합계 출산율은 한 명의 여성이 일생 동안 출산한 출생아의 수를 집계한 자료를 바탕으로 산출한다.

① ㄱ   ② ㄴ   ③ ㄱ, ㄷ
④ ㄴ, ㄷ   ⑤ ㄱ, ㄴ, ㄷ

다음 글의 ⊙의 내용으로 가장 적절한 것은?

2020년 7월 2일이 출산 예정일이었던 갑은 2020년 6월 28일 아이를 출산하여, 2020년 7월 10일에 ○○구 건강관리센터 산모·신생아 건강관리 서비스를 신청하였다. 2020년 1월 1일에 ○○구에 주민등록이 된 이후 갑은 주민등록지를 변경하지 않았으며, 실제로 ○○구에 거주하였다. 갑의 신청을 검토한 ○○구는 「○○구 산모·신생아 건강관리 지원에 관한 조례」(이하 "조례"라 한다)와 「○○구 건강관리센터 운영규정」(이하 "운영규정"이라 한다)이 불일치한다는 문제를 발견하였다. 이에 ⊙운영규정과 조례 중 무엇도 위반하지 않고 갑이 30만 원 이하의 본인 부담금만으로 해당 서비스를 이용할 수 있도록 조례 또는 운영규정을 일부 개정하였다.

「○○구 산모·신생아 건강관리 지원에 관한 조례」
제8조(산모·신생아 건강관리 지원) ① 구청장은 출산 예정일 또는 출산일을 기준으로 6개월 전부터 계속하여 ○○구에 주민등록을 두고 있는 산모와 출산 예정일 또는 출산일을 기준으로 1년 전부터 계속하여 ○○구를 국내 체류지로 하여 외국인 등록을 하고 ○○구에 체류하는 외국인 산모에게 산모·신생아 건강관리 서비스를 제공할 수 있다.
② 구청장은 제1항에 따른 서비스의 본인 부담금을 이용금액 기준에 따라 30만 원 한도 내에서 서비스 수급자에게 부과할 수 있다.

「○○구 건강관리센터 운영규정」

제21조(산모 · 신생아 건강관리 지원) ① 다음 각 호의 어느 하나에 해당하는 사람은 산모 · 신생아 건강관리 서비스를 이용할 수 있다.

1. 출산일을 기준으로 6개월 전부터 계속하여 ○○구에 주민등록을 두고 실제로 ○○구에 거주하고 있는 산모

2. 출산일을 기준으로 6개월 전부터 ○○구를 국내 체류지로 하여 외국인 등록을 하고 실제로 ○○구에 체류하고 있는 외국인 산모

② 제1항에 따른 서비스를 이용하는 경우 서비스 수급자에게 본인 부담금이 부과될 수 있다. 그 산정은 「○○구 산모 · 신생아 건강관리 지원에 관한 조례」의 기준에 따른다.

① 운영규정 제21조제3항과 조례 제8조제3항으로 '신청일은 출산일 기준 10일을 경과할 수 없다.'를 신설한다.

② 운영규정 제21조제1항의 '실제로 ○○구에 거주하고'와 '실제로 ○○구에 체류하고'를 삭제한다.

③ 운영규정 제21조제2항의 '본인 부담금'을 '30만 원 이하의 본인 부담금'으로 개정한다.

④ 운영규정 제21조제1항의 '출산일'을 모두 '출산 예정일 또는 출산일'로 개정한다.

⑤ 조례 제8조제1항의 '1년'을 '6개월'로 개정한다.

난이도 상 중 하   풀이시간 | 2분

20   2021년 7급 공채 PSAT

다음 글의 빈칸에 들어갈 내용으로 가장 적절한 것은?

갑: 안녕하십니까. 저는 시청 토목정책과에 근무합니다. 부정 청탁을 받은 때는 신고해야 한다고 들었습니다.

을: 예, 「부정청탁 및 금품 등 수수의 금지에 관한 법률」(이하 '청탁금지법')에서는, 공직자가 부정 청탁을 받았을 때는 명확히 거절 의사를 표현해야 하고, 그랬는데도 상대방이 이후에 다시 동일한 부정 청탁을 해 온다면 소속 기관의 장에게 신고해야 한다고 규정합니다.

갑: '금품 등'에는 접대와 같은 향응도 포함되지요?

을: 물론이지요. 청탁금지법에 따르면, 공직자는 동일인으로부터 명목에 상관없이 1회 100만 원 혹

은 매 회계연도에 300만 원을 초과하는 금품이나 접대를 받을 수 없습니다. 직무 관련성이 있는 경우에는 100만 원 이하라도 대가성 여부와 관계없이 처벌을 받습니다.

갑: '동일인'이라 하셨는데, 여러 사람이 청탁을 하는 경우는 어떻게 되나요?

을: 받는 사람을 기준으로 하여 따지게 됩니다. 한 공직자에게 여러 사람이 동일한 부정 청탁을 하며 금품을 제공하려 하였을 때에도 이들의 출처가 같다고 볼 수 있다면 '동일인'으로 해석됩니다. 또한 여러 행위가 계속성 또는 시간적 · 공간적 근접성이 있다고 판단되면, 합쳐서 1회로 간주될 수 있습니다.

갑: 실은, 연초에 있었던 지역 축제 때 저를 포함한 우리 시청 직원 90명은 행사에 참여한다는 차원으로 장터에 들러 1인당 8천 원씩을 지불하고 식사를 했는데, 이후에 그 식사는 X회사 사장인 A의 축제 후원금이 1인당 1만 2천 원씩 들어간 것이라는 사실을 알게 되었습니다. 이에 대하여는 결국 대가성 있는 접대도 아니고 직무 관련성도 없는 것으로 확정되었으며, 추가된 식사비도 축제 주최 측에 돌려주었습니다. 그리고 이달 초에는 Y 회사의 임원인 B가 관급 공사 입찰을 도와 달라고 청탁하면서 100만 원을 건네려 하길래 거절한 적이 있습니다. 그런데 어제는 고교 동창인 C가 찾아와 X회사 공장 부지의 용도 변경에 힘써 달라며 200만 원을 주려고 해서 단호히 거절하였습니다.

을: 그러셨군요. 말씀하신 것을 바탕으로 설명드리겠습니다. (   )

① X 회사로부터 받은 접대는 시간적 · 공간적 근접성으로 보아 청탁금지법을 위반한 향응을 받은 것이 됩니다.

② Y회사로부터 받은 제안의 내용은 청탁금지법상의 금품이라고는 할 수 없지만 향응에는 포함될 수 있습니다.

③ 청탁금지법상 A와 C는 동일인으로서 부정 청탁을 한 것이 됩니다.

④ 직무 관련성이 없다면 B와 C가 제시한 금액은 청탁금지법상의 허용 한도를 벗어나지 않습니다.

⑤ 현재는 청탁금지법상 C의 청탁을 신고할 의무가 생기지 않지만, C가 같은 청탁을 다시 한다면 신고해야 합니다.

정답과 해설 P.48

5급	7급	민경채

난이도 **상** 중 하

01

풀이시간 | 1분 30초

2023년 7급 공채 PSAT/민경채

다음 글을 근거로 판단할 때 옳은 것을 고르면?

제○○조(조직 등) ① 자율방범대에는 대장, 부대장, 총무 및 대원을 둔다.

② 경찰서장은 자율방범대장이 추천한 사람을 자율방범대원으로 위촉할 수 있다.

③ 경찰서장은 자율방범대원이 이 법을 위반하여 파출소장이 해촉을 요청한 경우에는 해당 자율방범대원을 해촉해야 한다.

제○○조(자율방범활동 등) ①자율방범대는 다음 각 호의 활동(이하 '자율방범활동'이라 한다)을 한다.

  1. 범죄예방을 위한 순찰 및 범죄의 신고, 청소년 선도 및 보호

  2. 시·도경찰청장, 경찰서장, 파출소장이 지역사회의 안전을 위해 요청하는 활동

② 자율방범대원은 자율방범활동을 하는 때에는 자율방범활동 중임을 표시하는 복장을 착용하고 자율방범대원의 신분을 증명하는 신분증을 소지해야 한다.

③ 자율방범대원은 경찰과 유사한 복장을 착용해서는 안 되며, 경찰과 유사한 도장이나 표지 등을 한 차량을 운전해서는 안 된다.

제○○조(금지의무) ① 자율방범대원은 자율방범대의 명칭을 사용하여 다음 각 호의 어느 하나에 해당하는 행위를 해서는 안 된다.

  1. 기부금품을 모집하는 행위

  2. 영리목적으로 자율방범대의 명의를 사용하는 행위

  3. 특정 정당 또는 특정인의 선거운동을 하는 행위

② 제1항 제3호를 위반한 자에 대해서는 3년 이하의 징역 또는 600만 원 이하의 벌금에 처한다.

① 파출소장은 자율방범대장이 추천한 사람을 자율방범대원으로 위촉할 수 있다.

② 자율방범대원이 범죄예방을 위한 순찰을 하는 경우, 경찰과 유사한 복장을 착용할 수 있다.

③ 자율방범대원이 영리목적으로 자율방범대의 명의를 사용한 경우, 3년 이하의 징역에 치한다.

④ 자율방범대원이 청소년 선도활동을 하는 경우, 자율방범활동 중임을 표시하는 복장을 착용하면 자율방범대원의 신분을 증명하는 신분증을 소지하지 않아도 된다.

⑤ 자율방범대원이 자율방범대의 명칭을 사용하여 기부금품을 모집했고 이를 이유로 파출소장이 그의 해촉을 요청한 경우, 경찰서장은 해당 자율방범대원을 해촉해야 한다.

다음 글과 〈상황〉을 근거로 판단할 때, 〈보기〉에서 A가 가맹금을 반환해야 하는 것만을 모두 고르면?

제○○조(정보공개서의 제공의무) 가맹본부는 가맹희망자에게 정보공개서를 제공하지 아니하였거나 제공한 날부터 14일이 지나지 아니한 경우에는 다음 각 호의 행위를 하여서는 아니 된다.

1. 가맹희망자로부터 가맹금을 수령하는 행위

2. 가맹희망자와 가맹계약을 체결하는 행위

제□□조(허위·과장된 정보제공의 금지) 가맹본부는 가맹희망자나 가맹점사업자에게 정보를 제공함에 있어서 다음 각 호의 행위를 하여서는 아니 된다.

1. 사실과 다르게 정보를 제공하거나 사실을 부풀려 정보를 제공하는 행위

2. 계약의 체결·유지에 중대한 영향을 미치는 사실을 은폐하거나 축소하는 방법으로 정보를 제공하는 행위

제△△조(가맹금의 반환) 가맹본부는 다음 각 호의 어느 하나에 해당하는 경우에는 가맹희망자나 가맹점사업자가 서면으로 요구하면 가맹금을 반환하여야 한다.

1. 가맹본부가 제○○조를 위반한 경우로서 가맹희망자 또는 가맹점사업자가 가맹계약 체결 전 또는 가맹계약의 체결일부터 4개월 이내에 가맹금의 반환을 요구하는 경우

2. 가맹본부가 제□□조를 위반한 경우로서 가맹희망자가 가맹계약 체결 전에 가맹금의 반환을 요구하는 경우

3. 가맹본부가 정당한 사유 없이 가맹사업을 일방적으로 중단한 경우로서 가맹희망자 또는 가맹점사업자가 가맹사업의 중단일부터 4개월 이내에 가맹금의 반환을 요구하는 경우

〈상황〉

甲, 乙, 丙은 가맹본부 A에게 지급했던 가맹금의 반환을 2023. 2. 27. 서면으로 A에게 요구하였다.

〈보기〉

ㄱ. 2023. 1. 18. A가 甲에게 정보공개서를 제공하고, 2023. 1. 30. 가맹계약을 체결한 경우

ㄴ. 2022. 9. 27. 가맹계약을 체결한 乙이 건강상의 이유로 2023. 1. 3. 가맹점사업을 일방적으로 중단한 경우

ㄷ. 2023. 3. 7. 가맹계약을 체결할 예정인 가맹희망자 丙에게 A가 2023. 2. 10. 제공하였던 정보공개서상 정보의 내용이 사실과 다른 경우

① ㄱ

② ㄷ

③ ㄱ, ㄴ

④ ㄱ, ㄷ

⑤ ㄴ, ㄷ

PART 2

풀이시간 | 2분

2021년 5급 공채 PSAT

다음 글과 〈상황〉을 근거로 판단할 때 옳은 것은?

제○○조 ① 문화재청장은 학술조사 또는 공공목적 등에 필요한 경우 다음 각 호의 지역을 발굴할 수 있다.

1. 고도(古都)지역

2. 수중문화재 분포지역

3. 폐사지(廢寺址) 등 역사적 가치가 높은 지역

② 문화재청장은 제1항에 따라 발굴할 경우 발굴의 목적, 방법, 착수 시기 및 소요 기간 등의 내용을 발굴 착수일 2주일 전까지 해당 지역의 소유자, 관리자 또는 점유자(이하 '소유자 등'이라 한다)에게 미리 알려 주어야 한다.

③ 제2항에 따른 통보를 받은 소유자 등은 그 발굴에 대하여 문화재청장에게 의견을 제출할 수 있으며, 발굴을 거부하거나 방해 또는 기피하여서는 아니 된다.

④ 문화재청장은 제1항의 발굴이 완료된 경우에는 완료된 날부터 30일 이내에 출토유물 현황 등 발굴의 결과를 소유자 등에게 알려 주어야 한다.

⑤ 국가는 제1항에 따른 발굴로 손실을 받은 자에게 그 손실을 보상하여야 한다.

⑥ 제5항에 따른 손실보상에 관하여는 문화재청장과 손실을 받은 자가 협의하여야 하며, 보상금에 대한 합의가 성립하지 않은 때에는 관할 토지수용위원회에 재결(裁決)을 신청할 수 있다.

⑦ 문화재청장은 제1항에 따른 발굴 현장에 발굴의 목적, 조사기관, 소요 기간 등의 내용을 알리는 안내판을 설치하여야 한다.

〈상황〉

문화재청장 甲은 고도(古都)에 해당하는 A지역에 대한 학술조사를 위해 2021년 3월 15일부터 A지역의 발굴에 착수하고자 한다. 乙은 자기 소유의 A지역을 丙에게 임대하여 현재 임차인 丙이 이를 점유·사용하고 있다.

① 甲은 A지역 발굴의 목적, 방법, 착수 시기 및 소요 기간 등에 관한 내용을 丙에게 2021년 3월 29일까지 알려 주어야 한다.

② A지역의 발굴에 대한 통보를 받은 丙은 甲에게 그 발굴에 대한 의견을 제출할 수 있다.

③ 乙은 발굴 현장에 발굴의 목적 등을 알리는 안내판을 설치하여야 한다.

④ A지역의 발굴로 인해 乙에게 손실이 예상되는 경우, 乙은 그 발굴을 거부할 수 있다.

⑤ A지역과 인접한 토지 소유자인 丁이 A지역의 발굴로 인해 손실을 받은 경우, 丁은 보상금에 대해 甲과 협의하지 않고 관할 토지수용위원회에 재결을 신청할 수 있다.

다음 글과 〈상황〉을 근거로 판단할 때 옳은 것은?

제○○조 ① 주택 등에서 월령 2개월 이상인 개를 기르는 경우, 그 소유자는 시장·군수·구청장에게 이를 등록하여야 한다.

② 소유자는 제1항의 개를 기르는 곳에서 벗어나게 하는 경우에는 소유자의 성명, 소유자의 전화번호, 등록번호를 표시한 인식표를 그 개에게 부착하여야 한다.

제□□조 ① 맹견의 소유자는 다음 각 호의 사항을 준수하여야 한다.

1. 소유자 없이 맹견을 기르는 곳에서 벗어나지 아니하게 할 것

2. 월령이 3개월 이상인 맹견을 동반하고 외출할 때에는 목줄과 입마개를 하거나 맹견의 탈출을 방지할 수 있는 적정한 이동장치를 할 것

② 시장·군수·구청장은 맹견이 사람에게 신체적 피해를 주는 경우, 소유자의 동의 없이 맹견에 대하여 격리조치 등 필요한 조치를 취할 수 있다.

③ 맹견의 소유자는 맹견의 안전한 사육 및 관리에 관하여 정기적으로 교육을 받아야 한다.

제△△조 ① 제□□조 제1항을 위반하여 사람을 사망에 이르게 한 자는 3년 이하의 징역 또는 3천만 원 이하의 벌금에 처한다.

② 제□□조 제1항을 위반하여 사람의 신체를 상해에 이르게 한 자는 2년 이하의 징역 또는 2천만 원 이하의 벌금에 처한다.

〈상황〉

甲과 乙은 맹견을 각자 자신의 주택에서 기르고 있다. 甲은 월령 1개월인 맹견 A의 소유자이고, 乙은 월령 3개월인 맹견 B의 소유자이다.

① 甲이 A를 동반하고 외출하는 경우 A에게 목줄과 입마개를 해야 한다.

② 甲은 맹견의 안전한 사육 및 관리에 관하여 정기적으로 교육을 받지 않아도 된다.

③ 甲이 A와 함께 타 지역으로 여행을 가는 경우, A에게 甲의 성명과 전화번호를 표시한 인식표를 부착하지 않아도 된다.

④ B가 제3자에게 신체적 피해를 주는 경우, 구청장이 B를 격리조치하기 위해서는 乙의 동의를 얻어야 한다.

⑤ 乙이 B에게 목줄을 하지 않아 제3자의 신체를 상해에 이르게 한 경우, 乙을 3년의 징역에 처한다.

풀이시간 | 2분 30초

2022년 5급 공채 PSAT

다음 글과 〈상황〉을 근거로 판단할 때 옳은 것을 고르면?

제○○조 ① 박물관에는 임원으로서 관장 1명, 상임이사 1명, 비상임이사 5명 이내, 감사 1명을 둔다.

② 감사는 비상임으로 한다.

③ 관장은 정관으로 정하는 바에 따라 □□부장관이 임면하고, 상임이사와 비상임이사 및 감사의 임면은 정관으로 정하는 바에 따른다.

제○○조 ① 관장의 임기는 3년으로 하며, 1년 단위로 연임할 수 있다.

② 이사와 감사의 임기는 2년으로 하며, 1년 단위로 연임할 수 있다.

③ 임원의 사임 등으로 인하여 선임되는 임원의 임기는 새로 시작된다.

④ 관장은 박물관을 대표하고 그 업무를 총괄하며, 소속 직원을 지휘·감독한다.

⑤ 관장이 부득이한 사유로 직무를 수행할 수 없을 때에는 상임이사가 그 직무를 대행하고, 상임이사도 직무를 수행할 수 없을 때에는 정관으로 정하는 임원이 그 직무를 대행한다.

제○○조 ① 박물관의 중요 사항을 심의·의결하기 위하여 박물관에 이사회를 둔다.

② 이사회는 의장을 포함한 이사로 구성하고 관장이 의장이 된다.

③ 이사회는 재적이사 과반수의 출석으로 개의하고, 재적이사 과반수의 찬성으로 의결한다.

④ 감사는 직무와 관련하여 필요한 경우 이사회에 출석하여 발언할 수 있다.

제○○조 ① 박물관의 임직원이나 임직원으로 재직하였던 사람은 그 직무상 알게 된 비밀을 누설하거나 도용하여서는 아니 된다.

② 제1항을 위반하여 직무상 알게 된 비밀을 누설하거나 도용한 사람은 2년 이하의 징역 또는 2천만 원 이하의 벌금에 처한다.

〈상황〉

○○박물관에는 임원으로 이사인 관장 A, 상임이사 B, 비상임이사 C, D, E, F와 감사 G가 있다.

① A가 2년간 재직하다가 퇴직한 경우, 새로 임명된 관장의 임기는 1년이다.

② 이사회에 A, B, C, D, E가 출석한 경우, 그 중 2명이 반대하면 안건은 부결된다.

③ A가 부득이한 사유로 직무를 수행할 수 없을 때에는 G가 소속 직원을 지휘·감독한다.

④ B가 직무상 알게 된 비밀을 누설한 경우, 1년의 징역과 500만 원의 벌금에 처해질 수 있다.

⑤ ○○박물관 정관에 "관장은 이사, 감사를 임면한다."라고 규정되어 있는 경우, A는 G의 임기가 만료되면 H를 상임감사로 임명할 수 있다.

다음 글을 근거로 판단할 때 옳은 것은?

제○○조 ① 농림축산식품부장관은 채소류 등 저장성이 없는 농산물의 가격안정을 위하여 필요하다고 인정할 때에는 생산자 또는 생산자단체로부터 농산물가격안정기금으로 해당 농산물을 수매할 수 있다. 다만 가격안정을 위하여 특히 필요하다고 인정할 때에는 도매시장에서 해당 농산물을 수매할 수 있다.

② 제1항에 따라 수매한 농산물은 판매 또는 수출하거나 사회복지단체에 기증하는 등 필요한 처분을 할 수 있다.

③ 농림축산식품부장관은 제1항과 제2항에 따른 수매 및 처분에 관한 업무를 농업협동조합중앙회·산림조합중앙회(이하 '농림협중앙회'라 한다) 또는 한국농수산식품유통공사에 위탁할 수 있다.

제○○조 ① 농림축산식품부장관은 농산물(쌀과 보리는 제외한다. 이하 이 조에서 같다)의 수급조절과 가격안정을 위하여 필요하다고 인정할 때에는 농산물가격안정기금으로 농산물을 비축하거나 농산물의 출하를 약정하는 생산자에게 그 대금의 일부를 미리 지급하여 출하를 조절할 수 있다.

② 제1항에 따른 비축용 농산물은 생산자 또는 생산자단체로부터 수매할 수 있다. 다만 가격안정을 위하여 특히 필요하다고 인정할 때에는 도매시장에서 수매하거나 수입할 수 있다.

③ 농림축산식품부장관은 제1항과 제2항에 따른 사업을 농림협중앙회 또는 한국농수산식품유통공사에 위탁할 수 있다.

④ 농림축산식품부장관은 제2항 단서에 따라 비축용 농산물을 수입하는 경우, 국제가격의 급격한 변동에 대비하여야 할 필요가 있다고 인정할 때에는 선물거래(先物去來)를 할 수 있다.

① 한국농수산식품유통공사는 가격안정을 위해 수매한 저장성이 없는 농산물을 외국에 수출할 수 없다.

② 채소류의 가격안정을 위해서 특히 필요하다고 인정되어 수매할 경우, 농림협중앙회는 소매시장에서 수매하여야 한다.

③ 농림협중앙회는 보리의 수급조절을 위하여 보리 생산자에게 대금의 일부를 미리 지급하여 출하를 조절할 수 있다.

④ 농림축산식품부장관은 개별 생산자로부터 비축용 농산물을 수매할 수 있다.

⑤ 농림축산식품부장관은 비축용 농산물 국제가격의 급격한 변동에 대비하여야 할 필요가 있다고 인정할 경우에도 선물거래를 할 수 없다.

다음 글을 근거로 판단할 때 옳은 것은?

> 제○○조 ① 누구든지 법률에 의하지 아니하고는 우편물의 검열·전기통신의 감청 또는 통신사실확인자료의 제공을 하거나 공개되지 아니한 타인 상호간의 대화를 녹음 또는 청취하지 못한다.
> ② 다음 각 호의 어느 하나에 해당하는 자는 1년 이상 10년 이하의 징역과 5년 이하의 자격정지에 처한다.
> > 1. 제1항에 위반하여 우편물의 검열 또는 전기통신의 감청을 하거나 공개되지 아니한 타인 상호간의 대화를 녹음 또는 청취한 자
> > 2. 제1호에 따라 알게 된 통신 또는 대화의 내용을 공개하거나 누설한 자
> ③ 누구든지 단말기기 고유번호를 제공하거나 제공받아서는 안 된다. 다만 이동전화단말기 제조업체 또는 이동통신사업자가 단말기의 개통처리 및 수리 등 정당한 업무의 이행을 위하여 제공하거나 제공받는 경우에는 그러하지 아니하다.
> ④ 제3항을 위반하여 단말기기 고유번호를 제공하거나 제공받은 자는 3년 이하의 징역 또는 1천만 원 이하의 벌금에 처한다.
> 제□□조 제○○조의 규정에 위반하여, 불법검열에 의하여 취득한 우편물이나 그 내용, 불법감청에 의하여 지득(知得) 또는 채록(採錄)된 전기통신의 내용, 공개되지 아니한 타인 상호간의 대화를 녹음 또는 청취한 내용은 재판 또는 징계 절차에서 증거로 사용할 수 없다.

① 甲이 불법검열에 의하여 취득한 乙의 우편물은 징계 절차에서 증거로 사용할 수 있다.

② 甲이 乙과 정책용역을 수행하면서 乙과의 대화를 녹음한 내용은 재판에서 증거로 사용할 수 없다.

③ 甲이 乙과 丙 사이의 공개되지 않은 대화를 녹음하여 공개한 경우, 1천만 원의 벌금에 처해질 수 있다.

④ 이동통신사업자 甲이 乙의 단말기를 개통하기 위하여 단말기기 고유번호를 제공받은 경우, 1년의 징역에 처해질 수 있다.

⑤ 甲이 乙과 丙 사이의 우편물을 불법으로 검열한 경우, 2년의 징역과 3년의 자격정지에 처해질 수 있다.

다음 글을 근거로 판단할 때 옳은 것은?

제○○조 ① 영화업자는 제작 또는 수입한 영화(예고편영화를 포함한다)에 대하여 그 상영 전까지 영상물등급위원회로부터 상영등급을 분류받아야 한다. 다만 다음 각 호의 어느 하나에 해당하는 영화에 대하여는 그러하지 아니하다.

1. 대가를 받지 아니하고 청소년이 포함되지 아니한 특정인에 한하여 상영하는 단편영화
2. 영화진흥위원회가 추천하는 영화제에서 상영하는 영화

② 제1항 본문의 규정에 의한 영화의 상영등급은 영화의 내용 및 영상 등의 표현 정도에 따라 다음 각 호와 같이 분류한다. 다만 예고편영화는 제1호 또는 제4호로 분류하고 청소년 관람불가 예고편영화는 청소년 관람불가 영화의 상영 전후에만 상영할 수 있다.

1. 전체관람가: 모든 연령에 해당하는 자가 관람할 수 있는 영화
2. 12세 이상 관람가: 12세 이상의 자가 관람할 수 있는 영화
3. 15세 이상 관람가: 15세 이상의 자가 관람할 수 있는 영화
4. 청소년 관람불가: 청소년은 관람할 수 없는 영화

③ 누구든지 제1항 및 제2항의 규정을 위반하여 상영등급을 분류받지 아니한 영화를 상영하여서는 안 된다.

④ 누구든지 제2항 제2호 또는 제3호의 규정에 의한 상영 등급에 해당하는 영화의 경우에는 해당 영화를 관람할 수 있는 연령에 도달하지 아니한 자를 입장시켜서는 안 된다. 다만 부모 등 보호자를 동반하여 관람하는 경우에는 그러하지 아니하다.

⑤ 누구든지 제2항 제4호의 규정에 의한 상영등급에 해당하는 영화의 경우에는 청소년을 입장시켜서는 안 된다.

① 예고편영화는 12세 이상 관람가 상영등급을 받을 수 있다.

② 청소년 관람불가 영화의 경우, 청소년은 부모와 함께 영화관에 입장하여 관람할 수 있다.

③ 상영등급 분류를 받지 않은 영화의 경우, 영화업자는 영화 진흥위원회가 추천한 △△영화제에서 상영할 수 없다.

④ 영화업자는 청소년 관람불가 예고편영화를 15세 이상 관람가 영화의 상영 직전에 상영할 수 있다.

⑤ 영화업자는 초청한 노인을 대상으로 상영등급을 분류받지 않은 단편영화를 무료로 상영할 수 있다.

다음 글과 〈상황〉을 근거로 판단할 때 옳은 것은?

제○○조 ① 집합건물을 건축하여 분양한 분양자와 분양자와의 계약에 따라 건물을 건축한 시공자는 구분소유자에게 제2항 각 호의 하자에 대하여 과실이 없더라도 담보책임을 진다.

② 제1항의 담보책임 존속기간은 다음 각 호와 같다.

1. 내력벽, 주기둥, 바닥, 보, 지붕틀 및 지반공사의 하자: 10년

2. 대지조성공사, 철근콘크리트공사, 철골공사, 조적(組積)공사, 지붕 및 방수공사의 하자: 5년

3. 목공사, 창호공사 및 조경공사의 하자: 3년

③ 제2항의 기간은 다음 각 호의 날부터 기산한다.

1. 전유부분: 구분소유자에게 인도한 날

2. 공용부분: 사용승인일

④ 제2항 및 제3항에도 불구하고 제2항 각 호의 하자로 인하여 건물이 멸실(滅失)된 경우에는 담보책임 존속기간은 멸실된 날로부터 1년으로 한다.

⑤ 분양자와 시공자의 담보책임에 관하여 이 법에 규정된 것보다 매수인에게 불리한 특약은 효력이 없다.

※ 구분소유자: 집합건물(예: 아파트, 공동주택 등) 각 호실의 소유자
※ 담보책임: 집합건물의 하자로 인해 분양자, 시공자가 구분소유자에 대하여 지는 손해배상, 하자보수 등의 책임

――――――〈상황〉――――――

甲은 乙이 분양하는 아파트를 매수하려고 乙과 아파트 분양계약을 체결하였다. 丙건설사는 乙과의 계약에 따라 아파트를 시공하였고, 준공검사 후 아파트는 2020. 5. 1. 사용승인을 받았다. 甲은 아파트를 2020. 7. 1. 인도받고 등기를 완료하였다.

① 丙은 창호공사의 하자에 대해 2025. 7. 1.까지 담보책임을 진다.

② 丙은 철골공사의 하자에 과실이 없으면 담보책임을 지지 않는다.

③ 乙은 甲의 전유부분인 거실에 물이 새는 방수공사의 하자에 대해 2025. 5. 1.까지 담보책임을 진다.

④ 대지조성공사의 하자로 인하여 2023. 10. 1. 공용부분인 주차장 건물이 멸실된다면 丙은 2024. 7. 1. 이후에는 담보책임을 지지 않는다.

⑤ 乙이 甲과의 분양계약에서 지반공사의 하자에 대한 담보책임 존속기간을 5년으로 정한 경우라도, 2027. 10. 1. 그 하자가 발생한다면 담보책임을 진다.

다음 글과 〈상황〉을 근거로 판단할 때 옳은 것을 고르면?

> 제○○조 ① 재외공관에 근무하는 공무원(이하 '재외공무원'이라 한다)이 공무로 일시귀국하고자 하는 경우에는 장관의 허가를 받아야 한다.
>
> ② 공관장이 아닌 재외공무원이 공무 외의 목적으로 일시귀국하려는 경우에는 공관장의 허가를, 공관장이 공무 외의 목적으로 일시귀국하려는 경우에는 장관의 허가를 받아야 한다. 다만 재외공무원 또는 그 배우자의 직계존·비속이 사망하거나 위독한 경우에는 공관장이 아닌 재외공무원은 공관장에게, 공관장은 장관에게 각각 신고하고 일시귀국할 수 있다.
>
> ③ 재외공무원이 공무 외의 목적으로 일시귀국할 수 있는 기간은 연 1회 20일 이내로 한다. 다만 다음 각 호의 어느 하나에 해당하는 경우에는 이를 일시귀국의 횟수 및 기간에 산입하지 아니한다.
>
> 　1. 재외공무원의 직계존·비속이 사망하거나 위독하여 일시귀국하는 경우
>
> 　2. 재외공무원 또는 그 동반가족의 치료를 위하여 일시귀국하는 경우
>
> ④ 제2항에도 불구하고 다음 각 호의 어느 하나에 해당하는 경우에는 장관의 허가를 받아야 한다.
>
> 　1. 재외공무원이 연 1회 또는 20일을 초과하여 공무 외의 목적으로 일시귀국하려는 경우
>
> 　2. 재외공무원이 일시귀국 후 국내 체류기간을 연장하는 경우

〈상황〉

> A국 소재 대사관에는 공관장 甲을 포함하여 총 3명의 재외공무원(甲~丙)이 근무하고 있다. 아래는 올해 1월부터 7월 현재까지 甲~丙의 일시귀국 현황이다.
>
> ○ 甲: 공무상 회의 참석을 위해 총 2회(총 25일)
>
> ○ 乙: 동반자녀의 관절 치료를 위해 총 1회(치료가 더 필요하여 국내 체류기간 1회 연장, 총 17일)
>
> ○ 丙: 직계존속의 회갑으로 총 1회(총 3일)

① 甲은 일시귀국 시 장관에게 신고하였을 것이다.

② 甲은 배우자의 직계존속이 위독하여 올해 추가로 일시귀국하기 위해서는 장관의 허가를 받아야 한다.

③ 乙이 직계존속의 회갑으로 인해 올해 3일간 추가로 일시귀국하기 위해서는 장관의 허가를 받아야 한다.

④ 乙이 공관장의 허가를 받아 일시귀국하였더라도 국내 체류기간을 연장하였을 때에는 장관의 허가를 받았을 것이다.

⑤ 丙이 자신의 혼인으로 인해 올해 추가로 일시귀국하기 위해서는 공관장의 허가를 받아야 한다.

정답과 해설 P.56

PSAT형 NCS 기출변형 모의고사

※ NCS 유형 및 출제 경향에 부합하는 PSAT 5급, 7급, 민경채 상황판단 · 언어논리(명제) 영역에 해당하는 기출문제를 엄선한 기출변형 NCS 문항을 수록하였습니다. 회차별 실제 시험과 유사한 난도부터 고난도 문제까지 철저히 연습할 수 있습니다.

- NCS 기출변형 모의고사 [1회]

- NCS 기출변형 모의고사 [2회]

- NCS 기출변형 모의고사 [3회]

PART

3

PSAT형 NCS 기출변형 모의고사 [1회]

맞은 개수	/ 25문항
풀이 시간	/ 50분

01

다음 전제를 바탕으로 할 때 빈칸에 들어갈 결론으로 가장 적절한 것을 고르면?

〈전제1〉 성공에 관심이 있는 사람은 모두 인간관계에 관심이 있는 사람이다.
〈전제2〉 자존감에 관심이 있는 사람 중 일부는 인간관계에 관심이 있는 사람이 아니다.
〈결론〉 _____

① 자존감에 관심이 있는 사람 중 일부는 성공에 관심이 있는 사람이 아니다.
② 성공에 관심이 있는 사람 중 일부는 자존감에 관심이 있는 사람이 아니다.
③ 성공에 관심이 있는 사람은 모두 자존감에 관심이 있는 사람이 아니다.
④ 자존감에 관심이 있는 사람은 모두 성공에 관심이 있는 사람이 아니다.
⑤ 인간관계에 관심이 있지만 자존감에 관심이 없는 사람은 모두 성공에 관심이 있는 사람이 아니다.

02

△△사의 NCS 시험 날 부정행위를 한 사람을 찾기 위해 고심하던 감독관은 관련된 수험생 갑, 을, 병, 정, 무와 면담을 했다. 이들은 각자 다음과 같이 진술하였다. 수사가 모두 종료된 후 이들의 진술 중 두 명은 거짓을, 나머지는 참을 말했음을 알 수 있었다. 다섯 명 중 범인은 한 명이라고 할 때, 범인이 누구인지 고르면?

○ 갑: 부정행위하는 것을 저와 무만 보았습니다. 을의 말은 모두 참입니다.
○ 을: 부정행위를 한 것은 정입니다. 정이 부정행위한 것을 무가 보았습니다.
○ 병: 정은 부정행위를 하지 않았습니다. 무의 말은 참입니다.
○ 정: 저희 중 세 명이 부정행위를 한 것을 보았습니다. 을은 범인이 아닙니다.
○ 무: 저와 갑은 범인이 아닙니다. 저는 부정행위하는 것을 보지 못했습니다.

① 갑   ② 을   ③ 병
④ 정   ⑤ 무

[03~04] 다음 〈그림〉은 A회사의 본사와 물류창고, 지점별 구역 및 이동시간을 나타낸 지도이다. 이를 바탕으로 질문에 답하시오.

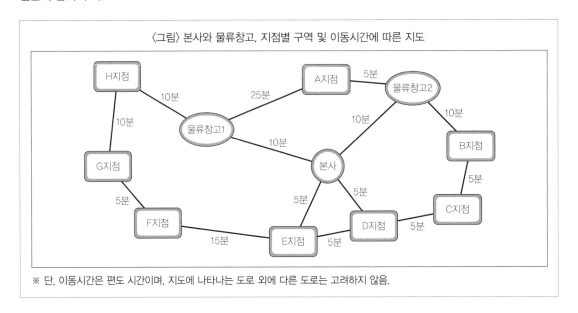

〈그림〉 본사와 물류창고, 지점별 구역 및 이동시간에 따른 지도

※ 단, 이동시간은 편도 시간이며, 지도에 나타나는 도로 외에 다른 도로는 고려하지 않음.

03

A사는 직원들의 출장비 산정을 위하여 물류창고 방문 시 걸리는 시간을 점검하고 있다. 본사를 출발하여 각 물류창고를 한 번씩만 방문한 후 본사로 되돌아올 때, 걸리는 최소 시간과 최대 시간의 차이는 얼마인지 고르면?(단, 이동하였던 도로는 다시 지나갈 수 없고, 물류창고를 방문하는 순서와 체류 시간은 고려하지 않는다.)

① 30분   ② 35분   ③ 40분
④ 45분   ⑤ 50분

04

물류창고와 각 지점 간의 이동시간의 최소화를 위하여 물류창고 중 한 곳과 A~H지점 중 한 곳의 위치를 바꿀 예정이다. 이때, 물류창고 위치를 가장 효율적으로 바꾼 것으로 적절한 것을 고르면?(단, 물류창고1, 2와 거리가 동일한 지점은 어느 곳을 써도 상관없으며, 본사와의 거리는 고려하지 않는다.)

① 물류창고1 − D지점   ② 물류창고1 − E지점   ③ 물류창고2 − B지점
④ 물류창고2 − C지점   ⑤ 물류창고2 − E지점

05

'우리, 나라, 일편, 단심'은 올해 상반기부터 사내 체육관 수업 중 일부를 수강한다. 다음 〈조건〉을 따를 때, 반드시 옳은 것만을 〈보기〉에서 모두 고르면?

〈조건〉

○ 내년 상반기 개설되는 강의는 탁구, 테니스, 필라테스, 요가, 발레 등 총 5개이다.
○ 수강자는 적어도 2개 이상의 강의를 수강 신청해야 하며, 4개 이상의 강의를 수강할 수는 없다.
○ 개설된 모든 강의는 적어도 1명 이상의 학생이 수강한다.
○ 일편을 제외한 모든 학생이 수강한 강의가 있다.
○ 일편과 단심이 동시에 수강하는 강의가 한 개이며, 일편과 나라가 동시에 수강하는 강의도 한 개이다.
○ 우리는 탁구와 요가는 수강하지 않는다.
○ 나라는 테니스와 요가는 수강하지 않는다.
○ 단심은 탁구를 수강한다.
○ 네 명 중 단심이 수강한 강의 수가 가장 적으며, 단심과 같은 개수의 강의를 수강한 학생은 없다.

〈보기〉

ㄱ. 가장 적은 수의 학생이 수강하는 과목은 요가이다.
ㄴ. 테니스를 수강하는 학생과 발레를 수강하는 학생의 수는 같다.
ㄷ. 우리와 일편이 동시에 수강하는 강의의 수는 한 개다.
ㄹ. 우리를 제외한 모든 학생이 수강하는 과목이 있다.
ㅁ. 모든 학생이 수강한 강의는 없다.

---

① ㄱ
② ㄱ, ㄴ, ㄷ
③ ㄱ, ㄴ, ㄹ
④ ㄱ, ㄷ, ㄹ
⑤ ㄱ, ㄷ, ㄹ, ㅁ

06

다음 글과 〈상황〉을 근거로 판단할 때, A사무관이 3월 출장여비로 받을 수 있는 총액을 고르면?

○ 출장여비 기준

　출장여비는 출장수당과 교통비의 합이다.

　1) 세종시 출장

　　– 출장수당: 1만 원

　　– 교통비: 2만 원

　2) 대전/충남 출장

　　– 출장수당: 1만 원

　　– 교통비: 3만 원

　3) 세종/대전/충남 이외 출장

　　– 출장수당: 2만 원(13시 이후 출장 시작 또는 15시 이전 출장 종료 시 1만 원 차감)

　　– 교통비: 4만 원

○ 출장수당의 경우 업무추진비 사용 시 1만 원이 차감되며, 교통비의 경우 관용차량 사용 시 1만 원이 차감된다.

〈상황〉

A사무관 3월 출장내역	출장지	출장 시작 및 종료 시각	비고
출장 1	세종시	13시 ~ 15시	관용차량 사용
출장 2	서울시	14시 ~ 18시	
출장 3	부산시	09시 ~ 17시	업무추진비 사용
출장 4	대전시	09시 ~ 13시	

① 15만 원　　　　② 16만 원　　　　③ 17만 원

④ 18만 원　　　　⑤ 19만 원

07

다음 글의 내용과 일치하는 것을 고르면?

버섯은 독특한 향기와 맛을 갖고 있어 세계 어느 나라에서나 애용되는 식품이다. 세상에는 2만여 종의 버섯이 있는데 먹을 수 있는 것은 1,800여 종에 불과하다. 버섯은 고단백·저칼로리 식품이면서 식이섬유, 비타민, 철, 아연 등 무기질이 풍부한 건강식품으로, 과식을 억제하기 때문에 뛰어난 다이어트 식품으로 평가된다.

송이버섯은 독특한 향과 함께 씹는 질감과 맛으로 인해 사람들이 선호한다. 『동의보감』에 따르면, "송이는 성질이 고르고 맛이 달며 독이 없고 향기로우며 송기가 있고 산속의 오래된 소나무 아래에서 나니 송기를 빌려 생긴 것으로 나무 버섯 중에 으뜸인 것이다."라고 언급하고 있다. 그래서 약으로 사용될 수도 있지만, 계절의 진미로 최고의 평가를 받는 식용 버섯이라고 할 수 있다.

표고버섯은 느타리과에 속하는 버섯으로 밤나무와 떡갈나무 등 죽은 나무에서 자란다. 향과 맛이 좋아 각종 음식의 재료로 널리 이용되는데, 생으로 이용하거나 말려서 사용한다. 표고버섯은 섬유소를 많이 포함하고 있어 대변량을 증가시켜 대장암 예방에 효과가 있고, 변비와 숙변을 예방하며, 혈중 콜레스테롤을 저하시키는 작용이 있어서 동맥경화를 막아 준다.

노루의 엉덩이 털과 닮아서 그 이름이 붙여진 노루궁뎅이버섯은 중국에서 항암, 소화 불량 치료 등을 위한 약용 버섯으로 활용된 식재이다. 만성 장염 개선, 면역 기능 증대, 치매 억제 등의 효능이 있는 것으로 알려져 있다. 그러나 쓴맛이 강해 대중적인 식재료로는 잘 활용되지 않았으며, 한방 약선요리나 궁중요리에 한정적으로 이용되어 왔다. 최근에는 건강 기능성, 낮은 칼로리와 풍부한 식이섬유 등으로 인해 건강 식재로 각광받고 있다.

동충하초(冬蟲夏草)는 곰팡이의 일종인 동충하초균이 살아있는 곤충의 몸속으로 들어가 발생하는 곤충 기생성 약용 버섯으로, 동충하초균에 감염된 곤충은 버섯이 나오기 전까지는 죽어도 썩지 않고 '미라'처럼 형태를 유지하는 것이 특징이다. 인삼, 녹용과 함께 3대 명약으로 알려진 동충하초는 기관지, 허리, 무릎관절 등을 보강하는 데 효과적이고, 항암효과와 면역 증진 효과가 있는 것으로 알려져 있다.

① 표고버섯은 죽은 나무에서 자라고 동충하초는 죽은 곤충에서 자라는 특성을 지니고 있다.
② 대부분의 버섯은 식용이 불가하지만, 식용 가능한 버섯은 경제적인 다이어트 식품이다.
③ 『동의보감』에 따르면, 송이버섯은 맛이 달고 독이 없어 버섯 중에서 으뜸으로 평가받는다.
④ 표고버섯은 노루궁뎅이버섯과 동충하초에 비해 맛이 좋아 일반 식재료로 두루 활용된다.
⑤ 노루궁뎅이버섯은 면역 기능 증대, 치매 억제 등에 효과가 있어 약선요리의 재료로 활용된다.

다음은 '인구총조사'의 〈규칙〉 중 일부를 발췌한 것이다. 이를 바탕으로 할 때 반드시 옳은 것을 고르면?

제2조(정의) 이 규칙에서 사용하는 용어의 뜻은 다음과 같다. 〈개정 2015. 10. 5.〉

  1. "인구총조사"란 정부가 특정한 시점에 대한민국 영토의 인구 및 가구의 실태를 파악하기 위하여 실시하는 전수조사를 말한다.

  3. "가구"란 1명이 단독으로 생계를 영위하거나 2명 이상이 공동으로 취사 · 취침 등을 하며 생계를 영위하는 생활 단위를 말한다.

  5. "상주(常住)"란 일정한 장소에서 거주한 기간과 거주하려는 기간을 합한 기간이 3개월 이상이 되는 것을 말한다.

  7. "조사실시기관"이란 제18조제1항에 따라 인구총조사에 관한 통계청장의 권한을 위임받아 조사업무를 수행하는 자를 말한다.

제3조(조사대상)

① 인구총조사는 제5조제3항에 따른 조사기준일시에 다음 각 호에 해당하는 사람을 대상으로 한다.

  1. 대한민국 영토에 상주하는 대한민국 국민

  2. 대한민국 국민으로서 외국에 공무(公務)로 체재 중인 사람과 그 가족

  3. 대한민국 영토에 상주하는 외국인. 다만, 외국인 중 군인 · 군무원 · 외교관과 그 가족 및 국제연합 · 외국정부의 공무로 체재 중인 사람과 그 가족은 제외한다.

제8조(조사구의 설정 및 유지 · 관리)

① 통계청장 또는 조사실시기관은 인구총조사를 실시하기 위하여 관할구역에 조사구를 설정하여야 한다.

② 통계청장 또는 조사실시기관은 다음 각 호의 어느 하나에 해당하는 사유가 발생한 경우에는 제1항에 따라 설정한 조사구를 변경하여 설정할 수 있다.

  1. 행정구역의 경계가 변경된 경우

  2. 택지개발, 도로 · 하천 등의 신설 · 변경, 재해의 발생 등으로 인하여 주요 지형지물(地形地物)이 변경된 경우

  3. 그 밖에 조사구 안의 가구 수가 현저히 증감된 경우 등 인구주택총조사의 실효성을 확보하기 위하여 필요한 경우

제9조(특별조사구의 지정 및 조사)

② 특별조사구의 인구총조사에 관한 업무는 특별조사구조사기관이 다음 각 호의 구분에 따라 실시한다.

  3. 국군의 부대 또는 함선에 상주하는 사람: 국방부장관이 부대 또는 함선별로 조사

제11조(조사에 관한 지도 · 감독 등)

① 조사실시기관은 통계청장이 정하는 방법과 절차에 따라 조사업무를 수행하여야 한다.

② 조사실시기관은 그 소속 공무원 중에서 조사업무를 지도 · 감독하는 사람을 조사지도공무원으로 지정하여야 한다.

③ 조사실시기관은 관할구역의 시장 · 군수 · 구청장의 협조를 받아 조사업무를 수행하여야 한다.

제12조(조사요원)

① 조사실시기관은 인구총조사를 실시하기 30일 전까지 조사업무를 직접 수행할 사람(이하 "조사요원"이라 한다)을 채용하여야 한다.

② 조사실시기관은 제1항에 따라 채용한 조사요원이 그 업무를 수행할 수 없을 때에는 즉시 그 조사요원의 업무를 대신할 사람으로 교체하여 채용하여야 한다.

③ 조사실시기관은 통계청장이 정하는 기준에 따라 조사요원에게 조사업무의 안전한 수행을 위하여 필요한 안전용품을 지급하여야 한다.

① 조사실시기관은 조사업무를 실시하기 30일 전까지 소속 공무원 중 조사요원을 지정해야 한다.

② 대한민국 영토에 상주하고 있다면 외국인이더라도 인구총조사의 대상자가 된다.

③ 통계청장과 조사실시기관이 정한 조사구의 가구 수가 현저히 감소한 경우 실효성 확보를 위해 조사구를 변경하여야 한다.

④ 국군 부대 또는 함선에 상주하는 사람에 대한 조사는 국방부장관의 일임하에 각 부대 또는 함선별로 조사요원이 파견되어 이루어진다.

⑤ 조사실시기관은 통계청장이 정하는 방법과 기준에 따라 채용한 조사요원에게 조사업무의 안전한 수행을 위한 장비를 지급해야 한다.

09

다음 글의 추론 방식과 가장 유사한 것을 고르면?

당신은 소수자에 대한 어느 정도의 차별은 피할 수 없다고 말하지만 나는 그렇게 생각하지 않습니다. 당신이 고귀한 생명을 유지하기 위해 하루의 음식을 먹듯이 그들 역시 하루의 음식을 먹고, 당신에게 고된 하루를 위로해 줄 가족이 있듯이 그들에게도 가족이 있습니다. 당신에게 분별력이 있다면 그들에게도 분별력이 있으며, 당신이 부당한 억압에 대해 노여워하듯이 그들 역시 부당한 억압에 대해 노여워합니다. 그러므로 당신이 고귀한 존재로서 존중받아야 한다면 그들 역시 존중받아야 합니다.

① 자존감이 높은 사람은 타인의 시선에서 벗어나 자신만의 기준을 가진 이들이다. 그 역시 자존감이 강한 사람이기에 자신만의 기준을 바탕으로 생각한다.

② 칼 포퍼는 철학자이거나 과학자이다. 칼 포퍼는 철학자이다. 따라서 칼 포퍼는 과학자가 아니다.

③ 만약 자은이에게 운전면허증이 있다면, 운전 경험이 있을 것이다. 자은이는 운전 경험이 있다. 따라서 자은이는 운전면허증이 있다.

④ 남태평양 원주민 중 일부는 불길한 자가 나타나면 신성한 나뭇가지로 그를 때려 액땜을 한다. 한국에서는 불길한 자가 나타났을 때 소금을 뿌려 액땜을 한다. 그런데 한국에는 복을 기원하기 위해 복주머니를 차고 다녔다. 따라서 원주민들도 복을 부르는 물건이 있을 것이다.

⑤ 베토벤의 제5 교향곡의 서막 주제가 전곡을 통하여 되풀이되는 것은 이번에 발표된 연극 '키메라'와 유사하다. 둘 다 하나의 기본적 형식을 가지고 있고 이것이 확장되고 집약되고 다양한 방식으로 채색되었다.

10

다음 〈조건〉의 내용이 모두 참일 때, 다음 〈보기〉 중 옳은 것을 고르면?

〈조건〉

○ A사와 B사는 신제품을 공동개발하여 판매한 총 순이익을 아래와 같은 기준에 의해 분배하기로 약정하였다.

　(가) A사와 B사는 총 순이익에서 각 회사 제조원가의 10%에 해당하는 금액을 우선 각자 분배받는다.

　(나) 총 순이익에서 위 (가)의 금액을 제외한 나머지 금액에 대한 분배기준은 연구개발비, 판매관리비, 광고홍보비 중 어느 하나로 결정하며, 각 회사가 지출한 비용에 비례하여 분배액을 정하기로 한다.

○ 신제품 개발과 판매에 따른 비용과 총 순이익은 다음과 같다.

(단위: 억 원)

구분	A사	B사
제조원가	200	600
연구개발비	100	300
판매관리비	200	200
광고홍보비	300	150
총 순이익	200	

〈보기〉

갑: 분배기준을 연구개발비로 할 때와 광고홍보비로 할 때 A사가 분배받는 총 금액의 차이는 50억 원이다.

을: 판매관리비가 분배기준이 된다면 A사가 분배받는 총 금액과 B사가 분배받는 총 금액의 차이는 40억 원이다.

① 갑만 옳다.
② 을만 옳다.
③ 갑과 을 모두 옳다.
④ 갑과 을 모두 옳지 않다.
⑤ 갑과 을 모두 옳은지 틀린지 판단할 수 없다.

11

다음은 A, B, C 도시의 도로 개발 계획에 대한 조건 및 3가지 논의 방안이다. 이에 대한 설명으로 옳은 것만을 〈보기〉에서 모두 고르면?

○ 도시 O, A, B, C는 순서대로 동일 직선상에 배치되어 있으며 도시 간 거리는 각각 30km로 동일하다.
  ($\overline{OA}$: 30km, $\overline{AB}$: 30km, $\overline{BC}$: 30km)
○ A, B, C가 비용을 분담하여 O에서부터 A와 B를 거쳐 C까지 연결하는 직선도로를 건설하려고 한다.
○ A, B, C 주민은 O로의 이동을 위해서만 도로를 이용한다. 도로 1km당 건설비용은 동일하다.
○ 비용 분담안으로 다음 세 가지 안이 논의되고 있다.
  – Ⅰ안: 각 도시가 균등하게 비용을 부담
  – Ⅱ안: 각 도시가 이용 구간의 길이에 비례하여 비용을 부담
  – Ⅲ안: 도로를 $\overline{OA}$, $\overline{AB}$, $\overline{BC}$로 나누어 해당 구간을 이용하는 도시가 해당 구간 건설비용을 균등하게 부담

〈보기〉

ㄱ. A의 부담 비용이 큰 순서대로 나열하면 Ⅱ안, Ⅰ안, Ⅲ안이다.
ㄴ. Ⅲ안에서 B와 C의 부담 비용의 차는 A의 부담 비용의 3배이다.
ㄷ. Ⅱ안에서 C의 부담 비용은 전체의 절반이다.
ㄹ. B의 부담 비용이 적어지는 안을 선택하면 Ⅱ안이다.

① ㄱ
② ㄷ
③ ㄱ, ㄷ
④ ㄴ, ㄷ
⑤ ㄴ, ㄷ, ㄹ

12

다음 글을 근거로 판단할 때, 〈보기〉에서 옳지 않은 것만을 모두 고르면?(단, 거래처 A~D는 매분기 거래 물품의 수가 동일하다.)

어느 회사에서는 거래처별로 담당자를 다음과 같이 배치하려고 한다.

○ 담당자 배치 기준
- 거래 물품이 3개 이하인 경우: 직전 분기 거래액이 3천만 원 이하인 경우 1명, 3천만 원을 초과하는 경우 2명
- 거래 물품이 3개 초과 5개 이하인 경우: 직전 분기 거래액이 5천만 원 이하인 경우 1명, 5천만 원을 초과하는 경우 2명
- 거래물품이 5개 초과 10개 이하인 경우: 직전 분기 거래액이 5천만 원 이하인 경우 2명, 5천만 원 초과 1억 원 이하인 경우 3명, 1억 원을 초과하는 경우 4명
- 거래물품이 10개를 초과하는 경우: 직전 분기 거래액이 5천만 원 이하인 경우 3명, 5천만 원을 초과하는 경우 4명

○ 이상의 기준에도 불구하고 거래물품 중 직전 분기 거래액이 2천만 원 이상인 물품이 존재하는 경우 담당자를 1명 추가로 배치한다.

○ 거래처 A, B, C, D의 거래 물품의 수는 다음과 같다.

거래처	A	B	C	D
거래 물품 수	2개	4개	8개	11개

〈보기〉

ㄱ. 거래처 A와 거래처 B의 직전 분기 거래액이 모두 4천만 원인 경우, 거래처 A와 거래처 B의 담당자 수는 동일하다.

ㄴ. 거래처 C의 거래물품 중 2개 물품의 직전 분기 거래액이 각각 2,500만 원이고, 6개 물품의 거래액이 각각 500만 원이라면 담당자 수는 총 4명이다.

ㄷ. 거래처 B와 거래처 D의 직전 분기 거래액이 동일할 때, 담당자 수가 동일한 경우는 없다.

① ㄱ   ② ㄴ   ③ ㄷ
④ ㄱ, ㄴ   ⑤ ㄱ, ㄷ

13

다음 글을 근거로 판단할 때, 제품 P, Q, R을 제작하는 데 소요되는 총 비용을 고르면?

○ 어느 공장에서는 제품 P, 제품 Q, 제품 R을 제작하려고 한다. 제작 개수는 제품 P, 제품 Q, 제품 R을 합하여 총 40개이다.

○ 제품 P를 1개 제작하는 데 필요한 첨가제의 비용은 5만 원, 제품 Q를 1개 제작하는 데 필요한 첨가제의 비용은 8만 원, 제품 R을 1개 제작하는 데 필요한 첨가제의 비용은 10만 원이다.

○ 제품 P의 원료는 X, 제품 Q의 원료는 Y, 제품 R의 원료는 Z이고, 각 제품을 제작하는 데 원료와 첨가제만 필요하다.

○ 각 제품별 원료의 1개당 가격 및 제품 1개 제작에 필요한 원료의 개수는 다음과 같다.

구분	X	Y	Z
1개당 가격(원)	2,000	1,500	1,000
제품 1개 제작 시 필요한 개수	30	40	50

○ 제품 Q의 개수는 제품 P의 3배이고, 제품 R의 개수는 제품 P와 제품 Q의 개수의 합과 같다.

① 452만 원 ② 484만 원 ③ 525만 원
④ 565만 원 ⑤ 580만 원

14

다음 〈표1〉과 〈표2〉는 2013~2016년 '갑'기업 사원 A~D의 연봉 및 성과평가등급별 연봉인상률에 대한 자료이다. 다음 중 2014년도 성과평가등급이 높은 사원부터 순서대로 나열한 것을 고르면?

〈표1〉 '갑'기업 사원 A~D의 연봉

(단위: 천 원)

사원＼연도	2013	2014	2015	2016
A	24,000	28,800	34,560	38,016
B	25,000	25,000	26,250	31,500
C	24,000	25,200	27,720	27,720
D	25,000	27,500	27,500	28,875

〈표2〉 '갑'기업 사원 A~D의 연봉

(단위: %)

성과평가등급	I	II	III	IV
연봉인상률	20	10	5	0

※ 1) 성과평가는 해당연도 연말에 1회만 실시하며, 각 사원은 I, II, III, IV 중 하나의 성과평가등급을 받음
　2) 성과평가등급을 높은 것부터 순서대로 나열하면 I, II, III, IV의 순임
　3) 당해연도 연봉＝전년도 연봉×(1＋전년도 성과평가등급에 따른 연봉인상률)

① A − B − C − D
② A − C − B − D
③ A − D − C − B
④ B − A − D − C
⑤ D − B − C − A

15

다음 〈표1〉과 〈표2〉는 K국 '갑'~'무' 공무원의 국외 출장 현황과 출장 국가별 1인당 여비 지급 기준액을 나타낸 자료이다. 〈표1〉과 〈표2〉는, 〈조건〉을 근거로 출장 여비를 지급받을 때, 출장 여비를 두 번째로 많이 지급받는 출장자와 네 번째로 많이 지급받는 출장자를 순서대로 알맞게 짝지은 것을 고르면?

〈표1〉 K국 '갑'~'무' 공무원의 국외 출장 현황

출장자	출장 국가	출장 기간	숙박비 지급 유형	1박 실지출 비용 ($/박)	출장 시 개인 마일리지 사용 여부
갑	A	4박 5일	실비지급	145	미사용
을	C	5박 6일	정액지급	70	사용
병	A	3박 5일	정액지급	180	사용
정	D	6박 7일	실비지급	90	미사용
무	B	4박 6일	실비지급	150	사용

* 각 출장자의 출장 기간 중 매박 실지출 비용은 변동 없음

〈표2〉 출장 국가별 1인당 여비 지급 기준액

출장 국가 \ 구분	1일 숙박비 상한액($/박)	1일 식비($/일)
A	170	72
B	140	60
C	100	45
D	85	35

〈조건〉

○ 출장 여비($) = 숙박비 + 식비
○ 숙박비는 숙박 실지출 비용을 지급하는 실비지급 유형과 출장 국가 숙박비 상한액의 80%를 지급하는 정액지급 유형으로 구분(단, 실비지급 유형이면서 1박 실지출 비용이 1일 숙박비 상한액을 초과하는 경우, 실비지급 숙박비는 (1일 숙박비 상한액)×('박' 수)로 계산한다.)
 – 실비지급 숙박비($) = (1박 실지출 비용)×('박' 수)
 – 정액지급 숙박비($) = (출장 국가 1일 숙박비 상한액)×('박' 수)×0.8
○ 식비는 출장시 개인 마일리지 사용여부에 따라 출장 중 식비의 20% 추가 지급
 – 개인 마일리지 미사용시 지급 식비($) = (출장 국가 1일 식비)×('일' 수)
 – 개인 마일리지 사용시 지급 식비($) = (출장 국가 1일 식비)×('일' 수)×1.2

① 갑, 정
② 갑, 병
③ 병, 을
④ 무, 갑
⑤ 무, 정

16

다음 글을 근거로 판단할 때, 〈보기〉에서 옳은 것만을 모두 고르면?

'올해의 체육인상' 후보에 총 5명(A~E)이 올랐다. 수상자는 120명의 기자단 투표에 의해 결정되며 투표규칙은 다음과 같다.

○ 투표권자는 한 명당 한 장의 투표용지를 받고, 그 투표용지에 1순위와 2순위 각 한 명의 후보자를 적어야 한다.
○ 투표권자는 1순위와 2순위로 동일한 후보자를 적을 수 없다.
○ 투표용지에 1순위로 적힌 후보자에게는 5점이, 2순위로 적힌 후보자에게는 3점이 부여된다.
○ '올해의 체육인상'은 개표 완료 후, 총 점수가 가장 높은 후보자가 수상하게 된다.
○ 기권표와 무효표는 없다.

현재 70%를 개표하였고, 중간집계 점수는 아래와 같다. E의 점수는 집계 중이다.

〈중간집계〉

후보자	점수
A	239점
B	194점
C	48점
D	41점
E	?

〈보기〉

ㄱ. 중간집계 결과 B는 3위이다.
ㄴ. 중간집계 결과로 볼 때, C는 '올해의 체육인상'을 받을 수 없다.
ㄷ. 남은 표의 1순위를 A, B가 나눠가지고, 남은 표의 2순위를 C, D, E가 나눠가졌다고 할 때, B가 수상하기 위해서는 A보다 적어도 10표 더 득표해야 한다.
ㄹ. 남은 표를 모두 개표하였을 때 1순위가 모두 E라면 E가 '올해의 체육인상'을 받는다.

① ㄱ, ㄴ   ② ㄱ, ㄷ   ③ ㄱ, ㄹ
④ ㄴ, ㄷ   ⑤ ㄴ, ㄹ

17

다음 글을 근거로 판단할 때 옳지 않은 것을 고르면?

제○○조(성년후견) ① 가정법원은 질병, 장애, 노령, 그 밖의 사유로 인한 정신적 제약으로 사무를 처리할 능력이 지속적으로 결여된 사람에 대하여 본인, 배우자, 4촌 이내의 친족, 검사 또는 지방자치단체의 장의 청구에 의하여 성년후견 개시의 심판을 한다.

② 성년후견인은 피성년후견인의 법률행위를 취소할 수 있다.

③ 제2항에도 불구하고 일용품의 구입 등 일상생활에 필요하고 그 대가가 과도하지 아니한 법률행위는 성년후견인이 취소할 수 없다.

제○○조(피성년후견인의 신상결정) ① 피성년후견인은 자신의 신상에 관하여 그의 상태가 허락하는 범위에서 단독으로 결정한다.

② 성년후견인이 피성년후견인을 치료 등의 목적으로 정신병원이나 그 밖의 다른 장소에 격리하려는 경우에는 가정법원의 허가를 받아야 한다.

제○○조(성년후견인의 선임) ① 성년후견인은 가정법원이 직권으로 선임한다.

② 가정법원은 성년후견인이 선임된 경우에도 필요하다고 인정하면 직권으로 또는 청구권자의 청구에 의하여 추가로 성년후견인을 선임할 수 있다.

① 정신적 제약으로 사무를 처리할 능력이 지속적으로 결여된 장애인은 배우자의 청구에 의하여 성년후견 개시의 심판을 받을 수 있다.
② 피성년후견인이 행한 대가가 과도한 일용품 구입행위는 성년후견인이 취소할 수 있다.
③ 가정법원이 필요하다고 인정하면 지방자치단체 장의 직권으로 성년후견인을 추가로 선임할 수 있다.
④ 피성년후견인의 신상은 가능한 범위에서 본인이 단독으로 결정할 수 있다.
⑤ 가정법원의 허가를 받은 경우 성년후견인이 피성년후견인을 치료를 목적으로 정신병원에 격리할 수 있다.

18

다음 글을 근거로 판단할 때, 〈보기〉에서 옳은 것만을 모두 고르면?

제○○조(술에 취한 상태에서의 운전 금지) ① 누구든지 술에 취한 상태에서 자동차를 운전하여서는 아니 된다.

② 경찰공무원은 제1항을 위반하여 술에 취한 상태에서 자동차를 운전하였다고 인정할 만한 상당한 이유가 있는 경우에는 운전자가 술에 취하였는지를 호흡조사로 측정(이하 '음주측정'이라 한다)할 수 있다. 이 경우 운전자는 경찰공무원의 음주측정에 응하여야 한다.

③ 제1항을 위반하여 술에 취한 상태에서 자동차를 운전한 사람은 다음 각 호의 구분에 따라 처벌한다.

  1. 혈중알콜농도가 0.2퍼센트 이상인 사람은 1년 이상 3년 이하의 징역이나 500만 원 이상 1천만 원 이하의 벌금

  2. 혈중알콜농도가 0.1퍼센트 이상 0.2퍼센트 미만인 사람은 6개월 이상 1년 이하의 징역이나 300만 원 이상 500만 원 이하의 벌금

  3. 혈중알콜농도가 0.05퍼센트 이상 0.1퍼센트 미만인 사람은 6개월 이하의 징역이나 300만 원 이하의 벌금

④ 다음 각 호의 어느 하나에 해당하는 사람은 1년 이상 3년 이하의 징역이나 500만 원 이상 1천만 원 이하의 벌금에 처한다.

  1. 제3항에도 불구하고 제1항을 2회 이상 위반한 사람으로서 다시 술에 취한 상태에서 자동차를 운전한 사람

  2. 술에 취한 상태에 있다고 인정할 만한 상당한 이유가 있는 사람으로서 제2항에 따른 경찰공무원의 음주측정에 응하지 아니한 사람

〈보기〉

ㄱ. 혈중알콜농도가 0.01퍼센트로 1회째 적발된 사람은 6개월 이상 1년 이하의 징역이나 300만 원 이상 500만 원 이하의 벌금에 처해진다.

ㄴ. 혈중알콜농도가 0.15퍼센트인 사람이 경찰공무원의 음주측정에 응하지 않은 경우 1년 이상 3년 이하의 징역이나 500만 원 이상 1천만 원 이하의 벌금에 처한다.

ㄷ. 혈중알콜농도가 0.18퍼센트인 상태로 운전하여 2회째 적발된 경우 1년 이상 3년 이하의 징역이나 500만 원 이상 1천만 원 이하의 벌금에 처해진다.

ㄹ. 혈중알콜농도가 0.18퍼센트로 1회째 적발된 사람과 혈중알콜농도가 0.2퍼센트로 2회째 적발된 사람의 벌금이 동일할 수 있다.

① ㄱ, ㄷ   ② ㄴ, ㄹ   ③ ㄱ, ㄴ, ㄹ

④ ㄱ, ㄷ, ㄹ   ⑤ ㄴ, ㄷ, ㄹ

19

다음 글의 내용이 참일 때, 항상 옳은 것을 고르면?

교수 갑~정 중에서 적어도 한 명을 국가공무원 5급 및 7급 민간경력자 일괄채용 면접위원으로 위촉한다. 위촉 조건은 아래와 같다.

○ 갑과 을 모두 위촉되면 병도 위촉된다.
○ 병이 위촉되면 정도 위촉된다.
○ 병은 위촉되지 않았다.

① 을이 위촉되지 않으면 갑도 위촉되지 않는다.
② 정이 위촉된다.
③ 을이 위촉되지 않으면 정도 위촉되지 않는다.
④ 정이 위촉되면 갑과 을이 모두 위촉된다.
⑤ 갑이 위촉되면 을은 위촉되지 않는다.

20

다음 〈조건〉의 내용이 모두 참일 때, 다음 중 옳은 것을 고르면?

─〈조건〉─

○ 3개의 과일상자가 있다.
○ 하나의 상자에는 사과만 담겨 있고, 다른 하나의 상자에는 배만 담겨 있으며, 나머지 하나의 상자에는 사과와 배가 섞여 담겨 있다.
○ 각 상자에는 '사과 상자', '배 상자', '사과와 배 상자'라는 이름표가 붙어 있다.
○ 이름표와 동일하게 내용물(과일)이 들어 있는 상자는 없다.
○ 상자 중 하나에서 한 개의 과일을 꺼내어 확인할 수 있다.

갑: '사과 상자'에서 과일을 하나 꺼내어 확인하면 3개의 상자에 들어 있는 과일의 종류를 모두 알 수 있다.
을: '배 상자'에서 과일을 하나 꺼내어 확인한 결과 배라면, '사과와 배 상자'에는 배만 들어 있다.

① 갑만 옳다.
② 을만 옳다.
③ 갑과 을 모두 옳다.
④ 갑과 을 모두 옳지 않다.
⑤ 갑과 을 모두 옳은지 틀린지 판단할 수 없다.

21

다음 글을 근거로 판단할 때, 7월 1일부터 6일까지 김 씨가 판매한 수박의 순이익을 고르면?(단, 순이익은 판매가−원가로 계산한다.)

○ A시는 농산물의 판매를 촉진하기 위하여 지역 농산물 유통센터를 운영하고 있다. 해당 유통센터는 농산물을 수확 당일 모두 판매하는 것을 목표로 운영하며, 당일 판매하지 못한 농산물은 판매가에서 20%를 할인하여 다음 날 판매한다. 판매 시에는 재고 수박을 먼저 판매하고, 재고 수박이 모두 소진된 다음 당일 구입한 수박을 판매한다. 만약 이틀 연속 판매되지 않은 수박이 있으면 이 수박은 폐기처분한다.
○ 김 씨는 매일 아침 판매할 수 있는 수박의 개수가 총 50개가 되도록 수박을 구입한다. 6월 30일에는 재고가 없으며 7월 1일에는 수박을 50개 구입하였다.
○ 김 씨가 수박 농가로부터 공급받은 수박의 개당 원가는 3,000원이고, 이를 5,000원에 판매한다. 매일 판매된 수박의 개수는 아래와 같았다.

날짜(월/일)	7/1	7/2	7/3	7/4	7/5	7/6
판매된 수박(개)	30	35	25	20	30	35

① 180,000원
② 185,000원
③ 190,000원
④ 195,000원
⑤ 205,000원

22

다음 글을 근거로 판단할 때, 옳은 것을 고르면?

○ 다섯 명의 직원 A~E의 부서는 기획부, 영업부, 재무부, 물류부, 개발부 중 하나이고, 부서가 모두 다르다.
○ 각 부서는 모두 2층부터 6층까지 모두 다른 층에 위치한다.
○ C는 영업부이고, E는 개발부이다.
○ D의 부서는 4층이고, 5층에는 재무부가 있다.
○ A의 부서는 C의 부서 바로 위층에 있다.
○ 물류부는 기획부보다 위층에 있다.

① A의 부서는 기획부이다.
② C의 부서는 3층에 위치한다.
③ E의 부서는 2층에 위치한다.
④ 개발부는 재무부보다 아래층에 위치한다.
⑤ B의 부서는 물류부이다.

23

K부서는 소속 직원에게 새로 발행된 법령집 3권, 백서 3권, 판례집 1권, 민원 사례집 2권을 나누어주려고 한다. 이를 바탕으로 옳지 않은 것을 고르면?

○ K부서의 소속 직원(A~E)은 법령집, 백서, 판례집, 민원 사례집을 각각 1권씩 보유하고 있었다.
○ 법령집은 보유하고 있던 법령집의 발행연도가 빠른 사람부터 1권씩 나누어 주었다.
○ 백서는 근속연수가 짧은 사람부터 1권씩 나누어 주었다.
○ 판례집은 보유하고 있던 판례집의 발행연도가 가장 빠른 사람에게 주었다.
○ 민원 사례집은 민원업무가 많은 사람부터 1권씩 나누어 주었다.
○ A는 책을 1권만 받았고, B는 4권의 책을 모두 받았으며, D는 책을 1권도 받지 못했다.
○ C는 법령집은 받았지만 판례집은 받지 못했다.
○ E는 C가 받은 책은 모두 받았고, C가 받지 못한 책은 받지 못했다.
○ A~E는 근속연수, 민원업무량에 차이가 있고, 보유하고 있던 법령집, 판례집은 모두 발행연도가 다르다.

① E는 총 2권의 책을 받았다.
② 법령집을 받지 못한 사람은 A와 D이다.
③ 백서를 받은 사람은 모두 법령집을 받았다.
④ 민원 업무가 많은 2명은 A, B이다.
⑤ 발행연도가 가장 빠른 법령집을 가지고 있던 사람은 B이다.

24

다음 〈커피의 종류〉, 〈은희의 취향〉 및 〈오늘 아침의 상황〉을 바탕으로 판단할 때, 오늘 아침에 은희가 주문할 커피를 고르면?

〈커피의 종류〉

에스프레소	카페 아메리카노	카페 라테
– 에스프레소	– 에스프레소 – 따뜻한 물	– 에스프레소 – 데운 우유
카푸치노	카페 비엔나	카페 모카
– 에스프레소 – 데운 우유 – 우유거품	– 에스프레소 – 따뜻한 물 – 휘핑크림	– 에스프레소 – 초코시럽 – 데운 우유 – 휘핑크림

〈은희의 취향〉

○ 은희는 데운 우유가 들어간 커피를 마시지 않지만 배가 고플 때에는 데운 우유를 넣은 커피를 마실 수도 있다.
○ 그러나 다른 음식과 함께 커피를 마신다면 데운 우유를 넣지 않는다.
○ 스트레스를 받으면 휘핑크림이나 우유거품을 추가한다.
○ 피곤하면 휘핑크림이 들어간 경우에 항상 초코시럽을 추가한다.

〈오늘 아침의 상황〉

　출근을 하기 위해 지하철을 탄 은희는 꽉 들어찬 사람들 사이에서 스트레스를 받으며 지하철에서 내릴 때만을 기다리고 있었다. 목적지에 도착한 은희는 커피를 마시며 기분을 달래기 위해 커피전문점에 들렀다. 아침식사를 하지 못해 배가 고프고 고된 출근길에 피곤하였지만 샌드위치나 베이글과 같은 다른 음식을 먹기에는 시간이 부족하여 휘핑크림이 잔뜩 들어간 커피만 한 잔 마실 생각이다.

① 카페 라테　　　　　　② 카페 아메리카노　　　　　③ 카푸치노
④ 카페 모카　　　　　　⑤ 카페 비엔나

25

다음 글과 〈상황〉을 근거로 판단할 때, 〈보기〉에서 옳은 것만을 모두 고르면?

어느 배달대행사에서는 배달기사에 대해 매년 우수 라이더 심사를 실시한다.

○ 기본심사 점수에서 감점 점수를 뺀 최종심사 점수가 80점 이상이면 '최우수 라이더'에 선정되어 배달료 지급 비율을 10% 상향하고, 최종심사 점수가 70점 이상 80점 미만이면 '우수 라이더'에 선정되어 배달료 지급 비율을 5% 상향한다. 최종심사 점수가 60점 미만이면 '재계약 불가'로 판정한다.

  – 기본심사 점수: 100점 만점으로, ㉮~㉱의 4가지 항목(각 25점 만점) 점수의 합으로 한다. 단, 점수는 자연수이다.

  – 감점 점수: 식당 업주 및 고객에게 신고가 들어온 경우 1회당 3점, 신호위반의 경우 1회당 3점, 속도위반 1회당 1.5점, 주정차위반 1회당 0.5점으로 한다. 이외의 음주운전 및 중대한 사고 발생 시 '재계약 불가'이다.

〈상황〉

2020년 배달기사 A~C의 기본심사 점수 및 감점 사항은 아래와 같다.

배달기사	기본심사 항목별 점수			
	㉮	㉯	㉰	㉱
A	21	24	18	?
B	16	20	?	20
C	25	18	23	22

배달기사	신고횟수	교통법 위반 횟수		
		신호위반	속도위반	주정차위반
A	1	–	2	4
B	2	–	3	2
C	?	1	1	2

〈보기〉

ㄱ. A는 ㉱ 항목의 점수에 관계없이 항상 '최우수 라이더'에 선정되지 못한다.

ㄴ. B가 재계약을 하기 위해서는 B의 ㉰ 항목 점수가 15점 이상이어야 한다.

ㄷ. C가 2020년에 신고를 당한 적이 있다면 '최우수 라이더'에 선정되지 못한다.

ㄹ. B는 ㉰ 항목 점수에 관계없이 '우수 라이더'에 선정되지 못한다.

① ㄱ, ㄴ   ② ㄱ, ㄷ   ③ ㄴ, ㄷ

④ ㄷ, ㄹ   ⑤ ㄴ, ㄷ, ㄹ

정답과 해설 P. 60

PSAT형 NCS 기출변형 모의고사 [2회]

맞은 개수	/ 25문항
풀이 시간	/ 50분

01

A호텔에 살인사건이 발생했고, 손님 중에 범인이 있다. 이 사건에 대해 손님이자 용의자인 갑, 을, 병, 정, 무 다섯 사람은 다음과 같이 진술하였다. 그런데 나중에 다섯 사람 중 두 명은 거짓말을 했다고 자백했고, 두 명 중 한 명이 범인임이 밝혀졌다. 이를 바탕으로 할 때, 범인인 사람을 고르면?

○ 갑: "저는 살인범이 아니에요."
○ 을: "저는 살인범을 알지 못합니다."
○ 병: "정은 확실히 살인을 하지 않았습니다."
○ 정: "제가 범인입니다."
○ 무: "을이 범인이 아니라면 저 역시 범인이 아닙니다."

① 갑   ② 을   ③ 병
④ 정   ⑤ 무

02

다음 추론들 가운데 논리적으로 타당한 것끼리 묶인 것을 고르면?

[가] 모든 민족주의자는 애국자이다. 어떤 애국자는 달변가가 아니다. 그러므로 어떤 민족주의자는 달변가이다.

[나] 부지런한 사람은 누구나 학자가 될 수 있다. 부지런하지 않은 어떤 사람도 공무원의 자격이 없다. 당신 친구 중에 아무도 학자가 되지 못한다. 따라서 당신 친구 중에 아무도 공무원의 자격이 없다.

[다] 모든 자본주의 국가는 A국의 동맹이다. 모든 이슬람 국가는 A국의 동맹이 아니다. 그러므로 이슬람 국가는 자본주의 국가이다.

[라] 어떤 이상주의자도 영원히 살지 않는다. 유한한 생명을 지닌 모든 것은 불완전한 것이다. 그러므로 모든 완전한 것은 이상주의자가 아니다.

[마] 사랑은 비이성적이다. 음악은 어느 것도 학생들에게 금지되지 않는다. 비이성적인 것은 학생들에게 금지된다. 그러므로 사랑은 음악이 아니다.

① [가], [나], [다]   ② [나], [라], [마]   ③ [가], [다], [라]
④ [나], [다], [라], [마]   ⑤ [가], [나], [다], [라], [마]

03

가영은 〈조건〉에 따라 A~E기업 중 한 기업을 골라 기업 현장답사 계획안을 작성해야 한다. 이를 바탕으로 옳지 않은 것을 고르면?

〈조건〉

○ A기업, E기업은 제조업, B기업, C기업, D기업은 서비스업이다.

○ C기업의 직원 수가 가장 적고, B기업의 직원 수가 가장 많다.

○ 현장답사 시 A기업, C기업은 실외에서, 그 외 기업은 실내에서 진행된다.

○ A기업, C기업의 직원 수가 100명 미만, D기업의 직원 수는 100명 이상이고 E기업의 직원 수는 200명이다.

○ 각 기업의 근접역과의 거리는 A기업 20km, B기업 10km, C기업 12km, E기업 11km이고 D기업은 근접역이 없다.

---

① 근접역에서 가장 가까운 서비스업 기업을 고르면, 실외에서 현장답사를 진행하게 된다.

② 실외에서 현장답사를 진행한다면, 근접역에서 10km 이상 가야 한다.

③ 직원 수가 두 번째로 적은 기업을 고르면, 제조업 기업이다.

④ 근접역이 있고, 근접역에서 두 번째로 먼 기업을 고르면, 실외에서 현장답사를 진행하게 된다.

⑤ 서비스 기업 중 실내에서 현장답사를 진행하는 기업을 고르면, 직원 수가 100명 이상이다.

04

△△사 기획팀은 A프로젝트 회의 끝에 찬반 투표를 진행하였다. 갑, 을, 병, 정, 무, 기, 경, 신 총 8명은 〈조건〉에 따라 찬성이나 반대의 의견을 표시하였다. 이들 중 의견을 알 수 없는 사람을 모두 고르면?

〈조건〉

○ 병이 찬성하는 경우, 신이 반대한다면 을도 찬성한다.

○ 을이 찬성하거나 병이 반대하는 경우, 무와 경도 찬성한다.

○ 기와 경이 찬성하는 경우, 병이 반대하거나 무가 찬성한다.

○ 경이 찬성하거나 신이 반대하는 경우, 무는 찬성한다.

○ 신이 찬성하거나 갑이 반대하는 경우, 정은 반대한다.

○ 무는 반대한다.

---

① 갑, 병

② 갑, 기

③ 병, 경

④ 갑, 기, 경

⑤ 병, 기, 경

05

다음 글에서 추론할 수 있는 것을 고르면?

풍수지리설은 도성, 절, 집, 묘 등을 만들 때 방향이나 땅속의 기운, 산의 모양, 물의 흐름 등의 자연 변화가 인간 생활에 큰 영향을 미친다는 것을 근거로 두고 있다. 우리나라에서는 삼국시대 때 풍수사상이 도입되고, 신라 때는 왕조 세력에 독점되어 왕릉 조성에 쓰이기 시작했다. 고려 때는 불교와 풍수가 결합한 비보풍수론이 국토 경영의 이데올로기로 활용되어 도읍풍수론으로 운용되면서 전성기를 구가하게 된다. 조선 전기에는 주자학적 이데올로기의 사회적 확산과 맞물려 묘지풍수론이 성행하였고, 조선 후기에는 실학자들에 의해 주거풍수론이 활발하게 전개되었다.

공간적으로는 왕도에서 시작되어 점차 중앙권력의 통제를 받는 지방 고을, 마을 단위까지 확산되어 나갔다. 장소적으로는 왕실 단위의 궁궐과 능묘에 이르기까지 전반적으로 풍수가 적용되었다. 특히 조선 태조의 경우 도성을 건설할 때 풍수지리설의 원리에 의해 결정할 정도였다. 그러나 국가 기틀이 마련되면서 불교사상이 포함된 풍수지리설이 유학자들에 의해 지양됨으로써 점차 조상의 묘를 쓰는 음택풍수로 중심이 이동했다.

본래 풍수지리는 부모의 유골만이라도 평안하도록 정성을 다하는 효의 발현이었다. 그래서 부모의 시신이 오래 보존될 수 있는 곳을 찾았으며, 그런 장소를 명당이라고 불렀다. 지관(地官)*들은 명당을 확인하는 방법으로 주로 달걀을 사용했다. 흔히 달걀을 땅에 파묻으면 곧바로 썩지만 명당에서는 몇 달이 지나도록 생생하게 보존된다. 한 실험에서 명당자리에 달걀을 파묻고 76일 만에 꺼내봤더니 전혀 부패되지 않은 채 처음 상태를 유지하였고, 보통 땅에 묻은 달걀은 형체조차 알아볼 수 없을 정도로 부패해 있었다. 두 흙 모두 화강암 잔적층이라는 점은 동일했지만 일반 흙의 PH는 4.88이었고, 명당의 흙은 6.90이었다. 즉 명당의 흙은 중성임을 뜻한다.

조선시대의 풍수론의 특징을 이루는 또 하나의 요소는 마을풍수론과 주택풍수론이었다. 특히 조선 후기에 들어 유학자들이 향촌 곳곳에 동족촌을 이루면서 마을풍수의 사회적 담론이 성행하였다. 17세기 전후로는 일본과 청나라의 침략, 사화(士禍) 등 내우외환의 환경 속에서 산림에 은거하는 유학자들이 많아졌는데, 그들의 실제적 주거의 필요성에 의해 주택풍수론이 활발하게 논의되었다. 이러한 사회적 분위기는 민간에도 전파되어 많은 자연마을에서 풍수적인 이해와 적용이 쉬운 형세론으로 풍수론이 해석되기도 했다. 흔히 알려진 배산임수(背山臨水)도 여기에서 기인한 것이다.

*지관(地官): 풍수지리설에 따라 집터나 묏자리 따위를 가려잡는 사람

① 조선은 고려의 풍수론을 이으면서도 이론적으로 정비했다.
② 지관은 중성을 띤 땅을 찾아 도성, 절, 집, 묘 등의 자리를 정해주었다.
③ 조선의 선비들은 유교적 이념을 근거로 하여 풍수론을 비판하였다.
④ 우리나라의 풍수지리설은 시대가 흐를수록 대상과 세력이 점차 확대되었다.
⑤ 유학자들의 마을풍수론은 민간 마을의 문화경관에 영향을 주는 결과를 낳았다.

06

다음 〈설명〉을 근거로 〈수식〉을 계산한 값을 고르면?

─〈설명〉─

연산자 A, B, C, D는 다음과 같이 정의한다. 단, 모든 연산에서 연산값이 세 자리 이상의 수가 되는 경우 끝 두 자리 수만 남긴다.

A: 좌우에 있는 두 수를 각각 제곱한 뒤 합을 구한다. 단, 더한 값이 20 미만이면 좌우에 있는 두 수에 각각 2를 더한 뒤 두 수의 제곱의 합을 구하여 일의 자리만 남긴다.(예 2 A 3＝1)

B: 좌우에 있는 두 수를 각각 제곱한 뒤 큰 수에서 작은 수를 뺀다. 단, 두 수가 같거나 뺀 값이 10 이상 100 미만이면 좌우에 있는 두 수 중 큰 수에서 작은 수를 뺀다.

C: 좌우에 있는 두 수 중 큰 수를 작은 수만큼 곱한 뒤 일의 자리만 구한다.

D: 좌우에 있는 두 수 가운데 큰 수를 작은 수로 나눈 몫을 구한다. 단, 작은 수가 0인 경우 큰 수를 3으로 나눈 몫을 구한다.

※ 연산은 '( )', '{ }'의 순으로 한다.

─〈수식〉─

$$\{(3 \text{ A } 6) \text{ B } (7 \text{ C } 8)\} \text{ D } \{(4 \text{ D } 9) \text{ A } 0\}$$

① 0   ② 5   ③ 6

④ 7   ⑤ 9

07

K사에서는 부서 대항 체육대회를 개최한다. 다음은 K사의 A의 체육대회 참여하는 인원에 대한 내용이다. 이를 바탕으로 항상 참인 것을 고르면?

○ 오래달리기는 1명, 팔씨름은 4명, 3인 4각은 3명, 공굴리기는 4명이 참여한다.

○ 한 사람이 두 종목까지 참가할 수 있고, 모든 사람이 한 종목 이상 참가해야 한다.

○ A부의 선수 후보는 가영, 나리, 다솜, 라임, 마야, 바다, 사랑이며, 개인별 참가 가능 종목은 아래와 같다.

종목＼선수 후보	가영	나리	다솜	라임	마야	바다	사랑
오래달리기	○	×	○	×	×	×	×
팔씨름	○	×	○	○	○	×	×
3인 4각	×	○	○	○	○	×	○
공굴리기	○	×	○	×	○	○	○

※ ○: 참가 가능, ×: 참가 불가능
※ 어떤 종목도 동시에 진행되지 않는다.

① 3인 4각에 참가하는 선수는 나리, 마야, 사랑이다.
② 가영이는 팔씨름 종목에 참가한다.
③ 라임이가 참가하는 종목은 사랑이도 참가한다.
④ 팔씨름과 공굴리기에 참가하는 선수는 다솜이다.
⑤ 다솜이가 오래달리기에 참가한다면, 팔씨름에는 참가할 수 없다.

08

다음 규정을 근거로 판단할 때 옳은 것을 고르면?

제○○조 ① 사업주는 근로자가 조부모, 부모, 배우자, 배우자의 부모, 자녀 또는 손자녀(이하 '가족'이라 한다)의 질병, 사고, 노령으로 인하여 그 가족을 돌보기 위한 휴직(이하 '가족돌봄휴직'이라 한다)을 신청하는 경우 이를 허용하여야 한다. 다만 대체인력 채용이 불가능한 경우, 정상적인 사업 운영에 중대한 지장을 초래하는 경우, 근로자 본인 외에도 조부모의 직계비속 또는 손자녀의 직계존속이 있는 경우에는 그러하지 아니하다.

② 사업주는 근로자가 가족(조부모 또는 손자녀의 경우 근로자 본인 외에도 직계비속 또는 직계존속이 있는 경우는 제외한다)의 질병, 사고, 노령 또는 자녀의 양육으로 인하여 긴급하게 그 가족을 돌보기 위한 휴가(이하 '가족돌봄휴가'라 한다)를 신청하는 경우 이를 허용하여야 한다. 다만 근로자가 청구한 시기에 가족돌봄휴가를 주는 것이 정상적인 사업 운영에 중대한 지장을 초래하는 경우에는 근로자와 협의하여 그 시기를 변경할 수 있다.

③ 제1항 단서에 따라 사업주가 가족돌봄휴직을 허용하지 아니하는 경우에는 해당 근로자에게 그 사유를 서면으로 통보하여야 한다.

④ 가족돌봄휴직 및 가족돌봄휴가의 사용기간은 다음 각 호에 따른다.

   1. 가족돌봄휴직 기간은 연간 최장 90일로 하며, 이를 나누어 사용할 수 있을 것. 이 경우 나누어 사용하는 1회의 기간은 30일 이상이 되어야 한다.

   2. 가족돌봄휴가 기간은 연간 최장 10일로 하며, 일 단위로 사용할 수 있을 것. 다만 가족돌봄휴가 기간은 가족돌봄휴직 기간에 포함된다.

   3. ○○부 장관은 감염병의 확산 등을 원인으로 심각단계의 위기경보가 발령되는 경우, 가족돌봄휴가 기간을 연간 10일의 범위에서 연장할 수 있다.

〈중략〉

⑥ 사업주는 가족돌봄휴직 또는 가족돌봄휴가를 이유로 해당 근로자를 해고하거나 근로조건을 악화시키는 등 불리한 처우를 하여서는 아니 된다.

⑦ 가족돌봄휴직 및 가족돌봄휴가 기간은 근속기간에 포함한다.

---

① 근로자가 자녀의 감염병을 사유로 가족돌봄휴가를 신청한 경우, 사업주는 총 20일의 휴가일수를 보장해야 한다.

② 사업주는 근로자가 신청한 가족돌봄휴직을 허용하지 않는 경우, 해당 근로자에게 그 사유를 서면으로 통보해야 한다.

③ 정상적인 사업 운영에 중대한 지장을 초래하는 경우, 사업주는 가족돌봄휴가 중인 근로자의 업무와 휴직 시기를 협의하에 변경할 수 있다.

④ 근로자가 가족돌봄휴직을 90일 사용하고, 가족돌봄휴가를 10일 모두 사용했더라도 사업자는 근속일수에서 이를 제외할 수 없다.

⑤ 근로자는 가족돌봄휴가를 사용할 경우 월급에서 해당 일수만큼 월급이 삭감되므로 연가가 없는 경우에만 사용하는 것이 유리하다.

09

○○사 마케팅팀은 주요 협찬사 주주인 '갑, 을, 병, 정'의 명절 선물을 준비하기 위해 회의 중이다. 평소 그들의 취향을 고려하여 다음과 같은 〈정보〉를 알아내었다. 반드시 참인 것만을 〈보기〉에서 모두 고르면?

〈정보〉

○ 을은 명절 선물로 구두를 원하지 않는다.
○ 갑, 을, 병, 정 중 명절 선물로 위스키를 원하는 사람은 3명이다.
○ 갑, 을, 병, 정 중 명절 선물로 구두를 원하는 사람은 2명이다.
○ 갑이 원하는 명절 선물은 을도 원한다.
○ 명절 선물로 구두를 원하는 사람은 위스키도 원한다.
○ 갑, 을, 병, 정 중 2명은 두 종류의 명절 선물을 원하고, 나머지 2명은 세 종류의 명절 선물을 원한다.
○ 갑, 을, 병, 정의 명절 선물로 가방, 위스키, 한우, 구두 중 일부를 원한다.

〈보기〉

ㄱ. 병은 명절 선물로 한우를 원한다.
ㄴ. 가장 많은 명절 선물을 원하는 사람 중에 을이 속한다.
ㄷ. 정이 명절 선물로 가방과 한우 중 한 가지를 원한다면, 병은 두 종류의 명절 선물을 원하게 된다.

① ㄱ   ② ㄴ   ③ ㄱ, ㄴ
④ ㄴ, ㄷ   ⑤ ㄱ, ㄴ, ㄷ

10

A는 2021년 1월 15일에 상시학습 과목을 수강하려고 계획하고 있다. 이를 바탕으로 옳은 것을 고르면?

○ A가 소속된 기관에서는 상시학습 과목을 주기적으로 반복하여 수강하도록 하고 있다.
○ A는 2021년 1월 15일 하루 동안 상시학습 과목을 수강하여 '학습점수'를 최대화하고자 한다.
○ A가 하루에 수강할 수 있는 최대 시간은 8시간이다.
○ 직전 수강일자로부터 권장 수강주기가 지난 상시학습 과목을 수강하는 경우 수강시간만큼 학습점수로 인정한다.
○ 직전 수강일자로부터 권장 수강주기 이내에 상시학습 과목을 수강하는 경우 수강시간의 두 배를 학습점수로 인정한다.
○ 과목별 수강시간을 다 채운 경우에 한하여 학습점수를 인정한다.

〈상시학습 과목 정보〉

과목명	수강시간	권장 수강주기	A의 직전 수강일자
통일교육	2	12개월	2020년 2월 20일
청렴교육	2	9개월	2020년 4월 11일
장애인식교육	3	6개월	2020년 6월 7일
보안교육	3	3개월	2020년 9월 3일
폭력예방교육	5	6개월	2020년 8월 20일

① A가 통일교육과 청렴교육을 수강할 경우 인정받는 학습점수는 총 6점이다.
② A가 청렴교육, 장애인식교육, 폭력예방교육을 수강할 경우 학습점수를 최대화할 수 있다.
③ A가 수강시간의 두 배만큼 학습점수로 인정받을 수 있는 과목은 총 3가지이다.
④ A가 통일교육, 장애인식교육을 수강할 경우 수강시간과 학습점수는 동일하다.
⑤ A가 보안교육, 폭력예방교육을 수강할 경우 인정받는 학습 점수는 10점 미만이다.

11

다음 글과 〈상황〉을 근거로 판단할 때, A~E 가운데 근무계획이 승인되는 사람을 고르면?

〈유연근무제〉

□ 개념
　○ 주 40시간을 근무하되, 근무시간을 유연하게 관리하여 1주일에 5일 이하로 근무하는 제도
□ 복무관리
　○ 점심 및 저녁시간 운영
　　– 근무 시작과 종료 시각에 관계없이 점심시간은 12:00 ~ 13:00, 저녁시간은 18:00 ~ 19:00의 각 1시간으로 하고 근무시간으로는 산정하지 않음
　○ 근무시간 제약
　　– 근무일의 경우 1일 최대 근무시간은 12시간으로 하고 최소 근무시간은 4시간으로 함
　　– 하루 중 근무시간으로 인정하는 시간대는 06:00 ~ 24:00로 한정함

〈상황〉

다음은 A~E가 제출한 근무계획을 정리한 것이며 위의 〈유연근무제〉에 부합하는 근무계획만 승인된다.

직원＼요일	월	화	수	목	금
A	08:00 ~ 18:00	08:00 ~ 18:00	09:00 ~ 13:00	08:00 ~ 18:00	08:00 ~ 18:00
B	09:00 ~ 20:00	09:00 ~ 20:00	–	09:00 ~ 20:00	09:00 ~ 23:00
C	08:00 ~ 16:00	08:00 ~ 16:00	08:00 ~ 16:00	08:00 ~ 16:00	08:00 ~ 16:00
D	06:00 ~ 16:00	07:00 ~ 20:00	–	09:00 ~ 24:00	12:00 ~ 17:00
E	07:00 ~ 21:00	07:00 ~ 11:00	07:00 ~ 21:00	–	07:00 ~ 21:00

① A　　　　② B　　　　③ C　　　　④ D　　　　⑤ E

12

다음 글과 〈상황〉을 근거로 판단할 때, 제품P 생산 시작 날짜와 E공정을 시작하는 날짜를 바르게 짝지은 것을 고르면?(단, 7월 1일은 목요일이고, 7월에는 공휴일이 없다.)

제품P의 공정 순서 및 소요기간은 다음과 같다.

순서	공정	소요기간
1	A공정	2일
2	B공정	4일
3	C공정	10일(연장근무 시 3일 단축 가능)
4	D공정	1일
5	E공정	3일
6	F공정	2일

※ 소요기간은 해당 공정의 시작부터 종료까지 걸리는 기간이다. 모든 공정은 하루 단위로 진행되고, 주말(토요일, 일요일) 및 공휴일에는 공장을 가동하지 않으며, 하루에 한 가지의 공정만 진행한다.

〈상황〉

K공장에서는 7월 30일 출하를 목표로 제품P 생산 공정을 시작하려고 한다. 출하는 마지막 공정이 완료된 다음 날 진행된다. K공장은 가능한 한 늦게 제품P 생산을 시작하였고, C공정을 진행하는 기간 동안 연장근무를 시행하였다.

	제품P 생산 시작 날짜	E공정 시작 날짜
①	6월 30일	7월 22일
②	7월 2일	7월 22일
③	7월 2일	7월 23일
④	7월 5일	7월 22일
⑤	7월 5일	7월 23일

13

다음 글과 〈A여행사 해외여행 상품〉을 근거로 판단할 때, 세훈이 선택할 여행지를 고르면?(단, 세훈이의 직장의 근무요일은 월~금이다.)

인희: 다음 달 셋째 주에 연휴던데, 그때 여행갈 계획 있어?

세훈: 응, 이번에는 꼭 가야지. 월요일, 화요일, 목요일이 공휴일이잖아. 그래서 하루 연가를 써서 주말을 포함해서 가능한 길게 쉬려고 해. 여름에 바빠서 휴가를 제대로 못 갔으니 이번엔 꼭 해외여행을 갈 거야.

인희: 어디로 갈 생각이야?

세훈: 너무 멀리 가면 많이 못 놀 것 같아. 그래서 편도 총비행시간이 6시간 이내면서 직항 노선이 있는 곳으로 가려고.

인희: 여행기간은 어느 정도로 할 거야?

세훈: 휴일 전 마지막 출근일 저녁 비행기로 여행을 갈거야. 출근 전날은 집에서 푹 쉴 수 있게 출근하기 이틀 전에는 한국에 도착하는 일정으로 가능한 최대한 길게 다녀오려고 해. A여행사 해외여행 상품 중에 하나를 정해서 다녀올 거야.

〈A여행사 해외여행 상품〉

여행지	여행기간 (한국시각 기준)	총비행시간 (편도)	비행기 환승 여부
싱가포르	5박 6일	6시간	직항
괌	4박 6일	5시간	1회 환승
방콕	5박 7일	6시간	직항
모스크바	5박 6일	9시간	직항
타이베이	4박 5일	4시간	직항

① 싱가포르   ② 괌   ③ 방콕

④ 모스크바   ⑤ 타이베이

14

다음 〈표〉는 '갑' 기관의 10개 정책(가~차)에 대한 평가결과이다. 정책별로 심사위원 A~D의 점수를 합산하여 총점이 가장 높은 정책 2개와 총점이 가장 낮은 정책 2개를 고르면?

〈표〉 정책에 대한 평가결과

정책 \ 심사위원	A	B	C	D
가	●	●	◐	○
나	●	●	◐	●
다	◐	○	●	◐
라	( )	●	◐	( )
마	●	( )	●	◐
바	◐	◐	◐	●
사	◐	◐	◐	●
아	◐	◐	●	( )
자	◐	◐	( )	●
차	( )	●	◐	○
평균(점)	0.55	0.70	0.70	0.50

※ 정책은 ○(0점), ◐(0.5점), ●(1.0점)으로만 평가됨.

	총점이 높은 정책	총점이 낮은 정책
①	가, 나	마, 아
②	나, 마	다, 아
③	나, 마	라, 차
④	라, 마	자, 차
⑤	바, 자	다, 차

15

다음은 갑이 상자를 운반하는 규칙에 대한 내용이다. 이를 바탕으로 옳지 않은 것을 고르면?

○ 갑이 운반하는 상자 10개(A~J)는 A가 20kg으로 가장 무겁고 알파벳순으로 2kg씩 가벼워져 J가 가장 가볍다.

○ 갑은 첫 번째로 A를, 두 번째로 I, J를 포함한 3개의 상자를 운반한다.

○ 갑은 세 번째부터 상자를 1회 운반할 때마다 다음 규칙 중 하나를 선택하여 적용한다.

　㉠ 남아 있는 상자 중 가장 무거운 것과 가장 가벼운 것의 총 무게가 17kg 이하이면 함께 운반한다. 가장 무거운 것과 가장 가벼운 것의 총 무게가 17kg 초과이면 가장 무거운 것만 운반한다.

　㉡ 남아 있는 상자 중 총 무게가 17kg 이하인 상자 3개를 함께 운반한다.

　㉢ 남아 있는 상자를 모두 운반한다. 단, 운반하려는 상자의 총 무게가 17kg 이하여야 한다.

① 세 번째로 운반할 때 ㉡ 규칙을 따를 수 없다.

② 두 번째에 F를 운반한다면, 마지막 상자를 운반할 때 ㉠ 또는 ㉢ 규칙을 따른다.

③ 두 번째에 G를 운반한다면, 상자를 전부 운반하는 데 총 7번 걸린다.

④ 두 번째에 H를 운반한다면, 이후 가장 무거운 상자 1개씩만 운반한다.

⑤ 만약 두 번째에 I, J만 운반한다면, G를 H보다 먼저 운반한다.

16

다음 글을 근거로 판단할 때, A시가 '창의 테마파크'에서 운영하게 될 프로그램을 순서대로 바르게 나열한 것을 고르면?

> A시는 학생들의 창의력을 증진시키기 위해 '창의 테마파크'를 운영하고자 한다. 이를 위해 다음과 같은 프로그램을 후보로 정하고 높은 점수를 받은 순서대로 프로그램을 운영하고자 한다.
>
> | 분야 | 프로그램명 | 전문가 점수 | 학생 점수 |
> | --- | --- | --- | --- |
> | 미술 | 내 손으로 만드는 동물 | 26점 | 32점 |
> | 인문 | 세상을 바꾼 생각들 | 31점 | 18점 |
> | 무용 | 스스로 창작 | 37점 | 25점 |
> | 인문 | 역사랑 놀자 | 36점 | 28점 |
> | 음악 | 연주하는 교실 | 34점 | 33점 |
> | 연극 | 연출노트 | 32점 | 30점 |
> | 미술 | 창의 예술학교 | 40점 | 25점 |
> | 진로 | 항공체험 캠프 | 30점 | 34점 |
>
> ○ 전문가와 학생은 후보로 선정된 프로그램을 각각 40점 만점제로 우선 평가하였다.
> ○ 전문가 점수와 학생 점수의 반영 비율을 6∶4로 적용하여 100점 만점으로 환산한다.
> ○ 중복되는 분야가 있을 경우 더 낮은 점수를 얻은 프로그램을 제외한다.
> ○ 진로 분야에 해당하는 프로그램은 10%의 가산점을 부여한다.
> ○ 높은 점수를 받은 순서대로 프로그램을 운영한다.

① 연주하는 교실 – 항공체험캠프 – 스스로 창작 – 연출노트 – 역사랑 놀자 – 내 손으로 만드는 동물
② 연주하는 교실 – 내 손으로 만드는 동물 – 창의 예술학교 – 역사랑 놀자 – 연출노트 – 항공체험캠프
③ 항공체험캠프 – 창의 예술학교 – 연주하는 교실 – 역사랑 놀자 – 연출노트 – 스스로 창작
④ 항공체험캠프 – 창의 예술학교 – 연주하는 교실 – 역사랑 놀자 – 스스로 창작 – 연출노트
⑤ 창의 예술학교 – 항공체험캠프 – 연주하는 교실 – 역사랑 놀자– 스스로 창작 – 내 손으로 만드는 동물

〈표1〉 신발 A~E에 대한 평가점수

(단위: 점)

구분	브랜드	내구성	디자인	가격	리뷰
신발 A	8	10	9	9	9
신발 B	7	10	10	10	9
신발 C	9	10	8	10	9
신발 D	9	8	10	10	8
신발 E	9	10	9	10	8

〈표2〉 연령별 가중치

(단위: %)

구분	브랜드	내구성	디자인	가격	리뷰
20대	25	10	35	25	5
30대	20	10	30	30	10
40대	10	20	30	30	10
50대	15	35	20	10	20

17

현재 37세인 G씨가 신발을 구입할 때, 어느 제품을 구입할 것인지 고르면?(단, 평가점수의 합이 가장 큰 제품을 구입한다.)

① 신발 A   ② 신발 B   ③ 신발 C
④ 신발 D   ⑤ 신발 E

18

G씨가 4년 후 신발을 구입하게 될 때, 어느 제품을 구입하게 될 지 고르면?

① 신발 A   ② 신발 B   ③ 신발 C
④ 신발 D   ⑤ 신발 E

19

다음 〈그림〉은 '갑' 택지지구의 개발 적합성 평가 기초 자료이다. 〈조건〉을 이용하여 '갑' 택지지구 내 A~E지역의 개발 적합성 점수를 계산했을 때, 개발 적합성 점수가 가장 낮은 지역에서 높은 지역 순으로 바르게 나열한 것을 고르면?

〈그림〉 '갑' 택지지구의 개발 적합성 평가 기초 자료

A~E지역 위치

	A			�
		B		
C		▨		
	D			
▨			E	

토지이용 유형
(1 – 산림, 2 – 농지, 3 – 주택지)

1	1	2	2	2
1	2	2	2	3
2	2	2	3	3
2	2	3	3	3
2	3	3	3	3

경사도(%)

15	15	20	20	20
15	15	20	20	20
10	15	15	15	20
10	10	15	15	15
10	10	10	15	15

토지소유 형태
(1 – 국유지, 2 – 사유지)

2	2	2	2	2
1	1	1	1	1
1	1	1	1	1
2	2	2	2	2
2	2	2	2	2

※ 음영 지역(▨)은 개발제한구역을 의미함.

〈조건〉

○ 평가 점수 = (토지이용 기준 점수 × 0.6) + (경사도 기준 점수 × 0.4)

○ 토지이용 기준 점수는 유형에 따라 산림 5점, 농지 8점, 주택지 10점이다.

○ 경사도 기준 점수는 경사도 10%이면 10점, 나머지는 5점이다.

○ 개발 적합성 점수는 토지소유 형태가 사유지이면 '평가 점수'의 80%를 부여하고, 국유지이면 100%를 부여한다. 단, 토지소유 형태와 상관없이 개발제한구역의 개발 적합성 점수는 0점으로 한다.

① A, E, B, D, C   ② C, B, E, A, D   ③ E, B, A, D, C

④ D, A, E, B, C   ⑤ D, E, A, B, C

20

다음 〈맛집 정보〉와 〈평가 기준〉을 근거로 판단할 때, 최종적으로 선택되는 음식점을 고르면?

<table>
<tr><td colspan="6" align="center">〈맛집 정보〉</td></tr>
<tr><td>평가 항목
음식점</td><td>음식 종류</td><td>이동 거리</td><td>가격
(1인 기준)</td><td>맛평점
(★5개 만점)</td><td>방 예약
가능 여부</td></tr>
<tr><td>자금성</td><td>중식</td><td>150m</td><td>7,500원</td><td>★★☆</td><td>○</td></tr>
<tr><td>샹젤리제</td><td>양식</td><td>170m</td><td>8,000원</td><td>★★★</td><td>○</td></tr>
<tr><td>경복궁</td><td>한식</td><td>80m</td><td>10,000원</td><td>★★★★</td><td>×</td></tr>
<tr><td>도쿄타워</td><td>일식</td><td>350m</td><td>9,000원</td><td>★★★★☆</td><td>×</td></tr>
<tr><td>광화문</td><td>한식</td><td>300m</td><td>12,000원</td><td>★★★★★</td><td>×</td></tr>
</table>

※ ☆은 ★의 반 개이다.

〈평가 기준〉

○ 맛평점을 점수로 환산하여 우선순위를 정한다.
○ 양식과 한식의 경우 가점 1점을 부여한다.
○ 방 예약이 불가한 경우 1점을 감점한다.
○ 가격이 가장 저렴한 음식점은 가점 1점을 부여한다.
○ 가격이 가장 높은 음식점은 1점을 감점한다.
○ 동점일 경우 이동거리가 가까운 곳을 선택한다.

① 자금성 ② 샹젤리제 ③ 경복궁
④ 도쿄타워 ⑤ 광화문

다음 글을 근거로 판단할 때, A팀이 최종적으로 선택하게 될 이동수단의 종류와 그 비용으로 바르게 짝지은 것을 고르면?

7명으로 구성된 A팀은 해외출장을 계획하고 있다. A팀은 출장지에서의 이동수단 한 가지를 결정하려 한다. 이때 A팀은 경제성, 용이성, 안전성의 총 3가지 요소를 고려하여 최종점수가 가장 높은 이동수단을 선택한다.

○ 각 고려요소의 평가결과 '상'등급을 받으면 3점을, '중'등급을 받으면 2점을, '하'등급을 받으면 1점을 부여한다.
○ 경제성은 이동수단별 최소비용이 적은 것부터 상, 중, 하로 평가한다.
○ 경제성 : 용이성 : 안정성 = 2 : 3 : 5의 가중치를 부여하여 점수를 산정한 뒤 합하여 최종점수를 구한다.
○ 최종점수가 동일한 경우 더 저렴한 이동수단을 이용한다.

〈이동수단별 평가표〉

이동수단	경제성	용이성	안전성
렌터카	?	상	중
택시	?	중	상
대중교통	?	하	중

〈이동수단별 비용계산식〉

이동수단	비용계산식
렌터카	(렌트비+유류비)×이용 일수 – 렌트비＝$100/1일(8인승 차량) – 유류비＝$20/1일(8인승 차량)
택시	거리당 가격($1/1마일)×이동거리(마일) 최대 4명까지 탑승가능
대중교통	대중교통패스 3일권($50/1인)×인원수

〈해외출장 일정〉

출장 일정	이동거리(마일)
11월 1일	100
11월 2일	50
11월 3일	50

	이동수단	비용
①	렌터카	$360
②	렌터카	$400
③	택시	$200
④	택시	$400
⑤	대중교통	$350

[22~23] 다음은 상품 1개당 필요한 자원의 개수와 판매가, 가용 재고, 비용에 관한 자료이다. 이를 바탕으로 질문에 답하시오.

〈상품 1개당 필요한 자원별 개수와 판매가〉

상품	자원X	자원Y	자원Z	판매가(원)
A	20	60	15	1,500
B	24	20	60	1,200
C	18	40	45	1,400
D	15	30	54	1,600
E	20	36	27	1,100

〈자원별 가용 재고와 자원 1개당 비용〉

구분	자원X	자원Y	자원Z
가용 재고(개)	3,600	7,200	5,400
개당 비용(원)	120	300	180

〈조건〉

○ 상품 1개당 필요한 자원별 개수는 항상 동일하며, 자원X, 자원Y, 자원Z가 모두 사용되어야 한다.

   ⑩ 상품 A를 1개 만드는 데 필요한 자원X는 20개, 자원Y는 60개, 자원Z는 15개가 필요함

○ 가용 재고는 현재 남아 있는 자원의 개수를 의미함

○ 판매이익 = 판매가 − 비용

22

상품의 판매가를 고려하지 않고, 상품의 비용만을 최소화시키기 위해선 어떤 상품을 제작하는 것이 가장 적절한지 고르면?

① 상품 A   ② 상품 B   ③ 상품 C
④ 상품 D   ⑤ 상품 E

23

위와 같이 상품의 비용을 최소화시키기 위해 상품을 제작한 후 총 판매이익을 최대로 높이려고 한다. 이때, 최종적으로 어떤 상품을 제작하는 것이 가장 적절한지 고르면?(단, 제작한 상품은 모두 판매된다.)

① 상품 A   ② 상품 B   ③ 상품 C
④ 상품 D   ⑤ 상품 E

24

다음 글을 근거로 판단할 때, 〈보기〉에서 옳은 것만을 모두 고르면?

모든 신호등은 '신호운영계획'에 따라 움직인다. 신호운영계획이란 교차로, 횡단보도 등에 설치된 신호등의 신호순서, 신호시간, 신호주기 등을 결정하는 것이다. '신호순서'란 방향별, 회전별 순서를 말하고, '신호시간'이란 차량 또는 보행자 신호등이 켜진 상태로 지속되는 시간을 말하며, '신호주기'란 한 신호가 나오고 그다음에 최초로 같은 신호가 나오기까지의 시간 간격을 말한다.

'횡단보도 보행시간'은 기본적으로 보행진입시간 (   )초에 횡단시간(횡단보도 1m당 1초)을 더하여 결정되는데, 예외적으로 보행약자나 유동인구가 많아 보행밀도가 높은 지역에서는 더 긴 횡단시간을 제공하기도 한다. 이에 따르면 길이가 32m인 횡단보도의 보행시간은 원칙적으로 39초이지만, 어린이, 장애인 등 보행약자의 이동이 많아 배려가 필요한 장소에 설치된 횡단보도의 경우 '1m당 1초'보다 완화된 '1m당 (   )초'를 기준으로 횡단시간을 결정하여, 32m 길이 횡단보도의 보행시간을 47초로 연장할 수 있다.

한편 신호가 바뀔 때 교통사고를 막기 위해서 '전(全)방향 적색신호', '한 박자 늦은 보행신호' 방식을 운영하기도 한다. 전(全)방향 적색신호 방식은 차량 녹색신호가 끝나는 시점에 교차로에 진입한 차량이 교차로를 완전히 빠져나갈 때까지 다른 방향 차량이 진입하지 못하도록 1~2초 동안 모든 방향을 적색신호로 운영하는 방식이다. 한 박자 늦은 보행신호 방식은 차량 녹색신호가 끝나는 시점에 횡단보도로 진입한 차량이 횡단보도를 완전히 통과하기 전에 보행자가 진입하지 못하도록 차량 녹색신호가 끝나고 1~2초 뒤에 보행 녹색신호가 들어오는 방식이다.

〈보기〉

ㄱ. 직진, 좌회전, 동시신호 중 교차로의 구조와 방향별 교통량, 인접교차로와의 연계성 등을 분석하여 결정되는 것은 신호운영계획 중 신호순서이다.
ㄴ. 횡단보도의 길이가 길어지면 횡단보도 보행시간과 함께 보행진입시간도 늘어난다.
ㄷ. 완화된 횡단보도 보행시간을 적용한 40m 길이 횡단보도의 보행시간은 57초이다.
ㄹ. 전방향 적색신호 방식을 적용한 횡단보도는 차량 녹색신호가 끝나는 시점에 진입한 차량이 있을 경우, 차량 녹색신호가 끝나는 시점으로부터 1~2초 뒤까지 보행 적색신호를 유지하다가 녹색신호로 전환한다.

① ㄱ, ㄴ   ② ㄱ, ㄷ   ③ ㄴ, ㄹ

④ ㄱ, ㄴ, ㄷ   ⑤ ㄴ, ㄷ, ㄹ

25

다음 글과 〈상황〉을 근거로 판단할 때 A~D가 이수해야 하는 이수시간의 총합으로 옳은 것을 고르면?

사회통합프로그램이란 국내 이민자가 법무부장관이 정하는 소정의 교육과정을 이수하도록 하여 건전한 사회구성원으로 적응·자립할 수 있도록 지원하고 국적취득, 체류허가 등에 있어서 편의를 주는 제도이다. 프로그램의 참여대상은 대한민국에 체류하고 있는 결혼이민자 및 일반이민자(동포, 외국인근로자, 유학생, 난민 등)이다.

사회통합프로그램의 교육과정은 '한국어과정'과 '한국사회이해과정'으로 구성된다. 신청자는 우선 한국어능력에 대한 사전평가를 받고, 그 평가점수에 따라 한국어과정 또는 한국사회이해과정에 배정된다. 일반이민자로서 참여를 신청한 자는 사전평가점수에 의해 배정된 단계로부터 6단계까지 순차적으로 교육과정을 이수하여야 한다. 한편 결혼이민자로서 참여를 신청한 자는 4~5단계를 면제받는다. 예를 들어 한국어과정 2단계를 배정받은 결혼이민자는 3단계까지 완료한 후 바로 6단계로 진입한다. 다만 결혼이민자의 한국어능력 강화를 위하여 2013년 1월 1일 이후 신청한 결혼이민자에 대해서는 한국어 과정 면제제도를 폐지하여 일반이민자와 동일하게 프로그램을 운영한다.

〈2012년 12월 현재 프로그램 과정 및 이수시간〉

구분		1	2	3	4	5	6
과정		한국어					한국사회 이해
		기초	초급1	초급2	중급1	중급2	
이수시간		15시간	100시간	100시간	100시간	100시간	50시간
사전 평가점수	일반 이민자	0점~10점	11점~29점	30점~49점	50점~69점	70점~89점	90점~100점
	결혼 이민자	0점~10점	11점~29점	30점~49점	면제		50점~100점

〈상황〉

A~D의 이민자 유형, 사회통합프로그램 신청 일자, 사전평가 점수가 다음과 같다.

구분	이민자 유형	사회통합프로그램 신청 일자	사전평가 점수
A	결혼	2012년 3월 9일	68점
B	동포	2013년 1월 15일	88점
C	유학생	2012년 12월 28일	52점
D	결혼	2013년 12월 7일	40점

① 600시간 ② 650시간 ③ 700시간
④ 800시간 ⑤ 900시간

정답과 해설 P. 68

PSAT형 NCS 기출변형 모의고사 [3회]

| 맞은 개수 | / 25문항 |
| 풀이 시간 | / 50분 |

01

부산광역시, 대구광역시, 진주시, 여수시, 공주시, 춘천시, 제주도, 울릉도에서 온 직원이 원탁에 일정한 간격으로 둘러앉아 있다. 각 직원들의 자리 배치가 다음 〈조건〉과 같을 때, 가장 적절하지 않은 것을 고르면?

─〈조건〉─

○ 제주도, 울릉도에서 온 직원들은 서로 마주 보고 앉는다.
○ 광역시에서 온 직원들은 서로 이웃하여 앉는다.
○ 대구광역시에서 온 직원의 왼쪽에 여수시에서 온 직원이 앉는다.
○ 공주시에서 온 직원은 여수시에서 온 직원과 마주 보고 앉는다.

① 진주시에서 온 직원이 마주 보는 직원은 대구광역시에서 온 직원이다.
② 공주시와 부산광역시 사이에 앉은 직원은 울릉도에서 온 직원이다.
③ 진주시에서 온 직원과 제주도에서 온 직원의 사이에 공주시에서 온 직원이 앉는다.
④ 부산광역시에서 온 직원의 왼쪽에는 울릉도 혹은 제주도에서 온 직원이 앉는다.
⑤ 여수시에서 온 직원의 양쪽에 앉을 수 있는 직원은 3명이다.

02

다음은 논증의 오류들에 대한 예시이다. 가장 적절하지 않은 것끼리 묶인 것을 고르면?

○ A: "엄마는 제게 창문에 돌을 던지지 말라고 하셨어요. 그러니까 저기 있는 새들에게는 돌을 던져도 돼요."-애매어의 오류
○ B: "그 사람은 민족을 배신한 반역자이므로 그가 쓴 역사소설은 읽을 가치가 없다."-인신공격의 오류
○ C: "제정신을 가진 사람이라면 우리 제안을 반대할 수 없을 것입니다."-분할의 오류
○ D: "흡연이 암을 유발시킨다는 사실을 증명할 근거가 없다. 따라서 흡연은 암을 유발시키지 않는다."-피장파장의 오류
○ E: "나는 이 지역 유권자들을 다 끌어모을 수가 있어요. 만일 당신이 이 법안에 찬성하지 않는다면 다음 선거에서 당신이 낙선되도록 할 거요."-힘에 호소하는 오류

① A, C   ② B, C   ③ A, B, D
④ A, C, D   ⑤ B, D, E

03

정책 갑에 대하여 A~G는 찬성과 반대 중 하나의 의견을 제시하였다. A~G의 찬반 의견이 다음과 같을 때, 반대 의견을 제시한 사람의 최대 인원을 고르면?

○ A나 B가 찬성하면, C와 D도 찬성한다.
○ B나 C가 찬성하면, E도 찬성한다.
○ D는 반대한다.
○ E와 F가 찬성하면, B나 D 중 적어도 하나는 찬성한다.
○ G가 반대하면, F는 찬성한다.

① 3명   ② 4명   ③ 5명
④ 6명   ⑤ 7명

04

다음 글과 〈상황〉을 근거로 판단할 때, 2021년 정당에 지급할 국고보조금의 총액을 고르면?

제○○조(국고보조금의 계상) ① 국가는 정당에 대한 보조금으로 최근 실시한 임기만료에 의한 국회의원선거의 선거권자 총수에 보조금 계상단가를 곱한 금액을 매년 예산에 계상하여야 한다.
② 대통령선거, 임기만료에 의한 국회의원선거 또는 동시지방선거가 있는 연도에는 각 선거(동시지방선거는 하나의 선거로 본다)마다 보조금 계상단가를 추가한 금액을 제1항의 기준에 의하여 예산에 계상하여야 한다.
③ 제1항 및 제2항에 따른 보조금 계상단가는 전년도 보조금 계상단가에 전전년도와 대비한 전년도 전국소비자물가 변동률을 적용하여 산정한 금액을 증감한 금액으로 한다.
④ 중앙선거관리위원회는 제1항의 규정에 의한 보조금(이하 '경상보조금'이라 한다)은 매년 분기별로 균등분할하여 정당에 지급하고, 제2항의 규정에 의한 보조금(이하 '선거보조금'이라 한다)은 당해 선거의 후보자등록마감일 후 2일 이내에 정당에 지급한다.

〈상황〉

○ 2020년 실시된 임기만료에 의한 국회의원선거의 선거권자 총수는 3천만 명이었고, 국회의원 임기는 4년이다.
○ 2015년 정당에 지급된 국고보조금의 보조금 계상단가는 1,000원이었다.
○ 전국소비자물가 변동률을 적용하여 산정한 보조금 계상단가는 전년 대비 매년 30원씩 증가한다.
○ 2021년에는 4월에 재·보궐선거가 있다. 각 선거의 한 달 전에 후보자등록을 마감한다.
○ 2022년에는 3월에 대통령선거, 6월에 동시지방선거가 있을 예정이다.

① 345억 원   ② 354억 원   ③ 690억 원
④ 708억 원   ⑤ 1,062억 원

05

다음 〈조건〉을 따를 때, 옳은 것만을 〈보기〉에서 모두 고르면?

─────〈조건〉─────

○○사 기획팀인 성 부장, 박 차장, 유 과장, 정 대리, 김 사원은 상반기 신제품 발표자 순서를 정하기 위해 회의를 진행하고 있다. 발표자 순서는 전략적으로 진행하는 것이 유리하므로 다음과 같이 암묵적인 룰을 따라야 한다.

○ 성 부장과 유 과장은 이미지가 상반되어 바로 이어서 발표하는 것이 유리하다.

○ 박 차장은 발표자로서 기량이 뛰어나므로 첫 번째나 두 번째에 발표하는 것이 유리하다.

○ 김 사원은 정 대리보다 뒤에 나오는 것이 유리하다.

─────〈보기〉─────

ㄱ. 성 부장이 세 번째 발표자라면, 김 사원은 마지막 발표자가 된다.

ㄴ. 정 대리가 홀수 번째 발표자라면, 성 부장은 네 번째 발표자가 된다.

ㄷ. 박 차장이 첫 번째 발표자인 경우가 두 번째 발표자인 경우의 수보다 더 많다.

ㄹ. 유 과장이 정 대리보다 먼저 발표할 확률은 없다.

① ㄱ, ㄴ   ② ㄱ, ㄷ   ③ ㄴ, ㄷ

④ ㄴ, ㄹ   ⑤ ㄷ, ㄹ

다음 글에 대한 이해로 가장 적절한 것을 고르면?

징벌적 손해배상제도란 제조물, 서비스 결함으로 발생한 피해가 가해자의 '고의 또는 그것에 가까운 악의'로 일어난 경우 그 제조기업 또는 서비스 제공 업체에 징벌 수준에 달하는 손해배상책임을 물리는 제도를 이른다. 즉 피해자가 입은 재산상 손해액보다 훨씬 많이 배상하게 하여 통상의 손해배상에 이른바 '징벌적 효과'를 가미한 것이다.

징벌적 손해배상제도의 핵심은 입증책임의 주체를 누구로 할 것인가와 입은 재산상의 손해액보다 몇 배의 손해액을 지불하게 할 것인가 등이다. 현재를 기준으로 본다면 가해자가 고의 또는 과실이 없음을 입증할 경우 손해배상책임에서 면제하고 있으며, 징벌배상액은 대체로 손해액의 3배 이내로 규정하고 있다. 최근에는 5배 배상을 규정한 법률들이 제정되기 시작했다.

우리나라의 경우 경제적 약자 보호와 소비자 피해에 대한 실효성 있는 구제를 위하여 징벌적 손해배상제도를 집단소송제도와 맞물려 도입하자는 주장이 꾸준히 제기되어 왔고 그 결과 약 19개 법률에 이미 도입되어 규정되고 있다. 2011년 하도급법을 시작으로 하여 제조물책임법, 대리점법, 가맹점사업법, 개인정보보호법, 신용정보법, 정보통신망법, 기간제 근로자 보호법, 디자인보호법, 상표법, 최근의 중대재해처벌법 등이 그것이다. 규정의 형식은 대부분 명백한 고의 또는 중대한 과실을 요건으로 하고 있고 주로 손해액의 3배를 넘지 않는 범위 내에서 법원이 정하거나 가해자가 책임을 지는 방식이다.

징벌적 손해배상제도의 대표적 입법례인 3배 손해배상제도의 효시는 미국의 1914년 클레이튼법이지만, 그때로부터 백 년도 훨씬 지난 오늘날 경제발전이 이루어진 상황에서 3배의 손해배상은 기업 측에 그다지 부담되지 않는 금액이라 과연 징벌효과가 있다고 할 수 있을지 의문을 제기하는 목소리가 높다. 이에 혹자는 실효성 강화를 위한 개선이 필요하다는 주장을 펼치기도 한다. 반면, 자칫 기업에 과중한 부담을 끼칠 수 있어 결과적으로 기업 경쟁력을 약화시킬 수 있고 아직까지는 현행 손해배상의 범위를 '통상의 손해를 그 한도로 한다.'라고 규정하여 실손해배상을 원칙으로 하는 현행 민법과의 상충되는 법체계 등에 대한 우려의 시각들도 있다.

징벌적 손해배상의 개선이 필요하지만, 그 적용 범위와 강도를 정하여 기업에 대한 과도한 규제와 억압이 아닌 올바른 방향으로 전체의 공익을 추구하는 방안이 필요하다.

① 갑: "징벌적 손해배상제도의 효시는 미국의 클레이튼법이로군."
② 을: "우리나라도 징벌적 손해배상액이 5배까지 증가한 법률들이 등장하고 있군."
③ 병: "징벌적 손해배상제도를 통해 보상을 받기 위해서는 피해자가 가해자의 고의 또는 과실이 있음을 입증해야 한다."
④ 정: "징벌적 손해배상액은 피해액보다 훨씬 많이 배상해야 하지만, 일반적 손해배상액은 피해액을 크게 상회하지 않겠군."
⑤ 무: "사업자가 가맹점사업법을 위반하여 피해자가 나올 경우, 사업자는 피해자가 입은 손해액의 3배에 달하는 금액을 보상해야 하는군."

07

갑, 을, 병, 정. 무 다섯 명은 각각 다른 취미(독서, 영화 감상, 댄스, 낚시, 사격)를 가지고 있다. 다음 〈조건〉에서 독서가 취미인 1명만 진실을 말하고 나머지 4명이 거짓을 말한다고 할 때, 반드시 옳은 것을 고르면?

〈조건〉

○ 갑: 을은 독서가 취미야.

○ 을: 갑이 영화감상이 취미라면, 정은 댄스나 낚시가 취미야.

○ 병: 나는 댄스가 취미야.

○ 정: 갑은 낚시가 취미야.

○ 무: 정은 사격이 취미야.

① 갑의 취미는 사격이다.
② 을의 취미는 낚시이다.
③ 병의 취미는 영화감상이다.
④ 정의 취미는 낚시이다.
⑤ 무의 취미는 독서이다.

08

다음 법령과 〈상황〉을 근거로 판단할 때 옳은 것을 고르면?

제○○조(지역개발 신청 동의 등) ① 지역개발 신청을 하기 위해서는 지역개발을 하고자 하는 지역의 총 토지면적의 3분의 2 이상에 해당하는 토지의 소유자의 동의 및 지역개발을 하고자 하는 지역의 토지의 소유자 총수의 2분의 1 이상의 동의를 받아야 한다.

② 지역개발 신청을 하기 위해서 필요한 동의자의 수는 다음 각 호의 기준에 따라 산정한다.

1. 토지는 지적도상 1필의 토지를 1개의 토지로 한다.
2. 1개의 토지를 여러 명이 공동소유하는 경우에는 다른 공동소유자들을 대표하는 대표 공동소유자 1인만을 해당 토지의 소유자로 본다.
3. 1인이 여러 개의 토지를 소유하고 있는 경우에는 소유하는 토지의 수와 무관하게 1인으로 본다.
4. 지역개발을 하고자 하는 지역에 국유지가 있는 경우 국유지도 포함하여 토지면적을 산정하고, 그 토지의 재산관리청을 토지 소유자로 본다.

〈상황〉

○ X지역은 100개의 토지로 이루어져 있고, 토지면적 합계가 총 6km²이다.
○ 동의자 수 산정 기준에 따라 산정된 X지역 토지의 소유자는 모두 82인(이하 "동의대상자"라 한다)이고, 이 중에는 국유지 재산관리청 2인이 포함되어 있다.
○ 甲은 X지역에 A~B 총 2개의 토지를 소유하고 있고, 해당 토지면적 합계는 X지역 총 토지면적의 4분의 1이다.
○ 乙은 X지역에 C~L 총 10개의 토지를 소유하고 있고, 해당 토지면적 합계는 총 2km²이다.
○ 丙, 丁, 戊, 己는 X지역에 토지 1개를 공동소유하고 있고, 해당 토지면적은 1km²이다.

① 丙, 丁, 戊, 己가 공동소유하고 있는 토지의 경우 소유자를 4인으로 계산해야 한다.
② 甲과 乙이 동의하였다면 지역개발 신청을 위한 X지역 총 토지면적 3분의 2 이상에 해당하는 토지의 소유자의 동의 조건은 갖추게 된다.
③ A~B토지의 소유자 수와 C~L토지의 소유자 수는 동일하다.
④ X지역의 전체 면적 중 국유지 재산관리청이 소유하고 있는 국유지의 면적은 1km²보다 크다.
⑤ X지역의 지역개발 신청을 하기 위해서는 X지역 토지 소유자 중 국유지 재산관리청을 반드시 포함한 최소 41인의 동의를 받아야 한다.

09

다음 글을 근거로 판단할 때, 옳은 것을 고르면?

제○○조(행정상 입법예고)

① 법령등을 제정 · 개정 또는 폐지(이하 "입법"이라 한다)하려는 경우에는 해당 입법안을 마련한 행정청은 이를 예고하여야 한다. 다만, 다음 각 호의 어느 하나에 해당하는 경우에는 예고를 하지 아니할 수 있다.

    1. 신속한 국민의 권리 보호 또는 예측 곤란한 특별한 사정의 발생 등으로 입법이 긴급을 요하는 경우

    2. 상위 법령등의 단순한 집행을 위한 경우

    3. 입법내용이 국민의 권리 · 의무 또는 일상생활과 관련이 없는 경우

    4. 단순한 표현 · 자구를 변경하는 경우 등 입법내용의 성질상 예고의 필요가 없거나 곤란하다고 판단되는 경우

    5. 예고함이 공공의 안전 또는 복리를 현저히 해칠 우려가 있는 경우

② 법제처장은 입법예고를 하지 아니한 법령안의 심사 요청을 받은 경우에 입법예고를 하는 것이 적당하다고 판단할 때에는 해당 행정청에 입법예고를 권고하거나 직접 예고할 수 있다.

③ 입법안을 마련한 행정청은 입법예고 후 예고내용에 국민생활과 직접 관련된 내용이 추가되는 등 중요한 변경이 발생하는 경우에는 해당 부분에 대한 입법예고를 다시 하여야 한다. 다만, 제1항 각 호의 어느 하나에 해당하는 경우에는 예고를 하지 아니할 수 있다.

제○○조(예고방법)

① 행정청은 입법안의 취지, 주요 내용 또는 전문(全文)을 관보* 또는 공보*를 통해 공고하여야 하며, 추가로 인터넷, 신문 또는 방송 등을 통하여 공고할 수 있다.

② 행정청은 대통령령을 입법예고하는 경우 국회 소관 상임위원회에 이를 제출하여야 한다.

③ 행정청은 입법예고를 할 때에 입법안과 관련이 있다고 인정되는 중앙행정기관, 지방자치단체, 그 밖의 단체 등이 예고사항을 알 수 있도록 예고사항을 통지하거나 그 밖의 방법으로 알려야 한다.

④ 행정청은 예고된 입법안의 전문에 대한 열람 또는 복사를 요청받았을 때에는 특별한 사유가 없으면 그 요청에 따라야 한다. 복사에 드는 비용을 복사를 요청한 자에게 부담시킬 수 있다.

제○○조(예고기간)

입법예고기간은 예고할 때 정하되, 특별한 사정이 없으면 40일(자치법규는 20일) 이상으로 한다.

*관보: 정부가 법령, 고시 등 일반에게 널리 알릴 사항을 인쇄 발표한 정부의 정기 간행물

*공보: 지방관청이 관보에 준하여 발행하는 보고문서

① 행정청은 법령을 폐지하는 경우는 입법예고를 하지 않을 수 있다.

② 행정청이 입법예고를 생략할 수 있는 사유는 신속한 시민의 권리 보호 또는 예측 곤란한 특별한 사정의 발생에 국한한다.

③ 행정청은 예고된 입법안 전문에 대한 열람 또는 복사를 요청받았을 경우 되도록 그 요청에 응해야 한다.

④ 행정청은 입법예고와 관련된 단체에 예고사항을 미리 알 수 있도록 공고 전에 해당 내용을 통지하여야 한다.

⑤ 행정청은 입법예고문을 관보 혹은 공보 그리고 홈페이지에 모두 게재하여야 한다.

10

다음 글과 〈대화〉를 근거로 판단할 때, A가 부담해야 하는 최저 금액을 고르면?

○ 네 명의 친구 A~D가 1박 2일로 부산 여행을 하였다. 여행에는 총 60만 원의 비용이 발생하였다.
○ 총무를 맡은 A는 60만 원의 비용을 A~D에게 분담하려고 한다.
○ 이번 여행에서 A는 총무를 맡았고, B는 운전을 담당하였고, C는 일정 세우기를 담당하였다. D는 부산에 거주한다.
○ A는 A~D의 의견을 모두 반영하여 여행비를 분담하려고 한다.
○ 친구들은 만 원 단위로 서로 다른 금액만큼을 분담하였다.

〈대화〉

A: 맡은 역할에 따라 공평하게 분배하는 것이 좋을 것 같아. 내 카드를 이용하여 내 카드의 실적을 올릴 수 있었으니 나는 B보다 5만 원 이상 많이 부담할게.
B: 1박 2일 동안 내가 쉬지 않고 운전을 했으니 나는 가장 적게 부담할게. 그래도 5만 원 이상은 내가 부담할게.
C: 나는 10만 원 이상을 부담하고, A보다 적게 부담할게.
D: 다들 부산까지 놀러 와줘서 고마워. 내가 여행비의 절반을 부담할게.

① 11만 원 ② 12만 원 ③ 13만 원
④ 14만 원 ⑤ 15만 원

다음 글과 〈상황〉을 근거로 판단할 때, 미란과 영진 중 더 많은 지원금을 받는 사람의 이름과 두 사람이 받는 지원금의 차액을 바르게 나열한 것을 고르면?

○ 주택을 소유하고 해당 주택에 거주하는 가구를 대상으로 주택 노후도 평가를 실시하여 그 결과(경 · 중 · 대보수)에 따라 아래와 같이 주택보수비용을 지원

〈주택보수비용 지원 내용〉

구분	경보수	중보수	대보수
보수항목	도배 혹은 장판	수도시설 혹은 난방시설	지붕 혹은 기둥
주택당 보수비용 지원한도액	350만 원	650만 원	950만 원

○ 소득인정액에 따라 위 보수비용 지원한도액의 80~100%를 차등지원

구분		중위소득 25% 미만	중위소득 25% 이상 35% 미만	중위소득 35% 이상 43% 미만
지원율	경보수	100%	90%	80%
	중보수	90%	80%	70%
	대보수	80%	70%	60%

〈상황〉

　A주택에 거주 중인 미란은 중위소득 30% 가구이며, B주택에 거주 중인 영진은 중위소득 35% 가구이다.

　A, B주택의 노후도평가를 실시한 결과, 바닥 난방시설과 장판의 보수가 필요한 것으로 나타났으며 소득인정액에 따른 지원율에 따라 지원을 받을 수 있다.

① 미란, 350,000원　　　　② 미란, 650,000원　　　　③ 미란, 1,000,000원
④ 영진, 650,000원　　　　⑤ 영진, 1,000,000원

12

다음은 윤지와 예찬이가 각각 5개의 구슬을 가지고 시작한 놀이 규칙에 대한 내용이다. 이에 대한 설명으로 옳지 않은 것만을 〈보기〉에서 모두 고르면?

○ 매 경기마다 출제자는 자신이 가진 구슬 중 원하는 만큼을 상대방이 보지 못하게 한 손에 쥔다. 이때 구슬은 1개 이상 쥐어야 한다. 답변자는 출제자가 손에 쥔 구슬의 개수가 홀수인지 짝수인지 말한다.

○ 답변자가 홀수인지 짝수인지를 맞추어 이기면 출제자는 자신이 손에 쥔 개수만큼의 구슬을 답변자에게 준다. 맞히지 못하여 지면 반대로 답변자는 그만큼의 구슬을 출제자에게 준다. 다만 주어야 할 구슬이 부족하다면 가진 구슬을 모두 준다.

○ 구슬놀이가 시작되면 첫 번째 경기는 윤지가 출제자이고 예찬이가 답변자이며, 두 번째 경기부터는 번갈아 출제자와 답변자가 된다.

○ 한 명의 구슬이 모두 없어질 때까지 경기를 계속하며, 구슬놀이 결과 상대방의 구슬을 모두 가져온 사람이 최종 우승자가 된다.

○ 윤지와 예찬이는 자신이 최종 우승자가 되려고 최선을 다한다.

〈보기〉

ㄱ. 윤지가 첫 경기에서 구슬 4개를 쥐어 이기면, 두 경기만에 윤지가 이기게 된다.

ㄴ. 예찬이가 첫 경기에서 구슬 3개를 받고, 두 번째 경기에서도 짝수 개를 받는다면 경기는 끝난다.

ㄷ. 윤지가 2경기 연속으로 이겼을 때 첫 경기에서 구슬 3개를 받았다면, 우승자는 예찬이다.

ㄹ. 두 번째 경기에서 예찬이가 가지고 있는 모든 구슬인 3개를 쥐어 이기면, 두 번째 경기 직후 예찬이의 구슬이 윤지보다 더 많다.

① ㄱ 　　　　　　② ㄷ 　　　　　　③ ㄱ, ㄷ

④ ㄴ, ㄹ 　　　　⑤ ㄷ, ㄹ

13

다음 〈A대학 학사규정〉을 근거로 판단할 때, 〈보기〉에서 옳은 것만을 모두 고르면?

〈A대학 학사규정〉

제1조(목적) 이 규정은 졸업을 위한 재적기간 및 수료연한을 정하는 것을 목적으로 한다.

제2조(재적기간과 수료연한) ① 재적기간은 입학 시부터 졸업 시까지의 기간으로 휴학기간을 포함한다.

② 졸업을 위한 수료연한은 4년으로 한다. 다만 다음 각 호의 경우에는 수료연한을 달리할 수 있다.

　　1. 외국인 유학생은 어학습득을 위하여 수료연한을 1년 연장하여 5년으로 할 수 있다.

　　2. 특별입학으로 입학한 학생은 2년차에 편입되어 수료연한은 3년으로 한다. 다만 특별입학은 내국인에 한한다.

③ 수료와 동시에 졸업한다.

제3조(휴학) ① 휴학은 일반휴학과 해외 어학연수를 위한 휴학으로 구분한다.

② 일반휴학은 해당 학생의 수료연한의 2분의 1을 초과할 수 없으며, 6개월 단위로만 신청할 수 있다.

③ 해외 어학연수를 위한 휴학은 해당 학생의 수료연한의 2분의 1을 초과할 수 없으며, 1년 단위로만 신청할 수 있다.

〈보기〉

ㄱ. 외국인 유학생, 특별입학으로 입학한 학생이 아닌 A대학의 학생이 6개월간 일반휴학을 하였다면 해외 어학연수를 위한 휴학은 최대 1년 신청할 수 있다.

ㄴ. A대학에 특별입학으로 입학한 학생이 일반휴학 없이 재적할 수 있는 최장기간은 4년이다.

ㄷ. 외국인 유학생이 해외 어학연수를 위한 휴학 없이 수료할 수 있는 최대 연한은 7년 6개월이다.

① ㄱ　　　　　　　　　② ㄴ　　　　　　　　　③ ㄷ

④ ㄱ, ㄴ　　　　　　　⑤ ㄴ, ㄷ

14

다음 글과 〈상황〉을 근거로 판단할 때, 〈심사 세부기준〉의 밑줄 친 ㉮~㉲ 중 '2022년도 심사 세부기준 협의 결과'에 부합한 것을 고르면?

○ K시에서는 마을공동체와 주민자치위원회가 협력체계를 구축하여 마을자치 실현과 공동체의 지속적인 성장 및 활성화를 도모하기 위하여 마을자치 공동체 프로그램 운영비를 지원하려고 한다. 이 프로그램을 담당한 A주임은 상사로부터 마을자치 공동체 프로그램 운영비 지원 사업의 '2022년도 심사 세부기준 협의 결과'를 전달받았고, 신청 조건과 평가지표 및 배점을 포함한 〈심사 세부기준〉을 작성하였다. 평가지표는 I~IV의 지표와 그 하위 지표로 구성되어 있다.

〈심사 세부기준〉

㉮ □ 신청 조건

K시 관할구역의 자치공동체(필수), 주민자치위원회(필수), 입주자 대표회, 학부모회 등 3개 이상의 단체가 연합하여 10인 이상의 실행위원회를 구성하여 신청해야 한다.

□ 평가지표 및 배점

평가지표	배점	
	현행	수정
㉯ I. 주민참여도	15	20
– 지역주민 연합 모임 참여도, 역할	10	10
– 주민참여 확대계획 및 개방성 여부	5	10
㉰ II. 마을자치 실행위원회 추진 의지	10	15
– 마을자치 공동체에 대한 이해	5	5
– 마을자치 실행위원회의 역할	5	5
– 지속적 사업 추진을 위한 장기적 비전 제시	–	5
㉱ III. 사업의 적정성	15	10
– 사업내용의 구체성, 실현가능성	5	10
– 예산비목 및 산출내역 타당성	5	삭제
– 운영비 확보방안 적정성	5	삭제
㉲ IV. 지속발전 가능성	10	5
– 보조금 지원 이후의 재원확보 방안	5	삭제
– 사업 발전 시 지역사회에 미치는 영향	5	5
합계	50	50

<〈상황〉>

A주임이 전달받은 '2022년도 심사 세부기준 협의 결과'는 다음과 같다.

○ 여러 단체들이 연합하여 실행위원회를 구성하는 것이 쉽지 않으므로 현행 필수 단체 포함 3개 이상 단체 연합에서 필수 단체가 포함된 2개 이상의 단체가 연합하여 10인 이상의 실행위원회를 구성하는 경우 신청 가능하도록 변경

○ 마을자치 공동체 활성화가 목적이므로 하위 지표 배점 변경으로 주민참여도 배점 확대 및 마을자치 실행위원회 추진 의지 지표에 '지속적 사업 추진을 위한 장기적 비전 제시' 항목 추가

○ '마을자치 공동체에 대한 이해' 항목 삭제

○ '운영비 확보방안 적정성' 항목은 삭제하고 해당 내용은 '보조금 지원 이후의 재원확보 방안'에서 평가

○ 논의된 내용 이외의 하위 지표의 항목과 배점은 사업의 안정성을 위해 현행 유지

① ㉮   ② ㉯   ③ ㉰
④ ㉱   ⑤ ㉲

15

다음 글과 〈대화〉를 근거로 판단할 때, ㉠에 들어갈 C의 대화 내용으로 옳은 것을 고르면?

○ S대학교에는 간단하게 공연 등을 연습을 할 수 있는 제1연습실과 제2연습실이 있다.

○ 학생지원과에서는 각 연습실마다 하루에 한 팀씩 예약을 받는다. 같은 팀이 두 개의 연습실을 한번에 예약할 수는 없고, 당일에는 예약을 할 수 없다.

○ A~D는 수요일에 열리는 공연 연습을 위하여 월요일과 화요일에 연습실을 예약하였다. A~D는 각자 연습실을 예약하였고, 이틀 연속으로 예약한 사람은 없다. 제2연습실의 에어컨은 고장으로 작동하지 않는다.

〈대화〉

A: 나는 컨디션 조절을 위해서 공연 전날에는 연습을 하지 않았어. 내가 연습한 곳은 에어컨이 나오지 않았어.

B: 나는 불안해서 마지막 날 마무리 연습을 했어.

C: [㉠   ]

D: 너희 모두의 말을 다 들어보니, 모두 언제 어느 연습실을 이용했는지 알겠어.

① 나는 B와 다른 연습실에서 연습을 했어.

② 나도 B와 마찬가지로 불안해서 공연 전날에 연습실을 이용했어.

③ 나는 A에게 에어컨이 고장 났다는 이야기를 듣고 다른 곳을 예약했어.

④ 나도 전날 이용하고 싶었지만 이미 예약이 다 차서 예약할 수가 없었어.

⑤ 나는 A와 같은 날 제1연습실을 이용했어.

[16~17] 다음은 직원 A~E의 한 주간의 출퇴근 기록 및 근무방침에 관한 자료이다. 이를 바탕으로 이어지는 질문에 답하시오.

〈표〉 직원 A~E의 한 주간의 출퇴근 기록

구분		A	B	C	D	E
월요일	출근 시각	8:40	9:01	7:12	9:01	9:00
	퇴근 시각	18:40	19:19	17:27	19:10	18:32
화요일	출근 시각	7:20	8:45	8:45	9:04	8:00
	퇴근 시각	16:32	19:13	18:47	18:45	18:29
수요일	출근 시각	8:22	8:00	7:11	8:43	9:12
	퇴근 시각	18:31	16:58	17:00	18:43	19:01
목요일	출근 시각	7:40	7:14	8:02	7:22	8:15
	퇴근 시각	18:51	16:53	18:25	17:25	18:55
금요일	출근 시각	8:12	9:00	6:37	9:00	8:30
	퇴근 시각	18:18	19:01	16:56	19:07	18:50

〈조건〉

○ 기본 근무시간은 1일 9시간이다(점심시간 제외).
○ 점심시간 1시간은 근무시간에서 제외한다.
○ 하루의 기본 근무시간을 채우지 못하면, 1일당 추가근무가 1일씩 발생한다.
○ 한 주간의 전체 근무시간이 기본 근무시간을 초과하면, 10분당 0.2일의 유급휴가가 발생한다.
○ 유급휴가의 합산이 1일이 될 때, 추가근무 1일이 대체되며 자동으로 먼저 차감된다.

16

다음 중 한 주간 근무 후 추가 근무일 수가 가장 많은 직원을 고르면?

① 직원 A ② 직원 B ③ 직원 C
④ 직원 D ⑤ 직원 E

17

직원 A~E의 한 주간의 출근 기록이 4주 동안 동일하다면, 추가근무일 수가 가장 적은 직원은 누구인지 고르면?(단, 일주일에 월~금요일까지 출근한다.)

① 직원 A ② 직원 B ③ 직원 C
④ 직원 D ⑤ 직원 E

18

다음 글을 근거로 판단할 때, C전시관 앞을 지나가거나 관람하지 않은 총 인원을 고르면?

○ 전시관은 A → B → C → D 순서로 배정되어 있다. 〈행사장 출입구〉는 아래 그림과 같이 두 곳이며 다른 곳으로는 출입이 불가능하다.

○ 관람객은 〈행사장 출입구〉 두 곳 중 한 곳으로 들어와서 시계 반대 방향으로 돌며, 모든 관람객은 4개의 전시관 중 2개의 전시관만을 골라 관람한다.

○ 자신이 원하는 2개의 전시관을 모두 관람하면 그다음 만나게 되는 첫 번째 〈행사장 출입구〉를 통해 나가기 때문에, 관람객 중 일부는 반 바퀴를, 일부는 한 바퀴를 돌게 되지만 한 바퀴를 초과해서 도는 관람객은 없다.

○ 〈행사장 출입구〉 두 곳을 통해 행사장에 입장한 관람객 수의 합은 400명이며, 이 중 한 바퀴를 돈 관람객은 200명이고 D전시관 앞을 지나가거나 관람한 인원은 350명이다.

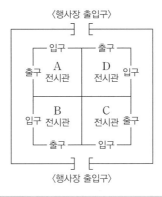

① 50명   ② 100명   ③ 200명
④ 250명   ⑤ 350명

19

다음은 2021년 아동안전지도 제작 사업 현황에 대한 내용이다. 이에 대한 설명으로 옳지 않은 것만을 〈보기〉에서 모두 고르면?

○ 아동안전지도 제작은 학교 주변의 위험·안전환경요인을 초등학생들이 직접 조사하여 지도화하는 체험교육과 정이다. 관할행정청은 각 시·도 관내 초등학교의 30% 이상이 아동안전지도를 제작하도록 권장하는 사업을 실시하고 있다.

○ 각 초등학교는 1개의 아동안전지도를 제작하며, 이 지도를 활용하여 학교 주변의 위험환경을 개선한 경우 '환경개선학교'로 등록된다.

○ 1년 동안의 아동안전지도 제작 사업은 평가점수로 평가된다.

※ 평가점수 = 학교참가도 × 0.6 + 환경개선도 × 0.4

$$\text{※ 학교참가도} = \frac{\text{제작학교 수}}{\text{관내초등학교 수} \times 0.3} \times 100$$

  (단, 학교참가도가 100을 초과하는 경우 100으로 간주)

$$\text{※ 환경개선도} = \frac{\text{환경개선학교 수}}{\text{제작학교 수}} \times 100$$

〈표〉 2021년 아동안전지도 제작 사업 현황

(단위: 개)

시	관내 초등학교 수	제작학교 수	환경개선학교 수
A	50	12	9
B	70	21	21
C	60	20	15

〈보기〉

ㄱ. A시와 C시의 학교참가도는 같다.

ㄴ. 환경개선도가 가장 높은 시는 B시이다.

ㄷ. B시의 평가점수는 100이다.

ㄹ. 평가점수가 가장 낮은 시는 C이다.

① ㄱ 　　　　　② ㄷ 　　　　　③ ㄱ, ㄷ

④ ㄱ, ㄹ 　　　　⑤ ㄴ, ㄹ

20

다음 글과 〈지원대상 후보 현황〉을 근거로 판단할 때, A, C, E, I학회가 받는 취업장려금의 총합을 고르면?

□□대학교에서는 취업률 증진을 위하여 학생들이 조직한 취업 관련 학회에 취업장려금을 지원하려고 한다. 총 예산은 1,000만 원이다. 지원대상 선정 및 지원금 산정 방법은 다음과 같다.

○ 2021학년도 1학기 총 학회원 수가 10인 이상인 학회만 지원하며, 우선 지원대상 분야는 금융, 인공지능, 프로그래밍이다.

○ 우선 지원대상 분야 내 또는 우선 지원대상이 아닌 분야 내에서는 '졸업 학기 학생 수'가 많은 학회부터 먼저 선정한다.

○ 지원금은 학회원 수×10만 원+졸업 학기 학생 수×5만 원이다.

○ 지원금 상한액은 200만 원이나 해당 학회의 2021학년도 1학기 학회원 수 대비 졸업학기 학생 수가 50%를 초과하는 경우 상한액의 1.5배까지 지원할 수 있다.

○ 위의 지원금 산정 방법에 따라 예산 범위 내에서 지급 가능한 최대 금액을 예산이 소진될 때까지 지원 학회에 순차로 배정한다.

〈지원대상 후보 현황〉

학회	학회원 수	졸업 학기 학생 수	분야
A	16명	2명	인공지능
B	12명	3명	프로그래밍
C	8명	6명	인공지능
D	10명	4명	경영
E	15명	5명	회계
F	21명	8명	프로그래밍
G	5명	3명	금융
H	18명	10명	금융
I	25명	12명	법학

① 370만 원 ② 435만 원 ③ 450만 원
④ 480만 원 ⑤ 545만 원

21

다음 글과 〈필요 물품 목록〉을 근거로 판단할 때, ○○부 아동방과 후 교육 사업에서 허용되는 사업비 지출품목으로 옳지 않은 것을 고르면?

○○부는 아동방과 후 교육 사업을 운영하고 있다. 원칙적으로 사업비는 사용목적이 '사업 운영'인 경우에만 지출할 수 있다. 다만 다음 중 어느 하나에 해당하면 예외적으로 허용된다. 첫째, 품목당 단가가 10만 원 이하로 사용목적이 '서비스 제공'인 경우에 지출할 수 있다. 둘째, 사용연한이 1년 이내로 사용목적이 '친목 도모'가 아닌 경우에 지출할 수 있다.

〈필요 물품 목록〉

품목	단가(원)	사용목적	사용연한
인형탈	120,000	사업 운영	2년
프로그램 대여	300,000	보고서 작성	6개월
의자	110,000	서비스 제공	5년
컴퓨터	950,000	서비스 제공	3년
클리어파일	500	상담일지 보관	2년
블라인드	99,000	서비스 제공	5년
축구공	30,000	사업 운영	3년
매트	80,000	서비스 제공	5년
펜	1,200	상담일지 작성	3개월
간식비	45,000	친목 도모	1개월

① 인형탈
② 프로그램 대여
③ 클리어파일
④ 블라인드
⑤ 펜

22

다음 글을 근거로 판단할 때, 〈보기〉에서 옳은 것만을 모두 고르면?

○ 甲국은 매년 X를 100톤 수입한다. 甲국이 X를 수입할 수 있는 국가는 A국, B국, C국 3개국이며, 甲국은 이 중 한 국가로부터 X를 전량 수입한다.
○ X의 거래조건은 다음과 같다.

국가	1톤당 단가	관세율	1톤당 물류비
A국	12달러	0%	3달러
B국	10달러	50%	5달러
C국	20달러	20%	1달러

○ 1톤당 수입비용은 다음과 같다.
○ 1톤당 수입비용＝1톤당 단가＋(1톤당 단가×관세율)＋1톤당 물류비
○ 특정 국가와 FTA를 체결하면 그 국가에서 수입하는 X에 대한 관세율이 0%가 된다.
○ 甲국은 지금까지 FTA를 체결한 A국으로부터만 X를 수입했다. 그러나 최근 A국으로부터 X의 수입이 일시 중단되었다.

〈보기〉

ㄱ. 甲국이 B국과도 FTA를 체결한다면, 기존에 A국에서 수입하던 것과 동일한 비용으로 X를 수입할 수 있다.
ㄴ. C국이 A국과 동일한 1톤당 단가를 제시하였다면, 甲국은 기존에 A국에서 수입하던 것보다 저렴한 비용으로 C국으로부터 X를 수입할 수 있다.
ㄷ. A국으로부터 X의 수입이 다시 가능해졌으나 1톤당 6달러의 보험료가 A국으로부터의 수입비용에 추가된다면, 甲국은 A국보다 B국에서 X를 수입하는 것이 수입비용 측면에서 더 유리하다.

① ㄱ
② ㄴ
③ ㄷ
④ ㄱ, ㄴ
⑤ ㄱ, ㄷ

다음 글을 근거로 판단할 때, 〈표〉에서 도시재생사업이 실시되는 지역을 실시되는 순서대로 알맞게 나열한 것을 고르면?

제○○조 이 법에서 사용하는 용어의 뜻은 다음과 같다.

1. 도시재생이란 인구의 감소, 산업구조의 변화, 주거환경의 노후화 등으로 쇠퇴하는 도시를 지역역량의 강화, 지역 자원의 활용을 통하여 경제적 · 사회적 · 물리적 · 환경적으로 활성화시키는 것을 말한다.

2. 도시재생활성화지역이란 국가와 지방자치단체의 자원과 역량을 집중함으로써 도시재생사업의 효과를 극대화하려는 전략적 대상지역을 말한다.

제○○조 ① 도시재생활성화지역을 지정하려는 경우에는 다음 각 호의 요건 중 2개 이상을 갖추어야 한다.

1. 인구가 감소하는 지역: 다음 각 목의 어느 하나에 해당하는 지역

　가. 최근 30년간 인구가 가장 많았던 시기 대비 현재 인구가 20% 이상 감소

　나. 최근 5년간 3년 이상 연속으로 인구가 감소

2. 총 사업체 수가 감소하는 지역: 다음 각 목의 어느 하나에 해당하는 지역

　가. 최근 10년간 사업체 수가 가장 많았던 시기 대비 현재 사업체 수가 5% 이상 감소

　나. 최근 5년간 3년 이상 연속으로 사업체 수가 감소

3. 전체 건축물 중 준공된 후 20년 이상 된 건축물이 차지하는 비율이 50% 이상인 지역

제○○조 도시재생활성화지역으로 가능한 곳이 복수일 경우, 전 조 제1항 제1호의 인구기준을 우선시하여 도시재생사업을 순차적으로 진행한다. 다만 인구기준의 하위 두 항목은 동등하게 고려하며, 최근 30년간 최다 인구 대비 현재 인구 비율이 낮을수록, 최근 5년간 인구의 연속 감소 기간이 길수록 그 지역의 사업을 우선적으로 실시한다.

〈표〉

구분		A지역	B지역	C지역	D지역	E지역
인구	최근 30년간 최다 인구 대비 현재 인구 비율	70%	86%	86%	82%	70%
	최근 5년간 인구의 연속 감소 기간	3년	5년	3년	2년	4년
사업체	최근 10년간 최다 사업체 수 대비 현재 사업체 수 비율	96%	92%	97%	94%	92%
	최근 5년간 사업체 수의 연속 감소 기간	1년	4년	2년	4년	2년
전체 건축물 수 대비 20년 이상 된 건축물 비율		62%	55%	42%	48%	38%

① B-A-E
② B-E-C
③ E-A-B
④ E-A-C
⑤ E-B-C

24

다음 글과 〈설립위치 선정 기준〉을 근거로 판단할 때, A사가 서비스센터를 설립하는 방식과 위치로 옳은 것을 고르면?

○ 휴대폰 제조사 A는 B국에 고객서비스를 제공하기 위해 1개의 서비스센터 설립을 추진하려고 한다.
○ 설립방식에는 (가)방식과 (나)방식이 있다.
○ A사는 {(고객만족도 효과의 현재가치) − (비용의 현재가치)}의 값이 큰 방식을 선택한다.
○ 비용에는 규제비용과 로열티비용이 있다.

구분		(가)방식	(나)방식
고객만족도 효과의 현재가치		6억 원	5.5억 원
비용의 현재 가치	규제비용	2억 원 (설립 당해연도만 발생)	없음
	로열티비용	− 3년간 로열티비용을 지불함 − 로열티비용의 현재가치 환산액: 설립 당해연도는 1억 원, 그 다음 해부터는 직전년도 로열티비용에서 0.3억 원씩 감액한 금액	− 3년간 로열티비용을 지불함 − 로열티비용의 현재가치 환산액: 설립 당해연도는 2억 원, 그 다음 해부터는 직전년도 로열티비용의 1/2씩 감액한 금액

※ 고객만족도 효과의 현재가치는 설립 당해연도를 기준으로 산정된 결과이다.

〈설립위치 산정 기준〉

○ 설립위치로 B국의 甲, 乙, 丙 3곳을 검토 중이며, 각 위치의 특성은 다음과 같다.

위치	유동인구(만 명)	20~30대 비율(%)	교통혼잡성
甲	80	80	2
乙	100	50	1
丙	150	60	3

○ A사는 {(유동인구)×(20~30대 비율)/(교통혼잡성)}값이 큰 곳을 선정한다. 다만 A사는 제품의 특성을 고려하여 20~30대 비율이 60% 미만인 지역은 선정대상에서 제외한다

	설립방식	설립위치
①	(가)	甲
②	(가)	丙
③	(나)	甲
④	(나)	乙
⑤	(나)	丙

25

다음 글과 〈표〉에 근거할 때, 학자 X의 주장에 따라 비례성이 두 번째로 높은 국가(가)와 학자 Y의 주장에 따라 비례성이 두 번째로 낮은 국가(나)를 알맞게 짝지은 것을 고르면?

○ 한 국가의 선거제도를 평가함에 있어 '비례성'이라는 개념이 있다. 대의기관인 의회를 구성하는 데 있어 선거제도가 유권자의 의사를 잘 반영할수록 그 제도의 비례성은 높다고 할 수 있다.

○ 학자 X는 한 정당이 획득한 득표율과 그 정당의 의회 내 의석률이 근접하도록 하는 선거제도는 비례성이 높다고 주장했다. 즉, 각 정당들의 득표율과 의석률 차이의 절대값의 합인 x지수가 작다면, 그 선거제도의 비례성이 높다고 평가할 수 있다는 것이다. 반면 x지수가 크다면 그 선거제도의 비례성은 낮을 것이라고 한다.

$$x지수 = \Sigma \, |득표율 - 의석률|$$

○ 학자 Y는 의회 내에서의 정당 수와 정당 크기에 기초하여 의회 내 유효 정당 수를 측정하는 y지수를 개발했으며, 그 공식은 다음과 같다.

$$y지수 = \frac{1}{(의회 \ 내 \ 각 \ 정당의 \ 의석률을 \ 제곱한 \ 값의 \ 합)}$$

○ 그에 따르면 y지수가 큰 국가일수록 비례성이 높은 선거제도를 운용하고 있을 가능성이 높고, 반면 y지수가 작은 국가일수록 비례성이 낮은 선거제도를 운용하고 있을 가능성이 높다.

〈표〉 각 국 의회 내 정당의 득표율(%)과 의석률(%)

구분	A정당		B정당		C정당		D정당	
	득표율	의석률	득표율	의석률	득표율	의석률	득표율	의석률
갑국	30	30	30	25	20	25	20	20
을국	20	10	25	10	15	20	40	60
병국	40	40	20	20	20	20	20	20
정국	30	40	30	40	20	10	20	10

※ 갑, 을, 병, 정국의 각 정당명은 A~D로 동일하다고 가정한다.

	(가)	(나)
①	갑국	병국
②	갑국	정국
③	을국	정국
④	병국	을국
⑤	병국	정국

정답과 해설 P. 76

내가 꿈을 이루면
나는 누군가의 꿈이 된다.

– 이도준

여러분의 작은 소리
에듀윌은 크게 듣겠습니다.

본 교재에 대한 여러분의 목소리를 들려주세요.

공부하시면서 어려웠던 점, 궁금한 점,

칭찬하고 싶은 점, 개선할 점, 어떤 것이라도 좋습니다.

에듀윌은 여러분께서 나누어 주신 의견을

통해 끊임없이 발전하고 있습니다.

에듀윌 도서몰 book.eduwill.net
- 부가학습자료 및 정오표: 에듀윌 도서몰 → 도서자료실
- 교재 문의: 에듀윌 도서몰 → 문의하기 → 교재(내용, 출간) / 주문 및 배송

PSAT형 NCS 기출예상문제집_문제해결 · 자원관리능력

발 행 일	2024년 1월 29일 초판
편 저 자	에듀윌 취업연구소
펴 낸 이	양형남
펴 낸 곳	(주)에듀윌
등록번호	제25100-2002-000052호
주 소	08378 서울특별시 구로구 디지털로34길 55
	코오롱싸이언스밸리 2차 3층

* 이 책의 무단 인용 · 전재 · 복제를 금합니다.

www.eduwill.net
대표전화 1600-6700

IT자격증 단기 합격!
에듀윌 EXIT 시리즈

컴퓨터활용능력

- **필기 초단기끝장(1/2급)**
  문제은행 최적화, 이론은 가볍게 기출은 무한반복!
- **필기 기본서(1/2급)**
  기초부터 제대로, 한권으로 한번에 합격!
- **실기 기본서(1/2급)**
  출제패턴 집중훈련으로 한번에 확실한 합격!

ADsP

- **데이터분석 준전문가 ADsP**
  이론부터 탄탄하게! 한번에 확실한 합격!

ITQ/GTQ

- **ITQ 엑셀/파워포인트/한글 ver.2016**
  독학러도 초단기 A등급 보장!
- **ITQ OA Master ver.2016**
  한번에 확실하게 OA Master 합격!
- **GTQ 포토샵 1급 ver.CC**
  노베이스 포토샵 합격 A to Z

정보처리기사/기능사

- **필기 / 실기 기본서(기사)**
  한번에 확실하게 기초부터 합격까지 4주완성!
- **실기 기출동형 총정리 모의고사(기사)**
  싱크로율 100% 모의고사로 실력진단+개념총정리!
- **필기 한권끝장(기능사)**
  기출 기반 이론&문제 반복학습으로 초단기 합격!

120만 권 판매 돌파!
36개월 베스트셀러 1위 교재

최신 기출 경향을 완벽 분석한 교재로 가장 빠른 합격!
합격의 차이를 직접 경험해 보세요

2주끝장

판서와 싱크 100% 강의로
2주만에 합격

기본서

첫 한능검 응시생을 위한
확실한 개념완성

10+4회분 기출700제

합격 필수 분량
기출 14회분, 700제 수록

1주끝장

최빈출 50개 주제로
1주만에 초단기 합격 완성

초등 한국사

비주얼씽킹을 통해
쉽고 재미있게 배우는 한국사

최신판

에듀윌
공기업
PSAT형 NCS 기출예상문제집
문제해결·자원관리능력

정답과 해설

eduwill

최신판

에듀윌 공기업

PSAT형 NCS 기출예상문제집

문제해결·자원관리능력

에듀윌 공기업
PSAT형
NCS 기출예상문제집

문제해결·자원관리능력

정답과 해설

기출 유형 1 | 논리·명제형 P. 34

01	02	03	04	05	06	07	08	09	10
②	②	②	③	①	③	②	①	⑤	⑤

01

정답 | ②

정답풀이 |

주어진 명제를 기호화하면 다음과 같다.

1) A부서의 사원 → ~녹차

2) 커피 → A부서의 사원

1)+2)를 연결하면 '커피 → A부서의 사원 → ~녹차'이므로 그 대우인 '녹차 → ~커피'도 반드시 참이 된다.

오답풀이 |

① 매개념인 'A부서의 사원'은 명제 1)과 2)를 전제로 한 반드시 참인 결론이 될 수 없다.

③ 주어진 전제만으로는 '~커피'가 전건인 경우를 이끌어 낼 수 없다.

④ '커피'를 좋아하는 사람은 녹차를 싫어해야 하므로 거짓에 해당하는 명제이다.

⑤ 전제 1)의 대우 명제이다. 전제 2)와 함께 도출할 수 있는 결론이라고 볼 수 없다.

02

정답 | ②

정답풀이 |

㉠, ㉡, ㉢은 차례대로 연결하면 '노란색 → 여행 → 음악 → ~냉면'이 되므로 이를 대우하면 '냉면 → ~음악 → ~여행 → ~노란색'이 된다. 따라서 '냉면을 좋아하는 사람은 노란색을 좋아하지 않는다.'는 반드시 참인 명제가 된다.

오답풀이 |

① '~음악 → ~노란색'이 옳은 명제이다.

③ 옳고 그름을 판단할 수 없는 명제이다.

④ 옳고 그름을 판단할 수 없는 명제이다.

⑤ 후언긍정의 오류이다.

TIP

명제 문제를 풀기 위해서는 기본적으로 역·이·대우에 대한 이해가 필요하다. 일반적으로 삼단논법을 활용하여 문제를 푸는 경우가 대다수지만, 제시된 명제 중 '어떤 ~' 또는 '~ 중에 ~가 있다'와 같은 명제가 제시되는 경우 기호화하여 정리한 후 벤 다이어그램을 검토하여 풀이하는 것이 좋다.

03

정답 | ②

정답풀이 |

〈보기〉에서 성 과장은 ○사가 가진 영업력을 그에 속했던 인턴에게도 있을 것이라고 추론하고 있다. 즉 전체에 대해 참이 전체를 이루는 부분에서도 참일 것이라고 본 것이므로 〈보기〉는 '분할의 오류'를 범한 것으로 판단할 수 있다. ② 역시 전체 중량이 크다는 것을 근거로 그 부분인 부품 역시 무거울 것이라고 추론하고 있으므로 〈보기〉와 동일한 오류를 범했음을 알 수 있다.

오답풀이 |

① 전체를 이루는 부분의 속성을 가지고 전체 집합의 속성으로 간주하는 '합성의 오류'를 범하고 있는 경우이다.

③ 참이라고 밝혀지지 않았으므로 거짓이라고 주장하거나, 거짓임이 명백하지 않으므로 참이라고 주장하는 '무지의 오류'를 범하고 있는 경우이다.

④ 의도하지 않은 행위의 결과에 의도가 있다고 판단할 때 생기는 '의도 확대의 오류'를 범하고 있는 경우이다.

⑤ 동정, 연민을 느끼도록 하여 주장을 받아들이도록 하는 '연민, 동정에 호소하는 오류'를 범하고 있는 경우이다.

04

정답 | ③

정답풀이 |

제시된 명제를 기호화하여 대우하면 다음과 같다.

• 농업용수용 댐 → 15m 이상 ≡ 15m 미만 → ~농업용수용 댐

• 홍수방지용 댐 → 다목적 댐 ≡ ~다목적 댐 → ~홍수방지용 댐

• 콘크리트 댐 → ~다목적 댐 ≡ 다목적 댐 → ~콘크리트 댐

• 15m 미만 → 콘크리트 댐 ≡ ~콘크리트 댐 → 15m 이상

※ '미만'의 부정은 '이상'이고, '초과의 부정은 '이하'이다.

따라서 '홍수방지용 댐 → 다목적 댐 → ~콘크리트 댐 → 15m

이상'이므로 홍수방지용 댐은 크기가 15m 이상이다.

오답풀이 |

①, ② '15m 미만 → 콘크리트 댐 → ~다목적 댐 → ~홍수방
지용 댐'이므로 옳지 않다.

④ 후언긍정의 오류이다.

05

정답 | ①

정답풀이 |

주어진 명제를 기호화하면 다음과 같다.

1) B → ~E
2) ~(B∧E) → D
3) A → B ⓥ D
4) C → ~D
5) C → A

문두에서 'C는 반드시 참석한다고 하였으므로 4)+5)를 통해 A
는 참석하고 D는 참석하지 않음을 알 수 있다. A가 참석하고 D
가 참석하지 않으면 3)을 통해 B 역시 참석함을 알 수 있고, 1)
을 통해 E는 참석하지 않음을 알 수 있다. 마지막으로 2)를 대우
하면 B 또는 E가 참석해야 하는데 B는 참석하고, E는 참석하지
않으므로 모순이 없다. 따라서 참석 인원은 'A, B, C' 세 사람이
다.

06

정답 | ③

정답풀이 |

〈전제1〉에서 경위 중에서 파출소 소장이 아닌 사람이 존재하므
로 두 명제 사이에 공통 원소가 존재함을 알 수 있다. 즉 교집합
이 존재한다. 〈결론〉에서 경위인 사람 중에 30대가 아닌 사람이
있으므로 이 역시 교집합임을 알 수 있다. 따라서 〈전제1〉에서
〈결론〉을 이끌어내기 위해서는 '파출소 소장이 아닌 사람'은 모
두 '30대 아닌 사람'이어야 한다. 대우를 통해 '30대는 모두 파
출소 소장이다' 역시 참이므로 정답은 ③이다.

오답풀이 |

①, ⑤ 다음과 같은 경우에 결론이 성립하지 않는다.

② 다음과 같은 경우에 결론이 성립하지 않는다.

④ 전제1에 의해 경위 중에 파출소 소장이 아닌 사람이 존재하
지만 파출소 소장이 모두 경위이면 경위인 사람 중에 30대
가 아닌 사람이 존재하는지는 알 수 없으므로 결론이 성립하
지 않는다.

TIP

〈전제1〉과 〈결론〉이 특칭 명제이므로 〈전제2〉는 전칭 명제임을
알 수 있다.

07

정답 | ②

정답풀이 |

주어진 명제 중 첫 번째를 제외한 나머지 명제들을 기호화하고
그 대우명제를 정리하면 다음과 같다.

1) 영국 → ~독일 ≡ 독일 → ~영국
2) ~영국 → ~이탈리아 ≡ 이탈리아 → 영국
3) 스위스 → 이탈리아 ≡ ~이탈리아 → ~스위스
4) ~프랑스 → 스위스 ≡ ~스위스 → 프랑스

1)~4)를 연결하면 '독일 → ~영국 → ~이탈리아 → ~스위스
→ 프랑스'를 이끌어 낼 수 있다.

갑은 독일로 출장을 가므로, '독일'을 긍정하여 정리하면 '영국,
이탈리아, 스위스'로는 출장가지 않지만, 프랑스로는 출장을 간
다.

08

정답 | ①

정답풀이 |

나와의 약속을 지키면 나를 사랑하는 것이고, 그렇지 않으면 사
랑하지 않는다는 것은 선언지를 두 개만 두고 나머지는 인정하
지 않는다는 것이므로 '흑백논리의 오류'를 범한 사례로 볼 수
있다. 이와 유사한 것은 자신의 부탁을 거절하면 나를 싫어하는
것이고, 수락하면 나를 좋아한다고 보고 있는 ①이다.

오답풀이 |

② 순환논증의 오류를 범한 예시이다. 순환논증은 논증되어야 할
명제를 논증의 증거로 제시함으로써 오는 오류에 해당한다.

③ 우연[원칙 혼동의 오류]의 오류이다. 일반적인 개념을 특수
한 경우에도 적용해서 오는 오류에 해당한다.

④ 원천봉쇄의 오류이다. 토론이나 논쟁에서 자신의 주장을 반
대하면 불건전하거나 나쁜 것이라 규정함으로써 반론 자체

를 봉쇄하는 오류에 해당한다.

⑤ 군중[다수]에 호소하는 오류이다. 군중 심리를 자극해서 자신의 주장을 받아들이도록 하거나, 대다수의 사람들이 옳다고 하는 것이 옳은 것이라고 주장하는 데에서 오는 오류이다.

09

정답 | ⑤

정답풀이 |

주어진 〈보기〉의 명제는 ㄱ은 전칭긍정명제인 A명제이고, ㄴ은 전칭부정명제인 E명제, ㄷ은 특칭긍정명제 I명제, ㄹ은 특칭부정명제인 O명제이다. 가은~마은의 추리를 정리하면 다음과 같다.

• 가은: ㄱ과 ㄷ은 함축(대소)관계이므로 타당한 추론이다.
• 나은: ㄱ과 ㄹ은 모순관계이므로 타당한 추론이다.
• 다은: ㄱ과 ㄴ은 반대관계이므로 타당한 추론이다.
• 라은: ㄷ과 ㄹ의 관계는 소반대관계이므로 잘못된 추론이다. ㄷ이 참일 경우 ㄹ은 참과 거짓 양값을 다 가질 수 있지만 ㄷ이 거짓일 경우 ㄹ은 참이다. 그러나 ㄹ이 참인 경우 ㄷ은 항상 참이라고 할 수 없다. 따라서 참 거짓 양값을 모두 가진다.
• 마은: ㄴ과 ㄹ의 관계는 ㄱ과 ㄷ의 관계와 같이 함축(대소)관계이고, ㄴ과 ㄷ의 관계는 ㄱ과 ㄹ과 같이 모순관계이므로 각각의 추론을 그대로 적용할 수 있다.

TIP

대당사각형과 관련된 기본 문제이다. NCS에서 흔히 출제되는 형태는 아니지만 기본 이론을 정리하기 좋은 문제이다.

10

정답 | ⑤

정답풀이 |

(라) 비∧바람 → ~데이트
　　데이트　　∴ ~비∨~바람
　　후건부정(대우)이므로 논리적으로 타당한 논증이다. 드모르간의 법칙에 의해 연언명제의 부정은 각각 부정되면서 선언명제가 된다.

(마) 참말∨거짓말
　　참말 → 윗사람 비난
　　거짓말 → 아랫사람 비난
　　∴ 비난(윗사람 비난∨아랫사람 비난)
　　단순양도논법으로 논리적으로 타당한 추론이다.

오답풀이 |

(가) A후보의 당선 → 남북 관계 화해 협력
　　A후보의 낙선(~A후보의 당선)
　　∴ ~남북관계 화해 협력

전건부정의 오류를 범하고 있다.

(나) 그녀를 사랑 → 그녀와 결혼
　　그녀와 결혼　　∴ 그녀를 사랑
　　후건긍정의 오류를 범하고 있다.

(다) 대학을 졸업 → 대학원 진학∨취직
　　~취직　　∴ ~대학 졸업
　　선언명제에서 하나의 명제가 부정되면 나머지 하나의 명제는 참이 되어야 한다. 그리고 전건후건을 부정할 때 선언을 연언으로 바꿔야 하는데 이를 놓치면 형식상 오류라고 볼 수 있다.

01	02	03	04
④	②	②	①

01

정답 | ④

정답풀이 |

주어진 진술을 기호화하면 다음과 같다.

- A: ~A∧D
- B: ~B
- C: ~D
- D: B
- E: B∧D

1) 진술 중에서 B와 D의 진술이 모순되므로 이를 기준으로 경우의 수를 따져볼 수 있다.

　1-1) B가 참이고, D가 거짓인 경우

　D가 거짓이면 E 역시 거짓이 된다. 문두에 따라 거짓은 2명이므로 나머지는 참이 되어야 한다. 하지만 D가 거짓인 경우 A의 진술 역시 거짓이 되므로 이 경우는 반드시 참이 될 수 없다.

　1-2) B가 거짓이고, D가 참인 경우

　문두에 따라 거짓은 두 명이므로 B가 거짓일 때 나머지 거짓인 1명을 더 구해야 한다. 이때 E가 거짓이면 D 역시 거짓이 되므로 E는 참이 된다. E가 참이면 C는 거짓이 되므로 남은 A는 참이 되어야 하는데, 기존 진술들과 모순이 일어나지 않으므로 거짓을 말한 사람은 B와 C가 된다.

2) B에 대한 진술이 많으므로 이를 기준으로 분석할 수 있다.

　2-1) B가 오후에 사무실에 근무할 경우

　D, E는 참이고, B는 거짓이다. 만약 E가 참이면 D도 오후 근무를 한 것이므로 C와 모순되어 C는 거짓이다. 거짓이 2명 나왔으므로 나머지는 참이 되는데 A도 참이 되는데, E의 진술과 모순이 없다. 따라서 거짓을 말한 사람은 B와 C가 된다.

　2-2) B가 오후에 사무실에 근무하지 않은 경우

　D가 거짓이면 E 역시 거짓이 된다. 문두에 따라 거짓은 2명이므로 나머지는 참이 되어야 한다. 하지만 A의 진술이 참일 경우 거짓인 E의 진술과 모순되므로 이 경우는 반드시 참이 될 수 없다.

02

정답 | ②

정답풀이 |

다섯 명 중 범인은 한 명이고, 각각의 진술 중 두 개는 참, 하나

는 거짓이다. 모두 첫 번째 진술에서 자신이 범인이 아니라고 하였다. 즉 이 중 한 명은 거짓을 말하고 있음을 알 수 있다. 첫 번째 진술이 참이라고 가정하고 모순 여부를 따질 수도 있지만, 그럴 경우 두 번째 세 번째 진술의 내용을 활용할 수 없으므로, 거짓으로 산정하고 모순 여부를 따지는 것이 효율적인 접근법이 된다.

- A: A, ~C, D 범인이 두 명이므로 모순이다.
- B: B, ~D, E가 범인임을 알고 있다. 즉 B만 범인이므로 모순이 없다.
- C: C, D 범인이 두 명이므로 모순이다.
- D: D, E 범인이 두 명이므로 모순이다.
- E: E, B 범인이 두 명이므로 모순이다.

따라서 범인은 B이다.

03

정답 | ②

정답풀이 |

주어진 진술 중 성민과 창민의 진술이 모순되고, 창민의 진술은 성민에 대해 단정적 진술을 하고 있다. 문두에 따르면 거짓이 1명이므로 각각의 진술이 거짓일 때를 가정하여 풀이할 수 있다.

1) 성민의 진술이 거짓일 때 - 나머지 진술은 참

　성민은 뒷자리에 앉아 있고, 수영 역시 뒷자리에 앉는다. 민수 역시 성민의 오른쪽 바로 옆에 앉아야 한다고 했으므로 뒷자리는 '성민-민수-수영' 혹은 '수영-성민-민수'가 앉을 수 있다. 앞자리에는 남은 창민과 아름이 앉아야 하는데, 관련 조건이 없으므로 '창민-아름' 혹은 '아름-창민'이 가능하다. 이때 아름의 진술에 따라 왼쪽 자리인 B에는 수영이 앉을 수 없으므로 '성민-민수-수영'만 가능함을 알 수 있다. 따라서 정답은 ②가 된다.

2) 창민의 진술이 거짓일 때 - 나머지 진술은 참

　앞줄에는 '성민-민수'가 앉게 된다. 뒷자리에는 수영, 창민, 아름이 앉게 되는데 아름의 진술에 따르면 왼쪽에 수영이 보이지 않아야 하므로 '창민-아름-수영' 혹은 '아름-창민-수영'으로 앉을 수 있다. 그런데 이와 관련된 선택지가 없다.

TIP

거짓을 말한 사람이 1명일 때는 2명일 때에 비해 난도가 낮은 편이다. 차례대로 대입해 보면 정답을 도출하기 용이하므로 포기하지 말고 풀이에 임해야 할 대표 유형 중 하나이다. 더불어 선택지를 힌트 삼아 풀이했다면 A에 아름 혹은 창민이 오는 경우만 살펴보면 되므로 좀 더 쉬운 풀이가 가능하다.

04

정답 | ①

정답풀이 |

주어진 진술을 기호화하면 다음과 같다.

- A: E−참
- B: C
- C: ∼C
- D: B−참
- E: A

주어진 진술 중 B와 C의 진술이 모순되고, A의 진술이 E에 대한 단정적 진술을 하고 있다. 문두에 따르면 거짓이 2명이므로 A의 진술이 거짓이라면 E의 진술 역시 거짓이 되어 B와 C의 진술이 모두 참이 되어야 하므로 모순이 일어난다. 따라서 A의 진술과 E의 진술은 참이 된다. B와 C의 진술 중 하나가 거짓이고 남은 D의 진술이 거짓이 되어야 하므로 B의 진술이 거짓이 되고 C는 참이 된다. 정리하면 C는 야근을 하지 않았고, A는 야근을 했다.

다른 풀이 |

한 사람씩 야근한 경우를 가정하고 나머지 사람들의 진술을 살펴보면 다음과 같다.

- A가 야근을 했을 경우: B, D의 진술이 거짓
- B가 야근을 했을 경우: A, B, D, E의 진술이 거짓
- C가 야근을 했을 경우: A, C, E의 진술이 거짓
- D가 야근을 했을 경우: A, B, D, E의 진술이 거짓
- E가 야근을 했을 경우: A, B, D, E의 진술이 거짓

따라서 거짓을 말한 사람이 2명이라는 전제에 따라 야근을 한 사람은 A이며, 이때 거짓을 말한 사람은 B와 D이다.

기출 유형 3 | 조건추리   P. 54

01	02	03	04	05	06	07	08	09	10
④	④	①	①	③	⑤	③	③	③	①

01

정답 | ④

정답풀이 |

첫 번째 조건을 통해 인사부는 1지망 혹은 2지망으로만 지원했음을 알 수 있다. 두 번째 조건과 네 번째 조건을 바탕으로 1지망으로 홍보부를 지원한 사람이 2명, 기획조정부를 지원한 사람이 3명이므로 나머지 4명은 인사부임을 알 수 있다.

인사부는 1지망 혹은 2지망으로만 지원했으므로 '홍보+기획조정부'를 지원한 5명의 2지망은 인사부임을 알 수 있다. 따라서 세 번째 조건을 적용하면 2지망에는 기획조정부를 지원한 사람이 3명, 홍보부를 지원한 사람이 1명임을 알 수 있다. 이를 표에 적용하면 다음과 같다.

1	2	3	4	5	6	7	8	9
홍보	홍보	기조	기조	기조	인사	인사	인사	인사
인사	인사	인사	인사	인사	기조	기조	기조	홍보
기조	기조	홍보	홍보	홍보	홍보	홍보	홍보	기조

따라서 기획조정부를 3지망으로 지원한 사람은 6명이 아닌 3명임을 알 수 있다.

오답풀이 |

① 1지망으로 인사부를 지원한 직원은 4명이다.

② 홍보부를 1지망으로 지원한 직원은 2명으로, 기획조정부 3명, 인사부 4명에 비해 가장 적다.

③ 3지망으로 홍보부를 지원한 직원은 6명으로 가장 많다.

⑤ 홍보부를 2지망으로 지원한 직원은 1명이고, 3지망으로 지원한 직원은 6명으로 서로 다르다.

02

정답 | ④

정답풀이 |

두 번째 조건이 단정적 조건이므로 이를 우선 적용하면 다음과 같다.

A 정	B	C	D
E	F	G 갑	H

네 번째 조건에서 '경/기−무−기/경'의 배치를 알 수 있으므로 세 자리가 비어 있는 'B−C−D'의 자리에 앉아야 한다. 다섯 번째 조건에서 을과 병이 같은 줄 양 끝자리에 앉아 있어야 하므

로 남은 'E'와 'H'에 앉아있음을 알 수 있다.

남은 세 번째 조건에서 '기'와 '신'이 마주보아야 하므로 B자리에 '기'가, F자리에 '신'이 들어가야 한다. 이를 적용하면 다음과 같다.

A 정	B 기	C 무	D 경
E 을/병	F 신	G 갑	H 병/을

따라서 앉은 자리를 확정할 수 있는 사람은 '을/병'을 제외한 여섯 자리이다.

다른 풀이 |

갑과 정의 자리가 고정되어 있다. 경과 기 사이에 무 한 사람만 앉아 있다고 했으므로, 경-무-기 또는 기-무-경의 연속된 자리 배치가 가능하기 위해서는 세 사람이 B, C, D에 위치해야 한다. 그런데 을과 병이 같은 줄의 양 끝자리에 앉아 있으므로 E와 H 중 어느 한 자리에 각각 앉아 있는 것이 되는데, 기와 마주보는 자리에 신이 앉아 있어야 하므로 B, C, D가 순서대로 각각 기, 무, 경의 자리가 되어야 한다. 이때 신은 F에 앉아 있는 것이 된다. 따라서 E와 H의 자리만 정해지지 않고 나머지 6명의 자리는 모두 확정할 수 있게 된다.

TIP

그림이 제시되는 문제는 그림을 최대한 활용하는 것이 효율적인 접근법이 된다. 더불어 탁자에 앉는 문제는 왼쪽과 오른쪽 모두 두 가지 경우의 수를 모두 고려해야 함을 기억해야 한다.

03

정답 | ①

정답풀이 |

총 다섯 개 구가 있고, 각 구별로 초등학교 2개교, 중학교 1개교, 고등학교 1개교를 방문하였으므로 총 20개의 학교를 방문하였다. 가장 먼저 방문한 곳은 서구이고, 가장 마지막에 방문한 곳은 중구이다. 같은 구인 경우 초등학교-중학교-고등학교 순으로 방문하므로 가장 먼저 방문한 곳은 서구 초등학교, 가장 마지막으로 방문한 곳은 중구 고등학교이다. 동구와 중구 학교는 연속하여 번갈아 가며 방문하므로 동구 초-중구 초-동구 초-중구 초-동구 중-중구 중-동구 고-중구 고 순으로 방문하게 되어 열세 번째 방문 학교는 동구 초등학교이다. 따라서 앞 12번째의 순서만 확인하면 된다. 가장 먼저 방문한 곳은 서구 초등학교이고, 여섯 번째로 방문한 곳은 서구 고등학교이므로 두 번째~다섯 번째 순서에 서구 초등학교와 서구 중학교를 방문했음을 알 수 있다. 대덕구 학교는 유성구 학교를 모두 방문한 뒤 방문해야 하므로 두 번째~다섯 번째 순서에 방문할 수 없다. 따라서 두 번째~다섯 번째 순서 사이의 두 번은 유성구 초등학교를 방문해야 한다. 서구 초등학교는 연속해서 방문하지 않고, 유성구 초등학교는 연속해서 방문하므로 아래와 같은

순서로 방문한다.

1	2	3	4	5	6	7	8	9	10	11	12
서초	유초	유초	서초	서중	서고						

유성구 학교를 대덕구 학교보다 먼저 방문해야 하므로 일곱 번째와 여덟 번째에 유성구 중학교, 유성구 고등학교를 방문하고, 아홉 번째~열두 번째에 대덕구 초등학교, 대덕구 초등학교, 대덕구 중학교, 대덕구 고등학교를 방문하므로 아래와 같은 순서로 방문한다.

1	2	3	4	5	6	7	8	9	10	11	12
서초	유초	유초	서초	서중	서고	유중	유고	대초	대초	대중	대고

13	14	15	16	17	18	19	20
동초	중초	동초	중초	동중	중중	동고	중고

따라서 대덕구 학교는 아홉 번째부터 열두 번째 순서까지 모두 연속해서 방문했다.

오답풀이 |

② 대덕구 학교를 모두 방문한 뒤에 동구 학교를 방문했으므로 옳지 않은 내용이다.

③ 서구 고등학교는 여섯 번째로, 유성구 고등학교는 여덟 번째로 방문했으므로 옳지 않은 내용이다.

④ 열 번째로 방문한 학교는 초등학교이므로 옳지 않은 내용이다.

⑤ 동구 중학교를 먼저 방문하고 그 뒤에 중구 중학교를 방문하였으므로 옳지 않은 내용이다.

TIP

20개 초중고의 순서를 따져봐야 하는 문제이다. 실전에서는 일단은 넘겨야 하는 유형이라고 볼 수 있다.

04

정답 | ①

정답풀이 |

분홍색과 노란색과 하늘색을 1:1:1로 혼합해야 검정색을 만들 수 있다. 분홍색과 노란색을 1:1로 조합하면 빨간색이 되고, 노란색과 하늘색을 1:1로 혼합하면 파란색이 된다. 따라서 빨간색과 파란색을 1:1로 혼합하면 분홍색:노란색:하늘색=1:2:1이 되므로 검정색을 만들 수 없다.

오답풀이 |

② 빨간색과 파란색을 1:2로 혼합하면 보라색을 만들 수 있다. 빨간색은 분홍색과 노란색을 1:1로 혼합해야 만들 수 있고, 파란색은 노란색과 하늘색을 1:1로 혼합해야 하므로 결국 분홍색:노란색:하늘색=1:3:2로 혼합해야 보라색을 만들 수 있다. 즉, 분홍색 6g, 노란색 6g으로 빨간색 12g을 만들고, 노란색 12g, 하늘색 12g으로 파란색 24g을 만들 수 있

으로 보라색 36g을 만들 수 있다.

③ 노란색과 파란색을 1:1로 혼합하면 초록색을 만들 수 있다. 파란색은 노란색:하늘색=1:1로 혼합해야 만들 수 있다. 따라서 초록색은 노란색:하늘색=3:1로 혼합해야 만들 수 있다. 즉, 노란색 6g과 하늘색 6g으로 파란색 12g을 만들고 노란색 12g과 파란색 12g을 혼합하면 초록색 24g을 만들 수 있다.

④ 노란색 12g과 하늘색 12g을 혼합하면 파란색 24g을 만들 수 있으므로 빨간색 12g과 파란색 24g을 혼합하면 보라색 36g을 만들 수 있다.

⑤ 노란색과 하늘색을 1:1로 혼합하면 파란색이 된다. 즉, 분홍색과 노란색과 하늘색을 1:1:1로 혼합하면 분홍색:파란색=1:2가 된다. 따라서 분홍색 6g과 파란색 12g을 혼합하면 검정색 18g을 만들 수 있다.

05

정답 │ ③

정답풀이 │

A팀이 화, 수, 목에 회의실을 배정받는 경우 목요일에 소회의실을 배정받는다. 그런데 C팀이 목요일에 소회의실을 배정받으므로 모순이고, A팀은 월, 화, 수에 대회의실, 중회의실, 소회의실을 3일 연속 배정받는다. 목요일에는 B, C, D팀이 회의를 하므로 D팀이 마지막으로 회의를 하는 목요일에는 D팀이 대회의실을 배정받고 B팀이 중회의실을 배정받는다. B팀이 대회의실을 배정받은 날 D팀은 중회의실을 배정받는데 화요일에는 A팀이 중회의실을 배정받으므로 수요일에 B팀이 대회의실, D팀이 중회의실을 배정받는다. 이때 C팀이 월요일, 화요일에 회의를 해야 하는데 C팀이 중회의실을 배정받은 날 D팀이 회의를 하지 않으므로 월요일에 C팀이 중회의실, B팀이 소회의실을 배정받는다. 이에 따라 화요일에 C팀이 대회의실, D팀이 소회의실을 배정받는다.

따라서 요일별 각 회의실 팀 배정 일정은 다음과 같다.

구분	월요일	화요일	수요일	목요일
대회의실	A	C	B	D
중회의실	C	A	D	B
소회의실	B	D	A	C

따라서 D팀이 소회의실을 배정받은 날은 화요일이고, 이날 A팀은 중회의실을 배정받는다.

오답풀이 │

① 화요일에 A팀이 중회의실, C팀이 대회의실을 배정받는다.

② 수요일에 B팀이 대회의실을 배정받고, C팀은 회의를 하지 않는다.

④ D팀은 화, 수, 목에 연속해서 회의를 한다.

06

정답 │ ⑤

정답풀이 │

두 번째 조건에서 갑이 네 번째 출근했음을 알 수 있고, 나머지 조건들을 통해 (병−을)>갑>(A−C)를 이끌어 낼 수 있다. B에 대한 정보가 없으므로 경우의 수를 구하면 다음과 같다.

1	2	3	4	5	6
B	병	을	갑	A	C
병	을	B	갑	A	C

따라서 갑의 전후에 출근한 직원은 'A, B, 을'이므로 옳다.

오답풀이 │

① B가 병보다 일찍 출근할 수도 있지만 그렇지 않을 수도 있다.

② 병과 A 사이에 출근하는 직원은 2명에서 3명까지이다.

③ 병은 B보다 늦게 출근할 수 있다.

④ 가장 늦게 출근하는 직원은 C이다.

07

정답 │ ③

정답풀이 │

A사원은 신입이므로 직전연도 평가 점수는 100점이다. 1지망으로 종로를 지망한 사원은 A와 D이고, A사원의 직전 연도 평가 점수가 더 높으므로 A사원이 종로에 배치된다. B, C, E사원은 1지망으로 여의도를 지망하였고 C사원의 직전연도 평가 점수가 100점으로 가장 높으므로 C사원이 여의도에 배치된다. 2지망으로 동성로를 지망한 사람은 E사원 한 명이고, E사원이 2021년에 동성로에 배치된다면 2019~2021년에 동성로에서 1번 근무하는 것이므로 3년 이내에 동일 지역에서 2번 이상 근무할 수 없다는 조건에 위배되지 않는다. 이에 따라 E는 동성로에 배치된다. B와 D사원은 2지망으로 영등포를 지망하였고 직전연도 평가 점수도 98점으로 동일하지만 B사원은 2019년도에 영등포에 근무하였으므로 영등포에 배치될 수 없다. 따라서 D사원이 영등포에 배치되고 B사원은 제주공항 또는 충장로에 임의 배치되는데 2020년에 제주공항에서 근무하였으므로 충장로에 배치된다. 이를 정리하면 다음과 같다.

A사원	B사원	C사원	D사원	E사원
종로	충장로	여의도	영등포	동성로

TIP

문제에서 다수의 조건 또는 규칙을 명시한 경우, 해당 조건과 규칙을 바로 적용할 수 있는지부터 살펴보아야 한다. 가장 명확한 조건을 통해 순서 또는 자리를 하나씩 채워나가면서 답을 구할 수 있어야 한다.

08

정답 | ③

정답풀이 |

사무홍보부처의 부장은 경영학과 출신이므로 사무부장과 홍보부장은 A, B, C 중 2명이다. 이때 B가 교육학과인 D와 같은 부처로 구성되므로 B는 사무홍보부처 부장이 아니다. 이에 따라 사무부장과 홍보부장은 각각 A 또는 C이다. 인권복지부처의 부장은 사회복지학과 출신이므로 B와 D는 교육행정부처 부장이다. 이때 교육부장은 교육학과 출신이므로 D가 교육부장, B가 행정부장이다. 인권복지부처의 부장이 될 수 있는 사람은 F, G, H 중 2명인데 F와 H가 같은 부처로 구성될 수 없으므로 F와 G가 인권복지부처의 부장이거나 G와 H가 인권복지부처의 부장이 된다. 가능한 경우를 정리하면 다음과 같다.

• 인권복지부처의 부장이 F와 G일 경우

중앙집행위원장	부중앙집행위원장	사무부장	홍보부장
E 또는 H	E 또는 H	A 또는 C	A 또는 C
교육부장	행정부장	인권부장	복지부장
D	B	F 또는 G	F 또는 G

• 인권복지부처의 부장이 G와 H일 경우

중앙집행위원장	부중앙집행위원장	사무부장	홍보부장
E 또는 F	E 또는 F	A 또는 C	A 또는 C
교육부장	행정부장	인권부장	복지부장
D	B	G 또는 H	G 또는 H

따라서 부중앙집행위원장이 될 수 있는 사람은 E, F, H 3명이다.

오답풀이 |

① 경영학과 출신 B가 행정부장이 되므로 항상 옳은 설명이다.

② F가 복지부장이 되지 않고, H가 복지부장이 되면 G가 인권부장이 될 수 있으므로 항상 옳지 않은 설명은 아니다.

④ F가 복지부장이 된다면 G가 인권부장이 되고 H는 중앙집행위원장 또는 부중앙집행위원장이 되므로 항상 옳은 설명이다.

⑤ B가 행정부장, D가 교육부장이고, 나머지 인원은 어떤 부처의 국장인지 확실히 알 수 없으므로 항상 옳은 설명이다.

09

정답 | ③

정답풀이 |

6명이 원탁에 둘러앉아 있다고 하였다. 원탁 문제는 마주 보게 앉은 사람이 단정적 조건이므로, 첫 번째 조건부터 대입해야 한다. 두 번째 〈조건〉에서 재무부 과장이 기획부 대리의 오른쪽에 앉아 있다고 하였고, 세 번째 〈조건〉에서 홍보부 대리가 재무부 대리의 왼쪽에 앉아있다고 하였으므로 비어 있는 두 자리를 차

지해야 한다.

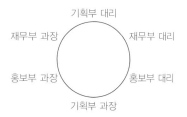

따라서 재무부 대리는 홍보부 과장과 마주 보고 앉아 있다.

오답풀이 |

① 재무부 직원은 서로 이웃하여 앉아 있지 않다.

② 기획부 과장의 양 옆에는 홍보부 과장과 대리가 앉는다.

④ 홍보부 직원은 서로 마주 보고 앉아 있지 않다.

⑤ 홍보부 과장은 기획부 과장의 왼쪽에 앉는다.

10

정답 | ①

정답풀이 |

(가)를 통해 세 명은 자기 번호와 일치하지 않는 번호의 의자에 앉아 있고, 두 명은 일치하는 의자에 앉아 있음을 알 수 있다. (나)를 통해 두 명의 학생은 자기 번호보다 작은 숫자에 앉고 한 명은 큰 숫자에 앉아 있음을 알 수 있다. (다)를 통해 홀수 숫자인 3명이 자리를 바꿨음을 알 수 있고 짝수는 자리를 바꾸지 않았음을 알 수 있다.

즉 '1−3−5'는 자리를 바꾸되, 두 명은 자기 번호보다 적고 한 명은 큰 숫자여야 하므로 자리 변경은 다음과 같이 이루어졌음을 알 수 있다.

3	2	5	4	1

01	02	03	04	05	06	07	08
②	④	④	④	④	③	⑤	②

01

정답 | ②

정답풀이 |

제시된 조건을 정리해보면, 주말은 제외하고 10월이어야 한다. 또한, 전 직원들의 참석을 위해서는 출장이 있는 일정은 제외한다. 그러면 10월 2일, 3일 / 15일, 16일, 17일 / 22일, 23일, 24일 / 30일, 31일이 가능하다.

이 중에서 창립기념일인 10월의 넷째 주 목요일(23일), 전 부서 회의인 매월 첫째 주, 셋째 주 금요일(3일, 17일), 실적 발표일인 매월 마지막 날(31일)을 제외하면 10월 2일 / 15일, 16일 / 22일, 24일 / 30일이 가능하다.

이 중 1박 2일이 연속인 날은 10월 15일, 16일이다.

> **TIP**
>
> 일정을 고려하여 가능한 날짜를 물어보는 유형으로 시간자원관리에서 자주 출제되는 유형이다. 어렵지는 않지만 일정에 대한 조건이 많이 제시되므로, 꼼꼼하게 조건을 읽어 실수하지 않아야 한다.

02

정답 | ④

정답풀이 |

서울은 뉴욕에 비해 +13시간이므로 서울은 뉴욕보다 13시간 빠르다. 이때, 뉴욕 현지 시간 기준으로 8월 1일 15시 20분까지 뉴욕 공항에 도착해야 하는 것은 서울의 시간으로는 8월 2일 04시 20분까지 도착해야 하는 것과 동일하다.

총 비행 및 대기 시간은 10시간 30분+1시간+5시간 30분으로 17시간이 소요된다. 그렇다면 한국에서 17시간 전 시각은 8월 1일 11시 20분이 된다. 따라서 서울 기준으로 적어도 8월 1일 11시 20분 비행기를 타야 뉴욕에 8월 1일 15시 20분에 도착할 수 있다.

> **TIP**
>
> 시차의 경우 주어진 GMT를 보며 시차가 빠르다/느리다를 구별할 수 있어야 한다. 서울이 만약 8월 1일 오전 10시 30분이라면, 뉴욕은 8월 1일이 아닌 7월 31일 오후 9시 30분을 의미한다는 것을 이해할 수 있어야 한다.

03

정답 | ④

정답풀이 |

D차장의 경우 갑작스레 발생하는 문제는 급박한 경우일 때가 많으므로 중요도나 긴급한 정도에 따라 시간을 분배하여 사용해야 한다.

오답풀이 |

① A사원의 경우 현실적인 계획을 구체적으로 세우고 있다.

② B대리의 경우 여유시간을 준비하여 급박한 문제에 대응할 수 있는 시간을 남겨둔다.

③ C과장의 경우 행동과 시간을 저해하는 요소가 무엇인지를 분석하여 대응하려고 한다.

⑤ E부장의 경우 시간 계획을 조정할 수 있도록 준비하려고 한다.

> **TIP**
>
> 모듈형 문제로 시간자원관리 이론을 이해했는지 물어보는 유형이다. 해당 유형은 이해를 바탕으로 이론을 암기하도록 한다.

04

정답 | ④

정답풀이 |

Z프로젝트의 각 과업에 대한 일정을 정리하면 다음과 같다.

A → B → D / C → G / E → F, G

여기서 G의 경우 C, E가 모두 완료된 후 G를 실시해야 한다. 즉, C와 E 중 더 늦게 끝난 과업을 기준으로 G가 실시된다.

A 4일(10/12~15)		B 5일(10/16~20)		D 4일(10/21~24)	
	C 6일(10/13~18)			G 6일(10/21~26)	
	E 7일(10/14~20)			F 5일(10/21~25)	

따라서 모든 작업이 완료되는 날은 G과업이 끝나는 10월 26일이다.

> **TIP**
>
> 퍼트 네트워크 시스템을 이용하되 가지치기 형식이 아닌 도표 형태로 정리하는 것이 더 낫다. 이와 같은 차트를 간트차트라고도 할 수 있지만, 명칭보다 위와 같이 정리할 수 있는 것이 중요하므로 유사한 유형을 연습하도록 한다.

05

정답 | ④

정답풀이 |

일의 우선순위 판단을 위한 매트릭스는 다음과 같다.

	긴급함	긴급하지 않음
중요함	A. 긴급하면서 중요한 일 • 위기상황 • 급박한 문제 • 기한이 정해진 프로젝트	B. 긴급하지 않지만 중요한 일 • 예방 생산 능력 활동 • 인간관계 구축 • 새로운 기회 발굴 • 중장기 계획, 오락
중요하지 않음	C. 긴급하지만 중요하지 않은 일 • 잠깐의 급한 질문 • 일부 보고서 및 회의 • 눈앞의 급박한 상황 • 인기 있는 활동	D. 긴급하지 않고 중요하지 않은 일 • 바쁜 일, 하찮은 일 • 우편물, 전화 • 시간낭비 거리 • 즐거운 활동

따라서 긴급하지만 중요하지 않은 일은 '일부 보고서 및 회의'이다.

TIP

암기형 문제는 풀이하는 데 있어 50초 내로 정답을 고를 수 없다면 무조건 넘어가야 한다.

06

정답 | ③
정답풀이 |

○○프로젝트의 경로는 1가지이고, 다음과 같다. A(3개월)−B(7개월)−C(6개월)−D(4개월)−E(5개월)이고, 총 소요시간은 25개월이다. 단축비용당 단축되는 시간은 다음과 같다.

작업	단축비용 (만 원)	걸리는 시간 (개월)	단축 시간 (개월)	단축비용당 단축 시간
B	30	4	7−4=3	3÷30=0.1
C	25	3	6−3=3	3÷25=0.12
D	15	1	4−1=3	3÷15=0.2
E	25	2	5−2=3	3÷25=0.12

단축비용당 가장 많은 시간을 단축할 수 있는 작업은 D이다. 따라서 ○○프로젝트의 전체 소요시간은 3개월 단축되어, 25−3=22(개월)이 된다.

TIP

해당 문제는 퍼트 네트워크와 관련되어 있지만, 정작 퍼트 네트워크의 주 경로에 대한 내용이 아니다. 경로는 단순하게 주어지므로 문항에 나온 설명을 유심히 읽고 이해해야 한다. 여기서 비용에 따른 단축소요시간은 단축이 되어 총 걸리는 시간을 의미하는 것이 아니라 비용에 따라 단축할 수 있는 시간을 의미한다.

07

정답 | ⑤
정답풀이 |

평균 소요시간 평가 기준인 [평균 소요시간+(평균 소요시간×평균 파손율)]을 적용하면 다음과 같다.

[개선 전]
• 평균 소요시간
  A지역 물류센터 이동+A지역 물류센터 보관+B지역 물류센터 이동+B지역 물류센터 보관+물품 배달=6+15+9+18+8=56
• 평균 소요시간×평균 파손율
  A지역 물류센터 이동×0.4+B지역 물류센터 이동×0.2+물품 배달×0.3=6×0.4+9×0.2+8×0.3=6.6
  → 개선 전 평균 소요시간 평가 기준=56+6.6=62.6

[개선 후]
• 평균 소요시간
  A지역 물류센터 이동+A지역 물류센터 보관+B지역 물류센터 이동+B지역 물류센터 보관+물품배달=5+14+8+15+6=48
• 평균 소요시간×평균 파손율
  A지역 물류센터 이동×0.4+B지역 물류센터 이동×0.2+물품 배달×0.3=5×0.4+8×0.2+6×0.3=5.4
  → 개선 후 평균 소요시간 평가 기준=48+5.4=53.4

따라서 평균 소요시간은 62.6−53.4=9.2(시간)이다.

TIP

평균 소요시간 평가 기준을 얼마나 빠르게 적용할 수 있느냐가 중요하다. 개선 전과 개선 후의 평균 소요시간 말고는 평균 파손율은 동일하다. 이때, 개선 전과 개선 후의 차이만 구하면 되므로 차이 나는 부분만 고려해도 된다. 차이 나는 부분은 다음과 같다.
• 평균소요시간 차이: 1+1+1+3+2=8
• 평균소요시간×파손율 차이: (6−5)×0.4+(9−8)×0.2+(8−6)×0.3=1.2(시간)이다.

08

정답 | ②
정답풀이 |

㉮를 제외하고 모두 숙소로 돌아올 수 있고, ㉮를 들를 수 있는 길은 ㉰−㉮−㉲ 또는 ㉲−㉮−㉰를 제외하고는 없다. 또한, ㉡에서 ㉯를 제외하고 ㉮, ㉰, ㉲ 중 ㉰로만 이동할 수 있다. 또한, ㉯ 역시 ㉡를 제외하고 연결된 교통수단은 ㉮, ㉰, ㉲ 중 ㉲로만 이동할 수 있다.
즉, 크게 ㉯, ㉡, ㉰−㉮−㉲ 또는 ㉲−㉮−㉰로 생각하여 경우의 수를 나누면 된다.

1. ㉰-㉮-㉭인 경우

- 숙소-㉯-㉣-㉰-㉮-㉭-숙소
  =40+40+45+55+65+40=285(분)
- 숙소-㉣-㉰-㉮-㉭-㉯-숙소
  =25+45+55+65+35+40=265(분)
- 숙소-㉰-㉮-㉭-㉯-㉣-숙소
  =20+55+65+35+40+25=240(분)

2. ㉭-㉮-㉰인 경우

- 숙소-㉣-㉯-㉭-㉮-㉰-숙소
  =25+40+35+65+55+20=240(분)
- 숙소-㉯-㉭-㉮-㉰-㉣-숙소(중복)
  =숙소-㉣-㉰-㉮-㉭-㉯-숙소와 동일=265(분)
- 숙소-㉭-㉮-㉰-㉣-㉯-숙소(중복)
  =숙소-㉯-㉣-㉰-㉮-㉭-숙소와 동일=285(분)

따라서 최소 이동시간은 240분이다.

TIP

노선에 대한 경우를 나누는 것이 아니라 연결되는 교통수단이 무엇인지를 먼저 확인해야 한다. 그 후 연결되는 노선을 찾은 후 경우를 나누어보면 6가지 경우가 나오지만, 중복 노선을 제외하면 4가지의 경우가 나온다. 즉, 위와 같은 문제는 무작정 경우의 수를 나열하는 것이 아니라 풀어가는 포인트를 찾는 것이 우선되어야 한다.

기출 유형 5 | 상황판단형_예산자원관리 P. 90

01	02	03	04	05	06	07	08	09
⑤	③	①	③	④	③	⑤	③	②

01

정답 | ⑤

정답풀이 |

올해 마지막 시기에 P사가 X제품만을 생산한다면 (9, −6), (6, −2), (−4, 7)이므로 Q사는 Z제품을 생산하는 것이 가장 이득이다.

오답풀이 |

① P사가 Z제품만을 생산한다면 (1, −5), (4, 11), (−2, 5)이므로 Q사의 기대 수익이 가장 높은 제품은 Y제품일 것이다.

② P사와 Q사 모두 전 제품을 생산하면 수익은 다음과 같다.
- P사는 9+6+(−4)+(−3)+(−3)+4+1+4+(−2)=12(억 원)
- Q사는 (−6)+(−2)+7+7+(−2)+(−5)+(−5)+11+5=10(억 원)

따라서 P사의 수익이 더 높을 것이다.

③ P사의 제품별 기대 수익은 X제품 9+6+(−4)=11(억 원), Y제품 (−3)+(−3)+4=−2(억 원), Z제품 1+4+(−2)=3(억 원)이므로 Y제품이 가장 낮을 것이다. Q사의 제품별 기대 수익은 X제품 (−6)+7+(−5)=−4(억 원), Y제품 (−2)+(−2)+11=7(억 원), Z제품 7+(−5)+5=7(억 원)이므로 X제품이 가장 낮을 것이다.

따라서 P사는 Y제품, Q사는 X제품의 수익이 가장 낮을 것이다.

④ P사와 Q사 모두 Y제품만을 생산한다면 P사(−3)가 Q사(−2)보다 수익이 더 낮다.

TIP

수익체계는 조건에 따라 변화할 수 있는 기대 수익을 계산하는 연습이 필요하다. 어렵진 않지만, 3×3매트릭스 형태로 출제되므로 헷갈릴 수 있기 때문이다.

02

정답 | ③

정답풀이 |

워크숍의 원래 일정은 8/18(금)~8/19(토)일인 성수기이다. 하지만 2주가 늦춰지면서 9/1(금)~9/2(토)인 비수기로 바뀌었다.

- 8/18(금)~8/19(토) 일정의 숙박비용은 36+70+48=154(만 원)

- 남자와 여자 팀장급: 2인 1실 온돌(기준 2/최대 4)×2개 =18만 원×2개=36(만 원)
- 남자직원 16명을 4명/12명으로 나누는 경우와 6명/10명으로 나누는 경우
  [4명/12명으로 나누는 경우]
  온돌(기준 2/최대 4) 18+2=20(만 원)
  온돌(기준 6/최대 12) 44+6=50(만 원)
  → 남자직원 16명 숙박비용 총 70만 원
  [6명/10명으로 나누는 경우]
  침대(기준 4/최대 6) 40+2=42(만 원)
  온돌(기준 6/최대 12) 44+4=48(만 원)
  → 남자직원 16명 숙박비용 총 90만 원
  따라서 남자직원 16명을 4명/12명으로 나누는 경우가 더 저렴하다.
- 여자직원 10명은 모두 한 방으로 들어가면 온돌(기준 6/최대 12) 44+4=48(만 원)
- 9/1(금)~9/2(토) 일정 숙박비용은 32+58+38=128(만 원)
  - 팀장급 2인 1실 온돌(기준 2/최대 4)×2=16×2=32(만 원)
  - 남자직원 16명 중 4명/12명으로 나뉘면
    침대(기준 2/최대 4) 16+2=18(만 원)
    온돌(기준 6/최대 12) 34+6=40(만 원)
    → 남자직원 16명 숙박비용 총 58만 원
  - 여자직원 10명은 모두 한 방으로 들어가면 온돌(기준 6/최대 12) 34+4=38(만 원)
따라서 비용의 차이는 154-128=26(만 원)이다.

다른 풀이 |

비용의 차이만 계산하기
- 팀장급 2만 원×2=4(만 원)
- 남자직원 침대(기준 2/최대 4) 2만 원+온돌(기준 6/최대 12) 10만 원=12(만 원)
- 여자직원 온돌(기준 6/최대 12) 10만 원
추가 인원은 성수기나 비수기나 동일하므로 차이를 구할 땐 계산할 필요가 없다. 따라서 비용의 차이는 4+12+10=26(만 원)이다.

TIP

해당 문제는 차이를 모두 구하는 것보다 정답풀이와 같이 차이 나는 부분만 계산하는 것이 낫다. 또한, 남자직원을 배정할 땐 팀장을 제외한 16명을 4명/12명 또는 6명/10명 중 더 저렴한 비용으로 계산해야 한다.

03

정답 | ①

정답풀이 |

시기별 소비자 선호도를 적용하여 나타내면 다음과 같다.

(단위: 억 원)	B사(X, Y, Z제품)			
A사 (X제품)	1분기 (A사, B사)	2분기 (A사, B사)	3분기 (A사, B사)	4분기 (A사, B사)
	(1.5, 1.5)	(3, 3)	(4.5, 4.5)	(4.5, 4.5)
	(2.5, 6)	(5, 6)	(7.5, 2)	(7.5, 2)
	(2, 6)	(4, 2)	(6, 4)	(6, 6)
A사 대비 B사 최대 수익 제품	Z제품(+4)	Y제품(+1)	X제품(0)	X제품(0) Z제품(0)

따라서 ①의 1분기는 Z제품이다.

TIP

A사의 경우 X제품으로 일정하지만, B사의 X제품, Y제품, Z제품을 모두 고려해야 한다. 즉, 위의 매트릭스에서 1행(A사의 X제품이 있는 행)만 확인하면 된다.

04

정답 | ③

정답풀이 |

'100엔당 환전금액=환율+환전수수료'이므로, '총 환전금액= 150,000엔/100엔×100엔당 환전금액'을 구하면 된다. 즉, 150,000엔을 환전하기 위한 수수료를 구하면 된다.
- 100엔을 환전 시 수수료는 950원×2%×(100%-80%)=3.8(원)이다.
- 100엔을 환전 시 지불해야 할 금액은 950+3.8=953.8(원)이다.
따라서 150,000엔을 환전 시 150,000엔/100엔×953.8원= 1,430,700(원)이다.

다른 풀이 |

- 환전금액(수수료 제외):
  150,000엔/100엔×950원=1,425,000원
- 환전수수료: 150,000엔/100엔×3.8원=5,700원
따라서 150,000엔을 환전 시 지불해야 하는 금액은 1,425,000+5,700=1,430,700(원)이다.

TIP

어려운 문제는 아니지만 주어진 식에 차례대로 값을 적용할 수 있어야 한다. 환전수수료 구하는 방법을 한번쯤 연습해두면 식이 달라지더라도 어렵지 않게 계산할 수 있다.

05

정답 | ④

정답풀이 |

미국 업체에는 미국 달러를 보내는 것(보낼 때)이고, 유럽 업체

로부터는 유로를 받는 것(받을 때)이다. 즉, 가장 높은 수익을 올리기 위해서는 미국 달러 환율(보낼 때)은 낮을수록 이득이고, 유로 환율(받을 때)은 높을수록 이득이다.

- 달러 환율이 낮은 날짜(보낼 때): 12/8(1,290)<12/6(1,295)<12/7(1,299)<12/5(1,307)
- 유로 환율이 높은 날짜(받을 때): 12/6(1,865)>12/8(1,860)>12/5(1,858)>12/7(1,856)

따라서 12/6 또는 12/8이 될 것이다. 12/6과 12/8의 입금 및 출금은 다음과 같다.

구분	미국	유럽(원)	합계(원)
12/6	5 × 1,295 =6,475(만 원)	4 × 1,865 =7,460(만 원)	7,460−6,475 =985(만 원)
12/8	5 × 1,290 =6,450(만 원)	4 × 1,860 =7,440(만 원)	7,440−6,450 =990(만 원)

따라서 12/8에 990만 원으로 가장 높은 수익을 올릴 수 있다.

TIP

미국에 보낼 때와 유럽으로부터 받을 때를 구분한 뒤 미국에 보낼 때는 환율이 낮을수록, 유럽으로부터 받을 때는 높을수록 유리하다. 그럼 12/6 또는 12/8일 것이고, 미국은 12/6(1,295) vs 12/8 (1,290)이고, 유럽은 12/6(1,865) vs 12/8(1,860)으로 둘 다 5씩 차이 나지만, 미국 입금 금액이 유럽 출금 금액보다 더 크므로 더 많은 차이가 날 것으로 생각할 수 있다.

06

정답 | ③

정답풀이 |

김 대리, 이 대리, 박 대리의 출장 여비를 구하면 다음과 같다.

구분	숙박비	식비	일비	교통비	출장 여비
김 대리	실비지급 이므로 150 × 3 =450	70 × 4 =280	60 × 4 =240	1,200	2,170
이 대리	정액지급 이므로 100 × 5 × 0.8 =400	40 × 6 =240	40 × 6 × 1.2 =288	900	1,828
박 대리	실비지급 이므로 160 × 3 =480	60 × 5 =300	50 × 5 × 1.2 =300	700	1,780

따라서 김 대리, 이 대리, 박 대리의 출장여비 총합은 2,170+1,828+1,780=5,778(달러)이다.

07

정답 | ⑤

정답풀이 |

총 5개의 현수막을 설치하고, 5개 중 최소 1개는 80cm×300cm의 현수막을 제작해야 한다.(∵ C건물 앞에 설치하는 현수막은 세로 길이가 400cm 미만이어야 하고, 나머지 현수막은 사이즈에 상관이 없다.)

현수막 크기의 최대비용과 최소비용은 다음과 같다.

현수막 크기 80cm × 300cm (50,000원)	현수막 크기 100cm × 400cm (55,000원)	비용
5	0	250,000원
4	1	255,000원
3	2	260,000원
2	3	265,000원
1	4	270,000원

따라서 가능하지 않은 비용은 ⑤이다.

TIP

일반적으로 비용 값을 여러 개 구해야 하는 경우에는 최솟값부터 차례대로 나열하며 구하는 것이 계산하기에 좋다.

08

정답 | ③

정답풀이 |

총 5개의 현수막을 설치하고, 5개 중 최소 1개는 80cm×300cm를 설치해야 하고, 최소 2개는 1m 이상인 곳에 설치해야 한다.

- 현수막 크기의 최대비용과 최소비용은 다음과 같다.

현수막 크기 80cm × 300cm (50,000원)	현수막 크기 100cm × 400cm (55,000원)	비용
5	0	250,000원
4	1	255,000원
3	2	260,000원
2	3	265,000원
1	4	270,000원

- 현수막 위치에 따른 설치 최대비용과 최소비용은 다음과 같다.

1m 이하 위치 (5,000원)	1m 이상 위치 (8,000원)	비용
3	2	31,000원
2	3	34,000원

| 1 | 4 | 37,000원 |
| 0 | 5 | 40,000원 |

현수막 총 설치비용은 현수막 제작비용과 현수막 위치에 따른 설치비용의 합이다.

따라서 가능하지 않은 비용은 ③이다.

오답풀이 |

① 281,000원=250,000+31,000

② 289,000원=255,000+34,000

④ 302,000원=265,000+37,000

⑤ 310,000원=270,000+40,000

TIP

선택지를 보면 천의 자리 숫자들이 모두 다르다. 그러면 현수막 크기비용의 천의 자리 숫자는 0 또는 5이고, 현수막 위치비용의 천의 자리 숫자는 1, 4, 7, 0이므로 합으로 가능한 숫자는 1, 4, 7, 0과 6, 9, 2, 5가 가능하다.

09

정답 | ②

정답풀이 |

직접비용과 간접비용은 다음과 같다.

직접비용(Direct Cost)	간접비용(Indirect Cost)
• 컴퓨터 구입비 • 빔 프로젝트 대여료 • 재료비 • 건물 임대료 • 인건비 • 상여금 • 출장비 • 여비교통비	• 보험료 • 건물관리비 • 광고비 • 통신비 • 공과금 • 세금 • 복리후생비 • 소모품비 • 사무용품비

주어진 항목 중 광고비, 건물관리비, 통신비, 법인세, 탕비실 물품비는 간접비용에 해당한다. 총 간접비용은 12,000,000+2,100,000+800,000+35,000,000+1,500,000=51,400,000(원)이다.

TIP

직접비용과 간접비용 관련 문제를 푸는 경우 시간이 오래 걸리면 안 된다. 즉, 기계적으로 직접비용과 간접비용을 구분할 수 있게끔 암기해야 한다.

기출 유형 6 | 상황판단형_물적자원관리 P. 110

01	02	03	04	05	06
②	③	④	④	⑤	①

01

정답 | ②

정답풀이 |

물적자원이란 인적자원을 제외한 자연자원과 인공자원이다. 자연자원은 석탄과 석유와 같이 자연 상태 그대로의 자원을 나타내며, 인공자원은 시설 및 장비 등 인위적으로 가공한 자원을 뜻한다.

자료에서 물적자원에 해당하는 항목은 원료비, 기계사용료, 포장비, 보관비이다. 즉 인건비와 납품가는 제외한다.

구분	케이스(20개)	필름(15개)	케이블(12개)
원료비/개	600×20 =12,000(원)	850×15 =12,750(원)	2,400×12 =28,800(원)
기계사용료/h	700×5 =3,500(원)	600×5 =3,000(원)	900×5 =4,500(원)
포장비/개	150×20 =3,000(원)	150×15 =2,250(원)	100×12 =1,200(원)
보관료/h	100×5 =500(원)	100×5 =500(원)	100×5 =500(원)
합계	19,000원	18,500원	35,000원

물적자원의 합은 19,000+18,500+35,000=72,500(원)이다.

다른 풀이 |

단위가 동일한 항목끼리 더하여 계산해도 무방하다.

구분	케이스(20개)	필름(15개)	케이블(12개)
원료비/개 + 포장비/개	(600+150) ×20 =15,000(원)	(850+150) ×15 =15,000(원)	(2,400+100) ×12 =30,000(원)
기계사용료/h + 보관료/h	(700+100) ×5 =4,000(원)	(600+100) ×5 =3,500(원)	(900+100) ×5 =5,000(원)
합계	19,000원	18,500원	35,000원

TIP

바로 계산하면 되는 것이 아니라 물적자원이 무엇인지를 고려한 후 계산해야 한다. 많이 하는 실수 중 하나는 계산 문제가 나오면 계산부터 먼저 하는 행동이다. 즉, 항상 구해야 하는 것이 무엇인지 확인한 후 계산하도록 한다.

02

정답 | ③

정답풀이 |

건물별로 조명등과 파이프는 4개당 1개, 콘센트 2개당 1개, 승강기 부품 3개당 1개의 비율로 불량이므로, 전체가 아닌 건물별로 불량 시설의 개수를 구한다. 또한, 최대 개수이므로 불량 비율로 나누었을 때, 최댓값을 구한다.

구분	조명등	콘센트	승강기 부품	파이프
A동	39	100	13	13
B동	38	110	19	9
C동	47	116	25	16
계	124	326	57	38

따라서 교체 및 보강 작업을 해야 할 시설의 최대 개수는 124+326+57+38=545(개)이다.

TIP

건물별로 불량률이 제시되어 있으므로, 각 시설을 다 더한 후 불량률을 구하면 안된다. 왜냐하면 시설물이 위치해 있는 건물(동)이 다르기 대문이다. 즉, 각 건물에 있는 시설에 대한 불량인 시설을 구해야 하고, 만약 나누어 떨어지지 않는다면 올림하여 최대 개수를 구해야 한다.

03

정답 | ④

정답풀이 |

효과적인 물적자원관리 과정과 각 보기에 해당하는 사항은 다음과 같다. ④의 내년도 다이어리와 올해 다이어리는 동일성의 원칙에 해당되긴 하지만, 사용할 물품과 보관될 물품의 구분이 되어 있지 않다. 따라서 내년도 다이어리와 올해 다이어리는 구분해서 함께 두어야 한다.

> ㉠ 1단계: 사용 물품과 보관 물품의 구분
> • 반복 작업을 피하고 활용의 편리성을 확보하기 위해 사용 물품과 보관 물품을 구분한다.
> → 선택지 ①
> ㉡ 2단계: 동일 및 유사 물품의 분류
> • 동일성의 원칙: 같은 품종은 같은 장소에 보관한다.
> → 선택지 ④
> • 유사성의 원칙: 유사품은 인접한 장소에 보관한다.
> → 선택지 ②
> ㉢ 3단계: 물품 특성에 맞는 보관장소 선정
> • 개별 물품의 훼손을 방지하기 위해 물품의 형상과 소재를 고려하여 안전한 보관 장소를 선정해야 한다.
> → 선택지 ③
> ※ 회전대응 보관의 원칙: 입, 출하의 빈도가 높은 품목은 출입구 가까운 곳에 보관한다.
> → 선택지 ⑤

TIP

이론을 외우되 위와 같은 상황에서 직접 적용할 수 있어야 한다.

04

정답 | ④

정답풀이 |

• A사 vs B사

렌탈 업체 A사와 B사를 비교하면 A사와 B사는 월 기본 매수가 500장(5,000원) 차이 나지만, B사의 월 대여료가 150,000−120,000=30,000(원) 저렴하고, 월 추가 이용료 역시 저렴하므로 추가 매수에 상관없이 항상 B사가 A사보다 저렴하다.

• B사 vs C사

렌탈 업체 B사와 C사를 비교하면 B사와 C사는 월 기본 매수가 4,500장(45,000원) 차이 나지만, B사의 월 대여료가 180,000−120,000=60,000(원) 저렴하고, 월 추가 이용료 역시 저렴하므로 추가 매수에 상관없이 항상 B사가 C사보다 저렴하다.

• A사 vs C사

C사의 월 대여료 및 월 기본 매수가 많으므로 C사 기준 월 대여료와 월 매수로 통일하면 다음과 같다.

구분	A사(장당 12원)	C사(장당 15원)
월 대여료 (원)	150,000	180,000
C사 기준 (월 대여료)	150,000(2,000장) +30,000(2,500장) =180,000(4,500장)	180,000(6,000장)
C사 기준 (월 매수)	150,000(2,000장) +48,000(4,000장) =198,000(6,000장)	180,000(6,000장)
비고	• 4,500장 이하는 A사가 저렴하다. • 월 매수를 통일하면 A사가 18,000원 더 비싸고, 18,000원÷(15원−12원)=6,000(장)이므로, 4,500장 초과 6,000+6,000=12,000(장) 미만까지는 C사가 A사보다 저렴하다. 하지만 12,000장을 넘어서면 C사가 가장 비싸다.	

① 월 4,000장 이용 시 B사가 가장 저렴하다.
→ B사<A사<C사
② 월 5,000장 이용 시 A사가 가장 비싸다.
→ B사<C사<A사
③ 월 6,000장 이용 시 B사가 가장 저렴하다.
→ B사<C사<A사
④ 월 11,000장 이용 시 C사가 가장 비싸다.
→ B사<C사<A사
⑤ 월 13,000장 이용 시 C사가 가장 비싸다.
→ B사<A사<C사

따라서 월 11,000장 이용 시 A사가 가장 비싸다.

05

정답 | ⑤

정답풀이 |

- 제한가격에 해당하지 않는 업체 제거하기
  - 개당 제한가격을 묶음 단위(3개)로 바꾸면 다음과 같다.

구분	A물품	B물품	C물품	D물품	E물품
묶음당 제한가격 (원)	7,650	5,520	5,250	5,550	6,300

  - 아래 업체의 묶음 단위 가격을 확인하면 다음과 같다.

구분	A물품	B물품	C물품	D물품	E물품
가 업체	7,750	5,500	5,200	5,500	6,000
나 업체	7,550	5,400	5,100	5,400	5,950
다 업체	7,650	5,300	5,200	5,500	5,800
라 업체	7,550	5,450	5,150	5,600	6,200
마 업체	7,500	5,350	5,200	5,500	5,900

묶음당 제한가격을 넘지 않는 업체여야 하므로, 가 업체와 라 업체에서는 구매할 수 없다.

- 나 업체, 다 업체, 라 업체 중 저렴한 업체 찾아내기
  - 남은 업체 중에서 업체별 단가를 나 업체(0원)를 기준으로 나열하면 다음과 같다.

구분	A물품	B물품	C물품	D물품	E물품
나 업체	0	0	0	0	0
다 업체	+100	−100	100	100	−150
마 업체	−50	−50	100	100	−50

  - 구매수량은 개수로 나와 있으므로 묶음 단위로 바꾸면 다음과 같다.(∵ 나머지가 나올 경우 올림으로 계산해야 함)

구분	A물품	B물품	C물품	D물품	E물품
구매수량 (묶음)	25	20	15	16	22

  - 구매수량을 적용하면 다음과 같다.

구분	A물품	B물품	C물품	D물품	E물품
나 업체	0	0	0	0	0
다 업체	2,500	−2,000	1,500	1,600	−3,300
마 업체	−1,250	−1,000	1,500	1,600	−1,100

나 업체의 합은 0, 다 업체의 합은 300, 마 업체의 합은 −250 이므로 마 업체가 가장 저렴하다.

TIP

각 업체들에 대한 제한가격과 업체들의 가격을 비교하는 문항이다. 실제 가중치를 적용하는 문제는 아니지만, 가중치를 적용하여 비교하는 형태와 동일하다.

06

정답 | ①

정답풀이 |

최대한 빠르게 생산하기 위해서는 시간당 생산량이 높은 라인을 가동해야 한다. 또한, A생산라인은 상시 가동되고, 동시에 두 라인만 가동될 수 있으므로, (A생산라인+B생산라인)과 (A생산라인+C생산라인) 중 시간당 생산량이 높은 라인을 오랫동안 가동해야 한다.

- 라인별 정상제품 시간당 생산량
  - A생산라인: 200개×80%=160(개)
  - B생산라인: 300개×90%=270(개)
  - C생산라인: 400개×70%=280(개)
  - → C생산라인이 시간당 생산량이 가장 높음
- 동시 가동에 따른 생산량 증대
  - A생산라인+B생산라인: (160+270)×1.2=516(개)
  - A생산라인+C생산라인: (160+280)×1.1=484(개)
  - → A생산라인과 B생산라인이 동시에 가동될 때 시간당 생산량이 더 높음
- 정상제품 14,000개 중 356의 재고가 남아 있으므로 총 13,644개의 정상제품을 생산해야 한다. 또한, (A생산라인+B생산라인)을 최대한 많이 돌려야 하므로 (A생산라인+B생산라인)을 6시간 가동 후 3시간 동안은 (A생산라인+C생산라인)을 가동하고, (A생산라인+B생산라인)을 다시 가동하는 방식으로 진행해야 한다.

생산 라인	6시간	3시간	6시간	3시간	6시간	3시간
A+B	516×6 =3,096		516×6 =3,096		A+B 3,096개	
A+C		484×3 =1,452		484×3 =1,452		484×3 =1,452
누적 합계(개)	3,096	4,548	7,644	9,096	12,192	13,644

따라서 총 27시간 가동하면 총 13,644+356=14,000(개)의 정상제품을 납품할 수 있다.

다른 풀이 |

9시간 가동 후 4,548개의 정상제품이 생산되므로, 9시간마다 4,548개의 정상제품을 생산해 낼 수 있다. 따라서 생산해야 하는 정상제품 13,644개에 가장 가까워 질 수 있는 시간을 생각해 보면 13,644÷4,548(9시간)=3이므로, 정답은 9시간×3=27 (시간)이다.

01	02	03
③	⑤	④

01

정답 | ③

정답풀이 |

최근 3년 동안의 평균 성과평가등급이 우수한 직원은 최근 3년 동안의 성과평가등급의 합이 낮은 직원들을 의미한다.

㉠ 직원들의 전년대비 연봉인상률(%)을 구하면 다음과 같다.

연도 직원	2018	2019	2020	2021
직원 A	−	25	10	5
직원 B	−	20	25	10
직원 C	−	25	5	20
직원 D	−	20	10	15
직원 E	−	15	20	20
직원 F	−	20	10	10

㉡ 구한 연봉인상률이 해당하는 등급은 다음과 같다.

연도 직원	2018	2019	2020	합계
직원 A	1등급	4등급	5등급	10등급
직원 B	2등급	1등급	4등급	7등급
직원 C	1등급	5등급	2등급	8등급
직원 D	2등급	4등급	3등급	9등급
직원 E	3등급	2등급	2등급	7등급
직원 F	2등급	4등급	4등급	10등급

따라서 최근 3년 동안의 평균 성과평가등급이 우수한 직원은 직원 B와 직원 E이다.

※ 연봉인상률이 높은 직원의 평가등급이 가장 우수할 것이므로 2018년 대비 2021년 연봉의 대략적인 증가율을 비교해도 된다.

연도 직원	2018년 (백의 자리 버림 이용)	2018년 대비 2021년 증가율	2021년 (백의 자리 버림 이용)
직원 A	40	대략 60% 이하	57
직원 B	38	대략 60% 이상	62
직원 C	36	대략 60% 이하	56
직원 D	35	대략 60% 이하	53
직원 E	42	대략 60% 이상	69
직원 F	40	대략 60% 이하	58

성과평가등급을 구하려면 해설과 같이 연봉인상률을 이용해 계산한 후 해당하는 등급을 찾아야 한다. 여기서 성과평가등급이 우수하다는 것은 직원들의 연봉인상률이 높은 것을 의미한다. 즉, 3년간의 연봉인상률이 높은 직원은 2018년 연봉과 2021년 연봉을 비교하여 증가율이 높은 직원과 동일할 것이다.

02

정답 | ⑤

정답풀이 |

㉠ 2차 전형에서 가중치를 적용하기 전 A지원자(=0점)를 기준으로 나열하고, 자격증 가점 역시 반영하면 다음과 같다.

구분	PT면접	상황면접	토론면접	직무수행 능력면접	자격증
A지원자	0	0	0	0	변리사 (3)
B지원자	−2	4	−2	4	0
C지원자	−1	2	−2	6	세무사 (2)
D지원자	6	6	−6	−2	0
E지원자	−3	3	−1	3	감정 평가사 (3)

㉡ 2차 전형에서 지원자들이 받은 점수를 PT면접(30점), 상황면접(20점), 직무수행능력면접(25점), 토론면접(25점)에 적용하면 다음과 같다.

구분	PT면접 (0.3)	상황면접 (0.2)	토론면접 (0.25)	직무수행 능력면접 (0.25)	자격증 (1)	합계
A지원자	0	0	0	0	3	3
B지원자	−0.6	0.8	−0.5	1	0	0.7
C지원자	−0.3	0.4	−0.5	1.5	2	3.1
D지원자	1.8	1.2	−1.5	−0.5	0	1
E지원자	−0.9	0.6	−0.25	0.75	3	3.2

E지원자의 2차 전형 점수가 가장 높으므로 최종적으로 E지원자가 선발된다.

※ 만약 각 항목에 0.3, 0.2, 0.25, 0.25를 곱하지 않고, 3, 2, 2.5, 2.5를 곱할 경우에는 자격증 점수 역시 10을 곱하여 30, 0, 20, 0, 30점으로 더해야 한다. 계산하면 다음과 같다.

구분	PT면접 (3)	상황면접 (2)	토론면접 (2.5)	직무수행 능력면접 (2.5)	자격증 (10)	합계
A지원자	0	0	0	0	30	30
B지원자	−6	8	−5	10	0	7
C지원자	−3	4	−5	15	20	31

D지원자	18	12	−15	−5	0	10
E지원자	−9	6	−2.5	7.5	30	32

TIP

2차 전형 점수는 각각의 항목이 100점 만점으로 기입되어 있으나 각 면접의 비중을 고려해야 한다. 즉, 각 면접에 나와 있는 반영 점수에 가중치를 적용해야 한다. 또한, 지원자 1명을 기준(=0점)으로 세워 차이를 이용한 크기 비교하기를 이용한다. 이때, 자격증의 경우 자격증 유무에 따른 점수이므로 비중을 고려할 필요가 없다.

03

정답 | ④

정답풀이 |

2015년 4월 9일에 입사한 유 대리는 올해 인사고과 기준(22.06.30)에 의해 7년 이상 근무했으므로 경력평점은 10점이다. 내년 승진을 위해 인사고과에 반영되려면 자격증으로 4점이상 획득해야 한다. 자격증에 따른 점수는 다음과 같다.

구분	A자격증	B자격증	C자격증	D자격증	E자격증	F자격증
점수	1.5점	1.5점	1점	1점	1.5점	2점
교육 이수 기간	1점	0점	1점	0.5점	0점	0점
합계	2.5점	1.5점	2점	1.5점	1.5점	2점

그런데 올해 인사고과 반영기준이 정립된 날이 22.06.30이므로 22.12.31까지는 6개월이 남아 있다. 6개월 이상 시간이 걸리는 자격증을 선택할 수 없으므로 A자격증은 배제된다.
그렇다면 4점 이상을 획득할 수 있는 자격증은 C자격증과 F자격증을 동시에 취득하는 것이다.

TIP

먼저 시간에 따른 기준을 고려해야 한다. 올해 인사고과 반영기준이 정립되었으므로 현재는 22.06.30.이다. 또한, 교육 이수기간 역시 금일을 기준으로 해야하므로 22.06.30~22.12.31까지의 기간인 6개월을 초과하는 자격증 점수를 획득할 수 없다.

01	02	03	04	05
②	③	⑤	③	④

01

정답 | ②

정답풀이 |

자격증은 점수가 가장 높은 1개만 인정한다.

오답풀이 |

① 국가유공자 가산점 10%를 고려하면 서류평가에서 받을 수 있는 최대 점수는 110점이다.
③ 신원확인과 건강검진에서 결격사유가 있으면 불합격 처리를 받을 수도 있으므로 서류평가와 면접평가 합산 점수로만 최종 합격자를 선정한다고는 볼 수 없다.
④ 50인 이상 단체급식조리 경력이 없는 경우 경력 점수는 부여되지 않는다.
⑤ 자격증 점수가 면접평가 점수보다 높은 것은 맞으나, 서류평가에서 탈락한 경우 더 유리한지는 판단할 수 없게 된다. 따라서 반드시 유리하다고 보기 어렵다.

02

정답 | ③

정답풀이 |

서류평가 60점, 면접평가 11점으로 합산 점수는 71점이다.
서류평가의 자격증 점수는 중식 조리기사 자격증만 인정되어 40점, 경력 점수는 200인 규모 고등학교 급식조리 경력 1년 6개월만 인정되어 20점이므로 합계 점수는 60점이다. 이때 서류평가 가산점 10%는 본인이나 부모가 국가유공자인 경우에만 부여하므로 할아버지가 국가유공자인 A씨는 해당사항이 없다. 면접평가 점수는 $3×2+2×2+1=11$(점)이다. 따라서 A씨의 서류평가와 면접평가의 합산 점수는 $60+11=71$(점)이다.

03

정답 | ⑤

정답풀이 |

주어진 표에 따르면 일본뇌염은 IJEV(불활성화 백신)과 LJEV(약독화 생백신)으로 나누어지고 각 접종 횟수 역시 5회와 2회로 나누어짐을 알 수 있다. 이중 불활성백신의 4차와 5차 접종은 추가에 해당하므로 두 백신 모두 기본 접종은 생후 35개월에 완료됨을 알 수 있다.

오답풀이 |

① 표에 따르면 HPV는 만12세까지 접종해야 하는 예방접종이 므로 가장 늦게까지 접종해야 하는 기본 예방 접종에 해당한다. 하지만 IIV 역시 매년 접종해야 하는 것이므로 '가장 늦게'라고 보기 어렵다.

② 제시된 자료의 마지막 부분을 참고하면 국가예방 접종은 '재원을 마련하여 지원하고 있다'고 하였으므로 모두 무료임을 알 수 있다. 유료로 진행되는 예방접종은 기타 예방접종에 해당한다.

③ 표 아래 참고사항에 따르면 HepB(B형간염)을 출생 후 12시간 이내에 접종해야 하는 경우는 임신중 B형간염 표면항원이 양성인 산모로부터 출생한 신생아에 한하여 진행된다. 따라서 가정에서 태어난 모든 신생아가 12시간 내에 접종할 필요는 없다.

④ 주어진 자료에서 혼합 백신 사용이 각 성분의 개별 접종보다 더 선호된다는 정보는 찾을 수 없다.

04

정답 | ③

정답풀이 |

㉠ 글의 첫 문장인 '○○일보는 적게 벌고 적게 쓰는 젊은이들을 소개하며 그들에게 '달관세대'라는 이름을 붙였다'를 통해 ○○일보가 한국 청년 중 '적게 벌고 적게 쓰는 젊은이'를 '달관세대'라고 명명했을 뿐, 지금의 한국 청년 세대의 전반을 아우르는 언어 표현을 사용한 것은 아니다.

㉡ 글의 마지막 문장에 따르면 세대론이 만들어지는 과정에서 세대를 바라보는 시각이 반영되며 이 이름들은 각 세대의 가치에 영향을 주기도 한다고 하였다. 즉 가치에 영향을 줄 수도 아닐 수도 있으므로 그 세대의 가치에 영향을 준다고 단언하기 어렵다.

㉢ 세 번째 문단에서 '달관세대의 원형인 일본의 사토리세대와 단순 비교도 어렵다'고 하였으며, 두 세대의 달관 정도의 비교 내용을 주어진 글에서는 찾을 수 없으므로 추론할 수 없는 내용이다. 즉 옳지 않은 추론에 해당한다.

오답풀이 |

㉣ 세 번째 문단에서 우리의 달관세대와 일본의 사토리세대를 단순 비교할 수 없는 이유로 일본은 우리보다 높은 최저임금이 지급되기 때문에 생계를 꾸려갈 수 있는 최소한의 조건이 마련돼 있다고 지적하고 있다. 즉 일본 사토리세대는 일본의 경제 상황으로 인해 최소한의 생계를 꾸려가는 데 어려움이 없음을 추론할 수 있다.

TIP

'알 수 없는 내용'은 옳은 내용은 될 수 없지만, 옳지 않은 내용은 될 수 있다.

05

정답 | ④

정답풀이 |

고객이 묻고 있는 것은 '돌보미의 연락처'인데, 연락처를 몰라도 채팅을 통해 연락이 가능하다고 답변하고 있으므로 질문에 대한 정확한 답변이 아니다. 제시된 자료에 따르자면, '돌보미의 연락처'에 대한 정확한 사항은 알 수 없다고 해야 한다.

오답풀이 |

① [아이돌봄서비스 모바일앱 개선 내용]에 따르면, 돌봄페이를 이용하면 간편하게 실시간 결제가 가능하다고 나와 있다.

② [아이돌봄서비스 모바일앱 개선 내용]에 따르면, 계좌이체 시 현금영수증은 은행을 통해 처리가능하다고 나와 있다.

③ 세 번째 □의 마지막 항목에 따른 답변으로 적절하다.

01	02	03	04	05	06	07
③	④	③	④	②	②	③

01

정답 | ③

정답풀이 |

ⓒ 제17조 제1항에서 언급된 원자재 수급불균형 상황에 해당하므로 수급인의 귀책사유가 아니며, 이 경우 수급인은 도급인에게 공사기간의 연장을 요구할 수 있다고 규정하고 있다.

ⓔ 제18조에서 설계서에 적합하지 아니한 부분이 있을 때에는 도급인은 수급인에게 시정을 요구할 수 있으나, 도급인의 요구 또는 지시에 의한 때에는 수급인이 책임지지 않는다고 규정하고 있다.

오답풀이 |

ⓐ 제19조에 따르면 불가항력에 의해 기성부분에 손해가 발생한 때에는 다음 두 가지 경우에 도급인이 손실을 부담하며, 그 외 기타부분은 도급인과 수급인이 협의하여 결정한다고 규정하고 있다.

    – 기성검사를 필한 경우

    – 기성검사를 필하지 아니한 부분 중 객관적인 자료(감독일지, 사진 등)에 의하여 이미 수행되었음이 판명된 경우

    따라서 서류상 검사가 완료된 기성부분이 아니라도 객관적으로 입증될 경우, 반드시 수급인이 모두 재시공의 책임을 져야한다고 볼 수는 없다.

ⓒ 제20조에 따르면 도급인은 변경사항에 대하여 변경계약서 등을 수급인에게 교부해야 하나, 만일 교부하지 않은 경우에는 수급인이 이에 대한 확인 서류를 도급인에게 보낼 수 있으며, 도급인이 인정 의사를 서면으로 통보하면 변경사항이 인정된다고 규정하고 있다.

02

정답 | ④

정답풀이 |

제2조 제1항에 따르면 당직근무자는 당직근무 개시 시간 30분 전 당직명령자에게 당직 신고를 해야 한다. 평일의 당직근무 개시 시간은 정상근무시간이 종료되는 17:00이므로 30분 전인 16:30, 즉, 오후 4시 30분에 당직 신고를 한다. 당직명령은 지원관리과장이 발령하므로 당직명령자는 지원관리과장이다. 따라서 평일 당직근무자는 오후 4시 30분에 지원관리과장에게 당직 신고를 한다.

오답풀이 |

① 금요일 숙직근무자는 토요일 09:00에 토요일 당직근무자와 교대를 한다. 토요일 09:00~17:00의 당직근무는 일직이므로 금요일 숙직근무자는 토요일 숙직근무자가 아닌 일직근무자와 교대한다.

② 출장 등으로 당직 근무를 할 수 없는 직원은 3일 이내 당직 담당(지원관리팀)에게 이의 사실을 통보해야 하고, 그렇지 않을 경우 다음 당직 순을 명절이나 공휴일 등으로 편성한다. 따라서 출장으로 당직을 하지 못한 직원의 다음 당직이 반드시 명절이나 공휴일이라고 할 수 없다.

③ 장기간 교육으로 당직근무를 하지 못하게 된 경우 사유 발생 3일 이내에 당직담당에게 이의 사실을 통보해야 한다.

⑤ 일요일 다음 날은 월요일이고, 월요일은 토요일 및 공휴일이 아니므로 일직근무자가 없다. 따라서 일요일에 숙직근무를 한 사람은 당직근무를 마칠 때 주무부서에 인계한다.

03

정답 | ③

정답풀이 |

임신 6개월 이내인 배우자를 둔 직원은 당직근무 유예 대상이 아니다.

오답풀이 |

① 제3조 제2항에 따르면 신규임용자는 당직편성을 1개월 이내 유예할 수 있다고 하였으므로 신규임용일로부터 1개월 이내인 자는 당직에서 유예된다.

② 제5조 제3항에 따르면 정보화기획담당관 통합관제실 근무자는 자체 당직근무를 운영하므로 당직에서 유예된다.

④ 제5조 제8항에 따르면 신체적 결함으로 진단서 제출 후 당직 명령권자의 승인을 받은 자는 일정 기간 당직에서 유예된다.

⑤ 제5조 제2항에 따르면 부장 이상은 당직에서 유예된다.

04

정답 | ④

정답풀이 |

호우가 지나간 후에는 구조적 붕괴가능성을 반드시 점검한 후, 집에 들어가야 한다.

05

정답 | ②

정답풀이 |

호우 주의보 및 경보 시 감전의 위험이 있으므로 집 안팎의 전

기수리는 하지 말아야 한다.

TIP

해당 유형에서는 일반적인 제시문 외에도 법조문, 규정문, 지시문 등과 같이 규정 및 지침에 관한 지문이 제시된다. 이러한 경우, 지문의 처음부터 끝까지 모두 읽을 필요는 없다. 문제를 빠르게 해결하기 위해서는 먼저 각 선택지에 제시된 핵심 단어를 파악한다. 그리고 지문에서 해당 단어 또는 내용이 제시된 부분만 발췌하여 옳고 그름 여부를 빠르게 판단한다. 만약 해당 유형에 취약한 경우, 제시된 자료에서 필요한 부분만 효율적으로 발췌하여 문제를 해결할 수 있는 능력을 기르는 것이 중요하다. 따라서 지문을 발췌독하여 문제를 풀이하는 연습을 꾸준히 할 수 있도록 한다.

06

정답 | ②

정답풀이 |

ⓒ 제5항의 '보안협의회의 위원장이 부득이한 사유로 그 직무를 수행할 수 없을 경우에는 위원장이 지명한 위원이 그 직무를 대행한다'를 통해 알 수 있다.

ⓒ 제3항에서 '제2항 제2호에 따른 위촉위원의 임기는 2년으로 한다'고 하였으므로 위원 중 국토교통부 장관이 위촉한 위원들은 2년 주기로 새롭게 위촉됨을 알 수 있다.

오답풀이 |

ⓐ 2항에 따르면 '보안협의회의 위원장은 국토교통부 항공정책실장이 된다'고 하였으므로 국토교통부 장관이 별도로 지정한다고 보기 어렵다.

ⓓ 보안협의회 위원장이 의결된 사항을 국토교통부장관에게 보고해야하는지 여부는 주어진 법조항을 통해서는 알 수 없다.

07

정답 | ③

정답풀이 |

야간 대학을 다니는 것은 자기계발에 해당되는 것이며, 언급된 '업무 내 · 외적으로 조화로운 직장생활'은 매우 광범위하고 추상적인 것으로 판단 가능하므로 조기퇴근을 신청할 수 있다.

오답풀이 |

① 시차출퇴근 A, B, C형은 출퇴근 시간에 차이가 있을 뿐, 근무시간은 모두 동일하다. 또한 시간선택제도 조기퇴근에 따른 근무시간을 해당 월에 정산해야 하므로 두 가지 모두 월간 근무시간에는 변함이 없다.

② 시간선택제는 월 2회 사용 가능하며, 회당 1시간부터 3시간까지 단축할 수 있으므로 월간 정산 근무시간은 최대 6시간

이 된다.

④ 제19조 제3항에 해당되는 경우 부서의 장은 탄력근무 신청을 승인하지 않을 수 있다.

⑤ 조기퇴근일은 승인권자가 월 2회의 범위에서 승인한다고 규정되어 있다.

기출 유형 1 | 논리·명제형　　　　P. 154

01	02	03	04	05	06	07	08	09	10
④	③	④	⑤	④	②	④	④	③	③

01

정답 | ④

정답풀이 |

주어진 글의 내용을 기호화하면 다음과 같다.

1) A → B
2) B → ~D
3) C → ~E
4) ~D → C
5) ~E → D

1)~5)를 연결하면 'A → B → ~D → C → ~E → D'를 이끌어 낼 수 있다. D의 정보가 모순되므로 A는 파견하지 않는 것으로 확정된다. B 역시 파견되지 않으며, C의 경우는 모두 가능하다. D의 경우 파견되지 않게 되면 또 모순이 일어나므로 D는 파견하게 된다. E 역시 모두 가능하다.

정리하면 A, B는 파견하지 않고, D는 파견해야 하며, C, E는 확정되지 않았다. 그런데 ④를 기호화하면 '~C → ~E(≡ E → C)'인데, 이는 3)의 대우(≡ E → ~C)와 모순이 일어난다. 따라서 모든 사무관의 파견 여부를 확정지을 수 없으므로 적절하지 않다.

오답풀이 |

① 기호화를 하면 '~A → C'가 된다. 이를 통해 C가 파견이 되고 3)에 의해 E는 파견이 되지 않으므로 모든 사무관의 파견 여부가 확정지을 수 있게 된다.

② 기호화하면 '~B → C'가 된다. 이를 통해 C가 파견이 되고 3)에 의해 E는 파견이 되지 않으므로 모든 사무관의 파견 여부를 확정지을 수 있게 된다.

③ 기호화하면 '~C → ~D'가 된다. 이를 대우하면 'D → C'이므로 D가 파견되면 C가 파견되고 이어서 3)에 의해 E는 파견이 되지 않으므로 모든 사무관의 파견 여부를 확정지을 수 있게 된다.

⑤ 기호화하면 'D∨E → C'가 된다. D가 파견되는 것으로 확정되었으므로 C가 파견되고 3)에 의해 E는 파견이 되지 않으므로 모든 사무관의 파견 여부를 확정지을 수 있게 된다.

02

정답 | ③

정답풀이 |

주어진 글의 내용을 기호화하면 다음과 같다.

1) 공직 자세 → 리더십≡~리더십 → ~공직 자세
2) 글로벌 → 직무∧전문성≡~직무∨~전문성 → ~글로벌
3) ~리더십∨~전문성

ㄱ. ~공직 자세∨~ 글로벌: 이 중 1)과 2)를 대우한 내용의 전건이 3)과 연결되므로 도출된다.

ㄴ. ~ 직무 → ~글로벌: 2)의 대우명제와 일치한다.

오답풀이 |

ㄷ. ~ 공직 자세: 1)의 대우명제에서 전건이 참이어야만 해당 내용이 반드시 참이 된다. 하지만 주어진 명제만으로 전건의 참을 반드시 이끌어 낼 수 없다.

03

정답 | ④

정답풀이 |

주어진 조건을 기호화하면 다음과 같다.

1) A → ~B
2) ~B → ~C
3) ~D → C
4) ~A → ~E
5) ~E → ~C

1)+2)을 통해 A → ~C를 구할 수 있고, 4)+5)를 통해 '~A → ~C'를 이끌어 낼 수 있다. 두 명제는 딜레마(양도 논법)에 따라 ~C라는 결론을 도출할 수 있다. 3)을 대우하면 ~C → D를 이끌어 낼 수 있다. 즉 갑이 반드시 수강해야 할 과목은 D이다.

04

정답 | ⑤

정답풀이 |

주어진 조건을 기호화하면 다음과 같다.

1) 세 명 이상 배치되는 도시는 없다. 즉 도시별 1~2명의 수습 사무관이 배치된다.

2) 각 수습 사무관은 두 도시 이상에 배치되지 않는다. 즉 하나의 도시에 배치된다.

3) 갑 A → ~을 C

4) ~갑 B / 갑 A, C, D

5) 을=병

6) 병 B → ~갑 D

7) D는 한 명/ 5)로 인해 '갑, 정'만 가능

갑에 대한 명제가 많으므로 이를 기준으로 살펴보면 4)를 통해 갑은 A, C, D 중 한 곳에 배치된다.

- 갑이 A시에 배치된 경우: 3)에 의해 을은 C에 배치되지 않는다. 5)+7)에 의해 을과 병은 D에 배치되지 않으므로 두 사람은 B시에 배치된다. 그래서 남은 정이 D에 배치된다.
- 갑이 C시에 배치된 경우: 5)+7)에 의해 을과 병은 D시에 배치되지 않으므로 A시 혹은 B시에 배치된다. 정은 D시에 배치된다.
- 갑이 D시에 배치된 경우: 5)+7)에 의해 을과 병은 D시에 배치되지 않으므로 A시, B시, C시 중 한 곳에 배치된다. 이때 병이 B시에 배치되면 갑은 D시에 배치되지 않으므로 을과 병은 A시 혹은 C시에 배치된다. 정은 남은 도시에 배치된다.

오답풀이 |

① 갑이 C시에 배치되면, 병은 A시에 배치될 수도 있지만, B시에 배치될 수도 있으므로 반드시 참은 아니다.

② 대우를 통해 정이 D시에 배치되지 않는 경우인 갑이 D시에 배치된 경우를 보면, 을은 A 또는 C시에 배치되므로 반드시 참은 아니다.

③ 대우를 통해 갑이 D시에 배치되면, 병은 A 혹은 C시에 배치되므로 반드시 참은 아니다.

④ 정이 D시에 배치되면 갑은 A 혹은 C시에 배치되므로 반드시 참은 아니다.

TIP

선택지가 모두 조건문일 때는, 전건을 〈조건〉에 매칭하여 후건이 도출되는지 확인하는 식으로 접근할 수 있다.

05

정답 | ④

정답풀이 |

주어진 글의 내용을 기호화하면 다음과 같다.

1) 개인건강정보 → 보건정보

2) 국민건강 재편 → 개인건강정보∧보건정보

3) 개인건강정보∧최팀장 → 손공정

4) 보건정보 → 국민건강 재편∨보도자료 수정

5) ~(최팀장 → 손공정)

함축규칙에 따라 가언명제인 'A → B'는 '~A∨B'와 논리적 동치이다. 따라서 5)의 가언명제들을 함축규칙에 따라 수정하면 '~(~최팀장∨손공정) → 최팀장∧~손공정'임을 알 수 있다.

3)을 대우(~손공정 → ~개인건강정보∨~최팀장)하면 ~개인건강정보'를 도출할 수 있게 된다.

2)를 대우하면 드모르간법칙에 따라 '~개인건강정보∨~보건정보 → ~국민건강 재편'을 이끌어낼 수 있다. 3)을 통해 이를 확정지을 수 있다. '보건정보'와 '보도자료 수정'은 확정지을 수 없다.

ㄴ. ~국민건강 재편∧최팀장: 위의 해설을 통해 모두 이끌어낼 수 있는 명제들이므로 반드시 참이 된다.

ㄷ. 보건정보 → 보도자료 수정: 4)를 통해 '보건정보 → 국민건강 재편∨보도자료 수정'이므로 가능한 추론이다.

오답풀이 |

ㄱ. ~개인건강정보∧~보건정보: '~개인건강정보'는 확정지을 수 있지만, '~보건정보'는 확정지을 수 없다.

06

정답 | ②

정답풀이 |

주어진 글의 내용을 기호화하면 다음과 같다.

1) A∧B∧C → D∨E

2) C∧D → F

3) ~E

4) F∨G → C∧E

5) H → ~F∨~G

확정된 조건이 3)이므로 이를 기준으로 풀이해야 한다.

4)를 대우하면 드모르간의 법칙에 따라 '~C∨~E → ~F∧~G'을 도출할 수 있다.

이를 통해 'E, F, G'는 불참함을 알 수 있다.

그리고 2)를 대우하면 '~F → ~C∨~D'에 의해 C 또는 D 중 한 명은 참석하지 않음을 알 수 있다. 이때 A, B, C가 참석하면 D도 참석하게 되므로 C는 참석하지 않고 D가 참석함을 알 수 있다. 그 외에 A, B, H의 경우에는 조건이 충분하지 않아 불참 여부를 확정 지을 수 없다. 따라서 확정된 불참자가 C, E, F, G 4명이므로 최대 참석 인원은 4명이 된다.

07

정답 | ④

정답풀이 |

ㄴ. 을은 '모든 A는 B이다'를 약한 의미인 'A는 B에 포함된다'로 이해해야 하는데, 강한 의미인 'A는 B에 포함되고 또한 B는 A에 포함된다'로 이해하는 것이 잘못되었다고 하였다. 주어진 논증 역시 '모든 A는 B이다. 모든 A는 C이다. 따라서 모든 B는 C이다'로 형태를 띠고 있다. 즉 강한 의미로 이해하여 'A와 B는 동일하고, A와 C가 동일하므로, B와 C는 동일하다'는 잘못된 결론을 내리고 있다. 따라서 해당 논증은 을의 입장에 의해 설명이 가능하므로 적절한 판단이다.

ㄷ. 병은 전제가 모두 '모든 A는 B이다'의 형태를 띤다면 결론도

그런 형태이기만 하면 타당하다고 생각하고. 전제 가운데 하나가 '어떤 A는 B이다'의 형태를 띤다면, 결론도 그런 형태이기만 하면 타당하고 생각하는 경향이 잘못이라고 보았다. 주어진 논증 역시 '모든 A는 B이다. 어떤 C는 B이다. 따라서 어떤 C는 A이다'의 형태를 띠고 있다. 즉 전제가 모두 '모든'의 형태가 아니고, '어떤'이 들어갔음에도 '어떤'의 형태로 결론을 내려 참이라고 본 잘못된 논증의 형태를 띠고 있다. 따라서 해당 논증은 병의 입장에 의해 설명이 가능하므로 적절한 판단이다.

오답풀이 |

ㄱ. 갑은 '어떤 A도 B가 아니다'와 '어떤 A는 B이다'의 형태는 A와 B의 자리를 바꾸어도 되지만, '모든 A는 B이다'를 '모든 B는 A이다'로 바꾸면 논리적 오류가 생긴다고 하였다. 그런데 주어진 논증은 '어떤 A는 B이다. 어떤 C도 A가 아니다. 따라서 어떤 C도 B가 아니다'로, 갑의 입장과는 다른 형태를 띠고 있으므로 적절한 판단이라고 보기 어렵다.

08

정답 | ④

정답풀이 |

주어진 글에 따르면 '도박사의 오류 A'는 '지금까지 일어난 사건을 통해 미래에 일어날 특정 사건을 예측할 때' 일어나는 오류이다. 즉 매번 같은 확률을 지녔음에도 과거 사건을 근거로 미래 사건을 예측하는 것이다.
'도박사의 오류 B'는 '현재에 일어난 특정 사건을 통해 과거를 추측할 때' 일어나는 오류이다. 즉 현재의 사건을 근거로 과거의 사건을 예측하는 것이다.

ㄴ. 현재(오늘) 구입한 복권이 당첨되었다는 것을 근거로 과거에 복권을 많이 샀다고 예측하고 있으므로 도박사의 오류 B의 사례로 보는 것은 적절한 추론이다.

ㄷ. 과거(어제) 복권이 당첨된 사실로부터 그 복권 자체가 당첨 확률이 높았다고 예측하는 것은 과거의 사건을 바탕으로 과거에 일어날 사건을 예측한 것이므로 어떤 오류에도 해당하지 않다고 보는 것은 적절한 추론이다.

오답풀이 |

ㄱ. 도박사의 오류 A에 해당하려면 과거의 사건을 근거로 미래 사건을 예측해야 한다. 하지만 사례는 지금까지 일어난 사건을 통해 미래를 예측하고 있는 것이 아니므로 적절한 추론이라고 보기 어렵다.

09

정답 | ③

정답풀이 |

주어진 글에서 제시한 '논리적 오류'는 '증거의 없음'을 '없음의

증거'로 오인하는 경우를 이른다. 그런데 어떤 피의자에게 확실한 알리바이가 있음을 확인한 것은 그 피의자가 범죄 현장에 있지 않았다는 확실한 증거가 되므로, 이는 '증거의 없음'을 '없음의 증거'로 오인하는 사례로 볼 수 없다.

오답풀이 |

① '우리 몸의 세포들을 모두 살펴보지 않은 이상 암세포가 없다고 결론지을 수 없다는 것'처럼 모든 물질을 조사하지 않은 이상 전기 저항이 0인 물질은 없다고 단정할 수 없다. 따라서 주어진 글에 제시된 논리적 오류의 사례로 적절하다.

② '수십 년이 지난 후에, 유아기에 모유를 먹지 않은 사람들은 특정 암을 비롯하여 여러 가지 질병에 걸릴 위험성이 높다는 사실이 밝혀진 것'과 같이 술과 담배로 인한 어떤 신체 이상도 발견되지 않았다고 해서 그 사람에게 술과 담배가 무해하다고 단정하는 것은 '증거의 없음'을 '없음의 증거'로 오인하는 사례로 적절하다. 따라서 주어진 글에 제시된 논리적 오류의 사례로 적절하다.

④ '우리 몸의 세포들을 모두 살펴보지 않은 이상 암세포가 없다고 결론지을 수 없다는 것'처럼 모든 발광체를 조사한 것은 아니므로, '증거의 없음'을 '없음의 증거'로 오인하는 사례에 해당한다. 따라서 주어진 글에 제시된 논리적 오류의 사례로 적절하다.

⑤ 지금까지의 관찰 결과, 외계 지적 생명체가 발견되지 않았으므로 그 대상이 존재하지 않는다고 하는 것은 '증거의 없음'을 '없음의 증거'로 오인하는 사례로 적절하다. 따라서 주어진 글에 제시된 논리적 오류의 사례로 적절하다.

10

정답 | ③

정답풀이 |

주어진 대화 내용을 기호화하면 다음과 같다.
1) 서의: 경제 → 법률 ≡ ~법률 → ~경제
2) 승민: 행정 → ~법률 ≡ 법률 → ~행정
3) 승민: ~경제m∧~법률m∧철학m
4) 승범: 법률m∧철학m
5) 승범: 철학m∧~행정m∧~경제m
6) 승민: (㉠)
7) 서의: 철학m∧~경제m∧~법률m∧~행정m
8) 승범: 경제m∧법률m∧철학m∧~행정m
대화를 보면 전제인 1)~6)을 바탕으로 결론인 7)과 8)을 이끌어내야 한다. 7)을 도출하기 위해서는 3)에서 '~행정'만 추가하거나 5)에서 '~법률'을 추가하면 된다. 따라서 ② 또는 ③이 정답이 될 수 있다. 8)을 도출하기 위해서는 2)+4)를 통해 '~경제'를 배제해야 한다.
②는 '~행정∧~철학'이므로 5)를 통해 '경제'를 배제할 수 있으므로 결론 8)이 도출되지 않는다. 반면 ③은 '~법률∧~철학'은 배제할 수 없기 때문에 정답이 될 수 있다.

'사람도' 있다는 것은 존재한다는 의미이고 이는 명제 '어떤'에 해당한다. '어떤'은 존재한다는 것이므로 '어떤 A는 B이다'와 같은 I명제는 'A∧B'로도 기호화 가능하다. 더불어 '있다'는 것은 논리상 '존재한다'는 것을 의미하므로 1명 이상 존재함을 염두에 두어야 한다.

01	02	03	04	05	06	07	08
②	①	③	⑤	④	⑤	③	⑤

01

정답 | ②

정답풀이 |

주어진 진술을 기호화하면 다음과 같다.

- 갑: 갑, 환경부 → 을, 환경부
- 을: 을, 환경부 → 병, 통일부
- 병: ~갑, 환경부 → 무, 통일부∧병, 통일부
- 정: ~병, 통일부∧갑, 환경부
- 무: 갑, 통일부∧정, 교육부

사무관은 하나의 부서에 배치되고, 진술 중 1명의 예측만 그르고 나머지 4명의 진술은 옳다. 진술 중 '갑'이 배치되는 부서에 대한 정과 무의 진술이 모순되므로 이를 바탕으로 풀이가 가능하다.

- 정이 참, 무가 거짓일 때: 갑이 환경부에 배치되고 병은 통일부에 배치되지 않는다. 갑과 을의 진술에 따라 을은 환경부에 배치되고 병은 통일부에 배치되어야 한다. 이 경우 정의 진술과 모순이 일어나므로 반드시 참이라고 볼 수 없다.
- 정이 거짓, 무가 참일 때: 갑은 통일부, 정은 교육부에 배치된다. 그리고 병의 진술에 따라 무는 통일부, 병 역시 통일부에 배치된다. 을의 배치에 대해서는 알 수 없다.

따라서 을은 환경부에 배치될 수도 있겠으나 통일부, 교육부로도 배치될 수 있으므로 항상 참이라고 할 수 없다.

TIP

참, 거짓 유형에서 첫 번째로 고려되어야 할 사항은 거짓이 몇 명인가와 모순을 가진 진술이 있는가이다. 모순을 가진 진술이 있다면 비교적 빠른 풀이가 가능하다.

고난도 풀이법 |

정과 무의 진술이 모순관계이므로 나머지 갑, 을, 병의 진술은 참이 된다.

논증 구조 중에서

> A이면 B이다.
> A가 아니면 B이다.
> 따라서 B이다.

가 존재한다. 이를 바탕으로 본다면 갑과 을의 진술을 정리하여 '갑, 환경부 → 병, 통일부'를 이끌어 낼 수 있고,

'~A∨B' 역시 진릿값이 같으므로 병의 진술인 '~갑, 환경부 → 무, 통일부∧병, 통일부'는 위의 논증 구조와 같은 형태를 띠게

된다. 이를 통해 병이 통일부에 배치되는 것이 확정되므로, 정의 진술이 거짓임을 확정지을 수 있다.

02

정답풀이 |

주어진 진술을 기호화하면 다음과 같다.
• 가인: 을현, 행정안전부∧병천, 보건복지부
• 나운: 을현, 행정안전부 → 갑진, 고용노동부
• 다은: ~을현, 행정안전부 → 병천, 행전안전부
• 라연: 갑진, 고용노동부∧병천, 행정안전부

조건에 따라 3명이 각 부서에 한 명씩 배치됨을 알 수 있고 거짓은 1명이므로 모순관계를 따라 풀이가 가능하다. 가인과 라연의 진술이 모순되므로 나머지 진술은 참임을 알 수 있다. 더불어 단정적 진술 중에서 병천의 배치에 대한 정보가 많으므로 이를 기준으로 풀이하면 다음과 같다.(을현에 대한 정보는 가정적 진술이므로, 후순위에 해당한다.)
• 병천이 보건복지부로 배치될 경우: 가인의 진술이 참이라고 가정하면 을현은 행전안전부에 배치되고, 병천은 보건복지부에 배치된다. 따라서 남은 갑진은 고용노동부에 배치된다. 이때 나머지 나운과 다은의 진술도 모순되지 않으므로 반드시 참이 된다.
• 병천이 행정안전부로 배치될 경우: 라연의 진술이 참이라고 가정하면 갑진은 고용노동부에 배치되고, 병천은 행정안전부에 배치된다. 따라서 을현은 보건복지부에 배치되므로 다은의 진술을 대입하면 모순이 일어나지 않는다.
ㄱ. 어떠한 경우에서든 갑진은 고용노동부에 고용되므로 반드시 참이 된다.

오답풀이 |

ㄴ. 을현은 행정안전부에 배치될 수도 있지만, 보건복지부에 배치될 수도 있으므로 반드시 참이라고 볼 수 없다.
ㄷ. 라연의 진술이 참일 경우도 있으므로 반드시 참이라고 볼 수 없다.

03

정답풀이 |

주어진 4명의 진술은 모두 참이거나 혹은 거짓이다. 4명의 진술은 크게 2가지로 구분할 수 있다. 하나는 상용화 아이디어에 대한 사람들의 관심에 대한 내용이고, 다른 하나는 범인에 대한 내용이다.
우선 상용화 아이디어에 대한 네 명의 진술을 살펴보면, 경아를 제외한 세 명은 상용화 아이디어에 관심을 보인 사람이 있다고 진술하고 있어 구분이 가능하다. 경아는 전칭부정문장이므로,

그 부정인 특칭긍정문장과 모순관계를 이룬다. 따라서 경아의 말과 모순을 이루는 진술은 바다와 은경이다. 다은의 진술은 전칭긍정문장이라서 모순이라고 단정할 수 없다.
두 번째 진술로 넘어가면, 문두에 따라 범인은 1명이므로, 은경혹은 경아를 지목한 다은과 바다를 지목한 경아가 모순관계임을 알 수 있다. 나머지는 범인을 말하지 않았으므로 경우의 수를 나눠야 하므로 이 경우 선택지로 가는 것이 효율적 접근법이된다.
ㄱ. 바다와 은경은 두 진술 모두 모순 관계를 지니고 있지 않으므로 모두 참일 가능성을 지니고 있다. 따라서 반드시 참이된다.
ㄷ. 범인에 대한 내용이므로 두 번째 진술을 살펴보면 된다. 만약 은경이 범인이라면 다은이는 범인이 아니라고 한 바다의 진술은 참이 되고, 범인은 은경 혹은 경아라고 한 다은의 진술도 참이 된다. 경아는 범인이 아니라는 은경의 진술도 참이 되고, 범인은 바다라고 한 경아의 진술만 거짓이 되므로 거짓말한 사람은 한 명이 된다. 따라서 반드시 참이 된다.

오답풀이 |

ㄴ. 두 번째 진술에서 은경이 범인이라고 결론 낼 수 있으므로 다은과 은경은 말은 모두 참일 수 있다. 따라시 반드시 참이라고 볼 수 없다.

04

정답풀이 |

주어진 조건 중 '회의는 가영, 나영, 다영이 언급한 월, 일, 요일 중에 열렸다.'와 '월, 일, 요일'을 나눠 판단할 때 맞힌 개수가 '2, 1, 0'으로 나눠진다는 것을 확인할 수 있다. 따라서 각 진술을 바탕으로 표를 그려 확인하면 다음과 같다.
• 가영의 진술이 모두 거짓인 경우

구분	월	일	요일	맞힌 개수
가영(5. 8. 목)	F	F	F	0
나영(5. 10. 화)	F	T	?	?
다영(6. 8. 금)	T	F	?	?

나영이와 다영이 중 2개를 맞힌 사람이 있을 것이므로 회의 날짜는 6월 10일 화요일 혹은 금요일이 된다.
• 나영의 진술이 모두 거짓인 경우

구분	월	일	요일	맞힌 개수
가영(5. 8. 목)	F	T	?	?
나영(5. 10. 화)	F	F	F	0
다영(6. 8. 금)	T	T	? → F	2

다영이가 월과 일에서 모두 참을 말했으므로 요일은 거짓임을 알 수 있다. 그런데 조건에서 '회의는 가영, 나영, 다영이 언급한 월, 일, 요일 중에 열렸다.'고 하였으므로 요일은 가영

이 말한 '목'요일이 된다. 즉 가영이도 두 개의 참을 말한 셈이므로 이 경우는 반드시 참이 될 수 없다.
• 다영의 진술이 모두 거짓인 경우

구분	월	일	요일	맞힌 개수
가영(5. 8. 목)	T	F	?	?
나영(5. 10. 화)	T	T	? → F	2
다영(6. 8. 금)	F	F	F	0

나영이가 월과 일에서 모두 참을 말했으므로 요일은 거짓임을 알 수 있다. 그런데 조건에서 '회의는 가영, 나영, 다영이 언급한 월, 일, 요일 중에 열렸다.'고 하였으므로 요일은 가영이 말한 '목'요일이 된다. 즉 가영이도 두 개의 참을 말한 셈이므로 이 경우는 반드시 참이 될 수 없다.

ㄱ. 첫 번째 경우를 통해 알 수 있으므로 반드시 참이다.
ㄴ. 첫 번째 경우를 통해 알 수 있으므로 반드시 참이다.
ㄷ. 다영이 1개만 맞힌 경우 나영이가 2개를 맞히게 되므로 날짜는 6월 10일 화요일이 된다. 따라서 반드시 참이다.

구분	월	일	요일	맞힌 개수
가영(5. 8. 목)	F	F	F	0
나영(5. 10. 화)	F	T	T	2
다영(6. 8. 금)	T	F	F	1

TIP

참/거짓 유형이지만 퀴즈에 가깝다. 세 사람의 정답 개수를 조합했을 때 0개, 1개, 2개가 나와야 하므로 이에 대한 경우의 수를 구해야 한다고 생각한 후 표를 그렸다면 비교적 빠른 풀이가 가능했을 것이다. 참/거짓 유형에서도 표를 그려야 하는 경우가 있음을 기억한다.
여기서 추가로 체크해야 할 상황이 있다. 우선 3개의 요건 중 모두 맞힌 경우가 없는 경우 2개의 요건을 파악했을 때 정답의 조합이 나오면 안 된다. 왜냐하면 나머지 하나의 요건에서 참/거짓이 추가될 것이므로 앞서서 모두 결정되면 오류가 일어나기 때문이다. 그리고 2개의 요건을 체크했을 때 정답의 개수가 0개인 사람이 반드시 존재해야 한다. 그래야만 3개 모두 틀린 경우가 있기 때문이다.

05

정답 | ④
정답풀이 |
주어진 진술의 내용을 기호화하면 다음과 같다.
1) A → ~B
2) A∨C∨D
3) ~B∨~C
4) B∨C → D
우선 1)은 함축규칙에 따라 ' ~A∨~B'으로도 기호화할 수 있다.

주어진 진술 중 하나만 참이고 나머지는 거짓이라고 했을 때, 모두 거짓이라고 가정하면, 1)과 2)는 A와 ~A가 공존하므로 동시에 거짓일 수 없다. 이때 3)과 4)는 반드시 참이 되어야 한다. 3)을 부정할 시 'B∧C'이므로 1)은 참이고 2)는 거짓이 된다. 정리하면, 1)의 부정에 따라 A와 B가, 3)의 부정에 따라 B와 C가 뇌물을 받았고 4)의 부정에 따라 D는 받지 않았다.

06

정답 | ⑤
정답풀이 |
주어진 문두의 내용을 정리하면 다음과 같다.

구분	남자	여자
윗마을(2)	참	거짓
아랫마을(2)	거짓	참

주어진 진술을 기호화하면 다음과 같다.
• 갑(갑-아랫마을): 갑이 참이라면 갑은 여자이다. 거짓이라면 윗마을에 사는 것이므로 역시 여자이다. 즉 갑은 여자임이 확정된다.
• 을(을-아랫마을, 갑-남자): 을이 참이라면 을은 여자이다. 그리고 갑은 여자임이 확정되었으므로 갑이 남자라는 진술은 거짓이다. 따라서 을은 거짓을 말하고 있으며, 윗마을 사는 여자임을 알 수 있다.
• 병(을-아랫마을, 을-남자): 을은 윗마을에 사는 여자이므로 병의 진술이 거짓임을 알 수 있다. 병이 윗마을에 산다면 여자이고, 아랫마을에 산다면 남자가 된다.
• 정(을-윗마을, 병-윗마을): 을은 윗마을에 사는 것이 참이므로, 병 역시 윗마을에 사는 것이 참이 되므로 여자가 된다.
문두에서 '윗마을 사람 두 명과 아랫마을 사람 두 명'이 대화한다고 하였다. 진술을 통해 알게 된 내용을 정리하면, 을과 병은 윗마을 사는 여자이다. 따라서 남은 갑은 아랫마을 여자로 참을 말한 것이 되고, 정 역시 아랫마을 사는 여자로 참을 말한 것이 된다. 즉 모두 여자이다.

오답풀이 |
① 갑은 아랫마을 여자이다.
② 갑은 아랫마을 여자이고, 을은 윗마을 여자이다.
③ 을과 병은 같은 윗마을 사는 여자이다.
④ 을, 병, 정 중 아랫마을에 사는 사람은 정뿐이다.

07

정답 | ③
정답풀이 |
주어진 진술을 기호화하면 다음과 같다.
1) 갑: 법학 → 정치학
2) 을: ~법학 → ~윤리학

3) 병: 법학∨정치학(≡~법학 → 정치학)

4) 정: 정치학 → 윤리학('만은'의 형태는 앞의 진술이 뒤로 배치된다.)

5) 무: 윤리학∧~법학

이중 확정적 진술은 무뿐인데, 연언명제인 무의 진술과 모순관계를 지닌 진술이 을의 진술이다. 이를 바탕으로 풀이하면 다음과 같다.

• 무가 참, 을이 거짓인 경우: 윤리학은 수강하고, 법학은 수강하지 않는다. 병의 진술에 따라 정치학은 수강하게 된다.

• 무가 거짓, 을이 참인 경우: 법학을 수강하지 않고, 윤리학도 수강하지 않는다. 병의 진술에 따라 정치학은 수강해야 하고, 정의 진술에 따라 윤리학도 수강해야 한다. 이 경우 진술에서 모순이 생기므로 이 경우는 참이라고 볼 수 없다.

따라서 을의 진술이 거짓이고, 무의 진술은 참이므로, 나머지 갑, 병, 정의 진술은 참이라는 것을 알 수 있다. 갑과 병의 진술을 통해 정치학은 수강해야 함을 알 수 있고 정의 진술에 대입하면 윤리학 역시 수강해야 함을 알 수 있으므로 이를 통한 풀이도 가능하다.

따라서 A가 반드시 수강해야 하는 과목은 윤리학과 정치학이다.

TIP

참/거짓 유형은 모순관계를 찾는 것부터 시작하는 것이 효율적인 접근법이 된다. 가언명제인 'A → B'은 그 거짓인 'A → ~B'와 모순관계이다. 더불어 'A → B'의 진릿값이 같은 '~A∨B'의 부정형인 'A∧~B' 역시 모순관계를 이루게 된다. 즉 'A → B≡~A∨B'의 모순은 'A → ~B, A∧~B'이다. 따라서 이러한 모순관계를 이루는 쌍을 기억해 두고 적용한다면 좀 더 빠른 풀이가 가능하다.

08

정답 | ⑤

정답풀이 |

병의 진술을 중심으로 살펴본다.

• C의 근무지가 광주일 경우: 을의 두 번째 진술이 거짓이므로 B의 근무지는 광주이다. 이 경우 B와 C가 같은 도시에서 근무하므로 모순이 발생한다.

• D의 근무지가 부산일 경우: 갑의 두 번째 진술이 거짓이므로 A의 근무지는 광주이다. 따라서 을의 첫 번째 진술이 거짓이고 C의 근무지는 세종이다. 남은 B의 근무지는 서울이며, 이 경우 모순이 발생하지 않는다.

TIP

참, 거짓, 즉 모순 관계를 확인하는 유형이다. 명제들 중 참이 3개, 거짓이 3개이므로 모순 관계가 있으면 어떤 것이 참인지 거짓인지 파악하는 데 중요한 단서로 쓸 수 있다. 따라서 어떤 문장이 서로 모순인지를 미리 파악해 두고 문제를 풀어야 한다.

기출 유형 3 | 조건추리 P. 164

01	02	03	04	05	06	07	08	09	10
④	⑤	⑤	③	①	③	③	③	②	④
11	12	13	14	15	16	17	18	19	20
①	④	③	②	④	⑤	①	①	③	⑤

01

정답 | ④

정답풀이 |

우선 갑순, 을돌, 병수, 정희에 대한 전제 조건을 정리한다.

구분	갑순	을돌	병수	정희
어학능력	영어 회화	영어 회화	중국어 회화	중국어 회화
경력	×	×	○	×
자격증	공인노무사			

〈배치 원칙〉을 적용하면

조건 1)에 따라 공인노무사 자격증이 있는 갑순은 총무부 혹은 인사부에 배치되어야 하므로, 영업부와 자재부에는 배치되지 않는다.

조건 4)에 따라 유일한 경력직인 병수는 영업부 혹은 자재부에 배치되어야 하므로 총무부와 인사부에는 배치되지 않는다.

조건 2)에 따라 영업부 혹은 자재부 중 한 곳에만 중국어 회화 가능자를 배치하여야 하는데, 조건 4)에 따라 병수가 둘 중 한 곳에 배치될 예정이므로 정희는 총무부 혹은 인사부에 배치되어야 한다.

조건 3)에 따라 정희는 영업부에 배치되지 못하므로 후건이 부정된다. 전건을 부정하면 인사부 혹은 자재부 중 한 곳에 배치되어야 하는데 자재부는 배치될 수 없으므로 정희는 인사부에 배치되는 것이 확정된다(정희: '~인사부∧~자재부 → 영업부' 대우 '~영업부 → 인사부∨자재부'). 이에 따라 총무부 혹은 인사부에 배치되어야 할 갑순도 총무부 배치가 확정된다.

〈배치 원칙〉을 적용하면 '갑순-총무부', '정희-인사부'가 확정되었고, 을돌과 병수는 영업부 혹은 자재부 중 한 곳에 배치될 것임을 알 수 있다.

구분	갑순	을돌	병수	정희
어학능력	영어 회화	영어 회화	중국어 회화	중국어 회화
경력	×	×	○	×
자격증	공인노무사			

구분	갑순	을돌	병수	정희
총무부	○	×	×	×
인사부	×	×	×	○
영업부	×			×
자재부	×			×

〈추가 원칙〉인 '인사부와 영업부에 같은 외국어 회화를 할 수 있는 사원들을 배치한다'를 적용하면 병수는 영업부로 확정되고, 을돌은 자재부가 된다.

구분	갑순	을돌	병수	정희
어학능력	영어 회화	영어 회화	중국어 회화	중국어 회화
경력	×	×	○	×
자격증	공인노무사			

구분	갑순	을돌	병수	정희
총무부	○	×	×	×
인사부	×	×	×	○
영업부	×	×	○	×
자재부	×	○	×	×

오답풀이 |

① 갑순의 부서는 영업부가 아닌 총무부이다.

② 을돌의 부서는 〈배치 원칙〉만으로는 확정되지 않는다.

③ 병수의 부서는 자재부가 아닌 영업부이다.

⑤ 갑순의 부서는 총무부이다.

TIP

1:1 매칭 문제는 표를 통해 풀이하는 것이 좋다. 단정적 조건부터 적용하면서 불가능한 경우를 지워나가면 된다.
선택지에서 〈배치 원칙〉만 적용하여 배치된 경우와 〈추가 원칙〉까지 적용하여 최종 배치된 경우로 나누어 묻고 있으므로 이를 구분하여 정리하는 것이 좀 더 효율적인 풀이법이 된다.

02

정답 | ⑤

정답풀이 |

해설의 편의상 5명의 대표자를 '갑, 을, 병, 정, 무'로 두고 풀이하고자 한다.

1) A 찬성 2명('A'를 찬성하는 대표자: 갑, 을)

2) A 찬성 → B 찬성

3) B 찬성자 → C 찬성=C 반대

4) B 찬성+D 찬성 ×

5) D 찬성 2명('D'를 찬성하는 대표자: 병, 정)

6) D 찬성 → C 찬성

1)과 5)는 확정적 조건이므로 A와 D 정책에 대한 찬성자가 2명, 반대자가 3명임을 알 수 있다. 더불어 2)를 통해 B 찬성자 역시 2명 이상임을 알 수 있다. 3)을 통해서 B의 찬성자는 짝수임을 알 수 있는데, 4)+5)를 통해 4명이 아님을 알 수 있으므로 B의 찬성자는 2명이 되고, C의 찬성자와 반대자도 각각 1명임을 알 수 있다.

더불어 6)을 통해 C의 찬성자는 최소 3명이 됨을 알 수 있다.

마지막으로 모든 대표자는 한 개 이상 찬성하고, 한 개 이상 반대한다고 하였으므로, 남은 대표자 무는 A와 D를 모두 반대하

므로 C를 찬성한다. 이를 정리하면 다음과 같다.

구분	A	B	C	D
갑	○	○	○	×
을	○	○	×	×
병	×	×	○	○
정	×	×	×	○
무	×	×	○	×
찬성 수	2	2	4	2

ㄱ. 무는 A, B, D의 정책에 반대하므로 적절하다.

ㄴ. B는 2명이 찬성함을 알 수 있다.

ㄷ. C는 찬성자가 4명으로 가장 많다.

03

정답 | ⑤

정답풀이 |

해설의 편의를 위해 각 사실들을 1)~6)으로 두고 풀이하고자 한다.

1) 고서의 양: 갑>을>병

2) 서양서: A, B, C, D, E, 동양서: F, G, H

3) B → D∧~C

4) E → F∧~G∧~~H

5) G → ~A∧~B∧~C∧~D∧~E

6) 갑 → H

1)에 의하면 8권을 각각 달리 소장하고 있으므로 경우의 수는 5>2>1 또는 4>3>1임을 알 수 있다. 즉 병은 1권만 소장하게 된다.

3)에 의하면 'B, D'를 한 사람이 소유함을 알 수 있고, 4)에 따라 'E, F'가 한 사람이 소유함을 알 수 있다. 1)에 의해 갑 또는 을이 이들을 소장함을 알 수 있으므로 병은 5)에 따라 G만 소장함을 알 수 있다.

4)+6)에 따라 갑은 H를 소장하고 'E, F'는 소장하지 않으므로 'B, D'를 소장하고 C는 소장하지 않게 된다. 정리하면 'B, D, H'를 소장하고, 을은 'C, E, F'를 소장한다. 을의 소장 권수가 3임이 확정되었으므로 남은 A는 갑이 소장하게 된다.

표로 그리면 다음과 같다.

구분	서양서					동양서		
	A	B	C	D	E	F	G	H
갑	○	○	×	○	×	×	×	○
을	×	×	○	×	○	○	×	×
병	×	×	×	×	×	×	○	×

따라서 D를 소장한 갑은 F는 소장하지 않는다.

오답풀이 |

① 갑은 'A, B, D, H'를 소장하므로 반드시 참이다.

②, ④ 을은 'C, E, F' 3권의 책을 소장하고 있으므로 반드시 참이다.

③ 병은 G 1권만을 소장하고 있으므로 반드시 참이다.

04

정답 | ③

정답풀이 |

해설의 편의를 위해 편성 규칙은 1)~6)으로 두고 풀이하고자 한다.

각 팀은 팀장 1명, 팀원 2명으로 구성되므로 팀장을 기준으로 표를 그리면 다음과 같다.

3	?	수학	2	남성	통계	?	여성	화학
A			B			C		

주어진 조건 중 단정적 조건은 4)이므로 이를 우선하면 물리학과와 화학과는 한 팀이다. 즉 C와 戊(무)는 한 팀이 된다. 조건 5)에서 각 팀은 특정 성으로만 구성할 수 없으므로 C팀은 남성이 들어와야 한다. 즉 갑 또는 병이 편성되어야 하는데, 갑을 넣는다면 C가 4학년일 경우 규칙 2)에 위배된다. 따라서 이 가능성을 피하기 위해서는 병을 배치해야 한다.

남은 팀원은 갑, 을, 정, 기인데 남은 남학생은 갑뿐이므로 조건 5)에 위배되지 않기 위해서는 A팀으로 배치해야 한다. 조건 2)에 따라 4학년인 을은 B팀에 배치되어야 한다. 조건 3)에 의하면 같은 학과도 같은 팀에 배치해서는 안 되므로 정도 A팀이 아닌 B팀에 배치되어야 한다. 따라서 남은 기가 A팀에 배치된다.

남은 조건 6)에 위배되지 않는지 확인하면, 모순이 없으므로 정리하면 다음과 같다.

3	?	수학	2	남성	통계	?	여성	화학
A			B			C		
갑(4/남성/경영)			을(4/여성/영문)			무(2/여성/물리)		
기(2/여성/기계)			정(3/여성/경영)			병(3/남성/국문)		

ㄱ. B팀에서 한 팀으로 편성된다.

ㄷ. 기는 A팀에 편성된다.

오답풀이 |

ㄴ. 경영학과인 갑이 기계공학과 기와 A팀이다.

05

정답 | ①

정답풀이 |

해설의 편의를 위해 조건을 1)~6)으로 두고 풀이하고자 한다.

1)+2)에 의하면 한 번의 식사 총 인원은 3~4명이다. 이때 주의할 점은 갑은 늘 총수에 포함된다는 것이다.

3)에 의하면 부팀장 A와 B는 각각 따로 식사를 해야 하는데, 팀원은 7명이므로 새로 부임한 팀장 갑과 팀원들과의 식사는 3번이상 진행되었음을 확인할 수 있다.

4)에 의하면 C와 D도 함께 식사하지 않으므로 이를 기준으로 (A, C), (B, D) 혹은 (A, D), (B, C)로 나눌 수 있다. 그런데 5)에 의하면 E, F는 함께 식사를 한다고 했으므로 총 인원은 4명이된다. 이미 갑이 총 인원에 포함되므로 1)에 위배된다.

만약 부팀장인 A와 함께 한다면 남은 부팀장 B는 6)에 의해 G와 함께 식사를 해야 한다. 이를 표로 정리하면 다음과 같다.

갑	A	B	C	D	E	F	G
	○	×	×	×	○	○	×
	×	○			×	×	○

그런데 이 경우 남은 C 또는 D가 갑과 단 둘이 식사를 해야 하므로 2)에 위배된다. 따라서 A와 E, F가 식사하는 경우는 모순이다.

오답풀이 |

② 경우의 수를 '갑BC'로 둔다면, '갑AG', '갑DEF'가 가능하다. 혹은 '갑BCG', '갑AD', '갑EF'도 가능하다.

③ 경우의 수를 '갑ACG'로 둔다면, '갑BD', '갑EF'가 가능하다. 혹은 '갑BCG', '갑AD', '갑EF'도 가능하다.

④ 경우의 수를 '갑DEF'로 둔다면, '갑AC', '갑BG' 혹은 '갑AG', '갑BC'가 가능하다.

⑤ 경우의 수를 '갑ACG'로 둔다면, E와 F는 함께 식사를 해야 하므로 '갑EF'에 D를 넣을 수 있는 경우는 없다. 남은 B가 갑과 단 둘이 식사를 해야하기 때문이다. 따라서 '갑BD', 갑EF'로 나누어 식사해야 한다.

06

정답 | ③

정답풀이 |

주무관 5명 각각의 업무를 1이라고 한다. 이때 甲이 한 일의 양을 A라고 가정한다면, 丙이 아직 하지 못한 일의 양은 2A이므로 丙이 한 일의 양은 1−2A이다. 丙은 자신이 현재까지 했던 일의 절반에 해당하는 일을 남겨 놓고 있으므로 $\frac{1}{3}$이 남아 있다. 즉, 2A=$\frac{1}{3}$이므로 A=$\frac{1}{6}$이다.

丁은 甲이 남겨 놓고 있는 일과 동일한 양의 일을 했다. 甲은 $\frac{1}{6}$만큼의 양을 했으므로 남아 있는 일의 양은 $\frac{5}{6}$이다. 즉, 丁은 $\frac{5}{6}$만큼의 일을 하였다. 乙은 丁이 남겨 놓고 있는 일의 2배에 해당하는 양의 일을 했다. 丁은 $\frac{1}{6}$만큼의 일이 남았으므로 乙은 $\frac{2}{6}=\frac{1}{3}$만큼의 일을 했다. 戊는 乙이 남겨 놓은 $\frac{2}{3}$의 절반에 해당하는 일을 하였으므로 $\frac{1}{3}$만큼의 일을 했다.

이를 정리하면 각각의 주무관이 현재까지 한 일은 다음과 같다.

甲=$\frac{1}{6}$

乙=$\frac{1}{3}=\frac{2}{6}$

丙=$\frac{2}{3}=\frac{4}{6}$

丁=$\frac{5}{6}$

戊=$\frac{1}{3}=\frac{2}{6}$

그러므로, 현재 시점에서 두 번째로 많은 양의 일을 한 사람은 丙이다.

07

정답 | ③

정답풀이 |

상품 무게는 D<C<B<A 순이다. 그러므로 두 상품을 저울에 올린 값이 가장 작은 35kg은 C와 D의 무게 합일 것이다. 다음으로 작은 39kg은 B와 D의 무게 합일 것이다. 반대로 54kg은 A와 B의 무게 합일 것이고 50kg은 A와 C의 무게 합일 것이다. 이를 정리하면 다음과 같다.

A+B=54

A+C=50

B+D=39

C+D=35

　→ A+B+C+D=89, B−C=4

남은 무게는 44kg과 45kg이다. 따라서 B+C=44 또는 45이다.

선택지 중에서 두 수의 합이 44 또는 45이면서 차가 4인 조합은 ③뿐이므로 정답은 ③이다.

08

정답 | ③

정답풀이 |

소다르 감독 작품 중 우리나라에서 개봉된 순서로 〈베타빌〉이 몇 번째인지를 구해야 한다. 선택지가 6~10으로 구성되어 있으므로 그중 하나임을 알 수 있다.

우선 을의 두 번째 발언에 따라 1983년작 〈미남 갱 카르멘〉이 첫 번째이다. 그후 데뷔작부터 찍은 순서대로 개봉했다고 했으므로 연도별로 정리하면 된다.

갑과 을의 첫 번째 발언에 따라 1962년작 〈자기를 위한 인생〉이 세 번째 영화이다.

갑의 두 번째 발언에 따라 데뷔작은 1960년작 〈내 멋대로 하자〉이고, 두 번째 영화가 〈남자는 남자다〉임을 알 수 있다.

갑과 을의 세 번째 발언에 따라 1963년에는 3편을 찍었는데 그중 2편은 우리나라에서 10편이 넘는 작품이 개봉된 이후에 상영되었다고 했으므로 10편 안에 1963년작은 1편이 개봉되었음을 알 수 있다. 1964년작은 2편이고, 〈베타빌〉은 1965년 첫 번째 작품이다. 이를 정리하면 다음과 같다.

1. 1983년작 〈미남 갱 카르멘〉
2. 1960년작 〈내 멋대로 하자〉
3. 〈남자는 남자다〉
4. 1962년작 〈자기를 위한 인생〉
5. 1963년작 1편
6-7. 1964년작 2편

따라서 〈베타빌〉은 8번째 작품이다.

09

정답 | ②

정답풀이 |

조건을 1)~6)으로 두고 풀이하면 4~6)에 따라 4층, 5층, 6층, 6+층을 1회씩 눌렀음을 알 수 있다. 더불어 각 층에서 내렸으므로 각 층을 누른 횟수는 홀수여야 한다. 만약 승객이 내리는 층에 대한 3번의 누름(선택−취소−선택)이 없다고 가정한다면 내리는 층에 대한 버튼을 누른 횟수가 4번이고, 남은 6번의 횟수는 다른 층을 눌렀다가 취소했을 것으로 가정할 수도 있다.

ㄴ. 5번을 누른다면 홀수이므로 해당 층에 가게 될 것이다. 남은 횟수 5번 중 내리는 3개의 층을 눌러야 하므로 최종 남은 횟수 2번은 특정 어떤 층을 눌렀다가 취소했다고 볼 수 있다.

오답풀이 |

ㄱ. 단순하게 여긴다면 1명의 승객이 10회 모두 눌렀을 수도 있다. 반드시 각 승객이 1개 이상의 버튼을 눌렀다고 단정할

수 없다.
ㄷ. 주어진 조건만으로는 4층 버튼을 가장 많이 눌렀다고 단정할 수 없다.
ㄹ. 내리는 층은 4개이고 횟수는 10회이므로 내리지 않은 층에 대한 버튼을 누른 후 취소한 경우를 생각해 볼 수 있다.

TIP

경우의 수가 많이 나오는 문제는 선택지를 통해 역추론하듯 풀이하는 것이 좀 더 효율적일 수 있다. 해당 문제도 경우의 수를 모두 정리하는 것은 불가능하므로 〈보기〉에 맞춰 가정하듯 풀이해야 한다.

10

정답ㅣ ④
정답풀이ㅣ
규칙을 1)~4)로 하고 풀이하면 다음과 같다.
1) 최소 1번 → 청소하지 않은 사람은 없다.
2) ~시험 전날
3) ~발표 수업
4) ~이틀 연속
〈대화〉
• A: 2번, 월요일 → 총 5일 중 2번하는 사람은 A뿐 나머지는 하루
• B: ~월요일(발표)
• C: 청소하는 날 하루 → (시험=발표날)이 연이어 있지 않음
• D: 금요일
단정적 정보인 A와 D를 배치한 후, C의 진술을 살펴보면 청소할 수 있는 요일이 하루뿐이라고 했으므로 가능한 조합은 (화, 금 → 수), (화, 목 → 금), (수, 금 → 월)이다. 따라서 C는 수요일에 청소해야 한다. 남은 요일은 화요일과 목요일인데, 4)에 따라 A는 목요일에 청소하게 되고 B는 화요일에 청소하게 된다.

월	화	수	목	금
A	B	C	A	D

11

정답ㅣ ①
정답풀이ㅣ
글의 조건을 순서대로 1)~3)으로 두고 풀이하면
1-1) 법-시행령-시행규칙
1-2) 소관 부서명의 가나다순
2) 한 부서 연달아 보고
3) 국장은 첫 번째
단정적 조건인 3)에 따라 丙국장이 보고하는 'D법 시행령 개정

안'이 첫 번째이다. 1-1)에 따라 법(A, B) → 시행령(C) → 시행규칙(E) 순서로 보고되어야 한다. 여기서 1-2)에 소관부서의 가나다순이므로 A법과 B법 중에서는 기획담당관에서 보고하는 것이 우선이다. 그리고 2)에 따라 한 부서가 보고해야 하는 개정안이 여러 개이면 연달아 보고해야 한다고 했으므로 '기획담당관'의 乙과장의 보고인 'B → C'가 우선된다. 따라서 네 번째로 보고되는 개정안은 A법 개정안이다.

12

정답ㅣ ④
정답풀이ㅣ
첫 번째 문장에서 '전공, 영어, 적성' 3개 과목의 합이 높은 순대로 합격한다고 하였다. 마지막 문장에서 각 과목은 합격자들은 기준 점수 이상이고 불합격자들은 모두 기준 점수 아래임을 알 수 있다. 즉 기준 점수가 존재함을 알 수 있다.
• 전공시험 점수: A>B>E, C>D
• 영어시험 점수: E>F>G
• 적성시험 점수: G>B, G>C
만약 B와 E가 합격했다면 적성시험에서 B보다 성적이 좋은 G도 합격했을 것이고, 영어시험에서 G보다 성적이 좋은 F도 합격했음을 알 수 있다.

오답풀이ㅣ
① 주어진 조건만으로는 A보다 점수가 높은 사람이 없으므로 B도 합격했다고 단정할 수 없다. 해당 판단이 적절하기 위해서는 A보다 B의 성적이 높은 과목이 존재해야 한다.
② G가 합격했다면 G보다 영어시험 점수가 높은 E와 F도 합격했을 것이다. 하지만 C도 그러한지는 알 수 없다. 해당 판단이 적절하기 위해서는 G보다 C의 성적이 높은 과목이 존재해야 한다.
③ 주어진 조건만으로는 A보다 점수가 높은 사람이 없으므로 추론하기 어렵다. 다만 B가 합격했다면 B보다 전공시험 점수가 높은 A와 적성시험 점수가 높은 G가 합격했음을 알 수 있다.
⑤ B가 합격했다면 B보다 전공시험 점수가 높은 A와 적성시험 점수가 높은 G가 합격했음을 알 수 있다. 더불어 G가 합격했다면 G보다 영어시험 점수가 높은 E와 F 역시 합격했음을 알 수 있다. 이를 통해 5명의 합격은 확정할 수 있으나, 나머지 C, D에 대한 합격은 단정하기 어려우므로 적어도 6명이 합격했다고 보기 어렵다.

13

정답ㅣ ③
정답풀이ㅣ
주어진 글에서 학회에 참석한 인원은 'A, B, C, D'를 포함해 총

8명이라고 했으므로, 나머지 4명은 해설의 편의를 위해 임의대로 'E, F, G, H'로 설정한다. 주어진 정보를 정리하면 다음과 같다.

1) 8명의 학자는 하나의 해석만 받아들임
2) 상태 오그라듦 가설: 5명(3명은 안 받아들임)
3) 상태 오그라듦 가설 → 코펜하겐 해석∨보른 해석
4) 코펜하겐 해석∨보른 해석 → 상태 오그라듦 가설
5) B → 코펜하겐 해석, C → 보른 해석
6) A∧D → 상태 오그라듦 가설
7) 아인슈타인 해석 받아들이는 학자가 존재함

이중 단정적 정보인 5)와 6)을 표에 적용한 후 4)를 적용하면 다음과 같다.

구분	A	B	C	D	E	F	G	H
아인슈타인		×	×					
많은 세계		×	×					
코펜하겐		○	×					
보른		×	○					
기타 해석		×	×					
상태 오그라듦 가설	○	○	○	○				

이를 통해 '상태 오그라듦 가설'을 받아들이는 사람이 'A, B, C, D'라는 것을 알 수 있다. 그런데 2)에 의하면 '상태 오그라듦 가설'을 받아들이는 사람은 5명이므로, 임의로 E가 이를 받아들인다고 가정해야 한다. 그리고 4)를 대우하면, '~상태 오그라듦 가설 → ~코펜하겐 해석∧~보른 해석'이 되므로, 임의로 '상태 오그라듦 가설'을 받아들인 1명을 제외한 3명은 '코펜하겐 해석'과 '보른 해석' 모두 받아들이지 않음을 알 수 있다. 마지막으로 3)을 통해 'A, B, C, D'와 임의 E는 '코펜하겐 해석' 또는 '보른 해석' 외에는 받아들이지 않는다는 것도 알 수 있다. 이를 표에 적용하면 다음과 같다.

구분	A	B	C	D	E	F	G	H
아인슈타인	×	×	×	×	×			
많은 세계	×	×	×	×	×			
코펜하겐		○	×			×	×	×
보른		×	○			×	×	×
기타 해석	×	×	×	×	×			
상태 오그라듦 가설	○	○	○	○	○	×	×	×

따라서 만일 A와 D가 받아들이는 해석이 다르다면, 각각 코펜하겐 해석 또는 보른 해석을 믿게 된다는 것이므로 적어도 두 명은 코펜하겐 해석을 받아들인다는 설명은 참이 된다.

오답풀이 |

① '많은 세계 해석'을 받아들일 가능성이 있는 사람은 'F, G, H'이다. 하지만 이들은 '아인슈타인 해석'이나 '기타 해석'을 받아들일 가능성도 있기 때문에, 반드시 참인 진술로 보기 어

렵다.

② '보른 해석'을 믿을 가능성이 있는 사람은 'A, D, E'이고, 확실하게 믿는 사람은 'C'이다. 경우의 수를 따진다면 A와 D가 동시에 코펜하겐 해석을 믿을 가능성이 있기 때문에 반드시 참인 진술로 보기 어렵다.

④ '많은 세계 해석'을 믿을 가능성이 있는 사람은 'F, G, H'이다. 이 중 한 명만 '많은 세계 해석'을 받아들인다면, 나머지 두 사람은 '아인슈타인 해석' 또는 '기타 해석'을 받아들일 수 있다. 그리고 7)에 의해 '아인슈타인 해석'을 받아들이는 이가 적어도 한 명 이상이라는 것을 알 수 있으므로, '아인슈타인 해석'을 받아들일 수 있는 사람은 최대 2명이 될 수도 있다. 하지만 나머지 한 명이 '기타 해석'을 받아들일 가능성을 배제할 수 없으므로 반드시 참인 진술로 보기 어렵다.

⑤ '코펜하겐 해석'을 받아들인 사람은 B이고, 가능성이 있는 사람은 'A, D, E'이다. 이 중 세 명이 '코펜하겐 해석'을 받아들인다고 가정하고 경우의 수를 따진다면, 'A, D' 모두 '코펜하겐 해석'을 받아들이는 경우도 있으므로, A와 D 가운데 적어도 한 명이 '보른 해석'을 받아들인다는 것은 반드시 참인 진술로 보기 어렵다.

14

정답 | ②

정답풀이 |

각 다이얼은 0~9 중 하나가 표시되고, 비밀번호는 모두 다른 숫자이며 현재 표시된 숫자인 3, 6, 4, 9는 쓰이지 않는다고 하였다. 이를 통해 비밀번호로 사용이 가능한 숫자가 0, 1, 2, 5, 7, 8임을 알 수 있다. 이 중 가장 큰 숫자가 첫째 자리, 가장 작은 숫자가 다섯째 자리에 와야 한다. 가장 큰 숫자는 8이므로 첫째 자리는 8이고, 가장 작은 숫자는 0이므로 다섯째 자리는 0임을 알 수 있다. 현재 짝수 자리에는 홀수, 홀수 자리에는 짝수가 와야 하는데, 현재 숫자인 6, 4, 4는 짝수이므로 남은 숫자 1, 2, 5, 7 중에서 짝수인 2는 사용될 수 없다. 둘째 자리에는 현재 둘째 자리 숫자인 6보다 큰 수가 와야 하므로 7이 와야 하고, 서로 인접한 두 숫자의 차이는 5보다 작아야 하므로 셋째 자리에는 1이 올 수 없다. 따라서 甲의 자전거 비밀번호는 87510이고 둘째 자리 숫자 7과 넷째 자리 숫자 1의 합은 8임을 알 수 있다.

15

정답 | ④

정답풀이 |

ㄱ. 왼손잡이는 '가위'만 내고, 오른손잡이는 '보'만 내므로 1, 2라운드는 모두 A팀이 승리한다. 이때 승점은 각각 2점이다. 양손잡이는 '바위'만 내므로 3라운드는 B팀이 승리하지만, 오른손잡이가 이겼으므로 승점은 없다. 따라서 3라운드까지

두 팀이 획득한 점수를 모두 합하면 4점이다.

ㄷ. B팀은 4, 5라운드에서 양손잡이와 왼손잡이가 한 번씩 출전해야 한다. 승점을 가장 많이 얻을 수 있는 경우는 양손잡이가 승리하는 경우이고, 그다음은 왼손잡이가 승리하는 경우이다. A팀이 왼손잡이를 출전시킨 라운드에 B팀이 양손잡이를, A팀이 오른손잡이를 출전시킨 라운드에 B팀이 왼손잡이를 출전시키면 각각 3점과 2점의 승점을 얻어 총 5점이 된다. A팀의 점수는 4점이므로 B팀이 승리한다.

오답풀이 |

ㄴ. B팀은 4, 5라운드에서 양손잡이와 왼손잡이가 한 번씩 출전해야 한다. A팀이 모두 오른손잡이를 출전시킨다면 양손잡이는 지므로 0점을 얻고, 왼손잡이는 이겨서 2점을 얻으므로 B팀의 승점은 총 2점이 된다. A팀의 점수는 4점이므로 B팀은 게임에서 이길 수 없다.

16

정답 | ⑤

정답풀이 |

D는 1~4회차 총점이 70+70+70+70=280(점)이고, 5회차에서 100점을 받는다고 해도 5번의 평가의 총점이 400점 미만이므로 탈락된다. 이에 따라 A, B, C, E가 1~4회차에 부여 받는 카드의 수와 1~4회차 총점은 다음과 같다.

구분	1회	2회	3회	4회	총점
A	2	2	2	2	360점
B	1	1	–	–	300점
C	2	–	2	–	320점
E	1	1	2	1	330점

E의 1~4회차 총점은 330점이므로 5회차 평가에서 70점을 얻어 카드를 받지 못하더라도 5번의 평가의 총점이 330+70=400(점)으로 본인의 카드를 추첨함에 넣을 수 있으므로 옳다.

오답풀이 |

① A가 5회차 평가에서 80점을 얻는 경우, 1~5회에 부여되는 카드의 총 수는 2+2+2+2+1=9(장)이다. 이때 E가 5회차 평가에서 100점을 얻는 경우, 1~5회에 부여되는 카드의 총 수는 1+1+2+1+5=10(장)으로 A보다 E가 추첨될 확률이 더 높으므로 옳지 않다.

② B가 5회차 평가에서 90점을 얻는 경우, 5번의 평가의 총점은 300+90=390(점)으로 탈락되므로 옳지 않다.

③ C가 5회차 평가에서 카드를 받지 못하는 경우는 70점 이하인 경우이고, 70점을 받는다고 해도 5번의 평가의 총점은 320+70=390(점)으로 탈락되므로 옳지 않다.

④ D는 5회차에서 100점을 받는다고 해도 5번의 평가의 총점이 400점 미만으로 탈락이므로 옳지 않다.

17

정답 | ①

정답풀이 |

뿌레스토랑은 매주 1회 휴업일(수요일)을 제외하고 매일 영업하고, 매일 구역 중 하나를 청소하며, 청소를 한 구역은 바로 다음 영업일에는 청소를 하지 않는다. C구역이 가장 청소횟수가 많으므로 C구역부터 청소하는 요일을 살펴보도록 한다. C구역은 일주일에 3회 청소하되, 그중 1회는 일요일에 한다고 하였으므로, 화요일, 금요일, 일요일에 청소한다.

월	화	수	목	금	토	일
	C	휴업일		C		C

다음으로 B구역을 살펴보면, 먼저 B구역은 일주일에 2회 청소하되, B구역 청소를 한 후 영업일과 휴업일을 가리지 않고 이틀간은 B구역 청소를 하지 않는다고 하였다. B구역을 토요일에 청소하게 되면 월요일에 청소를 하지 못하므로 토요일은 불가능하다. 일주일에 2회 청소해야 하므로 B구역의 청소 요일은 월요일과 목요일이고 이에 따라 A구역은 토요일에 청소를 한다.

월	화	수	목	금	토	일
B	C	휴업일	B	C	A	C

18

정답 | ①

정답풀이 |

해설의 편의를 위해 조건을 1)~6)으로 두고 풀이하고자 한다.
단정적 조건인 1)과 5)를 먼저 대입하면 다음과 같다.

구분	A	B	C	D
이름			정	
요일(출생일)	월요일			

4)를 살펴보면 B의 아이는 을보다 하루 먼저 태어났다고 하였다. 여기서 B의 아이는 을이 아님을 알 수 있고, 정 또한 아니다. 더불어 '을보다 하루 먼저'가 성립하기 위해서는 을은 월요일에 태어난 아이가 아님을 알 수 있다. 즉 을은 A와 B, C의 아이가 아니므로 D의 아이가 된다.

구분	A	B	C	D
이름			정	을
요일(출생일)	월요일			

3)은 경우의 수를 나눠 생각해 봐야 한다.
3-1) 만약 목요일에 태어난 아기가 을이라면 B의 아이는 수요일에 태어나게 되고, 정은 화요일에 태어난 것이 된다. 정은 갑보다 나중에 태어났으므로 갑은 A의 아이가 되고, 남은 병은 B의 아이가 된다.

구분	A	B	C	D
이름	갑	병	정	을
요일(출생일)	월요일	수요일	화요일	목요일

3-2) 만약 목요일에 태어난 아기가 C의 아기인 정이라면 4)에 의해 B의 아이는 화요일에, D의 아이인 을은 수요일에 태어나게 된다. 이 경우 A와 B의 아이는 갑 또는 병이고 확정지을 수 없다.

구분	A	B	C	D
이름			정	을
요일(출생일)	월요일	화요일	목요일	수요일

이를 통해 을, 병 중 적어도 한 아이는 수요일에 태어났음을 알 수 있다.

오답풀이 |
② 정이 목요일에 태어난 경우 병이 A와 B 중 누구의 아이인지 확정지을 수 없기 때문에 반드시 참이라고 볼 수 없다.
③ 정이 목요일에 태어난 경우 정은 을보다 늦게 태어났다.
④ 정이 목요일에 태어난 경우 갑이 A와 B 중 누구의 아이인지 확정지을 수 없기 때문에 반드시 참이라고 볼 수 없다.
⑤ 을이 목요일에 태어난 경우 B의 아이인 병은 수요일에 태어났다.

19

정답 | ③
정답풀이 |
B가 2를 끄고 4, 6을 켜고, A가 3, 6을 끄면 1, 4가 남는데 3번 전구 기준으로 왼쪽과 오른쪽 전구가 하나씩 켜져 있으므로 C는 이를 모두 끈다.

오답풀이 |
① A가 3을 끄고, B가 2를 끄고 4, 6을 켜면 1, 4, 6이 켜진 상태인데 C는 4, 6만 끌 수 있어 1이 켜져 있다.
② A가 3을 끄면 C는 1, 2를 모두 끈다. 그리고 B는 2, 4, 6을 켜 2, 4, 6이 켜져 있게 된다.
④ B가 2를 끄고 4, 6을 켜고 C가 4, 6을 끄면 A는 3만 꺼 1이 켜져 있게 된다.
⑤ C가 1, 2를 끄고 B가 2, 4, 6을 켜면 A가 3, 6을 꺼 2, 4가 켜져 있게 된다.

20

정답 | ⑤
정답풀이 |
주어진 글과 〈상황〉을 살펴보면 '갑~정'의 퍼스널 컬러는 '웜 봄, 웜 가을, 쿨 여름, 쿨 겨울' 중 하나이므로 1:1 매칭 문제임

을 알 수 있다.
1) 갑은 8에 형광등이 켜지지 않았다.
2) 을은 홀수에 형광등이 켜졌으므로 짝수를 모두 소거한다.
3) 병은 을과 같은 톤이므로 홀수인 '1, 3, 5, 7'에 형광등이 켜진다. 이때 합쳐서 6이 가능한 숫자는 '1, 5'뿐이므로 이를 확정할 수 있다. 을은 남은 '3, 7'에 형광등이 켜졌으므로 확정지을 수 있다. 즉 갑과 정은 짝수 중에서 형광등이 켜졌으므로 확정할 수 있다.
4) 정은 '2, 4' 중 을보다 먼저 형광등이 켜졌으므로 2에 형광등이 켜졌음을 알 수 있다. 어두운 색 천 중에서는 갑이 8이 아니므로 정이 8을, 갑이 남은 6에 형광등이 켜졌으므로 확정할 수 있다. 이를 정리하면 다음과 같다.

구분	가을 웜	쿨	쿨	봄 웜
	갑	을	병	정
1	×	×	○	×
2	×	×	×	○
3	×	○	×	×
4	○	×	×	×
5	×	×	○	×
6	○	×	×	×
7	×	○	×	×
8	×	×	×	○

ㄴ. '丙은 첫 번째 색상 천에서 형광등이 켜졌다'는 설명은 옳다.
ㄷ. '색상 천을 대본 순서별로 형광등이 켜진 사람이 누구인지 알 수 있다'는 설명은 옳다.
ㄹ. 갑(4+6=10), 을(3+7=10), 병(1+5=6), 정(2+8=10)으로, 병을 제외한 세 명은 10으로 모두 같다.

오답풀이 |
ㄱ. 갑과 정은 알 수 있지만 을과 병은 쿨톤이라는 것만 알 수 있다.

TIP

〈상황〉에서 주어진 전제 조건 1, 2에서 주요 힌트를 확인했어야 한다. 1~4번째 중 하나, 5~8번째 중 하나의 천에서 형광등이 켜졌다는 것과 웜톤과 쿨톤이 교대로 갔다는 것은 각 톤은 홀수 혹은 짝수 번에 형광등이 켜진다는 사실이다. 이에 유의했다면 조금은 쉬운 풀이가 되었을 것이다.

01	02	03	04	05	06	07	08	09	10
①	②	①	③	④	③	⑤	④	④	①

01

정답 | ①

정답풀이 |

샤워 시간이 가장 긴 甲을 먼저 샤워실에 보내기 위해 甲이 가장 먼저 화장실에 간다. 5분 후 甲이 세면대로 갈 때 다음 사람이 화장실에 간다. 甲은 세면대에서 3분을 소요한 후 샤워실로 가므로, 세면대가 비는 시간을 줄이기 위해 화장실과 세면대에서 짧은 시간을 보내는 사람이 가는 것이 최소 시간을 소요하는 데 유리하다. 그러므로 甲 다음으로는 乙이 화장실에 간다. 甲과 乙은 순차적으로 세면을 마치고 샤워실로 간다.

	1	2	3	4	5	6	7	8	9	10	11	12	13	14	15
화		갑					을								
세							갑						을		
샤													갑		
샤															

병과 정의 화장실, 세면대 사용 시간은 거의 비슷하다. 하지만 정이 샤워실에서 병에 비해 더 많은 시간이 소요되므로 정이 먼저 화장실에 들어간다.

	1	2	3	4	5	6	7	8	9	10	11	12	13	14	15
화		갑					을						정		
세							갑						을		
샤													갑		
샤															

	16	17	18	19	20	21	22	23	24	25	26	27	28	29	30
화			정							병					
세						정									
샤							갑								
샤			을									정			

	31	32	33	34	35	36	37	38	39	40	41	42	43	44	45
화															
세		병													
샤							병								
샤			정												

이렇게 진행하게 되면 최소 40분이 소요된다.

02

정답 | ②

정답풀이 |

정책연구용역 계약을 4월 30일에 체결하는 것이 목표이고, 우선순위 대상자와 협상이 끝난 날의 다음 날 계약이 체결됨을 알 수 있으므로 우선순위 대상자와의 협상은 4월 29일에 끝난다. 우선순위 대상자와 협상의 소요기간이 7일이므로, 그 전 단계인 입찰서류 평가는 4월 22일에 끝나고, 그 전 단계인 공고 종료 후 결과통지는 입찰서류 평가 소요기간인 10일 전, 즉 4월 12일에 끝난다. 따라서 공고 종료 후 결과통지 날짜는 4월 12일이다. 그 전 단계인 입찰 공고는 긴급계약이므로 총 10일이 소요되고, 4월 11일에 끝나야 하므로 서류 검토는 4월 1일에 마쳐야 한다. 서류 검토는 2일이 소요되므로 계약을 의뢰한 날은 3월 30일임을 알 수 있다.

03

정답 | ①

정답풀이 |

甲: 수요일에 9시부터 13시까지 근무를 한다. 12~13시는 점심시간이므로 수요일 근무시간은 3시간만 인정된다. 하루 최소 근무시간은 4시간이므로 甲의 근무계획은 승인되지 않는다.

乙: 월, 화, 목요일은 8시부터가 22시까지 점심시간 1시간, 저녁시간 1시간을 제외한 12시간 근무로 최대 근무시간을 초과하지 않는다. 금요일에 4시간 근무를 하면 주 40시간 근무가 가능하므로 乙의 근무계획은 승인된다.

丙: 월, 화요일은 8시부터가 24시까지 근무를 한다. 점심, 저녁시간을 제외하면 14시간 근무이므로 최대 근무시간인 12시간을 초과하여 丙의 근무계획은 승인되지 않는다.

丁: 월요일은 6시부터 16시까지 근무하므로 점심시간을 제외하면 총 9시간을 근무한다. 화요일은 8시부터 22시까지 근무하므로 점심, 저녁시간을 제외하면 총 12시간을 근무한다. 수요일은 9시부터 21시까지 근무하므로 점심, 저녁시간을 제외하면 총 10시간을 근무한다. 목요일은 9시부터 18시까지 근무하므로 점심시간을 제외하면 총 8시간을 근무한다. 4일의 근무시간을 모두 더하면 9+12+10+8=39(시간)이므로 주 40시간 근무가 불가능하여 丁의 근무계획은 승인되지 않는다.

따라서 근무계획이 승인될 수 있는 사람은 乙이다.

04

정답 | ③

정답풀이 |

공기청정기는 10분마다 15의 미세먼지를 감소시키고, 학생들은 1명당 10분마다 5의 미세먼지를 증가시킨다. 〈상황〉에 따르면 15시 50분부터 16시까지 10분 동안은 학생 없이 공기청정기만 작동했으므로 미세먼지는 90−15=75만큼 남아 있다. 16시부터 16시 40분까지 학생 두 명이 발생시킨 미세먼지의 양은 2(명)×5×4(10분×4번)=40, 16시 40분부터 18시까지 학생 세 명이 추가되어 발생시킨 미세먼지의 양은 5(명)×5×8(10분×8번)=200이다. 16시부터 18시까지 공기청정기가 감소시킨 미세먼지의 양은 15×12(10분×12번)=180이므로 이를 통해 18시 현재 미세먼지의 양은 75+40+200−180=135임을 알 수 있다. 공기청정기는 미세먼지 양이 30이 되어야 꺼지므로 135가 30이 되려면 105가 줄어야 하고, $\frac{105}{15}=7$이므로 10분이 7번 필요하다. 즉, 18시에서 70분이 지난 시간에 미세먼지의 양이 30이 되므로 19시 10분에 공기청정기가 자동으로 꺼질 것이다.

05

정답 | ④
정답풀이 |
A서비스는 ○○호텔 투숙객이 아니더라도 이용할 수 있고 인천공항에서 13 : 00∼24 : 00에 출발하는 국제선으로서 미주노선이 아닌 경우 이용이 가능하다.

오답풀이 |
① A서비스는 출발지가 인천공항이고 국제선을 이용하는 승객을 대상으로 제공된다.
② A서비스는 출발지가 인천공항인 이용 승객을 대상으로 제공된다.
③ A서비스는 국제선 중에서 괌과 사이판을 포함한 미주노선에는 제공되지 않는다.
⑤ A서비스는 항공기 출발 시각이 13 : 00∼24 : 00인 경우에 이용할 수 있다.

06

정답 | ③
정답풀이 |
각 도서의 연체료를 계산하면 다음과 같다.
1) 원○○: 만화이므로 연장이 불가능하고 대출 기간이 7일이다. 10월 10일에 대출하여 30일에 반납하였으므로 총 대여일은 21일이다. 7일의 대출 기간을 제외하면 총 14일을 연체하였다. 그러므로 연체료는 1,400원이다.
2) 입 속의 검은 △: 시이므로 연장이 불가능하고 대출 기간이 7일이다. 10월 20일에 대출하여 30일에 반납하였으므로 총 대여일은 11일이다. 7일의 대출 기간을 제외하면 총 4일을

연체하였다. 또한, 이 책은 출간일이 6개월 이내인 신간이므로 연체료는 2배로 부과된다. 그러므로 연체료는 800원이다.
3) □의 노래: 10월 5일에 대출하여 30일에 반납하였으므로 총 대여일은 26일이다. 14일의 대출 기간을 제외하면 총 12일을 연체하였다. 그러므로 연체료는 1,200원이다.
4) ☆☆ 문화유산 답사기: 10월 10일에 대출하여 30일에 반납하였으므로 총 대여일은 21일이다. 14일의 대출 기간을 제외하면 총 7일을 연체하였다. 또한, 이 책은 출간일이 6개월 이내인 신간이므로 연체료는 2배로 부과된다. 그러므로 연체료는 1,400원이다.
5) 햄◇: 10월 5일에 대출하여 30일에 반납하였으므로 총 대여일은 26일이다. 14일의 대출 기간을 제외하면 총 12일을 연체하였다. 또한, 이 책은 출간일이 6개월 이내인 신간이므로 연체료는 2배로 부과된다. 그러므로 연체료는 2,400원이다.
5권의 연체료를 모두 더하면 1,400+800+1,200+1,400+2,400=7,200(원)이다. 甲은 이 중 2권의 대출 기간을 연장하였다고 한다. 甲이 연체료의 최솟값을 지불하는 경우는 연체료가 2배인 신간을 연장한 경우이다. ☆☆ 문화유산 답사기와 햄◇을 연장했다고 하면 각각에 대해서 1,400원의 연체료 감면이 가능하다. 그러므로 甲이 지불한 연체료의 최솟값은 1,400+800+1,200+0+1,000=4,400(원)이다.

07

정답 | ⑤
정답풀이 |
금요일 17시에 회의를 개최할 경우, E를 제외한 모든 전문가가 참석할 수 있다. 그러므로 C, D를 포함하여 4명 이상이 참여해야 할 경우 금요일 17시에 회의를 개최할 수 있다.

오답풀이 |
① 월요일 17 : 00∼19 : 20에 회의를 개최할 경우, C, D, F 세 사람이 참석 가능하므로 회의를 개최할 수 있다.
② 금요일 16시에 회의를 개최할 경우, D와 E를 제외한 모든 인원이 참석 가능하다. D와 E를 제외한 전문가들의 장소별 선호도를 계산하면 다음과 같다.
가: 5+4+5+5=19
나: 6+6+8+8=28
다: 7+8+5+4=24
그러므로 회의 장소는 '나'이다.
③ 금요일 18시에 회의를 개최할 경우, C, D, F 세 사람이 참석 가능하다. 세 전문가들의 장소별 선호도를 계산하면 다음과 같다.
가: 5+6+5=16
나: 8+6+8=22
다: 5+6+4=15
그러므로 회의 장소는 '나'이다.
④ 목요일 16시에 회의를 개최할 경우, A는 참여가 가능하다.

하지만 B, D, F는 참여가 불가능하고 C도 16시 20분까지만 참여 가능하므로 참여가 불가능하다. 그러므로 목요일 16시에 회의 개최가 불가능하다.

08

정답 | ④

정답풀이 |

A는 책을 10분에 20쪽을 읽고, 1쪽부터 30쪽까지는 10분에 15쪽을 읽으므로 350쪽의 책을 읽는 데 걸리는 시간은 30쪽(20분)+320쪽(160분)=총 180분 걸린다.

구분	월	화	수	목
책 읽는 시간	30분 (출근시외버스) + 30분 (퇴근시외버스)	30분 (출근시외버스) + 30분 (퇴근시외버스)	30분 (출근시외버스) + 20분 (지하철)	30분 (출근시외버스) + 30분 (퇴근시외버스)

A는 월요일부터 80쪽(40분)을 읽은 후 350쪽(180분)을 읽으므로 총 220분의 시간이 걸린다.
월~목까지 230분이므로 목요일 퇴근 중에 모두 읽을 것이다.

09

정답 | ④

정답풀이 |

직전회차가 정답인 경우: (문제번호×2+1)번 문항 풀기
직전회차가 오답인 경우: (문제번호/2+1)번(버림 적용) 문항 풀기

위의 정답과 오답에 따른 문항 번호는 다음과 같다.

구분	1회차	2회차	3회차	4회차	5회차	6회차	7회차	정답횟수 (7회차 중)
甲(갑)	1번 (○)	3번 (○)	7번 (×)	4번	–	○	×	현재 3번
乙(을)	1번 (○)	3번 (○)	7번 (○)	15번	–	×	○	현재 4번
丙(병)	1번 (○)	3번 (×)	2번 (○)	5번	–	○	×	현재 3번

여기서 총 7회차 중 정답을 맞힌 횟수는 동일하므로 총 4번 또는는 5번이다.
즉, 을의 (4회차, 5회차) 결과는 (○, ×), (×, ×), (×, ○) 중 1개이다.

1. 乙(을)의 (4회차, 5회차) 결과가 (○, ×)일 때, 문항(5회차, 6회차, 7회차)는 (31번, 16번, 9번) → 25번 문제가 넘어가므로 더 이상 풀지 않아 가능하지 않다.

2. 乙(을)의 (4회차, 5회차) 결과가 (×, ×)일 때, 문항(5회차, 6회차, 7회차)는 (8번, 5번, 3번) → 3번 문제가 중복되므로 가

능하지 않다.

3. 乙(을)의 (4회차, 5회차) 결과가 (×, ○)일 때, 문항(5회차, 6회차, 7회차)는 (8번, 17번, 9번) → (○, ×), (×, ×)가 가능하지 않으므로 (×, ○)는 가능하다.

그러므로 乙(을)의 (4회차, 5회차) 결과는 (×, ○)이다.
그렇다면 乙(을)은 총 5번이 정답횟수이므로 甲(갑)과 丙(병)의 4회차와 5회차의 결과는 무조건 정답이 된다.

ㄴ. 4회차에 정답을 맞힌 사람은 2명이다. (○) → 甲(갑)과 丙(병)

ㄹ. 乙(을)은 7회차에 9번 문제를 풀었다. (○) → 7회차에 9번 문제

오답풀이 |

ㄱ. 甲(갑)과 丙(병)이 4회차에 푼 문제 번호는 같다.(×) → 甲(4번), 丙(5번)

ㄷ. 5회차에 정답을 맞힌 사람은 없다.(×) → 甲(갑), 乙(을), 丙(병) 모두 정답을 맞춤

10

정답 | ①

정답풀이 |

甲(갑)이 스페인에서 출발하여 핀란드(+1)를 거쳐 한국(+8)에 도착하는 시간은 다음과 같다.

구분	시간(스페인 기준)	시간(한국 기준)
스페인 출발	5/30, 10:25	5/30, 18:25
핀란드 도착	(+4:10) 5/30, 14:35	(+4:10) 5/30, 22:35
대기	(+2:00) 5/30, 16:35	(+2:00) 5/31, 00:35
핀란드 출발	(+8:45)	(+8:45)
한국 도착(비행기)	5/30, 25:20 =5/31, 01:20	5/31, 09:20

※ 스페인은 6/1~9/30이 서머타임(+1)이므로, 5/30은 서머타임이 적용되지 않아 한국(+9)과 스페인(+1)의 시차는 8시간으로 한국이 스페인보다 8시간 빠르다.

甲(갑)이 한국(+9)을 출발하여 터키(+3)를 거쳐 독일(+1)에 도착하는 시간은 다음과 같다.

구분	시간(한국 기준)	시간(독일 기준)
한국 출발	9/30, 08:40	9/30, 01:40
터키 도착(비행기)	(+11:40) 9/30, 20:20	+11:40 9/30, 13:20
대기	(+2:35) 9/30, 22:55	+2:35 9/30, 15:55
터키 출발	(+03:10)	(+03:10)
독일 도착(비행기)	9/30, 26:05 =10/1, 02:05	9/30, 19:05

※ 독일은 6/1~9/30이 서머타임(+1)이므로, 9/30은 서머타임이 적용되어 한국(+9)과 독일(+1)의 시차는 7시간으로 독일이 한국보다 7시간 느리다.

ㄱ. 甲(갑)은 한국 시간 5/30, 24:00에 핀란드 공항에서 대기하고 있으므로, 메시지를 즉시 확인할 수 있다.

오답풀이 |

ㄴ. 甲(갑)은 한국 시간 9/30, 23:00에 터키에서 출발한 비행기 안이므로 메시지를 즉시 확인할 수 없다.

ㄷ. 4시간 연착 시 +4시간이 더 오래 걸리므로, 甲(갑)은 독일 기준 9/30, 23:05(19:05+4시간)에 프랑크푸르트 공항에 도착한다.

기출 유형 5 | 상황판단형_예산자원관리 P. 180

01	02	03	04	05	06	07	08	09	10
③	②	③	⑤	②	⑤	④	③	②	③

01

정답 | ③

정답풀이 |

수박은 매일 100개를 공급하고, 당일 판매하는 수박은 1만 원, 다음 날 판매하는 수박은 20%가 할인된 8천 원임을 알 수 있다. 1일에 80개의 수박이 팔렸으므로 수익은 80만 원이고, 20개는 2일에 팔린다. 2일에 팔린 100개 중에서 20개는 전날 남은 수박이므로 수익은 20(개)×8,000(원)+80(개)×10,000(원)=960,000(원)이다. 2일에 다시 20개가 남았고, 이는 3일에 팔렸으므로 3일의 수익은 20(개)×8,000(원)+90(개)×10,000(원)=1,060,000(원)이다. 3일에 10개가 남았고, 이는 4일에 팔렸으므로 4일의 수익은 10(개)×8,000(원)+90(개)×10,000(원)=980,000(원)이다. 4일에 다시 10개가 남았고, 이는 5일에 팔렸으므로 5일의 수익은 10(개)×8,000(원)+90(개)×10,000(원)=980,000(원)이다. 5일에 남은 10개는 6일에 모두 팔렸으므로 6일의 수익은 10(개)×8,000(원)=80,000(원)이다. 이를 계산하면, 800,000+(20×8,000+80×10,000)+(20×8,000+90×10,000)+(10×8,000+90×10,000)+(10×8,000+90×10,000)+(10×8,000)=486(만 원)이다. 따라서 총 판매액은 486만 원이다.

02

정답 | ②

정답풀이 |

펜션별로 팀 워크숍에 필요한 비용은 다음과 같다.

구분	A 펜션	B 펜션	C 펜션
펜션까지 거리	100km	150km	200km
거리÷10km	10	15	20
렌터카 비용(편도)	15,000원	22,500원	30,000원
렌터카 비용(왕복)	30,000원	45,000원	60,000원
1박당 숙박요금	100,000원	150,000원	120,000원
기준인원 초과	4명	2명	0명
기준인원 초과요금	40,000원	20,000원	0원
워크숍 비용	170,000원	215,000원	180,000원

따라서 A펜션을 예약할 때 워크숍 비용이 170,000원으로 가장 적게 든다.

03

정답 | ③

정답풀이 |

각각의 특허대리인이 받게 되는 착수금은 다음과 같다.

갑: 기본료(1,200,000)+독립항 1개(0)+종속항 2개(70,000)+
명세서 14면(0)+도면 3도(45,000)=1,315,000(원)

을: 기본료(1,200,000)+독립항 5개(400,000)+종속항 16개
(560,000)+명세서 50면(270,000)+도면 12도(180,000)=
2,610,000(원) → 140만 원 초과로 140만 원 적용

추가로 갑은 '등록결정' 되었으므로 1,315,000+1,315,000=
2,630,000(원), 즉 263만 원을 받는다. 그러므로 둘 보수의 차
이는 263−140=123(만 원)이다.

04

정답 | ⑤

정답풀이 |

제시된 글에 따라 A~C국의 X수입비용을 정리하면 다음과 같다.

(단위: 달러)

구분	1톤당 단가	관세율	1톤당 물류비	100톤 가격	100톤 관세	100톤 물류비	100톤 수입 비용	100톤 수입 FTA 체결 시
A국	12	0%	3	1,200	0	300	1,500	1,500
B국	10	50%	5	1,000	500	500	2,000	1,500
C국	20	20%	1	2,000	400	100	2,500	2,100

ㄱ. B국과도 FTA를 체결한다면, 기존에 A국에서 수입하던 것과
동일하게 1,500달러로 X를 수입할 수 있다.

ㄷ. 1톤당 6달러의 보험료가 추가된다면 A국에서 100톤을 수
입하는 비용은 1,500+600=2,100(달러)이다. B국에서 100
톤을 수입하는 비용은 2,000달러이므로 A국보다 B국에서
X를 수입하는 것이 수입비용 측면에서 더 유리하다.

오답풀이 |

ㄴ. C국도 동일하게 12달러를 제시하였다면 1톤당 수입비용은
12+(12×0.2)+1=15.4(달러)이다. A국의 경우 12+3=
15(달러)이므로 A국에서 수입하던 것보다 저렴하지 않다.

05

정답 | ②

정답풀이 |

각 상품별 소요되는 관광비용은 다음과 같다.

1) 스마트 교통 카드

1,000+1,000+5,000+10,000×0.5+1,000+0
=13,000(원)

2) 시티투어A

3,000+(1,000+5,000+10,000+1,000)×0.7+0
=14,900(원)

3) 시티투어B

5,000+0+5,000+0+0+1,000×2=12,000(원)

그러므로 甲이 관광비용을 최소화하고자 할 때, 선택할 수 있는
상품은 시티투어B이며 이 경우 12,000원을 지불해야 한다.

06

정답 | ⑤

정답풀이 |

각각의 광고효과를 계산하면 다음과 같다. 이때 광고비용이 3천
만 원을 초과하는 KTX는 고려할 필요 없다.

광고수단	광고 횟수 (월)	회당 광고 노출자 수 (만 명)	월 광고비용 (천 원)	광고효과
TV	3	100	30,000	0.010
버스	30	10	20,000	0.015
지하철	1,800	0.2	25,000	0.0144
포털사이트	1,500	0.5	30,000	0.025

A사무관은 주어진 예산 내에서 월별 광고효과가 가장 큰 포털
사이트를 선택한다.

07

정답 | ④

정답풀이 |

주어진 정보를 가지고 표를 완성하면 다음과 같다.

구분	빨간색 접시 (7)	파란색 접시 (4)	노란색 접시 (8)	검정색 접시 (3)	합계 (22)
甲(갑)	4	1	2	0	7
乙(을)		●			
丙(병)		●+1	0		
丁(정)	2	0			6

주어진 정보를 분석하면 다음과 같다.

㉠ 갑(검정), 병(노란), 정(파란)은 먹지 않은 접시가 제시되어 있
다.

→ 을은 빨간색 접시를 먹지 않았다.

→ 을, 병, 정 모두 검정색 접시는 1개씩 먹었고, 병은 빨간
색 접시를 1개 먹었다.

(∵ 갑, 을, 병, 정 모두 먹지 않은 접시를 제외하고는 적어도
1개는 먹어야 하므로)

구분	빨간색 접시 (7)	파란색 접시 (4)	노란색 접시 (8)	검정색 접시 (3)	합계 (22)
甲(갑)	4	1	2	0	7
乙(을)	0	●			1
丙(병)	1	●+1	0		1
丁(정)	2	0		1	6

ⓒ 파란색 접시는 총 4접시 이므로, 먹은 접시의 합계를 맞추면,
- ●=1
- → 병은 총 4접시를 먹었고, 을은 5접시(22−7−4−6)를 먹었다.

구분	빨간색 접시 (7)	파란색 접시 (4)	노란색 접시 (8)	검정색 접시 (3)	합계 (22)
甲(갑)	4	1	2	0	7
乙(을)	0	1		1	5
丙(병)	1	2	0	1	4
丁(정)	2	0		1	6

ⓒ 빨간색 접시와 검정색 접시는 합계가 맞으므로 노란색 접시의 합계를 맞추면 다음과 같다.
- → 정은 총 6접시를 먹어야 하므로, 노란색 접시를 3개(6−2−1) 먹었다.
- → 을은 총 5접시를 먹어야 하므로, 노란색 접시를 3개(5−1−1) 먹었다.

乙(을), 丙(병), 丁(정) 모두 검정색 접시는 1개씩 먹었고, 병은 빨간색 접시를 1개 먹었다.

구분	빨간색 접시 (7)	파란색 접시 (4)	노란색 접시 (8)	검정색 접시 (3)	합계 (22)
甲(갑)	4	1	2	0	7
乙(을)	0	1	3	1	5
丙(병)	1	2	0	1	4
丁(정)	2	0	3	1	6

따라서 乙(을)이 계산할 금액은 1,200×1+2,000×3+4,000×1=11,200(원)이다.

08

정답풀이 |

영수증에 나와 있는 가격의 차이는 237,300−228,000=9,300(원)이다. 9,300원 차이가 나는 항목을 찾으면 딸기(23,600원)과 복숭아(14,300원)이다. 즉, 복숭아 1상자 대신 딸기 1상자로 결제가 된 것이다.
그러므로 한 과일이 1상자 더 계산되고, 다른 한 과일(복숭아)이 1상자 덜 계산되었다.

09

정답 | ②
정답풀이 |

차종별 총 지원대수를 5천만 원 미만과 5천만~8천만 원 미만으로 나누어서 계산하면 다음과 같다.

차종	5천만 원 미만(대)	5천만~8천만 원 미만(대)
승용차	100,000대 × 80% =80,000	100,000대 × 20% =20,000
화물차	50,000대 × 60% =30,000	50,000대 × 40% =20,000
승합차	2,000대 × 50% =1,000	2,000대 × 50% =1,000
택시	100,000대 × 10% =10,000	−

전기차 보조금을 계산하면 다음과 같다.

차종	5천만 원 미만	5~8천만 원 미만
승용차	80,000 × 1,000만 =8,000(억 원)	20,000 × 1,000만 × 0.5 =1,000(억 원)
화물차	30,000 × 1,500만 =4,500(억 원)	20,000 × 1,500만 × 0.5 =1,500(억 원)
승합차	1,000 × 3,000만 =300(억 원)	1,000 × 3,000만 × 0.5 =150(억 원)
택시	1,000 × 500만 =500(억 원)	−
합계	13,300(억 원)	2,650(억 원)

따라서 2022년도 전기차 보조금 예산규모는 13,300+2,650=15,950억 원이다.

10

정답 | ③
정답풀이 |

10월 경비의 총액은 'ⓐ 사료비+ⓑ 인건비−ⓒ 보호비'로 계산한다.
ⓐ 사료비=1,200,000원
 300g×10마리+600g×5마리+400g×5마리=8(kg)이고, 사료가격은 모두 kg당 5,000원, 9월(30일)의 사료비이므로 8×5,000×30=1,200,000(원)이다.
ⓑ 인건비(포획활동비+관리비)=14,720,000원
 • 포획활동비: 115,000×8일=920,000(원)
 • 관리비: 115,000×0.2×20마리×30=13,800,000(원)
ⓒ 보호비=700,000원
 • 3~6일: 4×100,000=400,000(원)
 • 7일 이상: 2×100,000×1.5=300,000(원)
따라서 10월 경비의 총액은 ⓐ 사료비+ⓑ 인건비−ⓒ 보호비=1,522(만 원)이다.

01	02	03	04	05	06	07	08	09	10
⑤	④	①	②	②	①	④	③	③	②

01

정답 | ⑤
정답풀이 |

비용편익분석은 '㉠ 편익－㉡ 비용'이다.

㉠ 편익=근속연수×평균연봉×연금(1.2)

구분	A	B	C
근속연수	25	35	30
평균연봉	1억 원	7천만 원	5천만 원
연금 여부	없음	없음	있음(1.2)
편익	25억	24.5억	18억

㉡ 비용=준비연수×연간 준비비용×준비난이도 계수

구분	A	B	C
준비연수	3	1	4
연간 준비비용	6천만 원	1천만 원	3천만 원
준비난이도	중(1.5)	하(1.0)	상(2.0)
연고지 여부	연고지	비연고지 (+2억)	비연고지 (+2억)
비용	2.7억	2.1억 (0.1+2)	4.4억 (2.4+2)

최종 비용편익분석은 다음과 같다.

구분	A	B	C
편익	25억	24.5억	18억
비용	2.7억	2.1억	4.4억
비용편익	22.3억	22.4억	13.6억
평판도	2위	3위	1위(×2)
최종비용편익	22.3억	22.4억	27.2억

1~3순위는 'C-B-A'이다.

02

정답 | ④
정답풀이 |

직원의 수를 K라고 한다면 A는 1인당 1개씩 배분하므로 K개가

필요하다. B는 2인당 1개씩 배분하므로 $\frac{K}{2}$ 개, C는 4인당 1개씩

배분하므로 $\frac{K}{4}$ 개, D는 8인당 1개씩 배분하므로 $\frac{K}{8}$ 개가 필요하

다. $K+\frac{K}{2}+\frac{K}{4}+\frac{K}{8}=1,050$이므로 양변에 8을 곱하면 $8K+4K$

$+2K+K=8,400$이다. 이를 정리하면 $15K=8,400$이므로 $K=$
5600이다.

03

정답 | ①
정답풀이 |

甲(갑)과 乙(을)이 선택하는 스포츠 종목은 갑과 을이 부여한 점수의 합이 높아야 하고, 동점인 경우 을이 부여한 점수의 합이 가장 높은 종목을 선택한다.

또한, 점수는 1~5점을 매기고 비용, 만족도는 비용이 적게 드는 종목부터 5~1점, 만족도가 높은 종목부터 5~1점을 매기고, 갑과 을이 동일한 방식으로 진행한다.

(단위: 점)

구분	등산	스키	암벽등반	수영	볼링
비용(원)	5	1	2	3	4
만족도	2	4	5	1	3
합계	7	5	7	4	7

갑과 을 모두 점수가 동일하므로 갑과 을의 점수의 합은 합계의 2배에 해당한다.

반면 위험도, 활동량은 갑과 을이 반대로 점수를 매긴다. 점수를 반대로 매기는 것은 5 → 1, 4 → 2, 3 → 3, 2 → 4, 1 → 5 이므로 각 항목당 갑과 을의 점수 합은 6점이 된다.

즉, 항목별 합계(12)=항목별 갑의 합계+항목별 을의 합계

(단위: 점)

구분	등산	스키	암벽등반	수영	볼링
위험도 (갑)	1	5	4	2	3
활동량 (갑)	2	5	3	4	1
갑의 합계	3	10	7	6	4
을의 합계	9	2	5	6	8
갑과 을의 합계	12	12	12	12	12

갑과 을의 총 점수는 위험도와 활동량의 합은 갑과 을이 동일하므로 비용과 만족도의 합계가 가장 높은 종목이 선택되어야 한다. 즉, 등산, 암벽등반, 볼링 중에 결정되고, 이 중에서 최종 선택 시에는 을의 점수의 총합이 가장 높은 종목을 선택하므로 위험도와 활동량의 합계가 가장 높은 등산이 선택된다.

04

정답 | ②

정답풀이 |

甲(갑)은 총 4회를 성공했고, 乙(을)은 총 3회를 성공하였다.

갑이 받을 수 있는 최저 점수는 2점×4와 4점 실패(−1)로 7점이고, 최대 점수는 3점×3+4점×1=13(점)이다.

반면 을이 받을 수 있는 최저 점수는 2점×3과 4점 실패(−1)로 5점이고, 최대 점수는 3점×2+4점×1=10(점)이다.

ㄴ. 甲(갑)이 3점 슛에 2번 도전했을 때 최소 점수는 3점 슛을 1번만 성공해야 하는 경우이므로 3점×1+2점×3=9(점)이다. 이때, 을이 승리하기 위해서는 10점은 나와야 하므로 을은 4점 슛에 도전하였다.

오답풀이 |

ㄱ. 甲(갑)의 합계 점수는 7~13점까지 가능하다.

ㄷ. • 을의 최대 점수: 3점×2+4점×1−1점×2=8(점)
  • 갑의 최소 점수: 2점×4−1점×1=7(점)
  따라서 갑이 항상 승리한다고 단정 지을 수 없다.

05

정답 | ②

정답풀이 |

자동차별로 구매 시 지불 금액을 계산하면 다음과 같다.

(단위: 만 원)

자동차	차종	가격	보조금	개별소비세	교육세	취득세
A	중형전기차	4,000	1,500	비감면		전액감면
B	소형전기차	3,500	1,000	10% 전액감면	전액감면	5% 전액감면
C	하이브리드차	3,500	500	전액감면		비감면

A: 4,000−1,500+(4,000×0.1)=4,000−1,500+400
  =2,900(만 원)

B: 3,500−1,000=2,500(만 원)

C: 3,500−500+(3,500×0.05)=3,500−500+175
  =3,175(만 원)

따라서 지불 금액을 비교하면 B<A<C이다.

06

정답 | ①

정답풀이 |

ㄱ. 전기평가점수가 후기평가점수보다 높은 경우 50:50, 후기

평가점수가 전기평가점수보다 높은 경우 가중치 20:80을 적용하므로 C기관의 최종평가점수는 90×0.5+70×0.5=80(점)이다. C기관의 최종평가점수가 가장 낮으므로 A, B, D기관의 후기평가점수는 모두 80점보다 커야 한다. 그러므로 A, B, D기관에는 가중치 20:80을 적용한다. 가중치 20:80을 적용하면 전기평가점수 10점 차이는 2점 차이가 된다. 3점에 가중치 80이 적용되면 2.4점으로 2점보다 크다. 따라서 A기관이 B기관보다 순위가 높으려면 후기평가점수가 3점 이상 높아야 한다.

오답풀이 |

ㄴ. B기관의 후기평가 점수가 83점일 경우, B, C기관의 점수는 다음과 같다.

구분	전기평가점수	후기평가점수	최종평가점수
B	70	83	80.4
C	90	70	80.0

B기관의 점수는 80.4점이고, 최종 등수는 A−B−D−C 순이므로 D기관의 최종평가점수는 80점보다 높고, 80.4점보다 낮아야 한다. 이 경우, D기관의 후기평가점수는 80점보다 높고 80.5점보다 낮아야 한다. 하지만 후기평가점수는 자연수이므로 모순이다.

ㄷ. 가중치 20:80을 적용하면 전기평가점수 20점 차이는 4점 차이가 된다. A기관의 후기평가 점수가 D기관보다 5점 높다면 가중치 80이 적용되어 5점의 차이가 4점이 된다. 이 경우, 두 기관은 동점이 된다. 따라서 A기관과 D기관의 후기평가점수 차이는 5점보다 커야 한다.

07

정답 | ④

정답풀이 |

구분	기본심사 항목별 점수					과태료 부과 횟수	제재 조치 횟수			감점 점수	최종 점수
	㉮	㉯	㉰	㉱	총합		경고	주의	권고		
A	20	23	17			3	−	−	6	9.0	
B	18	21	18			5	−	3	2	15.5	
C	23	18	21	16	78	4	1	2	−	14.0	64

ㄴ. B의 현재 점수는 18+21+18−15.5=41.5(점)이다. 허가가 취소되지 않으려면 60점을 넘어야 하므로 60−41.5=18.5(점)이 필요하다. 점수는 자연수이므로 취소되지 않으려면 19점 이상이 필요하다.

ㄷ. C는 현재 64점이고 2020년에 과태료가 4번 부과되었다. 과태료가 부과되지 않았다면 8점이 올라가게 되어 72점이므로 관점은 '재허가'로 달라진다.

오답풀이 |

ㄱ. ㉱ 항목에 15점이 적용되면 A의 점수는 20+23+17+15−9.0=66(점)으로 '허가 정지'를 받게 되므로 옳지 않다.

ㄹ. 감점 점수가 가장 큰 사업자는 기본심사 점수와 최종심사 점수 간의 차이가 가장 큰 사업자로, 15.5점이 감점된 B이므로 옳지 않다.

08

정답 | ③
정답풀이 |

사업자이면서 이륙중량이 25kg 이하일 경우, 사업등록이 필요하고 공항 또는 비행장 중심 반경에서 5km 이내일 경우에만 비행승인이 필요하다. 또한, 자체중량이 12kg 이하이므로 장치신고도 필요하다. 丙의 경우 비행장 중심으로부터 4km 떨어진 지역에서 비행승인 없이 비행하였으므로 규칙 위반이다.

오답풀이 |

① 비사업자이면서 이륙중량이 25kg 이하일 경우, 공항 또는 비행장 중심 반경에서 5km 이내일 경우에만 비행승인이 필요하다. 甲의 경우 공항 중심으로부터 10km 떨어진 지역이므로 비행승인 없이 비행이 가능하다.
② 비사업자이면서 이륙중량이 25kg 초과일 경우, 기체검사와 비행승인이 필요하다.
④ 사업자이면서 이륙중량이 25kg 초과일 경우, 기체검사, 비행승인, 사업등록 모두 필요하다. 또한, 자체중량이 12kg 초과이므로 장치신고와 조종자격도 필요하다.
⑤ 사업자이면서 이륙중량이 25kg 이하일 경우, 사업등록이 필요하고 공항 또는 비행장 중심 반경에서 5km 이내일 경우에만 비행승인이 필요하다. 또한, 자체중량이 12kg 초과이므로 장치신고와 조종자격도 필요하다.

09

정답 | ③
정답풀이 |

ㄱ. 전기는 5kWh를 사용할 때 2kg의 CO_2가 배출되고, 1kWh당 사용 요금은 20원이다. 따라서 도시가스와 동일한 요금 60원을 내면 3kWh를 사용한 것이고, 2kg보다 적은 양의 CO_2가 배출된다. 전기 요금과 도시가스 요금이 같으면 전기로 인한 CO_2 배출량이 더 적다.
ㄴ. 전기를 5kWh 사용하면 요금이 100원이다. 5만 원을 100원으로 나누면 5000이므로 매월 전기 요금을 5만 원 부담하는 가구는 매월 1,000kg의 CO_2가 배출된다. 또한 도시가스 1m³를 사용하면 요금이 60원이다. 3만 원을 60원으로 나누면 5000이므로 매월 도시가스 요금을 3만 원 부담하는 가구는 매월 1,000kg의 CO_2가 배출된다. 따라서 전기로 인한 CO_2 배출량과 도시가스로 인한 CO_2 배출량이 동일하다.

오답풀이 |

ㄷ. 전기 1kWh를 절약하면 2kg보다 적은 양의 CO_2를 배출하게

된다. A부처는 CO_2 배출 감소량에 비례하여 현금처럼 사용할 수 있는 포인트를 지급하므로 전기 1kWh를 절약한 가구가 도시가스 1m³를 절약한 가구보다 더 적은 포인트를 지급받는다.

10

정답 | ②
정답풀이 |

각 산업단지별 점수를 계산하면 다음과 같다.

산업단지	기업 수		업종		입주공간 확보		육성 의지	합산 점수
A	58개	40점	자동차	연관 40점	가능	20점	있음	100점
B	9개	20점	자동차	연관 40점	가능	20점	있음	80점
C	14개	30점	철강	연관 40점	가능	20점	있음	90점
D	10개	30점	운송	연관 40점	가능	20점	없음	90점
E	44개	40점	바이오	기타 0점	가능	20점	있음	60점
F	27개	30점	화학	연관 40점	불가	0점	있음	70점
G	35개	40점	전기 전자	유사 20점	가능	20점	있음	80점

A가 '소재'산업단지인 경우 A의 업종이 유사 업종으로 바뀌며 업종 점수가 20점이 되어 합산 점수가 80점이 된다. 합산점수가 90점인 업체 중 D는 육성 의지가 없으므로 C만 선정되고, 합산 점수가 80점인 A, B, G가 모두 선정된다. F는 선정되지 않는다.

오답풀이 |

① 100점인 A는 선정되고, 90점인 C, D 중 육성 의지가 있는 C만 선정된다. 80점인 B와 G까지 총 4곳이 선정된다.
③ 3곳을 선정할 경우 A, C가 선정되고 B와 G 중 우선순위를 고려해야 한다. 합산점수가 동일한 경우 1순위로 연관성 점수를 고려하는데, B는 연관 업종이고 G는 유사 업종이므로 B가 선정되고 G는 선정되지 않는다.
④ F가 산업단지 내에 기업이 3개가 더 있다면 기업 수가 30개로 10점이 올라가게 된다. 이 경우 합산점수가 80점이 되어, B, F, G 간의 우선순위를 고려해야 한다. 1순위인 연관성 점수를 보면 B와 F는 연관 업종이고 G는 유사 업종이다. 그러므로 G를 제외하고 B와 F가 A, C와 함께 선정된다.
⑤ D가 지자체의 육성 의지가 있을 경우, 90점이므로 선정된다.

01	02	03	04	05	06	07
①	②	③	③	④	⑤	②

01

정답 | ①
정답풀이 |

구분	기획력	창의력	추진력	통합력
업무역량 재능	90	100	110	60
업무역량 재능×4	360	400	440	240

업무역량 재능에 4를 곱한 값을 비교해 보면 통합력은 추진력보다 200이 낮다. 그러므로 통합력의 업무역량이 이를 능가하려면 업무역량 노력에서 가져오는 값이 200을 초과해야 한다. 즉, 업무역량 노력은 200÷3≒66.6이므로 67 이상이 필요하다. 통합력에 업무역량 노력 67이 투입될 경우 통합력 업무역량 값은 240+(67×3)=441이다.
업무역량 노력의 총합은 100이므로 남은 수치는 33 이하이다. 이를 기획력과 창의력에 나누어서 투입하되 441을 넘어서는 안 된다. 기획력은 360+(26×3)=438로 업무역량 노력이 26까지 투입될 수 있다. 나머지 100−67−26=7은 창의력에 투입하면 400+(7×3)=421이다.
따라서 통합력의 업무역량 값을 다른 어떤 부문의 값보다 크게 만들고자 할 때 통합력에 투입해야 하는 노력의 최솟값은 67이다.

02

정답 | ②
정답풀이 |
주무관 4명의 요구사항은 다음과 같다.
甲: 丁보다 높은 점수를 받음
乙: 가장 높은 점수를 받음
丙: 甲과 乙보다는 낮게, 丁보다는 높게 받아야 함
丁: 4점만 받음
이를 정리하면 네 사람의 점수는 乙>甲>丙>丁(4)이다. 점수의 총점이 30점이므로 甲, 乙, 丙 점수의 합은 26점이다. 경우의 수를 확인해 보면 다음과 같다.
1) 丙이 6점을 받을 경우
   甲, 乙의 점수가 (7, 13), (8, 12), (9, 11)이면 성립한다.
2) 丙이 7점을 받을 경우
   甲, 乙의 점수가 (8, 11), (9, 10)이면 성립한다.
3) 丙이 8점을 받을 경우

최소 甲이 9점, 乙이 10점을 받아야 하나, 점수의 합이 26점을 초과하므로 모순이다.
따라서 丙이 받을 수 있는 최대 성과점수는 7점이다.

TIP

경우의 수를 고려할 때, 선택지에 5점이 없으므로 丙이 5점을 받는 경우는 고려할 필요가 없다. 또한 丙이 8점을 받은 경우 모순이 발생하므로 9, 10점을 받는 경우도 고려하지 않아도 된다.

03

정답 | ③
정답풀이 |
5세트가 시작한 시점에 경기장에 남아 있는 관람객 수가 최대가 되려면, 각 세트 후에 나가는 관람객 수를 최소화하여야 한다. 즉, 누적 세트 점수가 동일하거나 누적 세트 점수가 낮은 팀은 원정팀이 되어야 한다.(∵ 나가는 인원이 홈팀 1,000명>원정팀 500명이므로)

세트	홈팀(명)	원정팀(명)	세트 후 남은 인원(명)
1	1(5,000)	0(3,000−500)	7,500
2	1(5,000)	1(2,500)	7,500
3	2(5,000)	1(2,500−500)	7,000
4	2(5,000)	2(2,000)	7,000

따라서 경기장에 남아 있는 관람객 수의 최댓값은 7,000명이다.

04

정답 | ③
정답풀이 |
작년과 올해 산정된 성과급 비율에 따라 계산하면 다음과 같다.

구분	작년			올해		
	연봉(만 원)	성과등급(%)	성과급(만 원)	연봉(만 원)	성과등급(%)	성과급(만 원)
甲(갑)	3,500	30(60/2)	1,050	4,000	40	1,600
乙(을)	4,000	25(50/2)	1,000	4,000	40	1,600
丙(병)	3,000	15(30/2)	450	3,500	10	350

甲~丙 중 丙(병)의 경우 작년 대비 올해 성과급이 감소하였다.

오답풀이 |
① 甲(갑)의 작년 성과급은 1,050만 원이다.
② 甲(갑)과 乙(을)의 올해 성과급은 1,600만 원으로 동일하다.
④ 올해 丙(병)의 연봉과 성과급의 합은 3,850만 원이고, 甲(갑)

과 乙(을)은 연봉만 4,000만 원이다.

⑤ • 甲(갑): $\dfrac{1,600-1,050}{1,050} \times 100 ≒ 52(\%)$

　　• 乙(을): $\dfrac{1,600-1,000}{1,000} \times 100 = 60(\%)$

丙(병)은 작년 대비 올해 성과급이 감소하였다.

05

정답 | ④

정답풀이 |

주어진 조건과 〈국내이전비 신청현황〉을 근거로 살펴보면 다음과 같다.

- 甲: 동일한 시 안에서 거주지를 이전하는 공무원에게는 국내이전비를 지급하지 않는다. 甲은 울산광역시 내에서 이전하였다.
- 乙: 거주지를 이전하고 이사화물도 옮겨야 국내이전비를 지급받을 수 있는데 乙은 거주지는 이전했지만 이사화물은 옮기지 않았다.
- 丙: 거주지를 이전하고 이사화물도 옮겨야 국내이전비를 지급받을 수 있는데 丙은 이사화물은 옮겼지만 거주지는 옮기지 않았다.
- 丁: 동일한 섬 안에서 거주지를 이전하는 공무원에게는 국내이전비를 지급하지 않지만, 제주특별자치도는 제외된다고 하였다. 또한 거주지와 이사화물은 발령을 받은 후에 이전해야 국내이전비를 받을 수 있다. 丁은 제주특별자치도 내에서 이전했고, 발령일 뒤에 이전했으며, 거주지와 이사화물을 모두 옮겼으므로 국내이전비를 지급받을 수 있다.
- 戊: 동일한 시 안에서 거주지를 이전하는 공무원에게는 국내이전비를 지급하지 않는다. 또한 거주지와 이사화물을 발령받은 후에 이전해야 이전비를 받을 수 있다. 戊는 서울특별시에서 충청북도 청주시로 이전했고, 발령일 뒤에 이전했으며, 거주지와 이사화물을 모두 옮겼으므로 국내이전비를 지급받을 수 있다.
- 己: 거주지와 이사화물을 발령을 받은 후에 이전해야 국내이전비를 받을 수 있는데 己는 발령일자보다 이전일자가 빠르다.

06

정답 | ⑤

정답풀이 |

사전테스트전략대로 200,000명의 잠재 사용자에게 그룹을 지속적으로 반으로 나누면서 메시지를 보낸다고 할 때, 실제 날씨와 일치하는 경우를 ○, 일치하지 않는 경우를 ×로 표기하고 3일 연속으로 메시지와 날씨가 일치한 경우를 색칠하면 다음과 같다.

그룹	월	화	수	목	금
1				○	○
2					×
3			○		○
4				×	×
5					○
6		○		○	×
7			×		○
8				×	×
9	○			○	○
10					×
11			○		○
12				×	×
13		×			○
14				○	×
15			×		○
16				×	×
17				○	○
18					×
19			○		○
20		○		×	×
21					○
22			×	○	×
23					○
24				×	×
25	×			○	○
26			○		×
27				×	○
28		×			×
29				○	○
30			×		×
31				×	○
32					×

32개의 그룹 중 1, 2, 3, 4, 9, 17, 18, 25번 그룹으로 총 8개 그룹이다. 즉, 전체 인원의 25%이므로 날씨 예보 앱을 설치한 잠재 사용자의 총수는 200,000×0.25=50,000(명)이다.

07

정답 | ②

정답풀이 |

통합대상 지방자치단체 수: A군, B군, C군, D군 → 총 4개
통합대상 지방자치단체를 관할하는 특별시, 광역시, 도의 수: 甲도, 乙도, 丙도 → 총 3개
관계지방자치단체 수: 통합대상 지방자치단체 및 이를 관할하는 특별시, 광역시, 도 → 4+3=7(개)

그러므로 {(4×6)+(3×2+1)}÷7=(24+7)÷7=31÷7≒4.43
이고, 이를 올림하면 관계지방자치단체 위원 수는 5명이다.
통합추진공동위원회의 전체 위원 수는 관계지방자치단체 위원
수에 관계지방자치단체 수를 곱한 값이므로 5×7=35(명)이다.

기출 유형 8 | 독해형_제시문/자료 및 도표 P. 196

01	02	03	04	05	06	07	08	09	10
④	②	①	⑤	①	②	⑤	②	①	④
11	12	13	14	15	16	17	18	19	20
③	④	②	⑤	②	④	③	①	⑤	④

01

정답 | ④
정답풀이 |
두 번째 문단에 따르면 간수의 주성분은 염화마그네슘인데, 식
물성 단백질은 염화마그네슘을 만나면 응고된다고 하였다.

오답풀이 |
① 첫 번째 문단에 따르면 50여 년 전에 두부는 5월쯤 씨앗을
   심어 10월쯤 수확했다고 하였다.
② 첫 문단에 따르면 두유는 콩물을 이르는 것으로 '응고'시켰다
   고 판단할 수 없다. 콩물을 염화마그네슘으로 응고시켜 만든
   것이 두부이다.
③ 첫 문단에 따르면 막 갈려 나온 콩비지에는 묘한 비린내가
   나지만 익히면 그 비린내가 없어진다고 하였다.
⑤ 첫 문단에 따르면 여름에 두부를 만들기 위해서는 콩을 반나
   절 정도 담가둬야 한다.

02

정답 | ②
정답풀이 |
세 번째 문단의 '1908년 자동차의 대량생산을 계기로 휘발유
사용이 극적으로 증가하였고, 1911년에는 휘발유 소비가 처음
으로 등유를 앞질렀다'를 통해 1911년 전에는 등유의 소비가
휘발유의 소비보다 더 많았음을 추론 가능하다.

오답풀이 |
① 세 번째 문단의 '1886년 휘발유 자동차가 생산되면서~'를
   통해 휘발유가 동력 기계를 움직이는 연료로 사용된 시기는
   1890년이 아니라 그 전인 1886년임을 알 수 있다.
③ 네 번째 문단의 '경유(디젤)가 자동차 연료로 처음 사용된 것
   은 1927년에 소형 연료 분사장치가 발명되면서부터이다'를
   통해 경유가 자동차 연료로 사용되기 시작한 시기는 1925년
   이 아닌 1927년임을 알 수 있다.
④ 첫 번째 문단에서 '석유사업의 시작은 1859년'임을 알 수 있
   고, 세 번째 문단의 '1859년에는 등유만을 생산하였고, 부산
   물은 용도가 없어 내다 버렸다.'를 통해 최초의 석유시추는
   '휘발유와 경유'가 아닌 '등유'를 생산하기 위함이었음을 알

수 있다.
⑤ 네 번째 문단의 마지막 문장을 통해 액화석유가스 생산 기술이 처음으로 개발된 시기는 1912년임을 알 수 있다. 따라서 그 이전인 1910년에 액화석유가스가 자동차 연료로 사용되었다고 볼 수 없다.

TIP

해당 문제의 각 선택지는 '1890년－휘발유 동력 연료', '1907년－등유<휘발유', '1925년 경유 자동차 연료', '최초 석유시추 휘발유, 경유 생산', '1910년 액화석유가스 자동차 연료'와 같이 '연도－시행'으로 구성되어 있다. 이를 확인한 후 끊어읽기를 했다면 세 번째 문단을 읽자마자 정답을 확인할 수 있었을 것이다.

03

정답 │ ①

정답풀이 │

ㄱ. 첫 번째 문단에 따르면 A가 시추 첫날 생산한 석유는 30배럴임을 알 수 있다. 한편 두 번째 문단의 '급기야 석유가격은 A가 최초로 시추한 날의 평균가격에서 96%나 떨어져 배럴당 1.2달러에 판매되기도 하였다'를 통해 A가 최초로 시추한 날의 평균가격은 1배럴당 30달러임을 알 수 있으므로, 판매액은 900달러(30배럴×30달러)임을 판단할 수 있다.

오답풀이 │

ㄴ. 두 번째 문단의 '○○계곡의 연간 산유량은 1859년의 2천 배럴에서 10년 만에 250배가 되었다'에 따르면 1869년 ○○계곡의 연간 산유량은 50만 배럴이고, 월 평균 산유량은 약 41,667배럴이다. 따라서 옳지 못한 판단이다.

ㄷ. 두 번째 문단의 '甲국의 수출량이 국내 소비량의 150%가 되었으며'에 따르면 甲국의 석유 소비량은 수출국과 비교할 때 '2:3'의 비율을 가졌음을 알 수 있다. 그리고 '甲국에서 그해 생산된 석유의 총 가액은 3,500만 달러였다'를 바탕으로 할 때 수출량은 2,100만 달러, 국내 소비량은 1,400만 달러이다. 따라서 옳지 못한 판단이다.

TIP

최근 기출 패턴에 따르면 복수형 문제가 나올 경우 첫 번째 문항은 의사소통의 일치 혹은 추론형으로, 두 번째 문항은 간단한 계산이 곁들어지는 형태를 많이 띠고 있음을 알 수 있다. 이러한 유형을 대비하기 위해서는 각 문제에서 원하는 바를 우선 확인하고 발췌독하듯 접근하는 것이 효율적일 수 있다. 해당 문제는 첫 번째와 두 번째 문단에서 모든 정보를 확인할 수 있으므로 굳이 나머지 문단을 집중해서 읽을 필요가 없다.

04

정답 │ ⑤

정답풀이 │

세 번째 문단에 따르면 카페인의 각성효과는 간에서 분해가 잘될수록 빨리 사라지는데, 가장 큰 영향을 주는 것은 '유전적 요인'이라고 하였으므로 옳은 판단이다.

오답풀이 │

① 첫 번째 문단의 '커피에 함유된 카페인의 각성효과는 사람마다 다르다 ～ 거의 영향을 받지 않는 사람도 있다'를 통해 각성효과는 사람마다 다름을 알 수 있다.

② 두 번째 문단의 '아데노신은 뇌의 각성상태를 완화시켜 잠들게 하는 신경전달물질'이라고 하였고, '커피 속의 카페인은 아데노신의 역할을 방해하는 셈'이라고 하였으므로 카페인은 아데노신의 효과를 방해하는 역할을 수행할 뿐, 분비를 촉진시키지도 저하시키지도 않는다.

③ 세 번째 문단에 따르면 C형인 사람은 '느린 대사자'로 카페인 분해가 느려서 각성효과를 길게 받는다고 하였고, A형인 사람은 '빠른 대사자'로 각성효과가 짧은 사람임을 알 수 있다. 따라서 각성효과가 더 오래 유지되는 것은 A형보다 C형이다.

④ 첫 번째 문단에서 '甲국 정부는 하루 카페인 섭취량으로 성인은 400mg 이하'이고, '체중 1kg당 2.5mg 이하'라고 하였으므로 최대 150mg이 아닌 400mg이다.

TIP

긍정 발문에서 유의해야 할 점은 '알 수 없는' 정보가 있을 수도 있다는 것이다. 나타나지 않은 정보를 바탕으로 확대 추론하지 않도록 해야 한다.

05

정답 │ ①

정답풀이 │

ㄱ. 맥동변광성은 변광 주기가 길수록 실제 밝기가 더 밝다. 그러므로 변광 주기가 10일인 변광성은 변광 주기가 50일인 변광성보다 어둡다.

ㄷ. 변광 주기가 같다면 Ⅰ형 세페이드 변광성과 Ⅱ형 세페이드 변광성은 1.5등급 차이이다. 1등급 차이가 2.5배의 밝기 차이이므로, Ⅰ형 세페이드 변광성은 같은 주기의 Ⅱ형 세페이드 변광성보다 2.5배 이상 밝다.

오답풀이 │

ㄴ. 3문단에 따르면 주기－광도 관계에 따라 별의 절대등급을 알 수 있으므로, 겉보기등급과의 차이를 보아 그 성단까지의 거리를 계산할 수 있다고 했다. 그러나 〈보기〉에는 겉보기등급 간에 수치 차이만 제시되고 절대등급에 대한 내용은

제시되지 않았고, 변광 주기가 동일하다고 해서 절대등급이 같은지는 알 수 없으므로 두 별까지의 거리의 비는 구할 수 없다.

ㄹ. 지구로부터 10파섹 떨어진 별의 밝기는 절대등급과 겉보기 등급이 동일하다. 1파섹 떨어진 별의 경우 겉보기등급이 절대등급보다 작다.

06

정답 | ②

정답풀이 |

두 번째 문단의 '보리 수확기는 여름이었지만 파종 시기는 보리 종류에 따라 달랐다. 가을철에 파종하여 이듬해 수확하는 보리는 가을보리, 봄에 파종하여 그해 수확하는 보리는 봄보리라고 불렀다'를 통해 봄보리는 봄에 파종하여 그해 여름에 수확하고, 가을보리는 가을에 파종하여 이듬해 여름에 수확함을 알 수 있다. 즉 봄보리가 가을보리에 비해 재배 기간이 짧았음을 알 수 있다.

오답풀이 |

① 첫 번째 문단에서 흰색 쌀은 가을에 수확한다고 하였고, 세 번째 문단에서 콩은 심는 시기는 달라도 수확기는 가을이라고 하였다. 따라서 흰색 쌀과 여름에 심는 보리의 수확 시기는 가을로 같다.

③ 첫 번째 문단에 따르면 흰색 쌀은 논에서 수확한 벼를 가공한 것이고, 회색 쌀과 노란색 쌀은 논이 아닌 밭에서 자란 벼를 가공한 것이라고 하였다.

④ 두 번째 문단에 따르면 남부 지역의 보릿고개는 하지까지 지속되다가 사라지는 고개라고 하였다.

⑤ 세 번째 문단의 '봄철 밭에서는 보리, 콩, 조가 함께 자라는 것을 볼 수 있었다'를 통해 조 역시 보리와 콩과 함께 자라는 모습을 볼 수 있다.

07

정답 | ⑤

정답풀이 |

다섯 번째 문단에 따르면 동물복지시설인증을 받으려면 '가축 개체당 공간 기준'과 '최소 사육규모 기준'을 충족해야 한다. 그렇기에 '사육 수를 늘릴 여력이 없는 소규모 농장에선 공장식 축산을 하지 않아도 인증 신청조차 못하는' 문제를 지적하고 있다. 따라서 공장식 축산을 하지 않아도 동물복지시설인증을 받지 못하는 경우가 있음을 알 수 있다.

오답풀이 |

① 첫 번째 문단에서 '농장동물복지는 사람에게도 중요한 문제'임을 거론하면서 그 근거를 제시하고 있다.

② 여섯 번째 문단에 따르면 '동물복지축산물인증 마크를 붙이

려면 도축도 동물복지시설인증을 받은 곳에서 해야 한다'는 것을 알 수 있지만, 농장 내 도축 시설을 갖추어야 한다는 내용은 찾을 수 없다. 더욱이 두 번째 문단에서 '동물복지시설 인증제는 정부가 정한 기준에 따라 동물을 기르는 농장이나 도축하는 시설에 동물복지시설인증을 부여하는 것'이라고 했으므로 '동물복지시설인증'은 도축과 관련이 없다.

③ 다섯 번째 문단에 따르면 A농장은 동물복지시설인증을 받은 농장이지만, 동물복지축산물인증 마크를 받았는지 여부는 판단할 수 없다. 두 번째 문단에 따르면 '동물복지축산물인증 마크는 사육 과정뿐만 아니라 운송·도축 과정까지 기준을 지킨 축산물에 인증 마크를 부여하는 것'이기 때문이다.

④ 마지막 문단에서 소비자들의 동물복지인증제도에 대한 인지도가 높지 않을 뿐만 아니라 가격 면에서 매력적이지 않아 많이 찾지 않는다고 하였다.

TIP

주어진 글은 '동물복지인증제도'인 '동물복지시설인증제'와 '동물복지축산물인증 마크'에 대한 글이다. 흔히 대상이 둘로 나뉘면 연결고리 왜곡을 통해 선택지를 구성하는 것이 일반적이므로 각각의 뜻과 특성들을 구분하며 읽는 것이 효율적인 접근법이 된다.

08

정답 | ②

정답풀이 |

ㄴ. 네 번째 문단에 따르면 2020년에 인증을 받은 농장은 총 90곳(74+5+9+2)이다. 2020년 甲국 전체 농장수가 100,000개라면, 동물복지시설인증을 받은 농장 비율은 0.1% 미만이다.

ㄷ. 네 번째 문단에 따르면 2020년 甲국에서 동물복지시설인증을 받은 산란계 농장은 74곳이고, 이는 전체 산란계 농장의 1.1%라고 하였다. 따라서 2020년 甲국 전체 산란계 농장수는 대략 $\frac{74}{0.011}$≒6,727(곳)이므로 6,000개 이상이다.

오답풀이 |

ㄱ. 두 번째 문단에 따르면 동물복지시설인증제도에서 돼지농장을 대상으로 한 것은 2013년부터이다. 인증을 받은 농장은 기준을 잘 지키는지 확인하기 위해 '인증을 받은 다음해부터 매년 1회 사후관리를 위한 점검을 실시'한다. 만약 첫해에 인증을 받았다고 가정한다면 점검은 최대 7회 받았다고 볼 수 있다.

ㄹ. 다섯 번째 문단에서 'A농장은 가축 개체당 공간 기준과 최소 사육규모 기준을 동시에 충족하기 위하여 어미돼지 수를 20% 줄여서 시설인증을 받았다'고 하였다. 그 앞 문장에서 '돼지농장이라면 어미돼지를 30마리 이상 키워야 시설인증을 신청할 수 있'다고 하였으므로 인증받기 전 A농장에서

사육하던 어미돼지는 37.5마리임을 알 수 있다. 35마리 이
상이다.

09

정답 | ①

정답풀이 |

첫 번째 문단에서 공직부패가 사적 이익을 위해 공적 의무를 저
버리고 권력을 남용하는 것임을 알 수 있다.

오답풀이 |

② 세 번째 문단에 따르면 이해충돌의 개념이 확대되어 외관상
발생 가능성이 있는 것만으로도 이해충돌에 대해 규제하는
것이 정당화되고 있다.

③ 첫 번째 문단에서 공적 의무와 사적 이익이 충돌한다는 점에
서 이해충돌은 공직부패와 공통점이 있다고 하였다.

④ 두 번째 문단에서 이해충돌은 일상적으로 발생하기 때문에
직무수행 과정에서 빈번하게 나타날 수 있다고 하였다.

⑤ 두 번째 문단과 세 번째 문단에 따르면 이해충돌에 대한 전
통적인 규제는 공직부패의 사전예방에 초점이 맞추어져 있
었으나 최근에는 초점이 정부의 의사결정 과정과 결과에 대
한 신뢰성 확보로 변화되고 있다.

TIP

지문의 내용을 판단하는 문제의 경우 각 문단의 내용을 빠르게
파악할 수 있어야 한다. 따라서 각 문단에서 중요한 문장 또는
핵심적인 단어를 파악하면서 지문을 읽어나갈 수 있도록 한다.

10

정답 | ④

정답풀이 |

ㄱ. 두 번째 문단에 따르면 주간예보는 일일예보를 포함하여 일
일예보가 예보한 기간의 다음날부터 5일간의 날씨를 추가
로 예보한다. 일일예보는 오늘, 내일, 모레의 날씨를 예보하
므로 여기에 5일간의 날씨를 추가로 예보할 경우 그 다음
주 월요일의 날씨가 포함된다.

ㄴ. 두 번째 문단에 따르면 일일예보의 발표 시각은 5시, 11시,
17시, 23시이고, 3시간 예보의 발표 시각은 0시, 3시, 6시,
9시, 12시, 15시, 18시, 21시, 24시이므로 겹치지 않는다.

ㄹ. 세 번째 문단에 따르면 대도시의 대설경보 예보 기준과 울
릉도의 대설주의보 예보 기준은 20cm 이상으로 같다.

오답풀이 |

ㄷ. 두 번째 문단에 따르면 일일예보는 오늘, 내일, 모레의 날씨
를 예보한다. 그러므로 같은 날의 일일예보는 발표 시각에
관계없이 모레까지의 날씨를 예보한다.

11

정답 | ③

정답풀이 |

ㄱ. A에 유사 사례 유무를 따지는 기준이 들어가면, B에는 입법
예고를 따지는 기준이 들어가야 한다. 이를 바탕으로 표를
채우면 다음과 같다.

조례안 기준	(가)	(나)	(다)
유사 사례 유무	㉠ 있음	㉡ 있음	㉢ 없음
입법 예고 완료 여부	㉣ 미완료	㉤ 완료	㉥ 미완료

따라서 ㉣과 ㉥은 '미완료'로 같으므로 적절한 판단이다.

ㄴ. B에 따라 을에 대한 갑의 보고 여부가 결정된다면, B는 유사
사례 유무를 따지는 기준이 들어가야 한다는 것이고, 남은
A에는 입법 예고를 따지는 기준이 들어가야 한다. 이를 바
탕으로 표를 채우면 다음과 같다.

조례안 기준	(가)	(나)	(다)
입법 예고 완료 여부	㉠ 미완료	㉡ 완료	㉢ 미완료
유사 사례 유무	㉣ 있음	㉤ 있음	㉥ 없음

따라서 ㉠과 ㉢은 모두 '미완료'로 같으므로 적절한 판단이
다.

오답풀이 |

ㄷ. ㉣과 ㉤이 같다는 것은 B에 유사 사례 유무를 따지는 기준
이 들어가야 한다는 것이다. A에 입법 예고를 따지는 기준
이 들어간다면, ㉠은 '미완료'이고, ㉡은 '완료'이므로 같지
않다. 따라서 적절한 판단으로 볼 수 없다.

TIP

어떠한 기준을 제시하고, 〈표〉에 대한 판단을 묻는 유형이다. 흔
히 법령이나 규정 등을 제시한 후 그를 적용하라는 것이 일반적
이고, 어떠한 공무 처리 과정을 제시한 후 그를 적용하는 경우
도 출제된다. 난도가 높기보다는 헷갈림을 유발하는 경우가 많
으므로 기준을 명확히 구분하여 적용하는 연습이 필요하다.

12

정답 | ④

정답풀이 |

ㄴ. 쟁점 2는 제○○조 제1항-1과 제2항에 대한 사항으로 '갑'
처럼 B를 △△국 국민으로 생각한다면 제1항-1에 따라 비
주거자로 보아야 하고, '을'처럼 B를 외국인이라고 본다면
제2항에 따라 미국에서 3개월 이상 체재한 것이 아니므로
거주자로 보아야 한다. 따라서 해당 설명은 옳다.

ㄷ. 쟁점 3은 제○○조 제1항-1과 제1항-3에 대한 사항으로

D는 외국인과 혼인하여 5개월째 체재하고 있으므로 제○○조 제1항 제3호에는 적용되지 않는다. 따라서 제○○조 제1항 제1호에 따라, 길거리 음악 연주가 영업활동에 해당한다면 D는 비거주자가 되지만, 영업활동에 해당하지 않는다면 D는 비거주자가 아니다. 따라서 〈보기〉에 따라 D의 '길거리 음악 연주'를 영업 활동이 아닌 것이라고 확정된다면, D는 비거주자가 아니므로 갑의 주장은 그르고 을의 주장은 옳다.

오답풀이 |

ㄱ. 쟁점1은 제○○조 제1항-2와 관련된 사항으로 〈보기〉에 따라 '3개월 이내의 기간'을 귀국할 때마다 체재한 기간의 합으로 확정된다면 매년 여름방학과 겨울방학에 일시 귀국하여 2개월씩 체재한 A씨는 2년 동안 8개월을 국내에 거주한 것이 되므로, 외국 거주 기간은 약 1년 5개월이 된다. 이에 따르면 '2년 이상 외국에 체재한 사람'이라는 조건에 부합하지 않으므로 'A는 △△국 거주자'로 보아야 하므로 갑의 주장은 그르고 을의 주장은 옳다.

TIP

논쟁과 관련된 법령이 제시되고, 각 논쟁과 〈보기〉의 해석이 1:1로 매칭되므로, '글의 수정' 유형에 따라 풀이할 수 있다. 즉 논쟁의 핵심에 대해 집중하여 연결고리를 놓치지 않는다면 비교적 수월하게 풀이할 수 있다.

13

정답 | ②

정답풀이 |

주어진 대화는 '개인형 이동장치 사고 급증의 원인'에 대한 것으로 각각의 주장을 살펴보면 다음과 같다.

- 을: 원동기 면허
- 병: 경음기 부착
- 정: 인프라 부족

ㄴ. '병'은 경음기 부착 여부가 사고 발생 확률의 유의미한 영향을 미친다고 하였으므로, 경음기 부착과 미부착을 나눠 평균 사고 발생 건수를 분석한 결과는 자신의 의견을 검증하기 위한 자료로 적절하다.

오답풀이 |

ㄱ. '을'은 원동기 면허가 없는 사람들이 개인형 이동장치를 운행함으로써 그들의 안전 의식 부족을 사고의 원인으로 파악하고 있다. 따라서 이를 검증하기 위해 필요한 자료는 면허 취득 여부에 따른 사고 발생 건수를 알아봐야 한다. 하지만 ㄱ은 미성년자와 성인의 원동기 면허 취득 비율을 제시하고 있으므로 해당 주장을 뒷받침하는 자료로는 적절하지 않다.

ㄷ. '정'은 인프라가 부족하다는 점을 사고의 원인으로 파악하고 있다. 따라서 이를 검증하기 위해 필요한 자료는 인프라가 갖추진 곳과 그렇지 않은 곳의 사고 발생 건수를 비교하는

자료가 필요하다. 그런데 ㄷ은 단순히 개인형 이동장치의 등록 대수를 비교했을 뿐이므로 해당 주장을 검증하기 위한 자료로는 적절하지 않다.

TIP

각 주장이 각 선택지와 1:1로 매칭되므로 확인하기가 용이하다. 주장에 대한 문제는 늘 핵심에 대한 파악이 우선 이뤄져야 하는데, 근거에 매몰될 경우 오답을 할 경우가 많다. ㄱ의 경우 핵심은 원동기 면허인데, '19세 미만 미성년자도'라는 근거에 초점을 맞출 경우 헷갈릴 가능성이 높은 것이다. 이에 유의한다면 해당 문제 유형의 매력적인 오답에 속지 않을 수 있다.

14

정답 | ⑤

정답풀이 |

문맥상 빈칸에는 '갑'의 질문인 「학생인권조례」와 학칙이 어긋날 때 법적 판단을 어떻게 해야 하는지에 대한 답변이 들어가야 한다. 그리고 '을'의 답변에 대해 '갑'이 교육법 제8조제1항과 제10조제2항을 들어 '법령'과 '조례'가 구분되는 것으로 보아야 하는 게 아니냐는 반대 의견을 보이고 있다. 즉 빈칸에는 '법령'과 '조례'가 구분되지 않으며, 「학생인권조례」에 어긋나는 내용은 법적으로 옳지 않다는 내용이 들어가야 한다. 따라서 교육법에 근거하여 만들어진 「학생인권조례」의 내용에 반하는 학칙은 교육법에 저촉된다는 내용이 들어가는 것이 가장 자연스럽다.

오답풀이 |

① '갑'의 질문에 대한 답변으로 적절하지 않으므로 빈칸에 들어갈 내용으로도 적절하지 않다. 해당 내용은 '을'의 마지막 답변을 보충할 만한 내용에 더 적합하다.

② '을'의 세 번째 답변에서 교육법 제8조제1항에서의 법령에는 조례가 포함된다고 해석하고 있으며'라고 하였으므로, 법령에 조례가 포함된다고 해석할 여지가 있으므로 내용상 적절하지 않다. 따라서 빈칸에 들어갈 내용으로도 적절하지 않다.

③ '을'의 세 번째 답변에 따르면 교육법 제10조제2항의 조례는 법령의 위임을 받아 제정되는 위임 입법이라고 하였다. 하지만 주어진 대화 속에서 교육법 제10조제2항의 내용이 제시된 것이 아니기 때문에 조례가 입법 목적이나 취지와 관계없이 법령에 포함되는지 여부는 알 수 없으며, '갑'의 질문에 대한 답변으로도 적절하지 않다.

④ '을'의 마지막 답변에 따르면 「학생인권조례」는 교육법 제18조의4에서 학생의 인권을 보장하도록 규정한 것을 따라 같은 취지로 제정된 조례라고 하였다. 따라서 「학생인권조례」가 교육법에 어긋나는 규정이 있다고 볼 수 없다.

TIP

7급에서 자주 등장하는 대화형 문제이다. 크게 보아 빈칸 추론 유형에 해당하므로 앞뒤 문맥에서 주요 단서를 찾고, 그와 관련

된 내용을 대화 속에서 이끌어 내면 된다. 이 문제는 '갑'의 두 번째 질문에 대한 답변이므로,「학생인권조례」와 학칙이 어긋날 경우의 법적 판단에 대한 내용이 들어가야 한다. 더불어 빈칸 뒤의 '갑'의 답변으로 볼 때, '법령과 조례'가 구분되지 않는다는 내용 역시 포함되어야 한다. 이를 바탕으로 정답을 ⑤로 찾을 수 있다.

15

정답 | ②

정답풀이 |

대화의 빈칸에 들어갈 내용은 민원인의 B보조금 신청 자격과 관련된 내용 중 '추가'에 해당하는 내용이다. 따라서 기존의 자격 요건인 '민원인의 농업인 및 농지 등록 여부'는 확인할 필요가 없다. 따라서 '제한 사항'만 확인하면 된다.

'을'은 '제한 사항'으로 '전년도에 A보조금을 부정한 방법으로 수령'한 경우를 들고 있다. 다만 부정한 방법으로 수령했다고 한정되더라도 수령인이 일정 기간 동안 이의를 제기할 수 있고, '이의 제기 심의 기간에는 수령인이 부정한 방법으로 수령하지 않은 것'으로 본다고 하였다. 따라서 '민원인의 부정 수령 판정 여부'와 '민원인의 이의 제기 여부'는 반드시 확인되어야 한다. 더불어 A보조금 부정 수령 판정 이의 제기 신청 결과 1건이 인용, 9건이 기각, 1건이 심의 절차가 진행 중이라고 하였으므로, '갑'은 민원인이 '기각'에 해당하는지 여부만 추가로 확인하면 된다. 왜냐하면 이의 제기가 인용되었거나 심사 절차가 진행 중인 상황에서는 부정한 방법으로 수령한 것으로 보지 않으므로, 민원인은 B보조금 신청 자격에 해당한다고 볼 수 있기 때문이다.

> **TIP**
>
> 7급에서 자주 등장하는 대화형 문제이다. 크게 보아 빈칸 추론 유형에 해당하므로 앞뒤에서 주요 단서를 찾고, 그와 관련된 내용을 대화 속에서 이끌어 내면 된다. 단, 대부분 민원인이 요청한 사항에 대한 답변이므로 '예외'에 해당하는 사항을 꼼꼼하게 살펴볼 필요가 있다. 이처럼 자료해석형은 '다만, 예외, 수치' 등과 관련된 내용이 필수 출제 요소가 된다.

16

정답 | ④

정답풀이 |

㉠은 갑의 민원에 의한 개정으로, B 카페의 전기차 충전 시설 설치 지원금 요청과 관련이 있다. B 카페가 지원금을 받을 수 없는 이유는 제9조 제1항 '주차단위구획 100개 이상을 갖춘'의 조건에 부합하지 않기 때문이다. 따라서 제1항의 내용을 B 카페

의 조건에 맞춰 주차단위구획 50개로 수정하거나 제3항에 지원금 관련 내용을 추가해야 한다. ④는 후자를 적용한 개정안으로 적절하다.

오답풀이 |

① 제9조 제1항에서 규정하고 있는 충전시설 설치대상은 '주차단위구획 100개 이상을 갖춘' 시설이다. 따라서 제3호에 "다중이용시설"을 신설하더라도 주차단위구획이 50개인 B 카페는 설치 대상이 되지 못하고, 지원금 역시 받을 수 없다.

② 제9조 제1항에서 규정하고 있는 충전시설 설치대상은 '주차단위구획 100개 이상을 갖춘' 시설이다. 따라서 제3호에 "교통약자를 위한 시설"을 신설하더라도 주차단위구획이 50개인 B 카페는 설치 대상이 되지 못하고, 지원금 역시 받을 수 없다.

③ 제2항의 지원금은 제1항을 충족하는 시설에 한하여 지급된다. 따라서 제4항으로 교통약자를 위한 시설을 우선 지원한다는 내용이 신설되더라도, 제1항의 조건에 부합하지 못하는 B 카페는 설치 대상이 되지 못하고, 지원금 역시 받을 수 없다.

⑤ 제1항에 따라 B 카페는 전기자동차 충전시설의 의무 설치대상이 아니므로, 조기 설치를 희망할 수 없다. 따라서 지원금 역시 지원 받을 수 없다.

> **TIP**
>
> 민원 해결 유형은 민원이 발생하게 된 원인을 파악하는 것부터 시작해야 한다. 이 문제처럼 현재 조례로서는 해결되지 않는 바가 개정을 통해 해결되었다면, 현재 조례에서 문제되는 부분부터 찾아야 하는 것이다. 주어진 상황을 살펴보면 B 카페가 전기차 충전시설 지원금을 받지 못하는 이유는 제9조 제1항에 해당되지 않는 것이 크다. 그런데 선택지에서 제1항에 대한 규정이 B카페에 맞춰 수정되지 않았으므로, 없는 내용을 추가하여 적용 대상이 되게 하는 경우를 찾아야 한다.

17

정답 | ③

정답풀이 |

'㉠ 필요한 자료'는 회의에서 논의된 내용을 확인하기 위한 자료를 뜻한다. 회의에서 논의된 내용을 정리하면 다음과 같다.

- 갑: [주제 제시] '일반 스포츠강좌 지원사업'에 비해 '장애인 스포츠강좌 지원사업' 집행 실적이 저조한 까닭은?
- 을: 장애인 수에 비해 장애인 대상 가맹 시설 수가 비장애인의 경우보다 적다.
- 병: 바우처 지원액이 너무 적다. → 자기 부담금이 커서 이용하기 어렵다.
- 정: 주요 연령대가 사업에서 제외되었다. → 장애인은 고령자 인구 비율이 높으므로 상한을 기존 만 49세에서 만 64세로 높여야 한다.

이와 관련된 자료를 〈보기〉에서 찾으면 ㄱ은 '을'의 견해와 적합하고, ㄴ은 '병'의 견해에 부합한다.

오답풀이 |

ㄷ. 같은 연령대의 장애인과 비장애인 그룹의 고령자 중 스포츠 강좌 수강을 희망하는 인구 비율을 비교한 것이므로, 회의에서 논의된 내용과는 무관한 자료이다. '정'의 견해를 뒷받침하기 위해서는 장애인 인구 중 만 50세에서 만 64세까지의 인구 비율이 기존 대상 연령인 만 12세에서 만 49세의 인구보다 많은지 확인할 수 있는 자료를 제시하는 것이 적절하다.

TIP

특정 사안에 대한 회의 내용이나 민원인의 요구에 대한 답변을 하기 위한 대화(회의) 내용을 제시한 후 그에 대한 자료나 답변을 구하는 유형이다. 해당 문제와 같이 특정 사안에 대한 해결책을 〈보기〉와 비교하는 문제는 제시된 의견과 〈보기〉의 내용을 매칭하듯 살펴보는 것이 중요하다. 특히 '추가'되거나 '삭제'되지 않았는지, 상관없거나 왜곡되지 않았는지 확인해야 한다. 이 문제의 'ㄷ'은 '장애인의 연령대를 비교'하는 것인데 '비장애인'과 비교하는 내용이 추가된 것이므로 적절하지 않은 내용이 되는 것이다.

18

정답 | ①

정답풀이 |

ㄱ. 갑의 첫 번째 발언에 따르면 '조(粗)출생률은 인구 1천 명당 출생아 수를 의미'한다고 하였고, 세 번째 발언에서 '조출생률과 달리 합계 출산율은 성비 및 연령 구조에 따른 출산 수준의 차이를 표준화할 수 있는 장점이 있다'고 하였다. 즉 조출생률은 전체 인구 대비 여성의 비율은 고려되지 않음을 알 수 있다.

오답풀이 |

ㄴ. 갑의 세 번째 발언인 '조출생률과 달리 합계 출산율은 성비 및 연령 구조에 따른 출산 수준의 차이를 표준화할 수 있는 장점이 있습니다. 예를 들어, 이스라엘의 합계 출산율은 3.0인 반면 남아프리카공화국은 2.5 가량입니다. 하지만 조출생률은 거의 비슷하지요.'를 통해 두 나라가 인구수와 조출생률에 차이가 없더라도 각 나라의 합계 출산율은 다를 수 있음을 알 수 있다.

ㄷ. 갑의 두 번째 발언에 의하면 합계 출산율은 여성 한 명이 평생 동안 낳을 것으로 예상되는 출생아 수를 의미하며, 여성 1명이 출산 가능한 시기를 15세부터 49세까지로 가정한 후 그 사이의 각 연령대 출산율을 모두 합해서 얻는다고 하였다. 따라서 합계 출산율은 '일생 동안 출산한 출생아 수'가 아닌 '낳을 것으로 예상되는 출생아 수'이며, '한 명의 여성'이 아닌 '각 연령대 출산율을 모두 합해서' 산출됨을 알 수 있다.

TIP

〈보기〉가 주어지는 문제는 〈보기〉의 내용을 우선 고려하여 주어진 글의 어떤 부분에 집중해서 읽어야 할지 판단하는 것이 중요하다. 해당 문제 역시 〈보기〉에서 '조출생률'과 '합계출산율'에 대한 판단을 묻고 있는 것을 파악할 수 있다. 따라서 주어진 대화에서 각각의 개념에 대한 명확한 판단을 기준으로 풀이할 수 있다. 특히 두 개념을 비교하는 부분에 집중해야만 헷갈리는 내용을 구분하기 용이하다.

19

정답 | ⑤

정답풀이 |

을의 첫 번째 발언에 따르면 "부정청탁 및 금품 등 수수의 금지에 관한 법률」(이하 '청탁금지법')에서는, 공직자가 부정 청탁을 받았을 때는 명확히 거절 의사를 표현해야 하고, 그랬는데도 상대방이 이후에 다시 동일한 부정 청탁을 해 온다면 소속 기관의 장에게 신고해야 한다고 규정'하고 있다. 따라서 갑은 C의 부정 청탁을 거절한 상태이므로, 해당 내용은 신고할 의무는 없지만, 만약 C가 같은 청탁을 다시 한 번 해 온다면 그때는 소속 기관의 장에게 신고해야 한다. 따라서 해당 설명은 빈칸에 들어갈 내용으로 적절하다.

오답풀이 |

① X회사로부터 받은 접대는 연초에 있었던 지역 축제 때이고, 그때 1인당 받은 금품은 1만 2천 원으로, 청탁금지법의 '동일인으로부터 명목에 상관없이 1회 100만 원 혹은 매 회계연도 300만 원을 초과하는 금품이나 접대를 받을 수 없다'는 규정에 부합하지 않는다. 더욱이 해당 사례는 '대가성 있는 접대도 아니고 직무 관련성도 없는 것으로 확정되었다'고 한다. 더불어 C가 찾아와 X회사에 대한 부정청탁을 한 시기는 어제로, 연초와 시기상 근접성이 있다고 보기 어렵다.

② Y회사의 임원인 B가 부정 청탁을 하며 건넨 100만 원은 금품에 해당하고, 접대를 한 것은 아니므로 향응에 포함된다는 설명은 적절하지 않다.

③ 을의 세 번째 발언에 따르면 동일인은 받는 사람을 기준으로 하는 것으로, 여러 사람이 동일한 부정 청탁을 하며 금품을 제공했을 경우를 이른다고 하였다. 그런데 X회사 사장인 A는 부정 청탁 없이 식사비를 제공한 것으로 접대의 일종으로 판단할 수 있고, C는 X회사에 대한 부정 청탁을 한 것이므로 동일한 부정 청탁을 하며 금품을 제공한 경우라고 보기 어렵다. 더욱이 X회사 사장인 A가 제공한 식사비는 '대가성 있는 접대도 아니고 직무 관련성도 없는 것으로 확정되었다'고 한다. 따라서 두 사람을 동일인으로 판단한 설명은 적절하지 않다.

④ 을의 두 번째 발언에 따르면 '공직자는 동일인으로부터 명목에 상관없이 1회 100만 원 혹은 매 회계연도에 300만 원을

초과하는 금품이나 접대를 받을 수 없고', '직무 관련성이 있는 경우에는 100만 원 이하라도 대가성 여부와 관계없이 처벌을 받는다'고 하였다. 따라서 B가 건넨 100만 원은 허용 한도를 벗어나지 않았지만, C가 건넨 200만 원은 허용 한도를 벗어난 것으로 볼 수 있다. 따라서 두 사람이 제시한 금액이 청탁금지법의 허용 한도를 벗어나지 않았다는 설명은 적절하지 않다.

주어진 「부정청탁 및 금품 등 수수의 금지에 관한 법률」(이하 '청탁금지법')에 따라 갑의 마지막 발언에 해당하는 상황을 판단해야 하는 유형이다. 우선은 주어진 법률의 내용과 어떻게 관련이 있는지 파악해야 하고, 예외 사항에 해당되는 것은 아닌지도 놓치지 말아야 한다. 주어진 법률의 내용을 정리하면 다음과 같다.

1. 부정 청탁을 받았을 때는 명확히 거절 의사를 표현해야 하고, 그랬는데도 상대방이 이후에 다시 동일한 부정 청탁을 해 온다면 소속 기관의 장에게 신고해야 한다.
2. 공직자는 동일인으로부터 명목에 상관없이 1회 100만 원 혹은 매 회계연도에 300만 원을 초과하는 금품이나 접대를 받을 수 없다.
3. 직무 관련성이 있는 경우에는 100만 원 이하라도 대가성 여부와 관계없이 처벌을 받는다.
4. 한 공직자에게 여러 사람이 동일한 부정 청탁을 하며 금품을 제공하려 하였을 때에도 이들의 출처가 같다고 볼 수 있다면 '동일인'으로 해석된다.
5. 여러 행위가 계속성 또는 시간적·공간적 근접성이 있다고 판단되면, 합쳐서 1회로 간주될 수 있다.

이를 A~C에 적용하면, A는 '2'로 인해 부정청탁이 아니고, B는 '2'로 인해 부정청탁에 해당하지만, '1'에 의해 신고할 필요는 없다. C는 '2'로 인해 부정청탁에 해당한다. X회사와 관련된 A와 C는 동일한 부정 청탁을 한 것이 아니므로 '4'로 인해 '동일인'이 아니며, 연초와 어제로 시기상 떨어져 있으므로 '5'로 인해 '1회'로 보기도 어렵다. 이런 식으로 접근하면 무리 없이 풀이가 가능하다.

직하다. 조례를 수정하면 불일치는 해결되지만 민원인 갑의 상황이 현행 유지이므로 적절하지 않다.

주어진 상황에 따라 법조문을 일부 개정하는 내용이다. 대부분 민원 상황에 따라 개정하는 것이므로 핵심 내용이 누락되지 않는지에 초점을 맞춰 풀이할 수 있다.

20

정답 | ④

정답풀이 |

주어진 조례와 운영규정을 살펴보면, 조례는 '출산 예정일 또는 출산일'을 기준으로 하고 있으나 운영규정은 '출산일'만을 기준으로 삼고 있음을 알 수 있다. 즉 민원인 갑과 같이 출산 예정일을 기준으로 한다면 6개월 기준을 만족하지만 출산일을 기준으로 한다면 기준을 충족하지 못할 경우 서비스 대상에서 배제되는 문제가 발생한다. 해당 문제를 해결하기 위해서는 운영규정의 '출산일'을 '출산 예정일 또는 출산일'로 수정하는 것이 바람

01	02	03	04	05	06	07	08	09	10
⑤	④	②	③	②	④	⑤	⑤	⑤	④

01

정답 | ⑤
정답풀이 |

제○○조(조직 등) 제3항 '경찰서장은 자율방범대원이 이 법을 위반하여 파출소장이 해촉을 요청한 경우에는 해당 자율방범대원을 해촉해야 한다.'를 통해 파출소장이 해촉을 요청한 경우 경찰서장은 해당 자율방범대원을 해촉해야 함을 알 수 있다.

오답풀이 |

① 제○○조(조직 등) 제2항에 따르면 자율방범대장이 추천한 사람을 자율방범대원으로 위촉하는 주체는 '파출소장'이 아닌 '경찰서장'이다.
② 제○○조(자율방범활동 등) 제3항 '자율방범대원은 경찰과 유사한 복장을 착용해서는 안 되며'를 통해 자율방범대원은 경찰과 유사한 복장을 착용할 수 없다.
③ 제○○조(금지의무) 제2항에 따르면 3년 이하의 징역 또는 600만 원 이하의 벌금에 처하는 상황은 제3호인 '특정 정당 또는 특정인의 선거운동을 하는 행위'에 한한다. 따라서 영리 목적으로 사용한 경우 어떠한 처벌을 받는지는 알 수 없다.
④ 제○○조(자율방범활동 등) 제2항에 따르면 '자율방범대원은 자율방범활동을 하는 때에는 자율방범활동 중임을 표시하는 복장을 착용하고 자율방범대원의 신분을 증명하는 신분증을 소지해야 한다.

TIP

'주체-권한'의 관계는 늘 유의하여 살펴보아야 한다.

02

정답 | ④
정답풀이 |

ㄱ. 2023. 1. 18. A가 甲에게 정보공개서를 제공하고, 2023. 1. 30. 가맹계약을 체결한 경우
→ A는 甲에게 정보공개서를 제공하고 14일이 지나지 않아 가맹계약을 체결하였다. 즉 제△△조(가맹금의 반환) 1호를 위반한 것에 해당한다. 이 경우 가맹계약의 체결일로부터 4개월 이내 가맹점사업자가 반환을 요구한다면 가맹본부는 가맹금을 반환하여야 한다. 따라서 A는 甲에게 가맹금을 반환해야 한다.

ㄷ. 2023. 3. 7. 가맹계약을 체결할 예정인 가맹희망자 丙에게 A가 2023. 2. 10. 제공하였던 정보공개서상 정보의 내용이 사실과 다른 경우
→ 제△△조(가맹금의 반환) 2호에 따르면 정보공개서상의 정보가 사실과 다른 경우 '가맹희망자가 가맹계약 체결 전에 가맹금의 반환을 요구하는 경우 가맹본부는 가맹금을 반환하여야 한다. 따라서 가맹계약 전인 가맹희망자 丙에게 A는 가맹금을 반환해야 한다.

오답풀이 |

ㄴ. 2022. 9. 27. 가맹계약을 체결한 乙이 건강상의 이유로 2023. 1. 3. 가맹점사업을 일방적으로 중단한 경우
→ 제△△조(가맹금의 반환) 3호에 따르면 가맹점사업자가 가맹사업의 중단일로부터 4개월 이내에 가맹금의 반환을 요구하는 경우 가맹금을 반환해 주어야 한다. 단 이는 '가맹본부가 정당한 사유 없이 가맹사업을 일방적으로 중단한 경우'에 한한다. 따라서 乙이 건강상의 이유로 2023. 1. 3. 가맹점사업을 일방적으로 중단한 후 2023. 2. 27. 가맹금 반환을 요구하였으므로 A는 乙에게 가맹금을 반환하지 않아도 된다.

TIP

법조문에서 날짜는 대단히 중요한 기준이 된다. 단순히 법률의 개정에서도 중요하지만 출제자 입장에서는 적용되는 기간을 설정할 때 매력적인 오답을 쓰기에 적합하다. 흔히 '이상/이하/미만/초과' 등을 활용하여 선택지를 구성하는 것이 일반적이지만, 기간은 맞지만 '주체, 대상'이 해당되지 않는 경우 즉 예외적인 상황임에도 기간은 맞도록 설정하여 헷갈리도록 구성하는 것도 자주 사용되는 스킬이다.
해당 문제는 가맹본부가 일방적으로 중단한 경우만 서술할 뿐, 가맹점사업자가 일방적으로 중단한 경우에 대한 내용은 찾을 수 없다. 따라서 기간이 맞더라도 옳은 판단이라고 볼 수 없는 것이다.

03

정답 | ②
정답풀이 |

발굴 통보를 받은 소유자 등은 그 발굴에 대하여 문화재청장인 甲에게 의견을 제출할 수 있다.

오답풀이 |

① 문화재청장은 발굴할 경우 발굴의 목적, 방법, 착수 시기 및 소요 기간 등의 내용을 발굴 착수일 2주일 전까지 해당 지역의 소유자, 관리자 또는 점유자에게 미리 알려 주어야 한다. 그러므로 3월 15일부터 발굴 예정인 경우 소유자에게 2주 전인 3월 1일까지 알려 주어야 한다.
③ 발굴 현장에 발굴의 목적, 조사기관, 소요 기간 등의 내용을

알리는 안내판은 문화재청장인 甲이 설치한다.

④ A지역의 발굴로 인해 손실을 받을 경우 국가가 그 손실을 보상하여야 한다. 그러나 발굴을 거부, 방해, 기피할 수는 없다.

⑤ 손실보상에 관하여는 문화재청장과 손실을 받은 자가 직접 협의하여야 한다.

04

정답 | ③

정답풀이 |

A는 월령 2개월 이상인 개가 아니므로 인식표를 부착하지 않아도 된다.

오답풀이 |

① A는 3개월 이상인 맹견이 아니므로 목줄과 입마개를 하지 않아도 된다.

② 맹견의 소유자는 맹견의 안전한 사육 및 관리에 관하여 정기적으로 교육을 받아야 한다.

④ 사람에게 신체적 피해를 주는 경우, 소유자의 동의 없이 맹견에 대하여 격리조치 등 필요한 조치를 취할 수 있다.

⑤ 상해에 이르게 한 경우, 2년 이하의 징역 또는 2천만 원 이하의 벌금에 처한다.

05

정답 | ②

정답풀이 |

※ 해설의 가독성 및 편의를 위해 각 ○○조를 제1조~제4조로 정함.

제3조 3항에 따르면 이사회는 재적이사 과반수의 출석으로 개의하고, 재적이사 과반수의 찬성으로 의결한다고 하였다. ○○박물관의 재적이사는 A~F로 총 6명이다. 따라서 의결정족수는 과반수인 4명이 되고, 5명이 출석하고 그중의 반대가 2명이면 나머지는 3명이므로 모두 찬성한다고 하여도 의결정족수를 채울 수 없어 안건은 부결된다.

오답풀이 |

① 제2조 3항에 따르면 임원의 사임 등으로 선임되는 임원의 임기는 새로 시작된다고 하였다. 같은 조 1항에서 관장의 임기는 3년이므로 새로 임명된 관장의 임기 역시 1년이 아닌 3년이 된다.

③ 제2조 5항에 의하면 관장이 부득이한 사유로 직무를 수행할 수 없을 때는 상임이사가 그 직무를 대행한다고 하였다. 따라서 A가 직무 수행이 어려울 때는 감사 G가 아니라 상임이사인 B가 직무 대행해야 한다.

④ 제4조 2항에 따라 임직원인 B가 직무상 알게 된 비밀을 누설한 경우 '2년 이하의 징역 또는 2천만 원 이하의 벌금'에 처해진다. 따라서 둘 중 하나만 부과받는 것이므로 '1년의 징

역과 500만 원의 벌금'에 처해질 수 없다.

※ 징역형과 벌금형은 동시에 부과받을 수 없다.

[참고]
형법 제41조는 형벌의 종류로 '사형, 징역, 금고, 자격상실, 자격정지, 벌금, 구류, 과료, 몰수' 등 9개를 규정하고 있으며, 제49조는 몰수를 '부가형'으로 규정하고 있다. 따라서 몰수 이외에 어떤 경우에 징역형에 벌금을 병과할 수 없다.

⑤ 제1조 3항에 따라 '관장은 이사, 감사를 임면한다.'라고 규정되어 있고, 제1조 제2항에 따라 감사는 비상임으로 함을 알 수 있으므로 H를 상임감사로 임명할 수는 없다.

TIP

당연한 이야기겠지만 '과반수'는 '절반'을 포함하는 '반수 이상'이 아닌 절반을 포함하지 않는 '반수 초과'의 뜻으로 보아야 한다. 즉 9명의 과반수는 5명이고, 10명의 과반수는 6명이 된다.

06

정답 | ④

정답풀이 |

두 번째 제○○조 제2항에 따르면 농림축산식품부장관이 농산물의 수급조절과 가격안정을 위해 비축하는 농산물은 생산자 또는 생산자단체로부터 수매할 수 있다고 하였으므로 옳다.

오답풀이 |

① 첫 번째 제○○조 제2항과 제3항에 따르면 농림축산식품부장관은 가격안정을 위해 저장성이 없는 농산물을 수매하는 업무와 판매, 수출, 사회복지단체에 기증하는 등 필요한 처분에 관한 업무를 농림협중앙회 또는 한국농수산식품유통공사에 위탁할 수 있다고 하였으므로 옳지 않다.

② 첫 번째 제○○조 제1항에 따르면 채소류 등 저장성이 없는 농산물의 가격안정을 위하여 특히 필요하다고 인정할 때에는 도매시장에서 해당 농산물을 수매할 수 있다고 하였으므로 옳지 않다.

③ 두 번째 제○○조 제1항에 따르면 수급조절과 가격안정을 위해 필요하다고 인정할 때에 농산물을 비축하거나 농산물의 출하를 약정하는 생산자에게 그 대금의 일부를 미리 지급하여 출하를 조절할 수 있으나 쌀과 보리는 제외한다고 하였으므로 옳지 않다.

⑤ 두 번째 제○○조 제4항에 따르면 농림축산식품부장관은 비축용 농산물을 수입하는 경우, 국제가격의 급격한 변동에 대비해야 할 필요가 있다고 인정할 때에는 선물거래를 할 수 있다고 하였으므로 옳지 않다.

07

정답 | ⑤

정답풀이 |

법률에 의하지 아니하고는 우편물의 검열, 전기통신의 감청 또는 통신사실확인자료의 제공을 하거나 공개되지 아니한 타인 상호간의 대화를 녹음 또는 청취하지 못한다. 이에 해당하는 자는 1년 이상 10년 이하의 징역과 5년 이하의 자격정지에 처한다. 따라서 2년의 징역과 3년의 자격정지에 처해질 수 있다.

오답풀이 |

① 제□□조에 따르면 불법검열에 의하여 취득한 우편물이나 그 내용, 불법감청에 의하여 지득 또는 채록된 전기통신의 내용, 공개되지 아니한 타인 상호간의 대화를 녹음 또는 청취한 내용은 재판 또는 징계 절차에서 증거로 사용할 수 없으므로 옳지 않다.

② 불법검열이나 불법감청에 의한 것이 아니고, 타인 상호간의 대화가 아니기 때문에 증거로 사용할 수 있으므로 옳지 않다.

③ 제○○조에 따르면 법률에 의하지 아니하고는 우편물의 검열, 전기통신의 감청 또는 통신사실확인자료의 제공을 하거나 공개되지 아니한 타인 상호간의 대화를 녹음 또는 청취하지 못한다. 이에 해당하는 자는 1년 이상 10년 이하의 징역과 5년 이하의 자격정지에 처하므로 옳지 않다.

④ 제○○조 제3항에 따르면 이동전화단말기 제조업체 또는 이동통신사업자는 단말기의 개통처리 및 수리 등 정당한 업무의 이행을 위하여 단말기기 고유번호를 제공하거나 제공받을 수 있으므로 옳지 않다.

08

정답 | ⑤

정답풀이 |

제1항 제1호에서 대가를 받지 아니하고 청소년이 포함되지 아니한 특정인에 한하여 상영하는 단편영화는 상영등급을 분류받지 않아도 됨을 알 수 있다.

오답풀이 |

① 제2항에 따르면 예고편영화는 제1호 또는 제4호로 분류하므로, 전체관람가 또는 청소년 관람불가로만 분류된다.

② 제5항에서 누구든지 제2항 제4호의 규정에 의한 상영등급에 해당하는 청소년 관람불가 영화의 경우에는 청소년을 입장시켜서는 안 됨을 알 수 있다.

③ 제1항 제2호에서 영화진흥위원회가 추천하는 영화제에서 상영하는 영화는 상영등급을 분류받지 않아도 됨을 알 수 있다.

④ 제2항에 따르면 청소년 관람불가 예고편영화는 청소년 관람불가 영화의 상영 전후에만 상영할 수 있다.

09

정답 | ⑤

정답풀이 |

제2항 제1호에 따르면 지반공사의 하자 담보책임 기간은 10년이고, 제5항에서 분양자와 시공자의 담보책임에 관하여 이 법에 규정된 것보다 매수인에게 불리한 특약은 효력이 없음을 알 수 있다. 〈상황〉에서 甲이 매수인이므로 乙과의 분양계약에서 담보책임 존속기간을 5년으로 정하더라도 10년 이내인 2027. 10. 1.에 해당 하자가 발생하면 담보책임을 지게 된다.

오답풀이 |

① 제2항 제3호에 따르면 창호공사의 하자 담보책임 기간은 3년이고, 제3항 제1호에서 전유부분은 구분소유자에게 인도한 날로부터 하자 기간을 기산함을 알 수 있다. 〈상황〉에서 구분소유자인 甲이 인도받은 날은 2020. 7. 1.이므로 丙은 2025. 7. 1.에는 담보책임을 지지 않는다.

② 제2항 제2호에서 철골공사의 하자 담보책임 기간은 5년이고, 제1항에서 시공사는 하자에 대하여 과실이 없더라도 담보책임을 짐을 알 수 있다.

③ 제1항에서 분양한 분양자는 구분소유자에게 하자에 대하여 담보책임을 짐을 알 수 있고, 제2항 제2호에서 방수공사의 하자 담보책임 기간은 5년이며, 제3항 제1호에서 전유부분은 구분소유자에게 인도한 날로부터 하자 담보책임 기간을 기산함을 알 수 있다. 따라서 〈상황〉에서 乙은 구분소유자 甲에게 인도한 날인 2020. 7. 1.부터 5년간 담보책임을 진다.

④ 제4항에 따르면 건물이 멸실된 경우에는 담보책임 존속기간은 멸실된 날로부터 1년으로 한다. 2023. 10. 1.에 주차장 건물이 멸실된다면 담보책임은 1년 동안 지속되므로 2024. 10. 1. 이후에 담보책임을 지지 않게 된다.

10

정답 | ④

정답풀이 |

2항에 따르면 공관장이 아닌 재외공무원이 공무 외의 목적으로 일시 귀국하려는 경우에는 공관장의 허가를 받아야 한다. 乙은 공무 외의 목적으로 일시귀국한 경우이므로 공관장의 허가를 받는 것이 맞다. 더불어 4항 2호에 따라 '재외공무원이 일시귀국 후 국내체류기간을 연장하는 경우'는 제2항에도 불구하고 장관의 허가를 받아야 한다고 했으므로, 乙 역시 장관의 허가를 받았을 것이라고 판단하는 것이 옳다.

오답풀이 |

① 甲은 공관장이다. 따라서 1항에 따라 공무로 일시귀국하고자 하는 경우에는 장관의 허가를 받아야 한다. ※ '신고'가 아닌 '허가'이다.

② 2항의 '다만'에 따르면 '재외공무원 또는 그 배우자의 직계

존·비속이 사망하거나 위독한 경우'에 '공관장은 장관에게 신고하고 일시귀국할 수 있다'고 하였다. 따라서 공관장인 甲은 배우자의 직계존속이 위독하여 올해 추가로 일시귀국하기 위해서는 장관의 '허가'가 아닌 '신고'를 해야 한다.

③ 2항에 따르면 공관장이 아닌 재외공무원이 공무 외의 목적으로 일시 귀국하려는 경우에는 공관장의 허가를 받아야 한다. 공관장이 아닌 乙이 직계존속의 회갑으로 인해 올해 3일간 추가로 일시귀국하기 위해서는 '장관'이 아닌 '공관장'의 허가를 받아야 한다.

⑤ 4항 1호에 따라 재외공무원이 연 1회 또는 20일을 초과하여 공무 외의 목적으로 일시귀국하는 경우는 '장관의 허가'를 받아야 한다. 丙은 올해 추가로 일시귀국을 하는 것이므로 '공관장'이 아닌 '장관'의 허가를 받아야 한다.

TIP

법조문 문제에서 실수하지 말아야 할 것은 법률용어를 자의적으로 해석해서는 안된다는 것이다. 주어진 조항에서는 '허가'와 '신고'를 구분하여 제시하고 있으므로 이를 정확하게 구분하여 사용했는지 여부를 필히 확인해야 한다.

NCS 기출변형 모의고사 [1회]   P. 225

01	02	03	04	05	06	07	08	09	10
②	③	⑤	②	⑤	②	⑤	⑤	④	③
11	12	13	14	15	16	17	18	19	20
④	①	④	②	①	④	③	⑤	⑤	④
21	22	23	24	25					
③	①	⑤	④	④					

01

정답 | ②
정답풀이 |

주어진 내용을 기호화하면 다음과 같다.
〈전제1〉 성공 → 인간관계
〈전제2〉 자존감∧~인간관계
전제를 통해 결론을 도출할 때는 매개념이 있어야 하는데, 〈전제1〉과 〈전제2〉 모두 '인간관계'에 대해 논하고 있으므로 이를 동일하게 바꿔주어야 한다. 가언명제는 그 대우도 참이므로 〈전제1〉을 대우하면 '~인간관계 → ~성공'을 이끌어 낼 수 있다. 따라서 자존감에 관심이 있고 인간관계에는 관심이 없는 어떤 사람은 성공에도 관심이 없다는 것을 이끌어 낼 수 있다.

02

정답 | ③
정답풀이 |

을과 병은 정에 대해 모순된 진술을 하고 있다. 두 사람의 진술을 바탕으로 풀이하면 다음과 같다.
• 을이 참이고, 병이 거짓일 때
  정은 범인이고, 이를 무가 목격한다. 병의 진술이 거짓이므로 무의 말도 거짓이 된다. 무의 진술이 거짓일 때 무 혹은 갑 역시 범인이 되는데 '범인이 한 명'이라는 문두와 모순되므로 이는 올바른 추론이 될 수 없다.
• 을이 거짓이고, 병이 참일 때
  정은 범인이 아니고, 무가 이를 본 것도 아니다. 병이 참이므로 무의 말도 참이 된다. 그런데 무는 부정행위를 보지 못했다고 하였는데 갑은 갑과 무가 부정행위를 보았다고 하였으므로 갑이 거짓임을 알 수 있다. '을의 말은 모두 참'을 통해서도 갑

이 거짓임을 알 수 있다. 따라서 남은 정이 참이 되므로 부정행위를 본 사람은 세 명이고, 을 역시 범인이 아님을 알 수 있다. 이를 정리하면 '갑, 을, 정, 무'가 범인이 아니므로 범인은 '병'이 된다.

TIP

갑의 진술이 참이면 을의 진술도 참이 된다. 그런데 갑과 을의 진술이 참이라면 나머지 진술이 모두 거짓이 되기 때문에 결국 갑과 을의 진술이 거짓임을 알 수 있다.

03

정답 | ⑤
정답풀이 |

A씨가 각 물류창고를 한 번씩만 방문하는 데 걸리는 최소 시간과 최대 시간은 다음과 같다.
• 최소 시간: 본사 → 물류창고1 → A지점 → 물류창고2 → 본사: 10+25+5+10=50(분)
• 최대 시간: 본사 → D지점 → C지점 → B지점 → 물류창고2 → A지점 → 물류창고1 → H지점 → G지점 → F지점 → E지점 → 본사: 5+5+5+10+5+25+10+10+5+15+5=100(분)
따라서 최소 시간과 최대 시간의 차이는 100−50=50(분)이다.

04

정답 | ②
정답풀이 |

현재 각 물류창고와 지점 간의 걸리는 이동시간은 다음과 같다.

물류창고1	물류창고2
H지점: 10분	A지점: 5분
G지점: 20분	B지점: 10분
F지점: 25분	C지점 15분
D지점: 15분	
E지점: 15분	
총이동시간: 85+30=115(분)	

① 물류창고1-D지점

D지점	물류창고2
H지점: 25분	A지점: 5분
G지점: 25분	B지점: 10분
F지점: 20분	
물류창고1: 15분	
E지점: 5분	
C지점 5분	
총이동시간: 95+15=110(분)	

② 물류창고1-E지점

E지점	물류창고2
H지점: 25분	A지점: 5분
G지점: 20분	B지점: 10분
F지점: 15분	
물류창고1: 15분	
D지점: 5분	
C지점: 10분	
총이동시간: 90+15=105(분)	

③ 물류창고2-B지점

물류창고1	B지점
H지점: 10분	A지점: 15분
G지점: 20분	물류창고2: 10분
F지점: 25분	C지점: 5분
E지점: 15분	D지점: 10분
총이동시간: 70+40=110(분)	

④ 물류창고2-C지점

물류창고1	C지점
H지점: 10분	A지점: 20분
G지점: 20분	B지점: 5분
F지점: 25분	물류창고2: 15분
	D지점: 5분
	E지점: 10분
총이동시간: 55+55=110(분)	

⑤ 물류창고2-E지점

물류창고1	E지점
H지점: 10분	A지점: 20분
G지점: 20분	B지점: 15분
	C지점: 10분
	물류창고2: 15분
	D지점: 5분
	F지점: 15분
총이동시간: 30+80=110(분)	

따라서 물류창고1-E지점의 위치를 바꾸는 경우가 이동시간이 제일 적게 걸려 가장 효율적일 것이다.

05

정답 | ⑤
정답풀이 |

해설의 편의를 위해 조건을 1)~9)로 하고 풀이하면, 2)를 통해 네 명의 학생이 수강할 강의는 2개에서 3개임을 알 수 있다. 더불어 9)를 통해 단심은 2개의 강의를 수강하였고, 나머지 세 명은 3개의 강의를 수강했음을 알 수 있다. 단정적 조건인 6)~8)을 표에 배치하면 다음과 같다.

구분	우리	나라	일편	단심
탁구	×	○		○
테니스	○	×		
필라테스	○	○		
요가	×	×		
발레	○	○		
	3	3	3	2

우리와 나라는 수강하는 강의가 3개인데, 수강하지 않은 2개의 강의에 대한 정보가 제시되었으므로 수강할 강의를 확정 지을 수 있다.

남은 조건 중 4)와 5)를 살펴보면 일편을 제외한 모든 학생이 수강한 강의가 있다고 하였으므로 우선은 우리와 나라가 동시에 수강한 과목부터 확인해야 한다. 두 사람이 동시에 수강하는 과목은 '필라테스'와 '발레'이다. 이 중 한 강의를 단심도 수강했음을 추론할 수 있다. 이때 3)에 준하기 위해서는 아무도 수강하지 않는 '요가'는 일편이 수강해야 함도 확정 지을 수 있다.

한편 단심이 수강할 수 있는 강의는 2개뿐이므로 한 과목은 일편은 수강하지 못하고 다른 한 과목은 일편과 함께 수강해야 함도 알 수 있다. 다시 말해 단심이 수강하고 있는 '탁구'는 일편을 제외한 모든 사람과 동시에 수강하지 못하므로 일편과 수강해야 함을 알 수 있다. 그리고 일편은 나라와 동시에 수강하는 강의도 한 개라고 했으므로 이미 '탁구'를 동시에 수강하므로 나라가 수강하는 '필라테스'와 '발레'가 아닌 '테니스'를 수강함을 알 수 있다. 이를 정리하면 다음과 같다.

구분	우리	나라	일편	단심	
탁구	×	○	○	○	3
테니스	○	×	○	×	2
필라테스	○	○	×		2~3
요가	×	×	○	×	1
발레	○	○	×		2~3
	3	3	3	2	

ㄱ. 요가는 일편만 수강하므로 적절하다.
ㄷ. 우리와 일편이 동시에 수강하는 과목은 '테니스' 한 개가 맞다.
ㄹ. 우리를 제외한 모든 학생이 수강하는 과목은 '탁구'로, 존재한다.
ㅁ. 모든 학생이 수강하는 강의는 없다.

오답풀이 |

ㄴ. 테니스를 수강하는 사람은 2명이고, 발레를 수강하는 사람은 2~3명이므로 같지 않다.

06

정답 | ②
정답풀이 |
출장 1: 세종시이므로 출장수당이 1만 원이고, 출장이 13시 ~15시이지만 세종시이므로 차감되지 않는다. 교통비는 2만 원인데 관용차량을 사용하였으므로 1만 원이 차감되어 1만 원이다. 따라서 출장 1의 출장여비는 1+1= 2(만 원)이다.

출장 2: 서울시이므로 출장수당이 2만 원인데 13시 이후 출장을 시작하였으므로 1만 원이 차감되어 1만 원이다. 교통비는 4만 원이다. 따라서 출장 2의 출장여비는 1+4=5(만 원)이다.

출장 3: 부산시이므로 출장비가 2만 원인데 업무추진비를 사용하였으므로 1만 원이 차감되어 1만 원이다. 교통비는 4만 원이다. 따라서 출장 3의 출장여비는 1+4=5(만 원)이다.

출장 4: 대전시이므로 출장수당이 1만 원, 교통비가 3만 원이다. 출장이 15시 이전에 종료되기는 하였지만 대전/충남 지역이므로 차감되지 않는다. 따라서 출장 4의 출장여비는 1+3=4(만 원)이다.

따라서 A사무관의 3월 출장여비는 2+5+5+4=16(만 원)이다.

TIP

단순 합을 구하는 문제이므로 차감 요건이 있는 내역에 −1을 표시한 다음 더하면 빠르게 풀 수 있다.

07

정답 | ⑤
정답풀이 |
네 번째 문단에 따르면 노루궁뎅이버섯은 '면역 기능 증대, 치매 억제 등의 효능'이 있으며, '한방 약선요리나 궁중요리에 한정적으로 이용'되었다고 하였다.

오답풀이 |
① 세 번째 문단에 따르면 표고버섯은 죽은 나무에서 자라는 것이 맞으나, 마지막 문단에 따르면 동충하초는 살아있는 곤충에서 자라는 것을 알 수 있다.
② 경제적인지 여부는 알 수 없다.
③ 두 번째 문단에 따르면 『동의보감』에서 송이버섯을 '나무 버섯 중에 으뜸'인 것이지, 모든 버섯 중에서 으뜸이라고 평가하지는 않았다.
④ 세 번째 문단에서 표고버섯은 '향과 맛이 좋아 각종 음식 재

료로 널리 이용'된다고 하였고, 네 번째 문단에서 노루궁뎅이버섯은 '쓴맛이 강해 대중적인 식재료로는 잘 활용되지 않았다'고 하였다. 하지만 마지막 문단에서 동충하초의 맛에 대한 내용을 찾을 수 없으므로 두 대상의 맛을 비교한 내용을 단정할 수는 없다.

08

정답 | ⑤
정답풀이 |
제12조 3항을 통해 알 수 있는 내용이다.

오답풀이 |
① 제12조 1항에 따라 조사실시기관은 인구총조사를 실시하기 30일 전까지 조사업무를 직접 수행할 사람을 채용하여야 한다고 하였다. 소속 공무원 중에서 지정하는 것이 아니다. 소속 공무원 중에서 조사업무를 지도, 감독하는 '조사지도공무원'을 지정한다는 내용은 제11조 2항에서 확인할 수 있다.
② 제3조 1항 3호의 '다만, 외국인 중 군인·군무원·외교관과 그 가족 및 국제연합·외국정부의 공무로 체재 중인 사람과 그 가족은 제외한다'고 하였으므로 모든 외국인이 인구총조사의 대상자가 되는 것은 아니다.
③ 제8조에 따르면 조사구는 통계청장 또는 조사실시기관이 설정하는 것이며, 조사구 안의 가구 수가 현저히 증감된 경우 실효성 확보를 위해 조사구를 변경할 수도 있다고 하였다. 반드시 변경해야 하는 것은 아니다.
④ 제9조에 따르면 국군의 부대 또는 함선에 상주하는 사람인 군인은 국방부장관이 부대 또는 함선별로 조사한다고 하였다. 조사요원이 파견되는지는 알 수 없다.

09

정답 | ④
정답풀이 |
주어진 글의 필자는 당신(독자)과 소수자의 유사성을 근거로 소수자를 존중해야 한다는 결론을 도출해 내고 있다. 이는 유사성을 근거로 하는 유비추론에 해당한다. 유비추론은 두 대상이 몇 가지 점에서 유사하다는 사실을 근거로 어떤 대상이 추가적 특성이 있음이 확인되었을 때 또 다른 대상도 그 추가적 특성이 있을 것이라고 추론하는 논증이다. 유비 논증의 형식을 도식화하면 다음과 같다.
- X는 a, b, c, d를 가지고 있다.
- Y도 a, b, c, d를 가지고 있다.
- X가 e를 가지고 있다. 그러므로 Y도 e를 가지고 있을 것이다.
이와 같은 형식을 가진 것은 ④이다.

오답풀이 |
① 연역추론(가언삼단논법)의 형식이다.

② 선언지 긍정의 오류이다.

③ 후건긍정의 오류이다.

⑤ 두 가지 대상 사이의 유사성을 비교하는 정도이므로 '유비 추론'이라고 보기 어렵다. 흔히 유비는 두 대상 사이의 유사성이 비교되는 정도에 따라 강한 유비와 약한 유비로 나뉘는데, 적절한 유사 관계가 있으면 강한 유비가 되고, 없을 때는 약한 유비가 된다.

추론의 방법에는 연역추론, 귀납추론, 유비추론 등이 있다. 우선 연역추론은 이미 알고 있는 일반적인 사실로부터 새로운 사실을 이끌어 내는 것이다. 결론이 참이냐 거짓이냐 보다는 결론을 도출되는 과정에서 그 관계성에 문제를 삼는다. 즉 주어진 문장 간의 논리적 관계나 결론과 전제의 연결고리가 적절한 것인가를 추론하는 것이다.

이에 비해 귀납추론은 특수한 또는 개별적 사실로부터 일반적인 사실을 이끌어 내는 것이다. 유비추론은 두 개의 현상이 유사하게 가진 특성들로부터 나머지 요소들도 같을 것이라는 전제로 추론을 하는 것이다.

10

정답 | ③

정답풀이 |

제조원가의 10%의 금액은 A사와 B사가 각각 200×0.1=20(억 원), 600×0.1=60(억 원)이고, 남은 총 순이익은 200−20−60 =120(억 원)이다. A사가 분배받는 총 금액은 분배기준을 연구개발비로 할 때 $20+120×\frac{100}{100+300}=20+30=50$(억 원)이고, 분배기준을 광고홍보비로 할 때 $20+120×\frac{300}{300+150}=$ 20+80=100(억 원)으로 총 금액의 차이는 50억 원이기 때문에 갑은 옳다.

판매관리비가 분배기준이 된다면 A사가 분배받는 총 금액은 $20+120×\frac{200}{200+200}=20+60=80$(억 원)이고, B사가 분배받는 총 금액은 $60+120×\frac{200}{200+200}=60+60=120$(억 원)으로 총 금액의 차이는 40억 원이기 때문에 을은 옳다.

따라서 갑과 을 모두 옳다.

11

정답 | ④

정답풀이 |

$\overline{OA}$는 A, B, C 모두 이용, $\overline{AB}$는 B와 C가 이용, $\overline{BC}$는 C만 이용한다. 도로 1km당 건설비용이 동일하므로 1km당 건설비용을

1로 두고 각 안별 부담 비용을 정리해보면 다음과 같다.

구분	A	B	C
Ⅰ	30	30	30
Ⅱ	15	30	45
Ⅲ	10	25	55

ㄴ. Ⅲ안에서 A, B, C의 부담 비용은 각각 10, 25, 55로 B와 C의 부담 비용의 차는 55−25=30이기 때문에 옳다.

ㄷ. Ⅱ안에서 A, B, C의 부담 비용은 각각 15, 30, 45로 C의 부담 비용은 전체의 절반이기 때문에 옳다.

오답풀이 |

ㄱ. A의 부담 비용은 Ⅰ안에서 30, Ⅱ안에서 15, Ⅲ안에서 10이기 때문에 옳지 않다.

ㄹ. Ⅰ안, Ⅱ안, Ⅲ안에서 B의 부담 비용은 각각 30, 30, 25로 B의 부담 비용이 적어지는 안은 Ⅲ안이기 때문에 옳지 않다.

12

정답 | ①

정답풀이 |

ㄱ. 거래처 A의 거래 물품 종류 수가 2개이고, 직전 분기 거래액이 4천만 원이라면 담당자가 2명인데 만약 한 개 물품의 거래액이 2천만 원 이상이면 담당자는 총 3명이 된다. 거래처 B의 경우 직전 분기 거래액이 4천만 원이라면 담당자가 1명인데, 한 개 물품의 직전 분기 거래액이 2천만 원 이상이면 2명이다. 따라서 거래처 A와 거래처 B의 담당자 수가 항상 동일할 수 없으므로 옳지 않다.

오답풀이 |

ㄴ. 직전 분기 거래액이 2,500×2+500×6=8,000(만 원)이므로 담당자는 3명이다. 그런데 두 개 물품의 직전 분기 거래액이 2,500만 원으로 담당자 1명이 더 추가되므로 담당자 수는 총 4명이 되어 옳다.

ㄷ. 만약 한 개 물품 이상의 직전 분기 거래액이 2천만 원 이상이라면 담당자는 1명이 더 추가된다. 즉, 거래처 B는 직전 분기 거래액이 5천만 원 이하라면 담당자가 1명 또는 2명, 5천만 원을 초과하면 담당자가 2명 또는 3명이다. 거래처 D는 직전 분기 거래액이 5천만 원 이하라면 담당자가 3명 또는 4명, 5천만 원을 초과하면 담당자가 4명 또는 5명이다. 따라서 직전 분기 거래액에 관계없이 거래처 B와 거래처 D의 담당자 수가 동일할 수 있는 경우가 없으므로 옳다.

담당자 수는 거래 물품의 수와 직전 분기 거래액에 따른 담당자 수에 최대 1명이 더 추가될 수 있다. 이를 이용하면 상황별 담당자 수를 계산할 수 있다.

13

정답풀이 |

제품을 총 합해서 40개 제작한다. 제품 P의 개수를 k개라 하면 제품 Q의 개수는 3k개이고, 제품 R의 개수는 k+3k=4k이다. 즉, k+3k+4k=40, 8k=40이므로 k=5이다. 따라서 제품 P는 5개, 제품 Q는 15개, 제품 R은 20개 제작한다.

제품 P를 한 개 제작하는 데 소요되는 비용은 $(2,000×30)+50,000=110,000$(원), 제품 Q를 한 개 제작하는 데 소요되는 비용은 $(1,500×40)+80,000=140,000$(원), 제품 R을 한 개 제작하는 데 소요되는 비용은 $(1,000×50)+100,000=150,000$(원)이다. 따라서 총 제작비용은 $5×11+15×14+20×15=565$(만 원)이다.

> **TIP**
>
> 각 제품별 개당 소요비용과 제작 개수만 구하면 쉽게 풀 수 있다.

14

정답풀이 |

2014년도의 성과평가등급에 따라 2015년도의 연봉이 결정되므로 2015년도 연봉÷2014년도 연봉을 구하면 연봉인상률과 2014년도 성과평가등급을 알 수 있다.

- A: 34,560÷28,800=1.2
- B: 26,250÷25,000=1.05
- C: 27,720÷25,200=1.1
- D: 27,500÷27,500=1

따라서 성과평가등급이 높은 사원 순대로 나열하면 A−C−B−D이다.

> **TIP**
>
> 2014년도 성과평가등급 순서를 알기 위해서는 2013년도 연봉, 2016년도 연봉, 연봉인상률 정보는 중요하지 않다. 2014년도의 연봉과 2015년도의 연봉 자료만을 활용하여 문제를 빠르게 풀 수 있다.
>
> 연봉인상률의 10%를 기준으로 확인하면 편하다. 예를 들어, 2014년 A의 연봉은 28,800천 원인데, 10% 인상됐다고 가정하면 28,800+2,880=31,680(천 원)일 것이다. 하지만 2015년 A의 연봉이 이보다 크므로 20% 인상됐음을 알 수 있다. 마찬가지 방법으로 B~D의 연봉인상률을 쉽게 구할 수 있다.

15

정답풀이 |

갑: 실비지급이고, 4박 하였으므로 숙박비는 $145×4=580$($)이다. 출장 시 개인 마일리지를 사용하지 않았고, 5일이므로 식비는 $72×5=360$($)이다. 따라서 총 출장 여비는 $580+360=940$($)이다.

을: 정액지급이고, 5박 하였으므로 숙박비는 $100×5×0.8=400$($)이다. 출장 시 개인 마일리지를 사용하였고, 6일이므로 식비는 $45×6×1.2=324$($)이다. 따라서 총 출장 여비는 $400+324=724$($)이다.

병: 정액지급이고, 3박 하였으므로 숙박비는 $170×3×0.8=408$($)이다. 출장 시 개인 마일리지를 사용하였고, 5일이므로 식비는 $72×5×1.2=432$($)이다. 따라서 총 출장 여비는 $408+432=840$($)이다.

정: 실비지급이고, 1박 실지출이 90$로 상한액 85$를 초과한다. 따라서 1박당 숙박비는 85$이다. 6박 하였으므로 숙박비는 $6×85=510$($)이다. 출장 시 개인 마일리지를 사용하지 않았고, 7일이므로 식비는 $35×7=245$($)이다. 따라서 총 출장 여비는 $510+245=755$($)이다.

무: 실비지급이고, 1박 실지출이 150$로 상한액 140$를 초과한다. 따라서 1박당 숙박비는 140$이다. 4박 하였으므로 숙박비는 $4×140=560$($)이다. 출장 시 개인 마일리지를 사용하였고, 6일이므로 식비는 $60×6×1.2=432$($)이다. 따라서 총 출장 여비는 $560+432=992$($)이다.

따라서 출장 여비를 많이 지급받는 순서는 무−갑−병−정−을 순이므로 출장 여비가 두 번째로 높은 사람은 갑, 네 번째로 높은 사람은 정이다.

> **TIP**
>
> 〈표1〉에 정액지급인지 실비지급인지 여부, 상한액을 초과하는지 여부, 마일리지 사용 여부 등을 꼼꼼히 체크하여 계산 실수를 줄일 수 있도록 한다.

16

정답풀이 |

1표당 총 점수는 5+3=8(점)이다. 현재 70%를 개표하였으므로 총 점수는 $120×0.7×8=672$(점)이다. A, B, C, D의 점수의 합이 239+194+48+41=522(점)이므로 E의 점수는 $672−522=150$(점)이다.

ㄴ. 1순위와 2순위를 동일한 사람을 뽑을 수 없다. 따라서 C가 추가로 얻을 수 있는 최대 점수는 남은 1순위가 모두 C일 때의 점수이다. 남은 표가 $120×0.3=36$(표)이므로 C는 최대 $36×5=180$(점)을 더 얻을 수 있다. 이때 C의 점수는

48+180=228(점)으로 A의 중간집계 결과 점수 239점보다 낮다. 따라서 C가 남은 표에서 최대 점수를 얻고, A가 추가 점수를 얻지 못한다 해도 C가 '올해의 체육인상'을 받을 수 없기 때문에 옳다.

ㄷ. 현재 A와 B의 점수 차이는 45점이다. 1순위 표로 바꾸어 생각하면 9표가 차이 난다. 남은 표는 36표이고, A와 B만 1순위를 나눠가진다. 만약 B가 A보다 9표를 더 득표하였고, B의 추가 득표수를 x표라 하면 A의 추가 득표수는 $(x-9)$표이다. 따라서 $x+(x-9)=36$이 되어야 하고, 이를 계산하면 $x=22.5$가 된다. 다시 말해 A와 B가 동점이 되기 위해서는 A가 13.5표, B가 22.5표를 득표해야 하는데 정수로 나와야 하므로 B가 A보다 점수가 높기 위해서는 A가 최대 13표, B가 최소 23표를 득표해야 한다. 이때 A와 B의 득표수 차이가 10표이기 때문에 옳다.

오답풀이 |

ㄱ. 중간집계 결과 A가 239점, B가 194점, E가 150점, C가 48점, D가 41점으로 B는 2위이기 때문에 옳지 않다.

ㄹ. 남은 표는 36표이고, 1순위가 모두 E라면 E의 점수는 150+5×36=330(점)이다. 만약 2순위가 모두 A라면 A의 점수는 239+3×36=347(점)이다. 따라서 남은 표의 1순위가 모두 E라 하더라도 E가 '올해의 체육인상'을 받지 못하는 경우가 있기 때문에 옳지 않다.

> **TIP**
>
> 1표당 8점이고, 한 사람이 한 표당 받을 수 있는 점수는 0점, 3점, 5점 중 하나라는 것을 활용하면 문제를 빠르게 풀 수 있다.

17

정답 | ③

정답풀이 |

가정법원은 성년후견인이 선임된 경우에도 필요하다고 인정하면 직권으로 또는 청구권자의 청구에 의하여 추가로 성년후견인을 선임할 수 있다. 따라서 지방자치단체 장의 직권이 아닌 가정법원의 직권으로 추가로 성년후견인을 선임할 수 있기 때문에 옳지 않다.

오답풀이 |

① 정신적 제약으로 사무를 처리할 능력이 지속적으로 결여된 사람은 배우자의 청구에 의해 성년후견 개시의 심판을 받을 수 있기 때문에 옳다.

② 성년후견인은 일용품의 구입 등 일상생활에 필요하고 그 대가가 과도하지 아니한 법률행위가 아닌 법률행위를 취소할 수 있다. 따라서 일용품의 구입이라도 대가가 과도하다면 성년후견인이 취소할 수 있기 때문에 옳다.

④ 피성년후견인은 자신의 신상에 관하여 그의 상태가 허락하는 범위에서 단독으로 결정하기 때문에 옳다.

⑤ 성년후견인이 피성년후견인을 치료 등의 목적으로 정신병원

이나 그 밖의 다른 장소에 격리하려는 경우에는 가정법원의 허가를 받아야 하기 때문에 옳다.

18

정답 | ⑤

정답풀이 |

ㄴ. 제4항에 따르면 제2항에 따른 경찰공무원의 음주측정에 응하지 아니한 사람은 1년 이상 3년 이하의 징역이나 500만 원 이상 1천만 원 이하의 벌금에 처하기 때문에 옳다.

ㄷ. 제4항 제1호에 따라 제3항에도 불구하고 제1항을 2회 이상 위반한 사람이 다시 술에 취한 상태에서 자동차를 운전한 경우 1년 이상 3년 이하의 징역이나 500만 원 이상 1천만 원 이하의 벌금에 처하기 때문에 옳다.

ㄹ. 제3항 제2호에 따라 혈중알콜농도가 0.1퍼센트 이상 0.2퍼센트 미만인 사람은 300만 원 이상 500만 원 이하의 벌금에 처할 수 있고, 제1호에 따라 혈중알콜농도가 0.2퍼센트 이상인 사람은 500만 원 이상 1천만 원 이하의 벌금에 처할 수 있다. 따라서 혈중알콜농도가 0.18퍼센트인 사람과 0.2퍼센트인 사람 모두 500만 원의 벌금에 처할 수 있기 때문에 옳다.

오답풀이 |

ㄱ. 혈중알콜농도가 0.01퍼센트인 경우의 처벌 조항은 없기 때문에 옳지 않다.

> **TIP**
>
> 다음과 같이 표로 정리하면 빠르게 풀 수 있다.

징역	6개월 이하	6개월 이상 ~1년 이하	1년 이상 3년 이하
벌금	300만 원 이하	300만 원 이상 500만 원 이하	500만 원 이상 1천만 원 이하
알콜농도/ 위반사항	0.05 이상 0.1 미만	0.1 이상 0.2 미만	0.2 이상 2회 이상 위반 후 재적발 경찰의 음주측정 불응

19

정답 | ⑤

정답풀이 |

주어진 내용을 기호화하면 다음과 같다.

1) 갑∧을→병
2) 병→정
3) ~병

3)이 확정적 조건이므로 이를 기준 삼으면, 1)을 대우한 '~병 → ~갑∨~을'을 이끌어 낼 수 있다. 즉 갑과 을 두 사람 모두 위촉되지 않거나 둘 중 한 사람은 반드시 위촉되지 않아야 한

다. 따라서 갑이 위촉되면 을은 위촉되지 않는다.

오답풀이 |

① 을이 위촉되지 않고, 갑은 위촉되는 경우가 가능하기 때문에 반드시 항상 옳은 것은 아니다.
② 제시된 내용만으로 정이 위촉되는지 알 수 없으므로 옳지 않다.
③ 갑과 정이 위촉되거나 정 또는 갑만 위촉되는 경우가 가능하기 때문에 항상 옳은 것은 아니다.
④ 정이 위촉되었을 때 갑 또는 을이 위촉되는지는 알 수 없으므로 항상 옳은 것은 아니다.

20

정답 | ④

정답풀이 |

'사과 상자'에서 과일을 하나 꺼내어 확인한 결과 사과라면 '사과 상자'에는 사과와 배가 들어 있고 '배 상자'에는 사과, '사과와 배 상자'에는 배가 들어 있다. 즉, 3개의 상자에 들어 있는 과일의 종류를 모두 알 수 있다. 하지만 '사과 상자'의 과일을 확인한 결과가 배라면, '사과 상자'에 배만 들어 있는지, 사과와 배 둘 다 들어 있는지 확인할 수 없다. 다음과 같은 두 가지 경우가 모두 가능하기 때문이다.

구분	사과 상자	배 상자	사과와 배 상자
경우1	배	사과와 배	사과
경우2	사과와 배	사과	배

'배 상자'에서 과일을 하나 꺼내어 확인한 결과 배라면 '배 상자'는 사과와 배가 들어 있고 '사과와 배 상자'에는 사과만 들어 있기 때문에 을은 옳지 않다.
그러므로 갑과 을 모두 옳지 않다.

21

정답 | ③

정답풀이 |

7월 1일부터 6일까지 김씨가 구입 및 판매한 수박에 대한 정보는 다음과 같다.

구분		1일	2일	3일	4일	5일	6일
구입한 수박		50개	30개	35개	25개	25개	30개
판매한 수박	재고 수박	0개	20개	15개	20개	25개	20개
	당일 구입 수박	30개	15개	10개	0개	5개	15개
	계	30개	35개	25개	20개	30개	35개

재고 수박	20개	15개	25개	25개	20개	15개
폐기한 수박	0개	0개	0개	5개	0개	0개

따라서 1일~6일 동안 수박은 총 50+30+35+25+25+30=195(개) 구입하였고, 당일 구입하여 판매한 수박은 30+15+10+0+5+15=75(개), 다음 날 판매한 재고 수박은 0+20+15+20+25+20=100(개)이다. 따라서 순이익은 (75×5,000+100×5,000×0.8)−195×3,000=190,000(원)이다.

TIP

수박의 원가는 3,000원, 정가는 5,000원, 할인가는 4,000원이다. 따라서 (당일 판매되는 수박의 개수×5,000+다음 날 판매되는 수박의 개수×4,000)−매일 구입하는 수박의 개수×3,000을 계산하면 답을 구할 수 있다.

22

정답 | ①

정답풀이 |

C는 영업부이고, E는 개발부이고, 5층에는 재무부가 있다. D는 4층에 있으므로 영업부, 개발부, 재무부가 아니다. 만약 A가 재무부라면 4층에 C가 있어야 하는데 D가 있으므로 A 또한 영업부, 개발부, 재무부가 아니다. 따라서 A와 D는 기획부 또는 물류부이다. A는 4층, 5층에 위치할 수 없으므로 2층, 3층, 6층 중 한 층에 있어야 한다. A 바로 밑에 C가 있어야 하므로 A는 3층, C는 2층이다. D가 A보다 위에 있으므로 A는 기획부, D는 물류부이다. 따라서 2층이 영업부, 3층이 기획부, 4층이 물류부, 5층이 재무부이므로 6층이 개발부이다. A가 기획부, C가 영업부, D가 물류부, E가 개발부이므로 B는 재무부이다. 그러므로 A의 부서는 기획부이다.

오답풀이 |

② C는 영업부이고, 2층에 위치하므로 옳지 않다.
③ E는 개발부이고, 6층에 위치하므로 옳지 않다.
④ 개발부는 6층, 재무부는 5층으로 개발부는 재무부보다 위층에 위치하므로 옳지 않다.
⑤ B의 부서는 재무부이므로 옳지 않다.

23

정답 | ⑤

정답풀이 |

A는 책을 1권, B는 4권, D는 한 권도 받지 못했고, C는 법령집을 받았지만 판례집은 받지 못했다. 법령집과 백서는 3권, 판례집은 1권, 민원 사례집은 2권이므로 이를 정리해보면 다음과 같다.

구분	A(1)	B(4)	C	D(0)	E
법령집(3)		○	○		
백서(3)		○			
판례집(1)	×	○	×	×	×
민원 사례집(2)		○			

E는 C가 받은 책을 모두 받고, C가 받지 못한 책은 받지 못했으므로, C와 E는 서로 같은 종류의 책을 받았다. 따라서 E도 법령집을 받았으며, C와 E는 각각 2권의 책을 받았다. 민원 사례집은 B에게 나눠준 1권을 제외하면 1권밖에 남지 않았으므로, C와 E가 받은 다른 한 권의 책은 백서이다. 그러므로 A는 민원 사례집을 받았다.

구분	A(1)	B(4)	C(2)	D(0)	E(2)
법령집(3)	×	○	○	×	○
백서(3)	×	○	○	×	○
판례집(1)	×	○	×	×	×
민원 사례집(2)	○	○	×	×	×

B가 새로 발행된 법령집을 받았지만 발행연도가 가장 빠른지는 알 수 없다.

오답풀이 |

① E가 받은 책은 법령집, 백서로 총 2권의 책을 받았기 때문에 옳다.
② 법령집을 받은 사람은 B, C, E이기 때문에 옳다.
③ 백서를 받은 사람은 B, C, E이고 이들은 모두 법령집을 받았기 때문에 옳다.
④ 민원 사례집을 받은 사람은 A, B이기 때문에 옳다.

TIP

주어진 조건에서 법령집 3권을 발행연도가 빠른 사람부터 나누어 준다고 하였으나 누구의 법령집이 가장 빠른지 알 수 없음을 유의하면 문제를 빠르게 풀 수 있다.

24

정답 | ④
정답풀이 |

휘핑크림이 올라간 커피는 카페 비엔나와 카페 모카이다. 은희는 원래 데운 우유가 들어간 커피를 마시지 않지만 배가 고프므로 데운 우유를 넣은 커피도 마실 수 있다. 피곤하면 휘핑크림이 들어갔을 때 항상 초코시럽을 추가한다. 따라서 휘핑크림, 초코시럽이 들어간 카페 모카를 주문한다.

TIP

〈오늘 아침의 상황〉에서 휘핑크림이 들어갔다는 것이 주어졌으므로 카페 비엔나와 카페 모카로 간추린 다음 문제를 푼다.

25

정답 | ④
정답풀이 |

ㄷ. 신고 감점을 제외하고 C의 점수는 25+18+23+22−(1×3+1×1.5+2×0.5)=82.5(점)이다. 따라서 C가 2020년에 한 번이라도 신고를 당한 적이 있다면 총점이 80점 미만이 되어 '최우수 라이더'에 선정되지 못하므로 옳다.
ㄹ. ㉺를 제외하고 B의 점수는 (16+20+20)−(2×3+3×1.5+2×0.5)=44.5(점)이다. 만약 B의 ㉺ 항목 점수가 25점이라도 44.5+25=69.5(점)이 되어 '우수 라이더'에 선정되지 못하므로 옳다.

오답풀이 |

ㄱ. ㉺를 제외하고 A의 점수는 (21+24+18)−(1×3+2×1.5+4×0.5)=55(점)이다. 따라서 A의 ㉺ 항목 점수가 25점이라면 55+25=80(점)이 되어 '최우수 라이더'에 선정될 수 있으므로 옳지 않다.
ㄴ. ㉺를 제외하고 B의 점수는 (16+20+20)−(2×3+3×1.5+2×0.5)=44.5(점)이다. 만약 B의 ㉺ 항목 점수가 15점이라면 44.5+15=59.5(점)이 되어 재계약을 할 수 없으므로 옳지 않다.

TIP

모르는 항목을 제외하고, A, B, C의 점수가 몇 점인지 계산한 뒤 60점 미만, 70점 이상 80점 미만, 80점 이상이 될 수 있는 점수 범위를 구한다.

01	02	03	04	05	06	07	08	09	10
①	②	①	②	⑤	④	②	②	④	①
11	12	13	14	15	16	17	18	19	20
⑤	⑤	①	③	⑤	④	④	②	④	③
21	22	23	24	25					
①	②	①	②	④					

01

정답 | ①

정답풀이 |

문두를 통해 참, 거짓 유형임을 알 수 있다. 모순된 진술을 한 사람은 병과 정이다. 이를 중심으로 풀이하면 다음과 같다.

· 병이 참이고, 정이 거짓일 때

　병이 참일 경우 정은 범인이 아니다. 거짓말을 한 사람이 두 명이므로, 나머지 진술 중에 거짓을 찾아야 한다. 만약 갑의 진술이 거짓이라면 갑은 범인이 되고, 나머지 을과 무는 참이 므로 모순이 일어나지 않는다.

· 병이 거짓이고, 정이 참일 때

　병이 거짓인 경우 정은 범인이 되고, 정의 진술은 참이 된다. 그런데 거짓을 말한 사람 중에 범인이 있다고 하였으므로 모순이 일어난다.

따라서 범인은 '갑'이 된다.

02

정답 | ②

정답풀이 |

주어진 추론들을 화살표로 기호화하면 다음과 같다.

[나] 부지런 → 학자

　～부지런 → ～공무원 ≡ 공무원 → 부지런

　(공무원 → 부지런 → 학자)

　당신 친구 → ～학자

　∴ 당신 친구 → ～공무원

[라] 이상주의자 → ～영원한 삶(유한한 삶)

　유한한 → ～완전

　∴ 완전 → ～이상주의자

[마] 사랑 → 비이성적

　음악 → ～금지

　비이성적 → 금지

　∴ 사랑 → ～음악

오답풀이 |

[가] 민족주의자 → 애국자

　애국자∧～달변가

　∴ 민족주의자∧달변가

　'어떤'은 '모든'을 함축할 수 있다. 민족주의자는 모두 애국 자이고, 애국자 중 어떤 사람은 달변가가 아니다. 그런데 이때 어떤 사람은 모든 사람이 될 수도 있기 때문에 달변가 인 사람이 존재하지 않을 수 있다. 따라서 올바른 추론이 될 수 없다.

[다] 자본주의 → A국

　이슬람 → ～A국

　∴ 이슬람 → 자본주의

　첫 번째와 두 번째 명제를 이으면 '자본주의 → A국 → ～ 이슬람'을 도출할 수 있다. 따라서 '이슬람 → ～자본주의' 가 적절한 추론이 된다.

03

정답 | ①

정답풀이 |

주어진 〈조건〉에 따라 A~E기업의 정보를 정리하면 다음과 같 다.

기업	업종	직원 수	실내/실외 여부	근접역 유무 및 역과의 거리
A	제조	100명 미만	실외	있음, 20km
B	서비스	최대	실내	있음, 10km
C	서비스	최소, 100명 미만	실외	있음, 12km
D	서비스	100명 이상	실내	없음
E	제조	200명	실내	있음, 11km

근접역에서 가장 가까운 서비스업 기업을 고르면 B기업이고, 실 내에서 현장답사를 진행한다.

오답풀이 |

② 실외에서 현장답사를 진행한다면 A기업, C기업이고 각각 근 접역과의 거리가 20km, 12km이므로 옳다.

③ 직원 수가 두 번째로 적은 기업을 고르면 A기업이고, A기업 은 제조업 기업이므로 옳다.

④ 근접역이 있고, 근접역에서 두 번째로 먼 기업을 고르면 C기 업이고, 실외에서 현장답사를 진행하므로 옳다.

⑤ 서비스 기업 중 실내에서 현장답사를 진행하는 기업을 고르면 B기업 또는 D기업이고, 직원 수가 100명 이상이므로 옳다.

04

정답 | ②

정답풀이 |

해설의 편의를 위해 주어진 〈조건〉을 1)~6)으로 두고 기호화하 면 다음과 같다.

1) 병 → (~신 → 을)

2) 을∨~병 → 무∧경

3) 기∧경 → ~병∨무

4) 경∨~신 → 무

5) 신∨~갑 → ~정

6) ~무

6)이 확정적 조건이므로 이를 기준으로 4)의 대우를 통해 대입하면,

4) 경∨~신 → 무 ≡ ~무 → ~경∧신

경은 반대하고, 신은 찬성함을 알 수 있다. 신이 찬성하므로 5)에 따라 정이 반대함을 알 수 있다.

한편 무가 반대한다는 조건은 2)의 대우 역시 대입이 가능하다.

2) 을∨~병 → 무∧경 ≡ ~무∨~경 → 을∧병

을은 반대하고, 병은 찬성한다. 병이 찬성하므로 1)에 따라 신이 반대한다면 을은 찬성하는데, 신은 찬성하므로 대우를 통해 을이 반대할 경우 신은 찬성한다로 연결 가능하다.

정리하면 찬성은 병, 신이고, 반대는 을, 정, 무, 경이다.

마지막으로 3)을 대우하여 대입하면

3) 기∧경 → ~병∨무 ≡ 병∧~무 → ~기∨~경

이므로, '기'에 대한 정보는 여전히 확정지을 수 없음을 알 수 있다.

따라서 '의견을 알 수 없는 사람'은 '갑, 기'이다.

05

정답 | ⑤

정답풀이 |

마지막 문단에서 민간에 풍수론이 전파되어 많은 자연마을에서 풍수적인 이해와 적용이 쉬운 형세론으로 풍수론이 해석되었고, 그중 배산임수가 있음을 알 수 있다. 즉 형세론인 배산임수가 많은 마을에 적용되었다는 것이므로 유학자들의 마을풍수론은 민간 마을의 문화경관에 영향을 준 것으로 추론 가능하다.

오답풀이 |

① 첫 문단에서 우리나라의 풍수론의 흐름을 알 수 있지만, 고려의 풍수론이 조선에서 이론적으로 정비되었는지는 알 수 없다. 다만, 조선에서는 고려와 달리 주자학의 이데올로기가 반영되었다는 것을 알 수 있을 뿐이다.

② 세 번째 문단에서 실험을 통해 지관이 명당으로 보는 자리가 산성보다는 중성에 가깝다는 것을 알 수 있으나, '도성'은 지관이 결정하는 것으로 추론하기는 어렵다.

③ 두 번째 문단의 '불교사상이 포함된 풍수지리설이 유학자들에 의해 지양됨으로써 점차 조상의 묘를 쓰는 음택풍수로 중심이 이동했다'를 통해 유학자들이 비판한 풍수지리설은 '불교사상이 포함된' 것임을 알 수 있다. 그리고 마지막 문단을 통해 '마을풍수론과 주택풍수론'이 유학자들에 의해 성행되었음을 볼 때, 유학자들이 '풍수론' 자체를 비판한 것으로 보기 어렵다.

④ 첫 번째 문단의 '고려 때는 불교와 풍수가 결합한 비보풍수론이 국토 경영의 이데올로기로 활용되어 도읍풍수론으로 운용되면서 전성기를 구가하게 된다.'를 통해 우리나라의 풍수지리설의 전성기는 '고려'였음을 알 수 있다. 그리고 두 번째 문단을 통해 조선의 풍수지리설은 불교 사상이 가미된 경우 배제되었음을 알 수 있으므로 그 대상과 범위가 점차 확대되었다고 보기 어렵다.

06

정답 | ④

정답풀이 |

( )부터 계산한다.

3 A 6: 좌우에 있는 두 수를 각각 제곱한 뒤 합을 구하면 $3^2+6^2=9+36=45$이다.

7 C 8: 큰 수를 작은 수만큼 곱하면 8이 된다. 8의 경우 지수가 1 늘어날 때마다 8 → 4 → 2 → 6 → 8 → 4 → 2 → 6 …을 반복한다. 따라서 8^7의 1의 자리는 2이다.

4 D 9: 9에서 4를 나누면 몫이 2이므로 4 D 9=2이다.

다음으로 { }를 계산한다.

3 A 6=45, 7 C 8=2이므로 45 B 2이 된다. 좌우에 있는 두 수를 각각 제곱한 뒤 큰 수에서 작은 수를 빼면 $45^2-2^2=2,021$이다. 모든 연산에서 연산값이 세 자리 이상의 수가 되는 경우 끝 두 자리 수만 남기므로 45 B 2=21이다.

4 D 9=2이므로 2 A 0이 된다. 좌우에 있는 두 수를 각각 제곱한 뒤 합을 구하면 $2^2+0=4$이다. 더한 값이 20 미만이면 좌우에 있는 두 수에 각각 2를 더한 뒤 두 수의 제곱의 합을 구하여 일의 자리만 남기므로 $4^2+2^2=20$이고, 2 A 0=0이다.

마지막으로 21 D 0을 계산한다. 작은 수가 0이므로 큰 수를 3으로 나눈 몫을 구한다. 21을 3으로 나눈 몫이 7이므로 21 D 0=7이다.

TIP

복잡하게 생각하지 않고, 연산을 순서대로 주어진 〈설명〉에 맞게 따라하면 빠르게 문제를 해결할 수 있다.

07

정답 | ②

정답풀이 |

가능한 경우의 수는 다음 2가지이다.

오래달리기	팔씨름	3인 4각	공굴리기
가영	가영, 다솜, 라임, 마야	나리, 라임, 사랑	다솜, 마야, 바다, 사랑

또는

오래달리기	팔씨름	3인 4각	공굴리기
다솜	가영, 다솜, 라임, 마야	나리, 라임, 사랑	가영, 마야, 바다, 사랑

가영이가 참가하는 종목은 오래달리기와 팔씨름 또는 팔씨름과 공굴리기이다.

오답풀이 |

① 3인 4각에 참가하는 선수는 나리, 라임, 사랑이기 때문에 옳지 않다.

③ 라임이가 참가하는 종목은 팔씨름, 3인 4각이고, 사랑이가 참가하는 종목은 3인 4각, 공굴리기이기 때문에 옳지 않다.

④ 2가지 경우 모두에서 팔씨름과 공굴리기에 참가하는 선수는 마야이기 때문에 옳지 않다.

⑤ 다솜이는 어느 경우라도 팔씨름에 참가해야 하므로 옳지 않다.

08

정답 | ②

정답풀이 |

제○○조 제3항에 의하면 사업주는 제1항 단서에 따라 가족돌봄휴직을 허용하지 아니하는 경우에는 해당 근로자에게 그 사유를 서면으로 통보하여야 한다고 하였다.

오답풀이 |

① 제2항의 '다만'을 살펴보면, '근로자가 청구한 시기에 가족돌봄휴가를 주는 것이 정상적인 사업 운영에 중대한 지장을 초래하는 경우에는 근로자와 협의하여 그 시기를 변경할 수 있다'고 하였다. 더불어 괄호 안의 '조부모 또는 손자녀의 경우 근로자 본인 외에도 직계비속 또는 직계존속이 있는 경우는 제외한다'를 바탕으로 한다면 직계비속 혹은 직계존속이 있는 경우 휴가 자체가 반려될 가능성도 염두에 두어야 한다. 따라서 감염병을 사유로 신청했더라도 사업주가 총 20일의 휴가일수를 보장해야 한다고 단언할 수 없다.

③ 제2항의 '다만'을 살펴보면 근로자가 근로자와 협의하여 변경할 수 있는 것은 가족돌봄휴가의 시기이다. '업무'는 해당하지 않는다(제6항에서 근로조건을 악화시키는 등 불리한 처우를 하여서는 아니 된다고 하였으므로 업무가 불리한 조건이면 더욱더 행사할 수 없다.).

④ 제4항 2호의 '다만'을 살펴보면, 가족돌봄휴가 기간은 가족돌봄휴직 기간에 포함된다고 하였으므로 가족돌봄휴직을 90일 사용한 경우 가족돌봄휴가를 별도로 사용할 수 없다.

⑤ 주어진 규정으로는 알 수 없는 내용이다.

09

정답 | ④

정답풀이 |

주어진 〈정보〉를 임의대로 1)~7)로 두고 풀이하면, 확정적 정보는 1)과 4)이다. 을은 명절 선물로 구두를 원하지 않는데, 갑이 원하는 선물은 을도 원한다고 했으므로 갑 역시 구두를 원하지 않음을 알 수 있다. 3)에서 구두를 원하는 사람은 2명이라고 했으므로 남은 병과 정이 구두를 원한다는 것도 알 수 있다.

한편 5)에서 구두를 원하는 사람은 위스키도 원한다고 했으므로 병과 정은 위스키 역시 원하는 선물임을 확정지을 수 있다. 2)에서 위스키를 원하는 사람은 3명이라고 했으므로 남은 한 사람은 을이 된다. 만약 갑이 위스키를 원할 경우 4)에 따라 을 역시 원하게 되므로 정보와 모순이 일어난다.

마지막으로 6)에 따라 갑은 남은 가방과 한우를 원하게 되고, 4)에 따라 갑이 원하는 선물은 을도 원하므로 을 역시 가방과 한우를 원하게 된다. 이를 표로 정리하면 다음과 같다.

	갑	을	병	정	
가방	○	○	?	?	
위스키	×	○	○	○	3
한우	○	○	?	?	
구두	×	×	○	○	2
	2	3			

ㄴ. 조건 6)에 따라 3종류의 명절 선물은 원하는 사람은 두 명인데, 그중 한 명이 을이 맞다.

ㄷ. 만약 정이 명절 선물로 가방과 한우 중 한 가지를 원한다면 3종류의 명절 선물을 원하는 사람이 정이 되므로, 남은 병은 2종류의 명절 선물을 원하는 사람이 된다.

오답풀이 |

ㄱ. 주어진 정보로 알 수 있는 것은 병이 명절 선물로 위스키와 구두를 원한다는 것뿐이다. 병이 한우를 원하는지는 알 수 없다.

10

정답 | ①

정답풀이 |

2021년 1월 15일 기준 통일교육은 권장 수강주기 이내이고, 청렴교육은 지났으므로 A가 인정받는 학습점수는 2×2+2=6(점)이다.

오답풀이 |

② A가 청렴교육, 장애인식교육, 폭력예방교육을 수강할 경우 수강시간이 총 2+3+5=10(시간)이고, 하루에 수강할 수 있는 최대 시간은 8시간이기 때문에 옳지 않다.

③ A가 수강시간의 두 배만큼 학습점수로 인정받을 수 있는 과목은 통일교육, 폭력예방교육으로 총 2가지이기 때문에 옳지 않다.

④ A가 권장 수강주기 이내인 통일교육을 수강할 경우 학습점수는 수강시간의 두 배만큼 인정받기 때문에 옳지 않다.

⑤ A가 보안교육, 폭력예방교육을 수강할 경우 인정받는 학습
　점수는 3+5×2=13(점)이기 때문에 옳지 않다.

> **TIP**
>
> 각 과목의 학습점수를 먼저 계산한 후 선택지를 풀면 시간을 단
> 축할 수 있다.

11

정답 | ⑤
정답풀이 |

E는 월, 수, 금 07:00~21:00 14시간 중 점심시간 12:00
~13:00 한 시간과 저녁시간 18:00~19:00 한 시간을 제외
하면 근무시간이 12시간이다. 화요일 근무시간은 07:00
~11:00 4시간이다. 주 근무시간은 12×3+4=40(시간)이다.
따라서 1일 최소, 최대 근무시간과 주 근무시간을 모두 만족하
므로 승인된다.

오답풀이 |

① A는 수요일 09:00~13:00 4시간 중 점심시간 12:00
　~13:00 한 시간은 근무시간에 포함하지 않으므로 수요일
　의 근무시간이 3시간이다. 하루 최소 근무시간은 4시간이기
　때문에 승인되지 않는다.
② B는 월, 화, 목 09:00~20:00 11시간 중 점심시간 12:00
　~13:00 한 시간과 저녁시간 18:00~19:00 한 시간을
　제외하면 근무시간이 9시간이다. 금요일 09:00~23:00
　14시간 중 점심시간 12:00~13:00 한 시간과 저녁시간
　18:00~19:00은 한 시간을 제외하면 근무시간이 12시간
　이다. 따라서 주 9×3+12=39(시간) 근무한 것이고, 주 40
　시간을 근무해야 하기 때문에 승인되지 않는다.
③ C는 월~금 08:00~16:00 8시간 중 점심시간 12:00~
　13:00 한 시간을 제외하면 하루에 7시간을 근무한 것이다.
　따라서 주 7×5=35(시간) 근무한 것이고, 주 40시간을 근무
　해야 하기 때문에 승인되지 않는다.
④ D는 목요일 09:00~24:00 15시간 중 점심시간 12:00~
　13:00 한 시간과 저녁시간 18:00~19:00 한 시간을 제
　외하면 근무시간이 13시간이다. 1일 최대 근무시간이 12시
　간이 되어야 하기 때문에 승인되지 않는다.

> **TIP**
>
> 하루 최소 4시간, 최대 12시간을 만족하는지 먼저 확인하며 선
> 택지를 간단히 추릴 수 있다. 12:00~13:00, 18:00~19:00
> 은 근무시간으로 산정하지 않으므로 근무계획상에 12시간을 초
> 과하더라도 실 근무시간은 12시간 이하일 수 있고, 4시간 이상
> 이라도 실근무시간이 4시간 미만일 수 있음에 주의한다.

12

정답 | ⑤
정답풀이 |

7월 1일이 목요일이므로 7월 3일, 4일, 10일, 11일, 17일, 18
일, 24일, 25일, 31일이 토요일, 일요일이다. 거꾸로 생각해보면
7월 30일에 출하하기 위해서는 F공정이 7월 29일에 끝나야 한
다. F공정은 2일이 소요되므로 28일, 29일에는 F공정을 진행한
다. E공정은 3일이 소요되므로 25일, 26일, 27일에 진행해야
하는데 24일, 25일이 주말이므로 23일, 26일, 27일에 진행한
다. D공정은 1일이 소요되므로 22일에 진행한다. C공정은 연장
근무 시 3일이 단축되므로 7일이 소요된다. 17일, 18일은 주말
이므로 13일, 14일, 15일, 16일, 19일, 20일, 21일에 진행한다.
B공정은 4일이 소요되는데 10일, 11일이 주말이므로 7일, 8일,
9일, 12일에 진행한다. A공정은 2일이 소요되므로 7월 5일, 6
일에 진행한다. 따라서 제품P 생산 시작 날짜는 A공정을 시작
하는 날인 7월 5일이고, E공정 시작 날짜는 23일이다.

13

정답 | ①
정답풀이 |

월, 화, 목이 공휴일이고, 연가를 하루 낸다고 하였으므로 수요
일에 연가를 내고 토, 일, 월, 화, 수, 목을 쉬어야 길게 쉬는 것
이다. 휴일 전 마지막 출근일이 두 번째 주 금요일이고, 출근일
이 세 번째 주 금요일이다. 출근 이틀 전에 한국에 돌아올 것이
므로 수요일에 돌아온다. 즉, 금, 토, 일, 월, 화, 수 6일을 여행하
는 일정을 골라야 한다. 해당하는 여행지는 싱가포르, 괌, 모스
크바이다. 이 중 편도 총 비행시간이 6시간 이내이면서 직항하
는 여행지는 싱가포르이다. 따라서 세훈이가 선택할 여행지는
싱가포르이다.

> **TIP**
>
> 총 비행시간과 환승 여부는 대화에 확실하게 주어져 있으므로
> 우선 괌과 모스크바를 제외한다. 여행기간에 '박'보다는 '일'이
> 중요하므로 며칠을 여행하는지만 확인하면 빠르게 답을 구할
> 수 있다.

14

정답 | ③
정답풀이 |

A의 평균은 0.55점이며 라와 차를 제외한 나머지 8개 정책 점
수 합계가 5.5점이기 때문에 라와 차의 점수는 모두 0점이다.
B의 평균은 0.70점이며 마를 제외한 나머지 9개 정책 점수 합
계가 6.0이기 때문에 마의 점수는 1점이다.

C의 평균은 0.70점이며 자를 제외한 나머지 9개 정책 점수 합계가 6.0이기 때문에 자의 점수는 1점이다.

D의 평균은 0.50점이며 라와 아를 제외한 나머지 8개 정책 점수 합계가 5.0이기 때문에 라와 아의 점수는 모두 0점이다.

나, 마의 합계는 3.5점으로 가장 높다.

라, 차의 합계는 1.5점으로 가장 낮다.

이를 표로 정리하면 다음과 같다.

(단위: 점)

심사 위원 정책	A	B	C	D	합계
가	● → 1	● → 1	◑ → 0.5	○ → 0	2.5
나	● → 1	● → 1	◑ → 0.5	● → 1	3.5
다	◑ → 0.5	○ → 0	● → 1	◑ → 0.5	2.0
라	○ → 0	● → 1	◑ → 0.5	○ → 0	1.5
마	● → 1	● → 1	● → 1	◑ → 0.5	3.5
바	◑ → 0.5	◑ → 0.5	◑ → 0.5	● → 1	2.5
사	◑ → 0.5	◑ → 0.5	◑ → 0.5	● → 1	2.5
아	◑ → 0.5	◑ → 0.5	● → 1	○ → 0	2.0
자	◑ → 0.5	◑ → 0.5	● → 1	● → 1	3.0
차	○ → 0	● → 1	◑ → 0.5	○ → 0	1.5
평균(점)	0.55	0.70	0.70	0.50	

TIP

A, B, C, D의 평균 점수를 이용해 (   )의 점수를 먼저 파악해야 한다.

이후 정책의 점수에서 0점이 2개씩 보이는 라와 차에 먼저 접근하여 총점이 낮은 정책을 보다 빠르게 찾을 수 있다.

혹은 선택지에 많이 언급된 정책의 점수 합계를 먼저 구하면 기준을 세울 수 있어 시간 절약이 가능하다(총점이 높은 정책: 나, 마 / 총점이 낮은 정책: 차 등).

15

정답 | ⑤

정답풀이 |

두 번째에 I, J만 운반한다면, 갑이 옮기는 상자는 순서에 따라 (A), (I, J), (B), (C), (D), (E), (F, H), (G)로 H를 G보다 먼저 운반한다.

오답풀이 |

① 세 번째로 운반할 때 남아 있는 상자 중 총 무게가 17kg 이하인 상자 3개가 없으므로 옳다.

② 두 번째에 F를 운반한다면, 갑이 옮기는 상자는 순서에 따라 (A), (F, I, J), (B), (C), (D), (E), (G, H)으로 마지막에 남은 상자 G, H를 모두 운반하므로 옳다.

③ 두 번째에 G를 운반한다면, 갑이 옮기는 상자는 순서에 따라 (A), (G, I, J), (B), (C), (D), (E), (F, H)로 총 7번 걸리므로

옳다.

④ 두 번째에 H를 운반한다면, 갑이 옮기는 상자는 순서에 따라 (A), (H, I, J), (B), (C), (D), (E), (F), (G)로 이후 가장 무거운 상자 1개씩만 운반하므로 옳다.

16

정답 | ④

정답풀이 |

전문가 점수와 학생 점수는 40점 만점으로 이를 100점 만점으로 환산하면 다음과 같다.

프로그램명	전문가 점수 환산	학생 점수 환산
내 손으로 만드는 동물	(26/40)×100 =65(점)	(32/40)×100 =80(점)
세상을 바꾼 생각들	(31/40)×100 =77.5(점)	(18/40)×100 =45(점)
스스로 창작	(37/40)×100 =92.5(점)	(25/40)×100 =62.5(점)
역사랑 놀자	(36/40)×100 =90(점)	(28/40)×100 =70(점)
연주하는 교실	(34/40)×100 =85(점)	(33/40)×100 =82.5(점)
연출노트	(32/40)×100 =80(점)	(30/40)×100 =75(점)
창의 예술학교	(40/40)×100 =100(점)	(25/40)×100 =62.5(점)
항공체험 캠프	(30/40)×100 =75(점)	(34/40)×100 =85(점)

다음으로 전문가 점수와 학생 점수 반영 비율 6 : 4를 적용하여 100점 만점 기준 두 점수의 합을 구하면 내 손으로 만드는 동물((65×0.6)+(80×0.4)=71(점)), 세상을 바꾼 생각들((77.5×0.6)+(45×0.4)=64.5(점)), 스스로 창작((92.5×0.6)+(62.5×0.4)=80.5(점)), 역사랑 놀자((90×0.6)+(70×0.4)=82(점)), 연주하는 교실((85×0.6)+(82.5×0.4)=84(점)), 연출노트((80×0.6)+(75×0.4)=78(점)), 창의 예술학교((100×0.6)+(62.5×0.4)=85(점)), 항공체험 캠프((75×0.6)+(85×0.4)=79(점))이 된다.

이렇게 구해진 최종 점수에서 중복이 있는 분야인 미술과 인문의 점수가 더 낮은 쪽의 프로그램(내 손으로 만드는 동물, 세상을 바꾼 생각들)을 제외하고, 진로분야에 해당하는 항공체험 캠프의 점수에 10%의 가산점을 부여(79×1.1=86.9(점))한 뒤 최종 순위를 나열하면 항공체험캠프(86.9점)−창의 예술학교(85점)−연주하는 교실(84점)−역사랑 놀자(82점)−스스로 창작(80.5점)−연출노트(78점) 순이다.

TIP

문제에서 구하는 것은 값이 아닌 순서이므로 대소 비교만 빠르게 하면 된다. 따라서 꼭 100점으로 환산해서 풀이할 필요는 없다.

17

정답 | ④

정답풀이 |

G씨는 37세이므로, 30대인 연령별 가중치를 적용한다. 가중치는 '신발 A~E에 대한 평가점수×연령별 가중치'로 계산한다(가중치의 단위는 %이고, 5개 항목을 모두 더하면 100%임).

(단위: 점)

구분	브랜드 (0.2)	내구성 (0.1)	디자인 (0.3)	가격 (0.3)	리뷰 (0.1)	합계
신발 A	1.6	1	2.7	2.7	0.9	8.9
신발 B	1.4	1	3	3	0.9	9.3
신발 C	1.8	1	2.4	3	0.9	9.1
신발 D	1.8	0.8	3	3	0.8	9.4
신발 E	1.8	1	2.7	3	0.8	9.3

평가점수의 합이 가장 큰 신발은 D이므로, G씨는 신발 D를 구입한다.

TIP

[기준값 이용하여 비교]

1. 각 항목을 A를 기준으로 차이를 가감하기

구분	브랜드	내구성	디자인	가격	리뷰
A	0	0	0	0	0
B	−1	0	1	1	0
C	1	0	−1	1	0
D	1	−2	1	1	−1
E	1	0	0	1	−1

2. 가중치 적용하기

구분	브랜드 (0.2)	내구성 (0.1)	디자인 (0.3)	가격 (0.3)	리뷰 (0.1)	합계
A	0	0	0	0	0	0
B	−0.2	0	0.3	0.3	0	0.4
C	0.2	0	−0.3	0.3	0	0.2
D	0.2	−0.2	0.3	0.3	−0.1	0.5
E	0.2	0	0	0.3	−0.1	0.4

18

정답 | ②

정답풀이 |

37세인 G씨가 4년 후에는 40대이므로, 40대의 연령별 가중치를 적용한다. 이때, 30대 연령별 가중치와 40대 연령별 가중치를 비교해 보면 디자인, 가격, 리뷰 가중치는 동일한데 반해, 30대 대비 40대 브랜드 가중치는 10%p 낮고, 내구성 가중치는 10%p 높다. 즉, 30대 연령별 가중치를 구한 값에서 브랜드와

내구성에 대한 가중치 점수만 다시 고려하면 된다. 브랜드 가중치 적용값은 반으로(20% → 10%) 낮추고, 내구성 적용값은 2배로(10% → 20%) 높여 계산한다.

〈브랜드와 내구성의 30대와 40대 비교〉

구분	브랜드 (0.2)	내구성 (0.1)	합계	30대 대비 40대 증감량	브랜드 (0.1)	내구성 (0.2)	합계
A	1.6	1	2.6	0.2▲	0.8	2	2.8
B	1.4	1	2.4	0.3▲	0.7	2	2.7
C	1.8	1	2.8	0.1▲	0.9	2	2.9
D	1.8	0.8	2.6	0.1▼	0.9	1.6	2.5
E	1.8	1	2.8	0.1▲	0.9	2	2.9

〈30대와 40대의 가중치 적용 합계 비교〉

구분	30대 가중치 합계	30대 대비 40대 증감량	40대 가중치 합계
A	8.9	0.2▲	9.1
B	9.3	0.3▲	9.6
C	9.1	0.1▲	9.2
D	9.4	0.1▼	9.3
E	9.3	0.1▲	9.4

40대인 G씨는 평가점수가 가장 높은 신발 B를 구입할 것이다.

TIP

〈기준값을 이용한 가중치 비교〉

1. 브랜드와 내구성의 30대와 40대 비교

구분	브랜드 (0.2)	내구성 (0.1)	합계	30대 대비 40대 증감량	브랜드 (0.1)	내구성 (0.2)	합계
A	0	0	0	–	0	0	0
B	−0.2	0	−0.2	0.1▲	−0.1	0	−0.1
C	0.2	0	0.2	0.1▼	0.1	0	0.1
D	0.2	−0.2	0	0.3▼	0.1	−0.4	−0.3
E	0.2	0	0.2	0.1▼	0.1	0	0.1

2. 30대와 40대의 가중치 적용 합계 비교

구분	30대 가중치 합계	30대 대비 40대 증감량	40대 가중치 합계
A	0	–	0
B	0.4	0.1▲	0.5
C	0.2	0.1▼	0.1
D	0.5	0.3▼	0.2
E	0.4	0.1▼	0.3

19

정답 | ④

정답풀이 |

A: 산림, 경사도 15%, 사유지이므로 $(5 \times 0.6 + 5 \times 0.4) \times 0.8 = 4$(점)이다.

B: 농지, 경사도 20%, 국유지이므로 $(8 \times 0.6 + 5 \times 0.4) = 6.8$(점)이다.

C: 농지, 경사도 10%, 국유지이므로 $(8 \times 0.6 + 10 \times 0.4) = 8.8$(점)이다.

D: 개발제한구역이므로 0점이다.

E: 주택지, 경사도 15%, 사유지이므로 $(10 \times 0.6 + 5 \times 0.4) \times 0.8 = 6.4$(점)이다.

따라서 개별 적합성 점수가 낮은 지역에서 높은 지역 순으로 나열하면 D, A, E, B, C이다.

TIP

다음과 같이 표로 정리해놓으면 계산을 위해 지문을 왔다 갔다 하지 않고, 문제를 빠르게 풀 수 있다.

구분	토지이용(×0.6)	경사도(×0.4)	토지소유
A	산 → 5	15 → 5	사 → ×0.8
B	농 → 8	20 → 5	국
C	농 → 8	10 → 10	국
D	개발제한구역 → 0점		
E	주 → 10	15 → 5	사 → ×0.8

20

정답 | ③

정답풀이 |

맛평점을 점수로 환산할 경우, 자금성은 2.5점, 샹젤리제는 3점, 경복궁은 4점, 도쿄타워 4.5점, 광화문은 5점이다. 여기서 양식과 한식의 경우 1점을 가점하므로 샹젤리제, 경복궁, 광화문의 경우 4점, 5점, 6점이 된다. 또한 방 예약이 불가한 경우 1점을 감점하므로 경복궁, 도쿄타워, 광화문은 4점, 3.5점, 5점이 된다. 가격이 가장 저렴한 음식점은 자금성으로 2.5점에 가점 1점을 부여하여 3.5점이 되며, 가격이 가장 높은 음식점은 광화문으로 1점을 감점하여 4점이 된다.

이러한 평가 기준에 따라 각 음식점의 최종 점수는 자금성 3.5점, 샹젤리제 4점, 경복궁 4점, 도쿄타워 3.5점, 광화문 4점이된다. 가장 높은 점수를 얻은 음식점은 샹젤리제, 경복궁, 광화문 세 곳으로, 동점일 경우 이동거리가 가장 가까운 곳을 선택한다는 평가 기준에 따라 최종적으로 선택되는 음식점은 경복궁이다.

21

정답 | ①

정답풀이 |

이동수단별 비용은 다음과 같다.

• 렌터카: 7인이므로 8인승 차량 한 대를 대여한다. 3일 대여하므로 $(100 + 20) \times 3 = 360$($)이다.

• 택시: 7인이므로 2대에 나누어 탑승해야 한다. 3일 동안 이동하는 거리가 $100 + 50 + 50 = 200$(마일)이므로 택시 비용은 $2 \times 1 \times 200 = 400$($)이다.

• 대중교통: 7인이므로 대중교통패스 3일권은 $50 \times 7 = 350$($)이다.

따라서 경제성은 대중교통 − 렌터카 − 택시 순이므로 각각 상, 중, 하를 부여한다.

이동수단별 최종점수는 다음과 같다.

• 렌터카: $2 \times 0.2 + 3 \times 0.3 + 2 \times 0.5 = 2.3$(점)

• 택시: $1 \times 0.2 + 2 \times 0.3 + 3 \times 0.5 = 2.3$(점)

• 대중교통: $3 \times 0.2 + 1 \times 0.3 + 2 \times 0.5 = 1.9$(점)

따라서 렌터카와 택시의 최종점수가 동일하므로 더 저렴한 렌터카를 이용한다. 렌터카의 비용은 $360이다.

TIP

우선 이동수단별 비용을 구한다. 7명이므로 택시는 두 대를 이용해야 하는 것에 주의한다. 비용을 구하고 나면 항목별 점수는 렌터카가 중, 상, 중, 택시가 하, 중, 상, 대중교통이 상, 하, 중이다. 경제성의 비중이 가장 낮은데 대중교통은 렌터카보다 경제성 점수가 1점 높고, 용이성 점수가 2점 낮고, 안전성 점수가 동일하므로 최종점수는 렌터카가 대중교통보다 높을 것이다. 따라서 대중교통은 제외하고 택시와 렌터카만 비교하면 빠르게 답을 구할 수 있다.

22

정답 | ②

정답풀이 |

상품 1개당 필요한 자원별 개수는 항상 동일하고, 각 상품에 따른 자원X, 자원Y, 자원Z가 모두 사용되어야 하므로, 상품 1개를 만드는 비용은 상품 A~상품 E 모두 동일하다. 즉, 상품의 제작 개수가 적을수록 상품 제작 비용이 적게 든다. 상품 1개당 자원별 재고에 따른 제작 가능한 개수는 다음과 같다.

(단위: 개)

상품	자원X	자원Y	자원Z
A	180	120	360
B	150	360	90
C	200	180	120
D	240	240	100
E	180	200	200

따라서 상품 B를 제작하는 것이 가장 비용이 적게 든다.

23

정답 | ①

정답풀이 |

상품 판매이익은 판매가에서 비용을 뺀 값을 의미하고, 상품 1개를 만드는 비용은 동일하므로, 각각의 상품에 대한 개당 판매이익은 다음과 같다.

(단위: 원)

상품	개당 판매가	비용(자원X+자원Y+자원Z)	개당 판매이익
A	1,500	600	900
B	1,200	600	600
C	1,400	600	800
D	1,600	600	1,000
E	1,100	600	500

'총 판매이익=개당 판매이익×판매 개수'이므로, 각각의 상품에 대한 총 판매이익은 다음과 같다.

(단위: 원, 개)

상품	개당 판매이익	판매 개수	총 판매이익
A	900	120	108,000
B	600	90	54,000
C	800	120	96,000
D	1,000	100	100,000
E	500	180	90,000

따라서 상품 A를 제작한다면 총 판매이익을 최대로 높일 수 있다.

24

정답 | ②

정답풀이 |

ㄱ. 신호운영계획 중 방향별, 회전별 순서를 결정하는 것은 '신호순서'에 해당한다고 하였다는 점에서 직진, 좌회전, 동시신호 중 교차로의 구조와 방향별 교통량 등을 분석하여 결정되는 것은 신호운영계획 중 '신호순서'에 해당함을 알 수 있으므로 옳다.

ㄷ. 기본적인 횡단보도 보행시간은 1m당 1초의 횡단시간에 보행진입시간을 더하여 결정된다. 지문의 내용 중 32m 길이의 횡단보도 보행시간이 39초라고 하였으므로 횡단시간 32초를 뺀 7초가 보행진입시간이 된다. 완화된 횡단보도 보행시간의 예시에 따르면 32m 길이의 횡단보도의 보행시간이 47초이므로 보행진입시간 7초를 제외한 40초가 완화된 횡단보도 보행시간이며 m로 계산하면 1m당 1.25초임을 알

수 있다. 따라서 완화된 횡단보도 보행시간을 적용한 40m 길이의 횡단보도 보행시간은 보행진입시간 7초에 40×1.25=50(초)를 더한 57초가 된다.

오답풀이 |

ㄴ. 횡단보도의 길이가 길어지면 늘어나는 m만큼 횡단시간이 연장된다는 내용만 언급되어 있을 뿐, 보행진입시간이 연장되는지는 알 수 없으므로 옳지 않다.

ㄹ. 차량 녹색 신호가 끝나는 시점에 횡단보도에 진입한 차량이 있을 경우, 차량 녹색신호가 끝나는 시점으로부터 1~2초 뒤까지 보행 적색신호를 유지하다가 녹색신호로 전환하는 방식은 한 박자 늦은 보행신호 방식이므로 옳지 않다.

25

정답 | ④

정답풀이 |

결혼이민자는 사회통합프로그램 신청 일자가 2013년 1월 1일 이후일 때와 이전일 때로 나누어서 생각하고, 일반이민자는 동일하다.

A는 결혼이민자이고, 2012년 3월 9일에 사회통합프로그램을 신청하였으므로 4단계와 5단계가 면제된다. 사전평가 점수가 68점이므로 6단계만 이수하면 되고, 이수시간은 50시간이다.

B는 동포로 일반이민자이며 사전평가 점수가 88점이므로 5단계부터 시작하고, 이수시간은 100+50=150(시간)이다.

C는 유학생으로 일반이민자이며 사전평가 점수가 52점이므로 4단계부터 시작하고, 이수시간은 100+100+50=250(시간)이다.

D는 결혼이민자이고, 2013년 12월에 사회통합프로그램을 신청하였으므로 일반이민자와 동일하다. 사전평가 점수가 40점이므로 3단계부터 시작하고, 이수시간은 100+100+100+50=350(시간)이다.

따라서 A~D의 이수시간 총합은 50+150+250+350=800(시간)이다.

TIP

1단계, 6단계만 시간이 다르고, A만 다른 기준을 적용한다. D는 3단계, C는 4단계, B는 5단계, A는 6단계에서부터 시작하므로 3단계는 1명, 4단계는 2명, 5단계는 3명, 6단계는 4명이 듣는 것임을 알 수 있다. 따라서 100×(1+2+3)+50×4=800(시간)이다.

01	02	03	04	05	06	07	08	09	10
④	④	④	②	④	④	⑤	③	③	②
11	12	13	14	15	16	17	18	19	20
③	②	②	②	③	②	③	①	④	②
21	22	23	24	25
----	----	----	----	----
③	⑤	③	③	②

01

정답 | ④

정답풀이 |

주어진 〈조건〉을 임의대로 1)~4)로 두고 풀이하면, 원탁 문제에서 확정적 조건은 마주 보는 것이므로 1)과 4)를 우선 배치해야 한다. 그런데 마주 보는 조건이 2개이면 이 중에서도 우선순위를 결정해야 하는데, 관련 정보가 많은 것을 우선 배치하는 것이 유리하다. 따라서 4)에 따라 공주시와 여수시에서 온 직원을 우선 배치해야 한다. 여수시와 관련된 조건은 3)에도 등장하기 때문이다. 이에 따라 대구광역시에서 온 직원을 여수시의 오른쪽에 배치한다. 2)에서 광역시에서 온 직원들은 서로 이웃한다고 했는데, 광역시는 부산과 대구뿐이므로 대구광역시 옆에 부산광역시를 배치한다.

남은 조건인 1)을 살펴보면 제주도와 울릉도 중 한 자리는 공주시와 부산광역시 사이에 들어가야 한다. 하지만 나머지 도시인 진주시와 춘천시는 공주시와 제주도 혹은 울릉도 사이에 위치한다는 것만 알 수 있다.

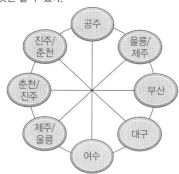

따라서 부산광역시에서 온 직원의 왼쪽에 앉은 직원은 울릉도 혹은 제주도가 아닌 대구광역시에서 온 직원이다.

오답풀이 |

① 진주시에서 온 직원이 마주 보는 직원은 대구광역시 혹은 부산광역시이다.

② 공주시와 부산광역시 사이에 앉은 직원은 울릉도 혹은 제주도이다.

③ 진주시에서 온 직원과 제주도에서 온 직원의 사이에는 춘천시 혹은 공주시에서 온 직원이 앉을 수 있다. 혹은 두 직원이

이웃하여 사이에 앉을 수 있는 직원이 없을 수도 있다.

⑤ 여수시에서 온 직원의 양쪽에 앉을 수 있는 직원은 대구광역시, 제주도, 울릉도에서 온 직원으로 총 3명이다.

02

정답 | ④

정답풀이 |

- A: '애매어의 오류'는 어떤 단어가 두 가지 이상의 의미로 사용된 경우를 이른다. 예를 들어 '꼬리가 길면 반드시 잡힌다. 쥐는 꼬리가 길다. 따라서 쥐는 반드시 잡힌다.'와 같은 형식이다. 그런데 A는 엄마의 말 중 특정 부분에 강조점을 두고 본래의 뜻과는 다른 뜻으로 해석하면서 오는 오류인 '강조의 오류'의 예시를 들고 있다. 따라서 적절하지 않다.
- C: '분할의 오류'는 결합의 오류의 반대로, 전체 또는 어떤 원소들의 집합이 어떤 성질을 가지고 있다는 사실로부터 그 집합의 부분이나 개별적 원소들도 그 성질을 가지고 있다고 여기는 경우를 이른다. C는 자신의 주장을 반박하는 사람을 '제정신이 아닌 사람'으로 치부하며 반박 자체를 불가하게 하고 있으므로 '우물에 독 뿌리는 오류(원천봉쇄의 오류)'의 예시를 들고 있다. 따라서 적절하지 않다.
- D: '피장파장의 오류'는 두 사람 간의 논쟁에서 상대방도 자신과 마찬가지인 상황이므로 자신의 입장이 정당화되어야 한다고 주장하는 경우를 이른다. 예를 들어 '똥 묻은 개가 겨 묻은 개 나무란다더니, 몇 억대 횡령한 사람이 내가 백만 원 받은 것을 비리라고 할 수 있는가'와 같은 형식이다. D는 참이라고 밝혀진 것이 없으니 그것이 거짓이라고 주장하거나 거짓이라고 밝혀진 것이 없으니 참이라고 주장하는 '무지로부터의 논증'의 예시를 들고 있다. 따라서 적절하지 않다.

오답풀이 |

- B: '인신공격의 오류'는 상대방의 인격을 공격함으로써 상대방의 주장을 공격하는 경우를 이른다. B의 예시는 그 사람을 '민족을 배신한 반역자'라는 인격을 공격함으로써 그의 주장인 '역사소설'까지 공격하고 있는 구조이므로 적절한 예시이다.
- E: '힘에 호소하는 오류'는 힘을 사용하겠다고 위협함으로써 상대방을 논박하려는 경우를 이른다. E의 예시는 지역의 유권자를 동원할 수 있다는 힘을 보여줌으로써 상대방을 위협하고 있으므로 적절한 예시이다.

03

정답 | ④

정답풀이 |

주어진 조건을 임의대로 1)~5)로 두고 기호화하면 다음과 같다.

1) A∨B → C∧D

2) B∨C → E

3) ~D

4) E∧F → B∨D

5) ~G → F

이 중 확정적 단서는 3)이므로 이를 기준삼아 적용하면 우선 1)의 대우와 연결이 가능하다.

1) A∨B → C∧D ≡ ~C∨~D → ~A∧~B

이를 통해 D가 반대할 때 A와 B 역시 반대함을 이끌어낼 수 있다. 즉 B와 D가 반대하는 상황이므로 4)의 대우와도 연결이 가능하다.

4) E∧F → B∨D ≡ ~B∧~D → ~E∨~F

이를 통해 E 또는 F 둘 중 한 명 혹은 두 사람 모두 반대하는 경우를 생각해 볼 수 있다. 이를 경우의 수로 따지면 다음과 같다.

㉠ E만 반대할 경우: 2)의 대우와 연결이 가능하다. 2) B∨C → E ≡ ~E → ~B∧~C

정리하면 반대자는 A, B, C, D, E가 되고 F는 찬성, G는 알 수 없다.

㉡ F만 반대할 경우: 5)의 대우와 연결이 가능하다. 5) ~G → F ≡ ~F → G

정리하면 반대자는 A, B, D, F가 되고 E, G는 찬성, C는 알 수 없다.

㉢ E와 F 모두 반대할 경우: 2)와 5)의 대우와 모두 연결이 가능하다. 정리하면 반대자는 A, B, C, D, E, F가 되고 G는 찬성자이다.

따라서 반대 의견을 제시한 사람의 최대 인원은 6명이 된다.

04

정답 | ②

정답풀이 |

제1항에 따라 2020년 실시된 임기만료에 의한 국회의원선거에 관한 보조금을 계산한다. 2015년 국고보조금의 보조금 계상단가가 1,000원이고, 매년 30원씩 증가하므로 6년 후인 2021년의 계상단가는 1,180원이다. 선거권자 총수가 3천만 명이므로 1항에 해당하는 보조금은 3천만×1,180=3,540(천만 원)=354(억 원)이다.

2021년에 재·보궐선거가 있으나 이는 대통령선거, 임기만료에 의한 국회의원 선거, 동시지방선거가 아니므로 보조금이 지급되지 않고, 다음 대통령선거, 동시지방선거가 2022년, 임기만료에 의한 국회의원 선거가 2024년에 치러지므로 제2항에 의한 보조금은 확인하지 않아도 된다.

TIP

2021년과 관련된 내용만 확인하면 된다. 2022년 대통령선거, 동시지방선거는 문제 풀이 시 필요 없는 〈상황〉이다. 2021년에 재·보궐선거가 있으나 대통령선거, 임기만료에 의한 국회의원선거, 동시지방선거가 아니므로 보조금이 지급되지 않는다. 따라서 제1항에 관한 내용만 확인하면 문제를 빠르게 풀 수 있다.

05

정답 | ②

정답풀이 |

발표 순서를 찾는 문제이므로 표를 우선 그려 적용하는 것이 효율적이다. 우선 확정적 〈조건〉인 두 번째를 기준으로 정리하면 다음과 같다.

• 박 차장이 첫 번째 발표하는 경우

남은 〈조건〉들을 간단히 기호화한다면, 성 부장과 유 과장이 바로 이어서 발표하므로 (성 ↔ 유)로, 김 사원은 정 대리보다 뒤에 나와야 하므로 '정 → 김'으로 할 수 있다. 이를 적용하면 다음과 같다.

1	2	3	4	5
박 차장	성 부장 /유 과장	유 과장 /성 부장	정 대리	김 사원
박 차장	정 대리	성 부장 /유 과장	유 과장 /성 부장	김 사원
박 차장	정 대리	김 사원	성 부장 /유 과장	유 과장 /성 부장

• 박 차장이 두 번째 발표하는 경우

1	2	3	4	5
정 대리	박 차장	성 부장 /유 과장	유 과장 /성 부장	김 사원
정 대리	박 차장	김 사원	성 부장 /유 과장	유 과장 /성 부장

ㄱ. 성 부장이 세 번째 발표자인 경우, 김 사원은 늘 마지막 발표자가 된다.

ㄷ. 박 차장이 첫 번째 발표자인 경우는 6가지이고, 두 번째인 경우는 4가지이다.

오답풀이 |

ㄴ. 정 대리가 홀수 번째 발표자인 경우는 박 차장이 두 번째 발표하는 경우인데 이때 성 부장은 세 번째~다섯 번째 발표자가 될 수 있다.

ㄹ. 유 과장이 정 대리보다 먼저 발표하는 경우는 2가지 존재한다.

06

정답 | ④

정답풀이 |

첫 번째 문단에서 징벌적 손해배상제도는 '피해자가 입은 재산상 손해액보다 훨씬 많이 배상하게 하여 통상의 손해배상에 이른바 '징벌적 효과'를 가미한 것이다'고 하였다. 이를 달리 말하면 통상의 손해배상에는 손해액보다 훨씬 많이 배상하지 않음을 추론할 수 있으므로 일반적 손해배상액은 피해액을 크게 상회하지 않겠다는 이해는 적절하다.

오답풀이 |

① 네 번째 문단의 '징벌적 손해배상제도의 대표적 입법례인 3배 손해배상제도의 효시는 미국의 1914년 클레이튼법'이라고 하였다. 즉 3배 손해배상제도의 효시가 미국의 클레이튼법이지, 징벌적 손해배상제도의 효시라고 볼 수는 없다.

② 두 번째 문단에서 '최근에는 5배 배상을 규정한 법률들이 제정되기 시작했다'고 하였지만, 세 번째 문단의 우리나라의 경우 배상액이 3배를 넘지 않는 범위라고 하였으므로 올바른 이해로 볼 수 없다.

③ 주어진 글에서 이와 관련된 내용을 찾을 수 없다. 다만 두 번째 문단에서 '가해자가 고의 또는 과실이 없음을 입증할 경우 손해배상책임에서 면제'한다는 내용만을 확인할 수 있을 뿐이다.

⑤ 세 번째 문단에 따르면 우리나라에서 징벌적 손해배상제도를 도입한 법률 중 하나가 '가맹점사업법'임을 알 수 있다. 하지만 이를 위반했다고 해서 모두 징벌적 손해배상제도의 대상이 되는 것이 아니며, 해당이 되더라도 '주로 손해액의 3배를 넘지 않는 범위 내에서 법원이 정하거나 가해자가 책임을 지는 방식'이므로 반드시 3배에 달하는 금액을 보상할 필요는 없다.

07

정답 | ⑤
정답풀이 |
주어진 〈조건〉을 기호화하면 다음과 같다.
1) 갑: 을-독서
2) 을: 갑-영화감상 → 정-댄스∨정-낚시
3) 병: 병-댄스
4) 정: 갑-낚시
5) 무: 정-사격

독서가 취미인 1명만 진실을 말하고 있다고 했으므로 1) 갑의 진술이 거짓임을 알 수 있다. 만약 갑의 진술이 참이라면 독서가 취미인 사람이 2명이 되어 모순이 일어난다. 그리고 3) 병의 진술도 거짓이다. 만약 병의 진술이 참이라면 병은 댄스가 아닌 독서가 취미여야 한다.

한편 정의 진술이 참이라면 을의 전건이 부정되어(가언명제는 전건이 긍정되거나 후건이 부정될 때 참이다.) 을의 진술도 참이 되므로 참이 1명이라는 문두의 〈조건〉에 위배된다. 따라서 정의 진술도 거짓이다.

마지막으로 무의 진술이 참이라면 무는 독서가 취미이고, 정은 사격이 취미이다. 그리고 나머지 진술들도 모두 거짓이 되므로 을의 전건이 참이 되어 갑은 영화 감상이 취미이다. 남은 취미는 댄스와 낚시이고 병의 진술은 거짓이므로 낚시가 취미가 되고 남은 을의 취미는 댄스가 된다. 이를 정리하면 다음과 같다.

갑	을	병	정	무
영화감상	댄스	낚시	사격	독서

78 정답과 해설

TIP
가언명제의 진리표에 따라 전건이 거짓이거나 후건이 참일 때 참이 된다. 그리고 가언명제가 거짓(A → B ≡ ∼A∨B)일 때는 전건부정, 후건긍정이 유일하다. 이를 적용한 문제이다.

08

정답 | ③
정답풀이 |
제2항 제3호에 따르면 1인이 여러 개의 토지를 소유하고 있는 경우에는 소유하는 토지의 수와 무관하게 1인으로 본다고 하였으며, 〈상황〉에 따르면 A~B 토지는 甲이, C~L 토지는 乙이 소유하고 있다. 따라서 A~B 토지와 C~L 토지의 소유자 수는 1인으로 동일하므로 옳다.

오답풀이 |

① 제2항 제2호에 따르면 1개의 토지를 여러 명이 공동소유하는 경우에는 다른 공동소유자들을 대표하는 대표 공동소유자 1인만을 해당 토지의 소유자로 본다고 하였으므로 옳지 않다.

② 제1항에 따르면 지역개발 신청을 하기 위해서는 지역개발을 하고자 하는 지역의 총 토지면적의 3분의 2 이상에 해당하는 토지의 소유자의 동의를 받아야 한다. [상황]에 따르면 甲이 소유하고 있는 토지면적은 X지역 총 토지면적의 4분의 1로 $1.5km^2$이고, 乙이 소유하고 있는 토지면적은 $2km^2$이므로 甲과 乙이 소유하고 있는 토지면적은 총 $3.5km^2$이다. 이는 X지역 총 토지면적의 3분의 2인 $4km^2$보다 작으므로 지역개발 신청을 위한 토지의 소유자의 동의 조건을 갖추었다는 것은 옳지 않다.

④ 제시된 법령과 [상황]으로는 국유지 재산관리청이 소유하고 있는 국유지의 면적을 알 수 없으므로 옳지 않다.

⑤ 제1항에 따르면 지역개발 신청을 하기 위해서는 지역개발을 하고자 하는 지역의 토지의 소유자 총수의 2분의 1 이상의 동의를 받아야 한다. [상황]에 따르면 X지역 토지의 소유자는 모두 82인이므로 최소 41인의 동의를 받아야 하지만, 동의자에 국유지 재산관리청을 반드시 포함해야 하는 것은 아니므로 옳지 않다.

09

정답 | ③
정답풀이 |
제○○조(예고방법) 4항에 따르면 '행정청은 예고된 입법안의 전문에 대한 열람 또는 복사를 요청받았을 때에는 특별한 사유가 없으면 그 요청에 따라야 한다'고 했으므로 되도록이면 해당 요청에 응해야 함을 알 수 있다.

오답풀이 |

① 제○○조(행정상 입법예고) 제1항에 따르면 법령등의 '폐지'도 입법예고 대상임을 알 수 있다.

② 제○○조(행정상 입법예고) 제1항의 하위 항목은 모두 예고하지 않아야 하는 경우를 나열하고 있는데, 모두 5가지이다. 따라서 '신속한 시민의 권리 보호 또는 예측 곤란한 특별한 사정의 발생'에만 국한되어 생략되는 것은 아니다.

④ 제○○조(예고방법) 제3항에서 행정청은 입법예고를 할 때에 입법안과 관련이 있다고 인정되는 단체에 예고사항을 알 수 있도록 통지하거나 그 밖의 방법으로 알려야 한다고 했으나 '미리 알 수 있도록 공고 전'에 통지해야 한다는 내용은 찾을 수 없다.

⑤ 제○○조(예고방법) 제1항에서 인터넷 공고는 추가로 할 수 있는 것이지 반드시 게재해야 하는 것은 아니다.

10

정답 | ②

정답풀이 |

B는 가장 적게 부담하고, D는 여행비의 절반을 부담하므로 가장 많이 분담한다. C는 A보다 적게 부담하므로 D>A>C>B 순으로 부담금이 크다. D는 여행비의 절반을 부담하므로 30만 원을 부담하고, A~C가 나머지 30만 원을 부담해야 한다. C가 적어도 10만 원을 부담하므로 A는 적어도 11만 원 이상을 부담해야 한다. 만약 A가 11만 원, C가 10만 원을 부담하면 B는 9만 원을 부담해야 하는데, 이 경우 A와 B가 부담하는 금액이 5만 원 이상 차이 나지 않는다는 모순이 생긴다. 만약 A가 12만 원, C가 11만 원을 부담하면 B는 7만 원을 부담하고 모든 〈대화〉를 충족시킨다.

따라서 A가 부담해야 하는 최저 금액은 12만 원이다.

> **TIP**
>
> D의 부담금은 정확히 알 수 있으므로 D를 먼저 해결한다. A>C>B 순이므로 A의 부담금은 B보다는 C에 의해서 결정된다. 따라서 A가 최소 금액을 부담하려면 C의 부담금보다 1만 원 더 부담하는 형태가 되어야 한다.

11

정답 | ③

정답풀이 |

A, B주택에서 보수가 필요한 부분은 장판과 난방시설로 각각 경보수와 중보수에 해당한다.

중위소득에 따라 보수비용 지원한도액이 차등 지급되는데 미란의 경우 중위소득 30% 가구로 중위소득 25% 이상 35% 미만에 해당하여 경보수인 장판은 350만 원의 90%인 3,150,000원을,

중보수인 난방시설은 650만 원의 80%인 5,200,000원을 지원받을 수 있다. 반면 영진은 중위소득 35% 가구로 중위소득 35% 이상 43% 미만에 해당하여 경보수인 장판은 350만 원의 80%인 2,800,000원을, 중보수인 난방시설은 650만 원의 70%인 4,550,000원을 지원받을 수 있다. 따라서 미란은 총 8,350,000원의 지원금을 받게 되며 영진은 총 7,350,000원의 지원금을 받게 되므로 미란은 더 많은 지원금을 받고, 두 사람 간의 지원금 차액은 1,000,000원이다.

12

정답 | ②

정답풀이 |

ㄷ. 윤지가 2경기 연속으로 이겨서 첫 경기에서 구슬 3개를 받고 두 번째 경기에서 2개를 받는다면 윤지가 우승한다. 두 번째 경기에서 윤지가 구슬 1개를 받는다면 예찬의 구슬이 1개 남았다는 사실을 윤지가 알게 되므로 우승자는 윤지가 되기 때문에 옳지 않다.

오답풀이 |

ㄱ. 윤지가 첫 경기에서 구슬 4개를 쥐어 이기면, 예찬이의 구슬이 1개 남는다는 사실을 윤지가 알게 되므로 옳다.

ㄴ. 예찬이가 첫 경기에서 구슬 3개를 받으면, 윤지의 구슬이 2개 남고, 두 번째 경기에서도 예찬이가 짝수 개를 받는다면 윤지는 구슬을 다 잃으므로 옳다.

ㄹ. 두 번째 경기에서 예찬이가 가지고 있는 모든 구슬이 3개라면 윤지가 가지고 있는 구슬 개수는 7개이다. 이때, 두 번째 경기에서 예찬이가 가지고 있는 모든 구슬인 3개를 쥐어 이기면, 두 번째 경기 직후 예찬이의 구슬은 6개, 윤지의 구슬은 4개이므로 옳다.

13

정답 | ②

정답풀이 |

ㄴ. A대학에 특별입학으로 입학한 학생의 수료연한이 3년이고, 해외 어학연수를 위한 휴학은 수료연한의 2분의 1인 1년 6개월을 초과할 수 없다. 해외 어학연수를 위한 휴학은 1년 단위로만 신청할 수 있으므로 최대 1년 휴학할 수 있다. 따라서 이 학생이 재적할 수 있는 최장기간은 3+1=4(년)이기 때문에 옳다.

오답풀이 |

ㄱ. 일반휴학은 해당 학생의 수료연한의 2분의 1을 초과할 수 없으며, 6개월 단위로만 신청할 수 있다. 해외 어학연수를 위한 휴학은 해당 학생의 수료연한의 2분의 1을 초과할 수 없으며, 1년 단위로만 신청할 수 있다. 이때 일반휴학과 해외 어학연수를 위한 휴학을 합하여 수료연한의 2분의 1을

초과할 수 없다는 조건이 없다. 외국인 유학생, 특별입학으로 입학한 학생이 아닌 A대학의 학생의 수료연한이 4년이므로 해당 학생의 일반휴학과 해외 어학연수를 위한 휴학은 각각 최장 2년씩일 수 있다. 따라서 이 학생이 일반휴학을 6개월 하였더라도 해외 어학연수를 위한 휴학은 최대 2년일 수도 있기 때문에 옳지 않다.

ㄷ. 외국인 유학생의 수료연한이 최대 5년이므로 일반휴학은 최대 2년 6개월을 할 수 있다. 따라서 외국인 유학생이 재적할 수 있는 최대 연한이 7년 6개월이나, 수료연한은 5년이므로 옳지 않다.

14

정답 | ②

정답풀이 |

㉯: '주민참여 확대계획 및 개방성 여부' 배점 변경으로 주민참여도 배점이 15점에서 20점으로 확대되었으므로 옳다.

오답풀이 |

㉮: 필수 단체인 자치공동체, 주민자치위원회를 포함하여 2개 이상의 단체가 연합하여 10인 이상의 실행위원회를 구성하는 경우 신청 가능하도록 변경하였으나 반영되지 않았으므로 옳지 않다.

㉰: '지속적 사업 추진을 위한 장기적 비전 제시' 항목이 추가되었으나 '마을자치 공동체에 대한 이해'가 삭제되지 않았으므로 옳지 않다.

㉱: 논의된 내용 이외의 하위 지표의 항목과 배점이 수정되었으므로 옳지 않다.

㉲: '보조금 지원 이후의 재원확보 방안'이 삭제되었으므로 옳지 않다.

15

정답 | ③

정답풀이 |

예약은 당일에 할 수 없으므로 C가 A에게 이야기를 듣고 다른 곳을 예약했다면 화요일에 연습실을 이용한 것이고, 제2연습실의 에어컨이 고장 났으므로 A는 제2연습실, C는 제1연습실을 이용했다. B는 공연 전날 연습실을 이용하였는데 C가 제1연습실을 이용했으므로 B는 제2연습실을 이용하였다.

따라서 A, D는 월요일에 연습실을 이용하였다. A가 제2연습실을 이용하였으므로 D는 제1연습실을 이용하였다. 즉, A는 월요일에 제2연습실, B는 화요일에 제2연습실, C는 화요일에 제1연습실, D는 월요일에 제1연습실을 이용하였다.

오답풀이 |

① 만약 C가 화요일에 이용하였다면 B와 C가 어느 연습실을 이용하였는지 알 수 없다.

② B와 C가 어느 연습실을 이용하였는지 알 수 없다.

④ C가 월요일에 이용하였다면 제1연습실을 이용한 것이지만 B와 D는 어느 연습실을 이용하였는지 알 수 없다.

⑤ A가 제2연습실을 이용하였으므로 C가 A와 같은 날 이용한다면 반드시 제1연습실을 이용한다. 이때 B와 D는 어느 연습실을 이용하였는지 알 수 없다.

16

정답 | ②

정답풀이 |

직원 A~E의 출퇴근 시간은 다음과 같다.

구분	A	B	C	D	E
월요일	10시간 00분	10시간 18분	10시간 15분	10시간 09분	9시간 32분
화요일	9시간 12분	10시간 28분	10시간 02분	9시간 41분	10시간 29분
수요일	10시간 09분	8시간 58분	9시간 49분	10시간 00분	9시간 49분
목요일	11시간 11분	9시간 39분	10시간 23분	10시간 03분	10시간 40분
금요일	10시간 06분	10시간 01분	10시간 19분	10시간 07분	10시간 20분
합계	50시간 38분	49시간 24분	50시간 48분	50시간	50시간 50분
초과 근무시간	38분	–	48분	–	50분

• 추가근무: 기본 근무시간은 1일 9시간인데, 점심시간은 제외이므로 출근 시각~퇴근 시각은 10시간(9+1)이 되어야 한다. 만약 1일당 10시간이 되지 않으면 1일당 추가근무가 1일씩 발생한다.

구분	A	B	C	D	E
월요일	10시간 00분	10시간 18분	10시간 15분	10시간 09분	9시간 32분
화요일	9시간 12분	10시간 28분	10시간 02분	9시간 41분	10시간 29분
수요일	10시간 09분	8시간 58분	9시간 49분	10시간 00분	9시간 49분
목요일	11시간 11분	9시간 39분	10시간 23분	10시간 03분	10시간 40분
금요일	10시간 06분	10시간 01분	10시간 19분	10시간 07분	10시간 20분
합계	1	2	1	1	2

• 유급휴가: 한 주간의 전체 근무시간에 대한 합이 10시간×5=50(시간)이 넘으면 10분당 0.2일의 유급휴가가 발생하고, 1일이 될 때 추가근무 1일이 자동으로 차감된다.

구분	A	B	C	D	E
초과 근무시간	38분	–	48분	–	50분
유급휴가 (일)	0.2×3 =0.6	–	0.2×4 =0.8	–	0.2×5 =1

• 최종 추가근무: 유급휴가가 1일이 되지 않으면, 추가근무를 차감할 수 없다.

구분	A	B	C	D	E
추가근무	1	2	1	1	2

유급휴가 (일)	0.6	–	0.8	–	1
최종 추가근무	1	2	1	1	1

따라서 추가근무일 수가 가장 많은 직원은 B이다.

17

정답 | ③
정답풀이 |
한 주간의 추가근무와 유급휴가는 다음과 같다.

구분	A	B	C	D	E
추가근무	1	2	1	1	2
유급휴가 (일)	0.6	–	0.8	–	1

4주 동안 출근기록이 동일하다면, 추가근무와 유급휴가는 다음과 같다.

구분	A	B	C	D	E
추가근무	1×4=4	2×4=8	1×4=4	1×4=4	2×4=8
유급휴가 (일)	0.6×4 =2.4	–	0.8×4 =3.2	–	1×4=4
최종 추가근무	2	8	1	4	4

따라서 추가근무일 수가 가장 적은 직원은 C이다.

18

정답 | ①
정답풀이 |
반 바퀴를 돌 수 있는 경우는 북쪽 출입구를 통해 들어와 A전시관 → B전시관을 관람하고 남쪽 출입구로 나가거나 남쪽 출입구를 통해 들어와 C전시관 → D전시관을 관람하고, 북쪽 출입구로 나가는 경우이다. 한 바퀴를 돈 경우에는 D전시관 앞을 지나게 된다. 따라서 D전시관 앞을 지나거나 관람한 인원 350명 중 200명이 한 바퀴를 돈 셈이므로 나머지 150명은 반 바퀴만 돈 것이다. 또한 총 400명 중 200명이 한 바퀴를 돌았으므로 200명이 반 바퀴를 돌았다. 즉, 남쪽 출입구를 통해 들어와 C전시관 → D전시관을 관람하고, 북쪽 출입구로 나간 경우가 150명이므로 북쪽 출입구를 통해 들어와 A전시관 → B전시관을 관람하고 남쪽 출입구로 나간 경우는 200−150=50(명)이다. C전시관 앞을 지나지 않으려면 북쪽 출입구를 통해 들어와 A전시관 → B전시관을 관람하고 남쪽 출입구로 나가야 하므로 C전시관 앞을 지나가거나 관람하지 않은 총 인원은 50명이다.

TIP

C전시관을 관람하지 않거나 C전시관 앞을 지나지 않는 경우는 북쪽 출입구 → A → B → 남쪽 출입구인 경우라는 것을 이용하여 문제를 해결한다.

19

정답 | ④
정답풀이 |
ㄱ. 학교참가도는 A시가 $\frac{12}{50\times0.3}\times100=80$이고, C시가 $\frac{20}{60\times0.3}\times100 ≒ 111$이기 때문에 옳지 않다.
ㄹ. 평가점수는 A시가 $80\times0.6+75\times0.4=78$, B시가 100, C시가 $100\times0.6+75\times0.4=90$이기 때문에 옳지 않다.

오답풀이 |
ㄴ. 환경개선도는 A시가 $\frac{9}{12}\times100=75$, B시가 $\frac{21}{21}\times100=100$, C시가 $\frac{15}{20}\times100=75$이기 때문에 옳다.
ㄷ. B시의 학교참가도는 $\frac{21}{70\times0.3}\times100=100$이고, 평가점수는 $100\times0.6+100\times0.4=100$이기 때문에 옳다.

TIP

학교참가도는 A시만 100점 미만이고, 환경개선도는 A시와 C시가 같음을 활용하여 문제를 빠르게 풀 수 있다.

20

정답 | ②
정답풀이 |
C, G는 학회원 수가 10명 미만이므로 지원하지 않는다. 우선 지원대상 분야인 학회는 A, B, F, H이며, 졸업 학기 학생 수가 가장 많은 순으로 나열하면 H, F, B, A이다. H는 졸업 학기 학생 수가 학회원 수의 50%를 초과하므로 지원금 상한액이 300만 원이다. 이에 따라 H의 지원금액은 $18\times10+10\times5=230$(만 원)이다. F는 졸업 학기 학생 수가 학회원 수의 50%를 초과하지 않으므로 지원금 상한액이 200만 원이고, 지원금액이 $21\times10+8\times5=250$(만 원)으로 200만 원을 초과하므로 지원금액은 200만 원이다. B는 학회원 수가 12명이고, 이 중 졸업 학기 학생 수가 3명이므로 지원금액은 $12\times10+3\times5=135$(만 원)이다. A는 학회원 수가 16명이고, 이 중 졸업 학기 학생 수가 2명이므로 지원금액은 $16\times10+2\times5=170$(만 원)이다. 우선 지원대상 학회에 총 $230+200+135+170=735$(만 원)을 지원하였으므로 남은 예산액은 $1,000-735=265$(만 원)이다.
우선 지원대상 분야가 아닌 학회를 졸업 학기 학생 수가 가장 많은 순으로 나열하면 지원 순서는 I, E, D이다. I는 졸업 학기 학생 수가 학회원 수의 50%를 초과하지 않고, 학회원 수가 20명을 초과하므로 지원금액은 200만 원이다. 이때 남은 예산이 65만 원인데, E는 학회원 수가 15명, 졸업 학기 학생 수가 5명으로 지원금액이 65만 원을 초과하므로 65만 원을 지급한다. 예산 부족으로 D는 지원하지 않는다.

따라서 A에 170만 원, C에 0원, E에 65만 원, I에 200만 원을 지원하므로 네 학회가 받는 취업장려금 총합은 170+0+65+200=435(만 원)이다.

TIP

지원대상이 아닌 학회를 먼저 제외하고, 분야별로 우선 지원대상과 우선 지원대상이 아닌 학회를 분류한 다음 각각 지원순위를 확인한다. 예산이 한정되어 있으므로 지원순위가 후순위인 학회는 취업장려금을 지원받지 못하거나 일부만 받을 수 있다는 점을 고려한다.

21

정답 | ③

정답풀이 |

클리어파일은 사용목적이 '상담일지 보관'이다. 따라서 사용목적이 '사업 운영' 또는 품목당 단가가 10만 원 이하인 '서비스 제공'이 아니며, 사용연한이 1년을 초과하기 때문에 옳지 않다.

오답풀이 |

① 사용목적이 '사업 운영'이기 때문에 옳다.

② 사용연한이 1년 이내이고, 사용목적이 '친목 도모'가 아니기 때문에 옳다.

④ 사용목적이 '서비스 제공'이고, 품목당 단가가 10만 원 이하이기 때문에 옳다.

⑤ 사용연한이 1년 이내이고, 사용목적이 '친목 도모'가 아니기 때문에 옳다.

22

정답 | ⑤

정답풀이 |

제시된 글에 따라 A~C국의 X수입비용을 정리하면 다음과 같다.

(단위: 달러)

구분	1톤당 단가	관세율	1톤당 물류비	100톤 가격	100톤 관세	100톤 물류비	100톤 수입 비용	100톤 수입 FTA 체결 시
A국	12	0%	3	1,200	0	300	1,500	1,500
B국	10	50%	5	1,000	500	500	2,000	1,500
C국	20	20%	1	2,000	400	100	2,500	2,100

ㄱ. B국과도 FTA를 체결한다면, 기존에 A국에서 수입하던 것과 동일하게 1,500달러로 X를 수입할 수 있다.

ㄷ. 1톤당 6달러의 보험료가 추가된다면 A국에서 100톤을 수입하는 비용은 1,500+600=2,100(달러)이다. B국에서 100톤을 수입하는 비용은 2,000달러이므로 A국보다 B국에서 X를 수입하는 것이 수입비용 측면에서 더 유리하다.

오답풀이 |

ㄴ. C국도 동일하게 12달러를 제시하였다면 1톤당 수입비용은 12+(12×0.2)+1=15.4(달러)이다. A국의 경우 12+3=15(달러)이므로 A국에서 수입하던 것보다 저렴하지 않다.

23

정답 | ③

정답풀이 |

제○○조 제1항 제1호 가목과 나목을 모두 만족하지 않는 지역은 D지역이다. 제2호 가목과 나목을 모두 만족하지 않는 지역은 A지역, C지역이다. 제3호를 만족하지 않는 지역은 C지역, D지역, E지역이다. 이에 따라 각 호의 요건 중 2개 이상을 갖추지 않은 C지역, D지역은 도시재생활성화지역으로 지정하지 않고, A지역, B지역, E지역만 지정한다. 우선순위는 최근 30년간 최다 인구 대비 현재 인구 비율이 낮을수록, 최근 5년간 인구의 연속 감소 기간이 길수록 그 지역의 사업을 우선적으로 실시한다. 최근 5년간 인구의 연속 감소 기간은 A, B, E지역 모두 3년 이상이지만, 최근 30년간 최다 인구 대비 현재 인구 비율이 낮은 지역은 A지역과 E지역이므로 B지역을 가장 늦게 실시한다. A지역과 E지역 중 최근 5년간 인구의 연속 감소 기간이 긴 지역은 E지역이므로 E지역을 가장 빨리 실시한다.

따라서 도시재생사업이 실시되는 지역을 실시되는 순서대로 나열하면 E-A-B이다.

24

정답 | ③

각 방식별 {(고객만족도 효과의 현재가치)-(비용의 현재가치)} 점수는 다음과 같다.

(가): 6-2-(1+0.7+0.4)=1.9(억 원)

(나): 5.5-(2+1+0.5)=2(억 원)

따라서 A사는 값이 더 큰 (나)방식을 선택한다.

각 설립위치별 {(유동인구)×(20~30대 비율)/(교통혼잡성)} 점수는 다음과 같다. 이때 乙은 20~30대 비율이 60% 미만이므로 제외하고 계산한다.

甲: (80×0.8)÷2=32

丙: (150×0.6)÷3=30

따라서 A사는 甲위치에 서비스센터를 설립한다.

25

정답 | ②

정답풀이 |

학자 X의 주장에 따라 각 국가의 각 정당별 |득표율－의석률|과
그 합(x지수)을 구해보면 다음과 같다.

구분	A정당	B정당	C정당	D정당	합(x지수)
갑국	0	5	5	0	10
을국	10	15	5	20	50
병국	0	0	0	0	0
정국	10	10	10	10	40

x지수가 작을수록 비례성이 높은 것이므로 비례성이 두 번째로
높은 국가 (가)는 갑국이다.

학자의 Y의 주장에 따라 각 정당의 의석률을 제곱한 값과 그 합
은 다음과 같다.

$y = \dfrac{1}{\text{의회 내각 정당의 의석률을 제곱한 값의 합}}$ 이므로 그 합이
클수록 y지수는 작은 것이다.

구분	A정당	B정당	C정당	D정당	합
갑국	900	625	625	400	2,550
을국	100	100	400	3,600	4,200
병국	1,600	400	400	400	2,800
정국	1,600	1,600	100	100	3,400

합이 작을수록 y지수가 큰 것이고, y지수가 클수록 비례성이 큰
국가이다. 즉, 합이 낮을수록 비례성이 큰 국가이다. 비례성이 두
번째로 낮은 국가는 합이 두 번째로 큰 국가와 같다. 따라서 학자
Y의 주장에 따라 비례성이 두 번째 낮은 국가 (나)는 정국이다.

eduwill